Erich Beyreuther

Geschichte des Pietismus

ERICH BEYREUTHER

Geschichte des Pietismus

J. F. STEINKOPF VERLAG
STUTTGART

Einband: Hans Hug, Stuttgart
Satz und Druck: Röhm KG, Sindelfingen

ISBN 3 7984 0356 2

Meiner lieben Frau
und meinen Söhnen
zu eigen.

Inhaltsverzeichnis

Vorwort

Der Pietismus wurde von seinen Anfängen bis heute vielfach verächtlich gemacht. Zornesschalen sind über ihn ausgegossen worden. Dabei ist kaum zu übersehen, daß weithin »diejenigen Kirchen und Landschaften die solidesten Bollwerke der reformatorischen Botschaft geblieben sind, über die in früheren Zeiten eine pietistische Erweckungsbewegung hinweggegangen ist« (Oskar Söhngen).

Gewiß gehört auch der Pietismus zu den unvollkommenen Sachen wie alles, was sich in der Kirche und Theologie äußert. Was an Fehlentwicklungen aufgetreten ist, wünscht auch der Pietismus nicht zu beschönigen. Wir möchten den Pietismus kritisch abwägend und doch verstehend mitten in der Zeit sehen, in der er entstanden ist. Es war eine Epoche oft schmerzvoller Übergänge und Unsicherheiten mit Bruchstellen in der allgemeinen Gläubigkeit, eingerahmt in Zeitläufe, in denen sich Konflikte häuften. Ganze Landschaften wurden ausgeplündert, die Pest räumte in jeder Generation Städte und Dörfer aus. Die Lebensstrecke war für den einzelnen oft sehr kurz zugemessen. Ströme von Vaganten durchzogen Alteuropa. Die Bauern waren weithin leibeigen. Hexenverbrennungen in lutherischen Landen und nicht nur in katholischen blieben keine Seltenheit. Unter einer frommen Decke schwelte wilder Aberglaube mitten auch unter den Theologen. Von Afrika starteten ununterbrochen die Sklaventransporte nicht nur nach Indien, sondern noch mehr in das christliche Amerika.

Inmitten einer Zeit, in der die Kirche oft überfordert wurde und sich überall viele morbide Züge zeigten, steigt die kausale Naturwissenschaft auf, die sich vom Schöpfungsglauben entfernt, um frei arbeiten zu können, wie sie meint. Eine krittelnde Bibelwissenschaft verunsichert Ungezählte.

Drei Generationen an Pietisten, für die Spener, Francke, Zinzendorf wie Bengel, auch Oetinger, als Berufene sprechen und handeln, atheistische Anfechtungen um sich und in sich, suchen auf einer neuen Basis, im Rückgang auf die Urchristenheit und die Reformation eine Vergewisserung ihres christlichen Glaubens, ohne vor den neuen Fragen die Augen schließen und verstummen zu müssen.

Sie haben geschwankt, doch nicht sich verirrt. In längst vorhandene Leerräume war schon mystisches und spiritualistisches Fremdgut eingedrungen. Die Erforschung des Pietismus ist hier in die Gefahr geraten, nur Verfremdungsprozesse zu finden und ist in einer Art Quellenscheidung unermüdlich gewesen. Die Entmischungsprozesse, die nach gewissen Perioden der Unsicherheit einsetzten, hat man weniger wahrgenommen. Vielleicht wirkte eine mächtige Tradition in der neueren Theologie hemmend, die mit einem pauschalisierten Mystikbegriff arbeitet, der sich von dem Luthers und der Orthodoxie unterscheidet.

Es ist erfreulich, daß jetzt eine nachrückende Generation, die sich wissenschaftlich dem Pietismus zuwendet, feststellt, gewiß nicht demonstrativ aber unverkennbar, daß doch wohl auf dem weiten Gelände der Pietismusforschung auch Schneisen in falscher Richtung geschlagen worden sind. Es kommt alles wieder in Fluß.

Wir sind eingedenk der Anfragen der Profangeschichtler, die von der kirchengeschichtlichen Forschung erwarten, daß sie nicht nur Motivforschung treibt, so notwendig sie ist.

Wenn wir uns auf die wesentlichen Gestalten im Pietismus konzentrieren, so trennen wir sie nicht von ihrer Wirkungsgeschichte. Beides steht im engsten Zusammenhang, das, was sie gesprochen, gedacht, wo sie sich geirrt und sich korrigiert haben und das, was sie an Aufbrüchen und Auswirkungen ausgelöst haben. Nur auf diese Weise wird man ihnen gerecht. Hier ist noch viel Vorarbeit zu leisten, auch Aufräumungsarbeit gegenüber scheinbar gesicherten Ergebnissen. Auf eins hoffen wir, daß noch viel intensiver und umfassender Quellen gelesen werden.

Es schlummert noch manches interessante wie aufschlußreiche Material auf landeskirchlicher Ebene in Bibliotheken und Archiven. Noch gewichtiger halten wir das selbständige Lesen der alten Schriften, in denen der Pietismus unmittelbar zu Wort kommt.

Die Meisterschaft des großbürgerlichen Baslers Jakob Burckhardt, dessen Altersweisheit noch heute fasziniert, bestand wohl auch darin, daß er »allgemach eine schöne Portion unabhängiger Wahrnehmungen ... rein aus den Quellen gewonnen habe«, ein »Einsickern von Erfahrungen, die nur so zu erreichen sind«. Da genügt nicht ein seitenlanges Zitieren vielleicht aus einer Schrift und auf schmalster Basis. »Man gewinnt durch eigene Ausbeutung ein persönliches Verhältnis zu jedem Autor.«

Wir möchten noch eins sagen: Angesichts des im Grunde auch tief unwissenschaftlichen Charakters der Welt, von der niemand frei ist, haben wir Sprünge, Brüche, Wandlungen und Abklärungen besonders bei bedeutenden Persönlichkeiten, deren Einsichten und Akzentsetzungen sich umbauen können, immer in Rechnung zu stellen. So einhellig vollzieht sich kein geschichtlicher Prozeß weder im Einzelleben noch in geistigen Bewegungen, daß man mit Faustformeln auskommen kann. Erstaunliche Ähnlichkeiten bedingen nicht unbedingt Abhängigkeiten, auch wenn Ergebnisse und Forderungen gleich zu laufen scheinen. Man kann ruhig darin die eigentliche Absicht des Verfassers erblicken, vor Kurzatmigkeit zu warnen und zur Weiträumigkeit zu ermuntern, ohne daß alles verschwimmt und ergebnislos bleiben muß. Wissenschaftlichkeit schließt ein profiteri ein. In diesem Buch möchten wir es tun in aller Bescheidenheit wie Entschiedenheit.

Um ein flüssiges Lesen zu erleichtern, haben wir die Anmerkungen am Ende des Buches zusammengefaßt.

Frühjahr 1978 Erich Beyreuther

Wegbereiter des Pietismus im 17. Jahrhundert

Das plötzliche Aufkommen des Pietismus im letzten Drittel des 17. Jahrhunderts, in der Welt des Barock, hat den Protestantismus streng lutherischer wie reformierter Prägung damals schockiert. Ungeachtet aller heftigen und sich steigernden Gegenwehr einer aufgeschreckten Altgläubigkeit waren seine Stimmen nicht mehr zum Schweigen zu bringen. Der Pietismus als innerkirchliche Erneuerungsbewegung, die bald diese Begrenzung sprengte, wurde in der Öffentlichkeit zum Tagesgespräch.

Der Pietismus kam nicht von ungefähr. Er besitzt seine Vorgeschichte. *Eine Reformstimmung prägte das ganze 17. Jahrhundert.* Man kann der herrschenden Orthodoxie nicht eine unaufhörliche selbstkritische Besinnung absprechen. Eine wachsende Unruhe über den herkömmlichen kirchlichen Betrieb ist bereits um 1600, in der Gewitterschwüle vor dem Ausbruch des Dreißigjährigen Krieges wahrnehmbar. Sie steigerte sich im Laufe des Jahrhunderts und ergriff immer weitere Kreise. Man hat hier von einer gewissen Reformorthodoxie gesprochen, die das alles artikulierte. Übergänge zum Pietismus werden sichtbar[1].

Man vermag eine gewisse Lokalisierung vorzunehmen. Die markantesten Vertreter dieser Reformrichtung waren in Rostock und Straßburg wie in Gotha und Hamburg, aber auch in Nürnberg zu finden. Wir werden sie zu nennen haben. In Straßburg rechnet man dazu die Professoren Johann Schmidt (1594–1658), Johann Dorsch (1597–1639), Johann Konrad Dannhauer, einer der Lehrer Speners (1603–1666), und Sebastian Schmidt (1617–1696). In Gotha, wo August Hermann Francke aufwuchs, die Theologen und Schulmänner um den Herzog Ernst den Frommen, den »Bete-Ernst« (1601–1675). In Hamburg ist auch auf den volkstümlichen Hauptpastor an St. Jakob, auf Balthasar Schupp (1610–1661) hinzuweisen, der vor allem die zerstörende Wirkung der ungehemmten orthodoxen Polemik auf die Kirchgänger geißelte. Für Nürnberg sind Johann Saubert (1592–1646) und Johann Michael Dilherr (1604–1669) und in Rostock vor allem der Pfarrer Theophil Großgebauer (1627–1661) mit seiner »Wächterstimme aus dem verwüsteten Zion« vom Jahr 1661 zu erwähnen. Nicht zu vergessen ist auch Johann Matthäus Meyfart (1580–1642), der zuletzt als Professor in Erfurt wirkte. In ihnen vermag man wohl neben anderen Stimmen die Hauptvertreter der vorpietistischen Reformbestrebungen im Luthertum zu sehen. Sie haben schonungslos die offenkundigen Schäden, die im akademischen Leben, im

Pfarrerstand und in den Kirchengemeinden eingetreten sind, gegeißelt und kein Blatt vor den Mund genommen.

Wir werden dabei beobachten, daß diese Männer ihre Stimmen im ersten wie zweiten Drittel dieses Jahrhunderts erhoben haben, vor und inmitten des Dreißigjährigen Krieges und bis unmittelbar an die Jahre heran, in denen sich der Pietismus bemerkbar machte. Die wesentlichen Vertreter des aufkommenden Pietismus haben die Reformschriften, die aus diesen Kreisen stammten, gut gekannt.

Eine andere Beobachtung drängt sich auch auf. Man blieb hier im Rahmen einer strengen Kirchlichkeit. Durch all das Mühen klingt das gleiche Streben, daß Kirche und Gemeinde die Mittelpunkte bleiben. Man dachte an keine Sonderung, an keine Parteibildung. Man widerstrebte durchaus Sonderbildungen und nimmt den einmal von Martin Luther geäußerten Gedanken aus dem Jahr 1525 nicht auf. Der Reformator sprach von dem Recht derer, die mit Ernst Christen sein wollten, sich gesondert zu versammeln und aneinander auch Kirchenzucht zu üben. All die betonten „Ich-Lieder", die damals entstanden, man denke nur an das Liedgut Paul Gerhardts, wurden hineingenommen in das gemeinsame Bekennen, Loben und Danken der ganzen Gottesdienstgemeinde.

Auch wenn diese »Ich-Lieder« vornehmlich in den Hausgottesdiensten gesungen wurden, ehe sie Eingang in die später aufkommenden Gesangbücher fanden, sie ergänzen nur das reformatorische Liedgut, das in den Gottesdiensten erklang. Bei der starken, ja ungebrochenen Bindung des einzelnen Christen in jenen Zeiträumen vor, während und nach dem Dreißigjährigen Krieg an den öffentlichen Gottesdienst bildete das Choralgut des 17. Jahrhunderts weitgehend eine Ergänzungs-, Auslegungs- und Aneignungsfunktion, das gewiß oft auch einen polemischen Akzent aufnehmen konnte. Wenn auch das geistliche Lied alle geistlichen Wandlungen der Zeit widerspiegelt, es lockerte nicht die Kirchlichkeit.

Auf die einzelnen Vertreter der sogenannten Reformorthodoxie vermögen wir hier nicht näher einzugehen. Zu differenziert erheben sie ihre Stimmen und beziehen sich auf die verschiedensten kirchlichen wie theologischen Bereiche. Doch zuletzt klingen sie zusammen. Denn gemeinsam ist ihr Bemühen, das ganze kirchliche Leben uneingeschränkt weiterlaufen zu lassen, die Geschlossenheit der Gemeinde zu wahren und mit der Lebenshilfe für den einzelnen Christen auszugleichen. Wie weit ihnen das gelungen ist, im einzelnen wie im ganzen ist eine andere Frage. Doch diese Zielsetzung ist unumstritten geblieben.

Wir werden uns auch davor zu hüten haben, die „Reformtheologen" zu isolieren. Sie haben oft sehr kräftig und leidenschaftlich wie die anderen

Theologen für die reine Lehre gestritten und zu ihrer Verteidigung gegen Papisten, Calvinisten, Wiedertäufer, Schwärmer und andere Abweichler in ihren Schriften eine scharfe Klinge geführt, von dem, was sie auf Kanzel oder Katheder gesagt, abgesehen. Doch sie konnten gleich unerbittlich die Schäden in der Kirche geißeln und für radikale Kuren eintreten. So sind die Nachfahren dieser »Reformtheologen« durchaus nicht alle in das Lager des Pietismus geeilt. Unter ihnen finden wir unversöhnliche Gegner, die ihm hart auf den Fersen blieben[2].

Auch eins ist nicht zu vergessen. Diese Reformstimmung mit allen ihren Bemühungen ist als eine Reaktion auf eine Frömmigkeitskrise zu verstehen, die um 1600, ja schon im letzten Drittel des Reformationsjahrhunderts, nicht mehr zu verleugnen war.

War nicht die Reformation einst wie ein Sturmwind durch die Lande gebraust? Percy Ernst Schramm, ein Profanhistoriker, hat es ausgesprochen, daß Luther doch wohl zu groß für seine Zeit gewesen sei. Und es hätte anstrengender geistiger Arbeit vieler Generationen bedurft, um sein Erbe vor Verschüttung und Verharmlosung zu bewahren. Was jedoch an der Wende vom 16. zum 17. Jahrhundert erschreckend deutlich wurde, waren Zeichen einer Gewöhnung und einer Verbürgerlichung der reformatorischen Anliegen, die einst eine ganze Generation in der Tiefe aufgewühlt hatten. Ein »trivialer Moralismus« breitete sich aus. Die Dynamik der Reformation verlor sich. Glaube und Moral verquickten sich. Man hatte sich an die »billige Gnade« gewöhnt. Rechtgläubigkeit wurde nur zu oft zu einem Deckmantel eines ganz unchristlichen Lebens[3].

Rächte es sich, daß die Orthodoxie die Beichte zu einem Wissensverhör abgleiten ließ, wo man den Katechismus abhörte, wenn auch nicht wortwörtlich? Verwechselte man nicht das Gotteshaus mit einem Hörsaal? Die Gottesdienstbesucher wurden auf die reine Lehre eingeschworen, zu oft im Herzen aber kalt gelassen. War Luther so völlig vergessen, der unermüdlich darauf hingestoßen hatte, daß die letzten Entscheidungen nicht im Intellekt, sondern in viel tieferen Bereichen fallen? Richtig über die christliche Lehre unterrichtet zu werden, bedeutet noch lange nicht, daß auch richtig gehandelt wird. Die Einheit von Theologie und Frömmigkeit, von Glaube und Leben drohte verloren zu gehen.

Wir möchten hier an bestimmte Theologen erinnern, die diese Frömmigkeitskrise erkannt haben und dafür kämpften, daß sie überwunden wurde. Man hat sie, vielleicht manchmal zu unbesehen, zu Vorläufern des Pietismus erklärt.

Der erste in dieser Reihe, der dabei immer genannt wird, war freilich ein Laie: Kaspar Schwenckfeld von Ossig (1489–1561) aus schlesischem

Uradel, ein jüngerer Zeitgenosse Luthers. »Im Reformationsjahrhundert habe niemand so stark in die Richtung des Pietismus gewiesen.« Doch das Bild dieses edlen »Laientheologen« ist noch voller ungelöster Fragen. Denn in grundlegenden Überzeugungen hat er sich von Luther entfernt. Unbestreitbar hat er einen gewissen Einfluß auf Nachfahren wie Valentin Weigel, Johann Arnd, Jakob Böhme und Gottfried Arnold ausgeübt. In ihm jedoch einen direkten Vorboten des Pietismus zu sehen, ist schwerlich einsichtig zu machen. Gewiß war er davon überzeugt, daß »Gott in der Wiedergeburt dem Menschen nichts Geringeres schenkt als sich selbst« und der Nachdruck bei ihm auf der Christusnachfolge in »Rechtschaffenheit« lag. Unermüdlich hat er auch geklagt, wie wenig echte Glaubensfrüchte in der Reformationszeit überall zu sehen waren. Jedenfalls über die Frage der »Wiedergeburt«« hat es überhaupt keinen Streit zwischen dem späteren Pietismus und der Orthodoxie gegeben, die viel von der »Wiedergeburt« sprach. Und wenn aus den »Lesergemeinden«, die sich um Schwenckfeld bildeten und bis ins 18., ja 19. Jahrhundert durchhielten, sich in Niederschlesien dörfliche Gruppen von »Schwenckfeldern« bildeten, so hat sich kein Geringerer als Zinzendorf um sie bemüht. Doch sie wanderten lieber 1734 nach Nordamerika aus als sich ihm und der Brüdergemeine anzuschließen, um drüben »Schwenckfelder« bleiben zu können[4].

Winfried Zeller, einer der besten Kenner des 17. Jahrhunderts, überhaupt der ganzen Zeitspanne, die bei der zweiten nachreformatorischen Generation einsetzt, macht dagegen, wohl mit vollem Recht auf Valentin Weigel (1533–1588), den nach seinem Tod »entlarvten und verfemten« Zschopauer Pfarrer aufmerksam, der wohlweislich seine Schriften erst nach seinem Ableben freigeben ließ[5].

»Den tiefsten Blick für diese Krise, die unter den dogmatischen Streitigkeiten der protestantischen Frühorthodoxie schwelt, hat er besessen.« Der Orthodoxie seiner Zeit hat er den Vorwurf nicht erspart, daß sie die Einheit von Theologie und Frömmigkeit nicht mehr festgehalten habe. So fordert er einen lebendigen eigenen Glauben. Nur hat er seine berechtigten Anklagen mit einer »spiritualistischen Kirchenkritik« verkoppelt und damit seine pauschale Ablehnung bewirkt. Johann Arnd hat es freilich nicht davon abgehalten, Weigels Gebetsfrömmigkeit in sein »Wahres Christentum« (II, 34) hereinzunehmen. Wichtiger ist doch noch Philipp Nicolai (1556–1608), der als »Pestpfarrer« von Unna unvergessen blieb. Seine Schriften gegen die »Calvinianer« überschreiten in ihrer massiven Polemik gewiß die Grenzen des Erträglichen. Anderseits hat er seitenlang Augustin in seinen Schriften zitiert. Doch unter seinen Erbauungsschriften führt er in dem Traktat über die »Wiedergeburt« vom Jahre 1599 das aus, was auch der Pietismus darüber und über das neue Leben nicht anders sagen wollte. Und 1604 geht er der Frage nach, »ob das Reich Gottes, dahin die gläubige Seele von diesem Jammertal fähret, etwas auswendig von uns oder etwas inwendig in uns sei«.

Philipp Nicolai weiß, daß sich angesichts der Auflösung der lokalen Himmelsvorstellungen im neuen kopernikanischen Weltbild die Frömmigkeitskrise verschärfen kann. Dagegen stemmt er sich. »Die wiedergeborene Seele eines sterbenden Christen fähret aus der Welt in das Reich der Herrlichkeit Gottes gleichwie von außen nach innen, gleich als von einem fremden auswendigen und wilden Ort ... zu ihrer inwendigen Heimat und himmlischen Vaterland hinein ... kommt aus dem Glauben ins Schauen.« Das ist für ihn die Konsequenz aus der lutherischen Abendmahlslehre, der Ubiquitätslehre mit ihrer Absage an räumliche Himmelsvorstellungen.

Er fängt an aus ehrlicher Sorge zu poltern gegen einen falschen Biblizismus, der meint, die lokalen Himmelsvorstellungen festhalten zu müssen. Dieser hat das evangelische Christentum in einer falschen Apologetik selbst noch im 19. Jahrhundert »mit einem Fluch der Lächerlichkeit beladen«.

Darum bei Nicolai: »Der falsche Wahn vom räumlichen Paradies und räumlichen Höllen in der Welt, damit nicht allein die Calvinianer, sondern auch das ganze Papsttum und das ganze Mahometische Reich erfüllet und eingenommen sind, wird hierdurch entdeckt und als eine schwarze dicke Finsternis mit dem hellen Glanz und aufgehender Morgenröte, Licht und Sonnen der Evangelischen Wahrheit gewaltiglich zerrieben und vertrieben.«

Das ist auch ein Grundthema bei Jakob Böhme (1575–1624) geworden. In seinem Erstlingswerk mit dem Titel „Morgen Röte im auffgang« des 37jährigen aus dem Jahre1612 ist ebenso für ihn »der rechte Himmel allendhalben / Auch ahn dem orte wo du stehest vnd gehest«. Ob er bei dieser Überzeugung von der „Unräumlichkeit und Allendhalbenheit des Himmels und der Erde« Gedanken Philipp Nicolais aufgegriffen hat oder dem spiritualistischen, d. h. vergeistigten Ortsbegriff Valentin Weigels nachgegangen ist, steht dahin. Man wird Winfried Zeller nur zustimmen können: »Die Zeugnisse von der Morgenröte im Aufgang besonders bei Philipp Nicolai und Jakob Böhme sind Ausdruck eines Krisenbewußtseins, das im Glauben auf Überwindung der Krise zielt.« Daß sich bei Jakob Böhme damit ein gewaltiger geistiger Kampf gegen eine Säkularisierung des entstehenden neuen wissenschaftlichen Weltbildes verbindet, in dem kein Raum mehr bei aller mechanistisch-kausalen Verengung für das Rätsel des Bösen besteht, führt ihn freilich durch seine spekulativen Elemente über Nicolai hinaus.

Immer wieder von anderen Ausgangspunkten kämpft man um eine Überwindung des unheilvollen Auseinanderklaffens zwischen Theologie und Frömmigkeit. Hier hat man unbedingt Johann Gerhard (1582–1617), den hervorragendsten Vertreter der lutherischen Orthodoxie, einen Schüler Johann Arnds, zu nennen. In seinen »Meditationes sacrae« von 1606 kündigt sich in der Vorrede bereits an, was er später in jedem Lehrstück zum Ausdruck bringt. Unlöslich gehören Theologie und Frömmigkeit zusammen. Alles theologische Besinnen drängt zur »praxis pietatis«. Wie die Medizin die Heilung des Menschen betreibt, so hat sich alles Lehren der Theologie auf das Leben und Handeln des Christen auszurichten.

Johann Arnd (1555–1621), der uns noch intensiv beschäftigen wird, verfolgt den gleichen Gedanken in seinem Erbauungsbuch »Vom wahren Christentum«. Auch für ihn ist wahres Christentum wie eine medizinische Kur, in der durch den Glauben der Christ Christus und dessen Medizin sich »ihm zu eigen machen« soll.

Noch eine Stimme soll im Blick auf den Pietismus nicht übersehen werden, Stephan Prätorius (1536–1603), der lutherische Pfarrer in Salzwedel, der sich hart gegen den Katholizismus und den Calvinismus abgegrenzt hat, setzt sich doch ungleich stärker mit seinen Traktaten wie z. B. in seiner »Anleitung zum christlichen Leben« 1595 für eine Überwindung der schleichenden Frömmigkeitskrise ein. Auch er spricht von der »neuen Geburt und seinem herrlichen Reichtum aus dem Evangelium durch die Erleuchtung des heiligen Geistes«.

Johann Arnd hat bereits 1622 eine Sammlung dieser Traktate des Stephan Prätorius herausgebracht, die bis ins 19. Jahrhundert immer wieder aufgelegt wurde. Die sogenannten Reformtheologen und im Pietismus vor allem Gottfried Arnold haben ihn nicht vergessen.

Eine Fülle von Erbauungsliteratur blühte auf, die bis heute noch nicht vollständig gesammelt und vom Spreu, der sich darunter mischte, gesichtet worden ist. Hier und in den Gebetbüchern, die aufkamen, wird man den eigentlichen Herzschlag dieser Frömmigkeit jener Zeit finden. Darin wie im geistlichen Lied und noch unmittelbarer im Gebet bekundet sich, was an Frömmigkeitskräften lebendig ist. Mit Recht wird man in der Hausandacht hin und her in den Häusern die schönste Frucht der reformatorischen Lehre vom allgemeinen Priestertum aller Gläubigen erblikken. Für die innere Belebung und Kräftigung des täglichen Hausgottesdienstes unter dem seines Amtes waltenden Hausvater ist damals viel geschehen.

Zwei Beobachtungen drängen sich bereits auf. In der ganzen Breite des geistigen und religiösen Lebens im 17. Jahrhundert bricht eine neue Fragestellung auf, die die »ganze Tatsache Mensch« zu ergreifen sucht. *In der Frömmigkeitskrise der Zeit gewinnt der Ruf nach der »Wiedergeburt«, nach dem »neuen Menschen«, die Formung aus den lebendigen Kräften der Christusgebundenheit eine neue Dringlichkeit.*

Dieses Thema kann nicht mehr abgesetzt werden. Wilhelm Dilthey hat in seiner Analyse des Menschen seit Renaissance und Reformation nachgewiesen, daß sich in einer fortschreitenden Bewegung im 17. Jahrhundert die Lebensbegriffe – nicht Denkkategorien – von dem Hintergrund der andauernden Herrschaft des rein Dogmatischen abheben[6]. Ob wir auf eine Wiederbelebung der stoischen Lebens- und Erziehungsideale im Neustoizismus achten oder auf die neuen humanistischen Bildungs- und Gesellschaftsziele blicken, *der Mensch ist zur Aktivierung, zur Realisierung seiner Grundüberzeugungen, zu einem Ausschöpfen seiner innersten Kräfte gefordert.* Eine neue Lebenskunde und Lehre von der Lebensgestaltung bricht sich unweigerlich Bahn.

Noch etwas ist nicht zu übersehen. Mag auch Philipp Nicolai und mögen ganze Theologenschulen am ptolemäischen Weltbild festhalten, sie werden unweigerlich zu Außenseitern. Dabei muß man ihnen zugestehen, daß sie dies aus religiöser Überzeugung tun, wenn sie darin verharren. Das Hauptthema der ganzen Menschheitsgeschichte und jedes einzelnen Menschen bleibt Gottes Heilshandeln. Das bekümmert Gott mehr als Himmel und Erde!

Doch *der Übergang aus der Epoche eines unangefochtenen Schöpfungsglaubens und einer damit elementar verbundenen Natur- und Weltsicht zur konstruktiven Naturwissenschaft ist nicht mehr aufzuhalten* für viele der Zeitgenossen. Gott waltet nicht mehr frei, er hat sich an die von ihm gegebenen Gesetze des Universums selbst gebunden. Diese Überzeugung breitet sich aus.

Hier hebt eine Auseinandersetzung an, in die Männer wie Jakob Böhme, Johann Arnd und Johann Valentin Andreä, jeder auf seine Weise, jedoch in der gleichen Zielsetzung eingreifen, daß *Schöpfungs- und Christusglaube und das Weltbild nicht auseinanderbrechen.*

Wir halten ein. Wenn die Entstehung des Pietismus das Ziel bleibt, so haben wir, um mit Heinrich Bornkamm zu sprechen, »statt eine vielfach noch unsichere Skizze« über das 17. Jahrhundert zu geben, die jetzt angeführte Reihe lebendiger Gestalten herauszugreifen[7]. Wir wissen einfach über viele geistigen Ströme in diesem Jahrhundert und ihre Zusammenhänge mit dem Ganzen noch nicht genug. Es bleiben noch so viele Lücken und Aufgaben, die es neben klaren Ergebnissen über das so spannungsreiche 17. Jahrhundert gibt. Doch von uns vorgetragene und nicht begründete Beobachtungen und Analysen können wir an diesen bedeutenden Persönlichkeiten verdeutlichen. Bei ihnen fällt es uns zugleich leicht, ihrem offen daliegenden Einfluß auf den Pietismus nachzugehen.

Lassen wir eins auch nicht außer Acht. *Die beiden bedeutenden Gestalten des frühen Pietismus, Philipp Jakob Spener (1635–1705) und August Hermann Francke (1663–1727) gehören doch noch voll in das 17. Jahrhundert.* Wohl zählen sie zu zwei einander ablösenden Generationen wie Väter zu den Söhnen. Im Gegensatz z. B. zu Nikolaus Ludwig von Zinzendorf, dessen Leben (1700–1760) sich in das 18. Jahrhundert einordnet, haben Spener wie Francke ihre Kindheit, ihre Jugend und besten bzw. entscheidenden Mannesjahre, die den internationalen Ruf beider begründeten, eben vor 1700 verlebt. In diesem Stichjahr wurde Spener 65 Jahre alt und Francke 37 Jahre.

Sie waren vielbelesen, kannten sich völlig in den Problemstellungen und einer gesamteuropäischen Literatur ihrer Zeit auf Grund ihrer Berufsstellung aus und waren in der Lage, den Büchermarkt mit seinen wesentlichen Neuerscheinungen zu überblicken. Mit diesen Schriften, ob sie von ihnen voll akzeptiert wurden oder nur teilweise, sind sie groß geworden. Vielleicht gewinnen wir hier einen zuverlässigen Boden über die Vorbereitung des Pietismus.

Es mag vorerst befremden, wenn wir Jakob Böhme (1575–1624) in diesem Zusammenhang zuerst nennen. Stichwortartig vorerst einige Daten seines Lebens:[8] Jakob Böhme wurde im Jahre 1575 – das genaue Geburtsdatum ist nicht überliefert – in Altseidendorf unweit von Görlitz als Sohn einer dort wohl schon durch Generationen eingewurzelten und nicht unbegüterten Bauernfamilie geboren. Zu schwächlich für den harten Beruf eines Landmannes ließ man ihn das Schuhmacherhandwerk erlernen. Über seine Wanderschaft sind wir wenig unterrichtet. 1599 läßt er sich als Meister in Görlitz nieder, gründet eine Familie, erwarb ein Haus und bewährte sich als Innungsmitglied, als treuer Kirchgänger, als zuverlässiger Bürger. Zuletzt betrieb er – ohne dabei eine glückliche Hand zu besitzen – einen Garnhandel, später mit wollenen Handschuhen, um freier zu sein für sein aus ihm herausquellendes umfangreiches Schrifttum spekulativer, erbaulicher und polemischer Art sowie zahlreiche Briefe. Bis zu seinem Tod schrieb er 32 z. T. umfangreiche Schriften. In seinen letzten Lebensjahren unterstützten ihn seine inzwischen zahlreichen Anhänger und

Freunde unter hoch und niedrig, vor allem unter den Ärzten und schlesischen Adligen, nicht nur gegen alle Angriffe seines hartnäckigen Gegners, des Görlitzer Primarius Richter, sondern auch finanziell. Sie nannten ihn den »philosophus teutonicus«, den ersten unter den deutschen Philosophen, der nur in der deutschen Sprache, zuerst oft mühsam und gequält, später in großartiger Bild- und Sprachgewalt »seine schwere, fast mystische Weisheit« entfaltete. Im 50. Lebensjahr starb Jakob Böhme, den der Dresdner Hof vor dem Ärgsten in Görlitz bewahrt hatte, demütig und doch zugleich seiner prophetischen Sendung gewiß, am 17. 11. 1624. Eine aufgehetzte Menge zertrampelte noch den Erdhügel seines Grabes nach der christlichen Beerdigung, die man ihm nicht verweigern konnte, obwohl man ihn in der herrschenden Orthodoxie zum Ketzer gestempelt hatte.

Zu viel war an ihm ungewöhnlich. Sein unermüdliches Lesen in der Bibel, außerdem seine mehr zufällige als systematisch vertiefte und ausgebreitete Kenntnis vereinzelter Schriften Luthers, ist nicht zu übersehen. Seine Spekulationen, seine ganze Theosophie sind nicht ohne den Reformator zu verstehen. Daß er sich zugleich in die Schriften der vorreformatorischen wie protestantischen Mystik einlas, sich in der Gedankenwelt eines Paracelsus, Valentin Weigels wie Schwenckfelds genau auskannte, so sehr damals von den Kanzeln gegen sie gewettert wurde, und ihn die ganze ungeordnete Welt pansophischer wie alchimistischer Überzeugung erfüllte, war unter den Laien keine ungewöhnliche Erscheinung, sonst hätte sich die vorherrschende Orthodoxie nicht so bedroht gefühlt und die Polemik so unerträglich übersteigert. War doch Böhme nicht ohne Erfolg unablässig um das Gespräch mit anderen Laien bemüht, die ähnlich gesonnen waren und sich nicht nur auf das stützen wollten, was von der Kanzel her gesagt wurde. In diesen Kreisen hat er gelebt, in innigem persönlichen Gedankenaustausch mit Männern eines vertieften Frömmigkeitsanspruches.

Jakob Böhme ist nicht zu trennen von einer Generation, die in Not und Unruhe geraten war. Es hatte sich ein Krisenherd gebildet. Langsam aber unaufhaltsam vollzog sich ein grundlegender Umbruch im Lebens- und Weltgefühl der europäischen Menschheit, der vorerst die Gebildeten und wachen Geister auch im einfachen Volk, das tiefer dachte und viel mehr grübelte, als die Theologen meinten, in voller Wucht treffen sollte.

Der Ursprung lag in der Zerstörung des geozentrischen Weltbildes durch Kopernikus und Galilei. Eine immer exakter arbeitende Naturbeobachtung auch im Blick auf die Welt der Gestirne verstärkte das Gefühl der Verlorenheit der Menschen, die in einem grenzenlos gewordenem

Weltall ihren bisher festen Platz eingebüßt hatten. Die Welt begann wägbar, meßbar, zählbar, später dadurch manipulierbar zu werden. Es war nicht mehr zu übersehen, daß die entstehende Naturwissenschaft sich aus den Bindungen an die Theologie, wenn auch nicht auf demonstrative Weise, zu lösen suchte.

Dagegen wehrte man sich. Eine Pansophie machte sich bemerkbar, die im Gegensatz zu dieser exakten Naturwissenschaft nicht nach mechanischen Ursachen und Wirkungen, sondern dynamisch nach Kraft und Leben fragte, die sich dahinter verbargen. So bemühte sich eine von paracelsisch-neuplatonischen Elementen durchsetzte Naturphilosophie, den Standort der Menschen neu zu bestimmen, pansophisch orientiert. Dabei wurde sie mehr verwirrt als gestützt durch die oft phantastischen alchimistischen Träumereien. Die Sehnsucht nach neuer Geborgenheit, nach Harmonie brach auf. Das wurde für die kommenden Geschlechter zum Schlüsselwort: Harmonie, Harmonie mit Gott, der alles durchwaltet, Harmonie mit der Natur und mit sich selbst in einem neuen Einssein mit dem Ewigen und all den aus ihm strömenden Kräften. Doch damit geriet man in die Gefahr, die beunruhigenden Faktoren des Unberechenbaren, des Bösen und Abgründigen als Störenfriede der ersehnten Harmonie herunterzuspielen oder ganz zu negieren.

Bei dieser Frage nach dem Bösen brach die ganze quälende Not Jakob Böhmes auf. Auch ihn drängte es, Gott und die kosmischen Kräfte, Gott und diese Schöpfungswelt nicht auseinanderzudividieren. Doch dabei die Realität des Diabolischen auszuklammern, dagegen sträubte er sich mit all seinen innersten Überzeugungen. Das Naturproblem empfing für ihn erst durch die Frage nach dem Bösen seine ganze Schärfe. Es war ihm unmöglich, und hier dachte er von Luther her, Gott in seiner Allmacht und Allgegenwärtigkeit, Gott, der alles durchdringt, stürmisch und machtvoll, dabei einzugrenzen und einzuengen. Wo konnte die Lösung liegen?

In der berühmt gewordenen Vision im Jahre 1600 wurde Jakob Böhme beim Anblick eines im Sonnenlicht aufstrahlenden dunklen Zinngefäßes die erlösende Lösung durch einen „feurigen Trieb" angekündigt, der ihn zu seiner „Zentralschau" leiten sollte. Bei seinem Ringen, in die Tiefen der Natur, der geschaffenen Wirklichkeit einzudringen, war ihm nunmehr die göttliche Hilfe zuteil geworden, der er sich anvertrauen konnte, die ihn immer tiefer in Geheimnisse führen sollte. Er meinte, sich nichts selbst erdacht zu haben. Er wollte doch nur erkennen, quod universum complectitur. »Es ging ihm letzten Endes nicht um rationales Denken, nicht um ein Wissen, sondern um gläubige Intitution.« Man wird es Böhme abzunehmen haben: »Ich habe allein das Herz Gottes gesucht, mich vor den Ungewittern des Teufels darin zu verbergen.« Stillgestanden hätte er, wenn ihm alles dunkel geblieben wäre.

Es ging ihm in seinem Leben zuerst und zuletzt um Gott, um ein rückhaltloses Sich-ausliefern, um die Aufnahme des in uns schöpferisch wirkenden Christus, durch die wir im Glauben, der sich an Gottes Verheißung anklammert, wiedergeboren werden. Das geht nicht ohne Anfechtung und dabei hilft nichts anderes, was Böhme auch hier dicht bei Luther, so zu beschreiben weiß: »Verzage an der göttlichen Gnade nicht, nur an seiner selber und an seinen Können und Vermögen und bücke sich in deiner Seelen aus allen Kräften vor Gott. Und obgleich dein Herz spricht lauter Nein oder: Harre noch, es ist heute nicht gut, oder: Deine Sünden sind zu groß, es mag nicht sein, daß du zur Huld Gottes kommst: Daß auch ihm in sich also Angst wird, daß er nicht zu Gott beten kann ... So soll er doch stehen und Gottes Verheißung für eine gewisse unfehlbare Wahrheit halten ...« Böhme wird in seinen erbaulich-religiösen Traktaten nicht müde von der Anfechtung zu sprechen, auch davon, daß wir Christus immer wieder in uns verleugnen, denn der Wiedergeborene, der nicht sündigte, wäre ja Gott gleich.

Die Geburt Christi und Auferstehung muß in uns immer neu geschehen. Dann aber kann es nach seiner Überzeugung, die sich Böhme visionär aufgedrängt hat, eintreten, daß nicht nur geistliche Erfahrungen geschenkt werden. Gott kann, wer will ihn daran hindern, plötzlich »den Zusammenhang aller Wirklichkeit«, eine »alle Fragen und Rätsel auflösende Einführung in das Geheimnis Gottes und seiner Schöpfung« aufschließen.

Jedenfalls bilden Böhmes Frömmigkeit und die in ihr wurzelnde Theosophie ein Ganzes, von außergewöhnlichen Spannungen erfüllt. Gegenpole werden miteinander zusammengedacht, deren äußerste Gegensätzlichkeit unglaublich genau beschrieben werden. Bei ihm bricht in einer formal dem neuplatonischen Aditus-Reditus-Schema (Gott-Welt-Gott-Prozeß) verwandten Kosmogonie Gott aus seinem Wesen als Urgrund, aus dem »Nichts« wie ein Sturmwind hervor. In großen Stufen seiner Selbstverwirklichung treibt er die Entfaltung bis zum Werden der Natur voran. In der Begründung dieses Vorganges, bei dem Gott ohne seine Personalität einzubüßen zugleich zu einer quasikosmischen Gewalt wird, überlastet Böhme freilich alles durch alchimistisch-paracelsische Bilder und Vorstellungen. In einem schroffen Dualismus entlädt sich hier ein Auseinanderbrechen von Gottes »feurigem Liebeswillen« und »seinem finstern Zornwillen«, der vorher in ihm als Finsternis unter der Herrschaft des Lichtes und der Liebe verborgen war. Ob diese beiden in Gott liegenden Prinzipien Licht und Finsternis bereits bei der Erschaffung der Welt als eines dritten Prinzips auseinandertreten und sich erst durch den Sündenfall in einer letzten Schärfe zeigen, wird nicht ganz deutlich. Irgendwie liegt es Böhme daran, zu zeigen, wie allem kreatürlichem Leben, und es strömt unaufhörlich, dieser Gegensatz zugrundeliegt, der es erst ermöglicht. Böhme ist überzeugt, daß die ganze Schärfe, die das Naturproblem wie das Weltgeschehen durch die Abgründe des Bösen empfängt, in diesem in Gott hineingelegten Dualismus durchgehalten wird. Daß hier eine naturalistische Umsetzung der lutherischen Anschauung von der Macht des Bösen und eine Umprägung des Zornes Gottes in eine kosmische Größe vollzogen wird, geschah auf Grund einer visionären Erleuchtung, wie unter einem unwiderstehlichen Zwang. Daß Gott dabei zu keinem Gefangenen seines Kosmos wird, setzt Böhme stillschweigend voraus. Es ist die eine Seite bei Gott. Gott ist und bleibt allmächtig und allgegenwärtig. Er wagt beide Linien zusammenzudenken!

Gewiß liegt bei Böhme ein Anspruch vor, die wahre Erkenntnis der Tiefen und Abgründe der Schöpfung durch eine »auf Gott ihre Imagination richtende, geheimnisvoll erleuchtete Selbsterkenntnis zu gründen«. Dazu fühlte er sich, und wir glauben ihn richtig zu interpretieren, nicht zuletzt deshalb gedrängt, um *Verharmlosungstendenzen, die die Schärfe des Bösen zu negieren suchen,* zu entlarven. Einen Abbau dieser wesentlichen biblischen Aussagen konnte er nicht akzeptieren. Gerade dadurch, daß hier Böhme einen Sperriegel einfügte, hat er durch »die ungeheure barbarische Kraft«, die hier hervorbrach, so nachhaltig auf die nächsten Jahrhunderte, schließlich auf die Romantik und den Deutschen Idealismus bis hin auf Hegel gewirkt. Er nötigte dazu, die destruktiven Züge nicht zu leugnen, die sonst bei einer Negierung des Bösen nicht nur christliche Grundpositionen abbauen, sondern unvermeidlich zu einem Realitäts- bzw. Wirklichkeitsverlust führen.

Die orthodoxen Theologen des 17. Jahrhunderts hatten Gott in seinem großen metaphysischen System untergebracht. Den vornehmsten Platz hatte er darin und war doch Bestandteil. Das System garantierte Gott, nicht Gott das System. Dieses wohl ausgependelte statische Ordnungsgefüge mußte zerbrechen unter den Anstürmen einer neu aufziehenden wissenschaftlichen Welt. Bei Böhme war es schon fragwürdig geworden, ehe andere ihm Abschied gaben.

Nur noch knapp soll auf andere Fermente in Böhmes Grundanschauungen aufmerksam gemacht werden. Man darf bei Böhme nicht übersehen, daß bei ihm in späteren Jahren die metaphysischen Probleme, auch wenn sie einst aus schweren Konflikten geboren waren, fast völlig zurücktreten. Zu gleicher Zeit beginnt er sich aus den Fesseln fremder Terminologien zu lösen. Es erhellt sich mit der Reifung seiner Gedanken seine Bildersprache. Voran stehen nun seine Bemühungen um einen Neuaufbruch der aus der Rechtfertigungsgewißheit entbundenen Frömmigkeitskräfte. Das wird vom Stichjahr 1618 an sichtbar.

Was er jetzt schrieb, stand unter einem neuen Thema. Traktate entstanden wie die unter dem Titel »Der Weg zu Christo«, die den besten Zugang zu Böhmes lutherisch geprägter Frömmigkeit gewähren. Daneben treten andere tiefsinnige Schriften wie z. B. »Von der Gnadenwahl« die den Voluntarismus Böhmes in der Gottes- und Menschenauffassung verdeutlichen wie das »Mysterium magnum«, eine Auslegung des 1. Buches Moses.

Zurechtgekommen sind wenige mit Böhme. In der Ketzerliste der lutherischen Orthodoxie rangierte Jakob Böhme neben den ärgsten unter ihnen, neben Arius, Pelagius und Valentin Weigel, neben dem Papst und dem Antichristen. Böhme hat wirklich die Grenze, die Luther innegehalten hat, eben nicht über das hinaus zu spekulieren, was die Schrift nicht aussagt, in seiner Theosophie überschritten. Über diese Grenzlinien, deren Grenzsteine für Luther unverrückbar sind, wagt sich Böhme kraft seiner Vision von 1600 hinaus in ein dunkles Gelände, das ihm Gottes Geist zu erhellen schien. Gerade dagegen richtete sich der antischwärmerische Zug des Luthertums, gegen die unmittelbare Berufung auf den Heiligen Geist. Die lutherischen Bekenntnisschriften betonen, daß Gott seinen Geist gibt nicht ohne das »äußerliche«, das von außen kommende leibliche Wort. Bei der Zweideutigkeit aller geschöpflichen Wirklichkeit solle alles am Kriterium des Evangeliums gemessen werden.

Das hat die lutherische Rechtgläubigkeit bald in aller Schärfe bei Böhme herausgestellt. Böhme steht nicht mehr auf der Linie Luthers und dessen Schriftverständnis. Bei ihm finden wir ein anderes Denken. Für seine Erkenntnisse beruft er sich auf jenen letzten heimlichen Sinn der Schrift, der sich hinter ihrem groben buchstäblichen Kleid verbirgt. Nur wer durch alle Ängste hindurch sich nicht von Christus abdrängen läßt, dem vermag das göttliche Licht in seiner Seele jene göttliche Weisheit zu zeigen. Der Reformator dagegen lehnt jeden Versuch, in Gottes Geheimnisse für-witzig einzudringen, radikal ab. Glaube und Gehorsam bemühen sich allein, die Schrift zum Sprechen zu bringen. Bei Böhme dagegen gibt es eine ständige neue Selbstoffenbarung Gottes. *Das Lauschen auf diese gegenwärtige Offenbarung, die gegenwärtige Inspiration der Frommen durch die prophetisch-mystische Erkenntnis ist bei Böhme der neue Ton, die Loslösung von einer nur äußerlich bindenden Autorität der Schrift.*

Und doch meint man oft, Luther selbst zu hören, wenn Böhme spricht. Immer wieder treibt es ihn in die Nähe Luthers zurück. Auch in seiner Wiedergeburtsauffassung bleibt er, soweit er über Glaube und Liebe wie Glaube und Werke spricht, dicht bei den Aussagen der Reformation. So viele der bekannten Formulierungen und Gedanken der Mystik einströmen, das Bewußtsein der Sünde ist bei ihm viel zu sehr in den Tiefen seines Herzens lebendig, als daß wie in der Verschmelzungsmystik ein langsames Auslöschen des Ichbewußtseins geschehen könnte. Es gibt für ihn keinen rein mystischen Prozeß. »Das Einsinken in Gott wird zum Sichhingeben in seine Barmherzigkeit, die Gelassenheit zur Buße und zur Liebe zum Kreuz Christi, die Vereinigung zur Aufnahme in die unaussprechliche Güte Gottes, die uns erhört, ehe wir rufen.«

Doch immer wieder drängt sich bei ihm die Überzeugung von einer ganz unmittelbaren und gegenwärtigen Selbstoffenbarung Gottes, die ihn traf, in den Vordergrund. Sie fordert ihn restlos und hat ihn ohne Zweifel vor dem Abweg eines »versponnenen Mystikers« bewahrt. In seinem Selbstbewußtsein wußte er sich direkt vor Gott gestellt. Er wird dadurch nicht überschwänglich. Damit verbindet sich bei ihm eine nüchterne Selbsteinschätzung fern von allem peinlichen prophetischen Gehabe.

Es »ist mir diese große und schwere Arbeit auferlegt worden, der Welt zu offenbaren und anzukündigen den großen Tag des Herrn.« Die Zeit ist zugleich reif geworden für eine neue, umfassende und durchgreifende Reformation, denn die alte und erste ist steckengeblieben.

In seiner Erstlingsschrift aus dem Jahre 1612 unter dem Titel »Morgen Röte im auffgang« bricht das alles elementar auf, was ihn bewegt und zu seinem Vorausblick zwingt. So bedrohlich nahe die Endzeit gerückt ist, die Morgenröte eines neuen hellen Tages, der die nächtlichen Schatten verscheucht, ist bereits in Sicht. Der Geist des Herrn wird eine neue Gemeinschaft aller echten Gotteskinder quer aus allen Konfessionen hindurch ins Leben rufen. Die Kirchen werden bleiben, doch ein Neues, das niemand mehr hindern kann, kommt und wird einen neuen Tag noch vor dem Erscheinen des Herrn für die ganze jetzt so verdorbene Christenheit bereiten.

Gewiß hat sich Jakob Böhme über das Wesen und Ausmaß dieses bevorstehenden Endgerichtes und seine Vorzeichen getäuscht. Doch gerade die Endzeitverkündigung, verbunden mit der prophetischen Verheißung der Endzeitgemeinde, hat ungeahnte Kräfte ausgelöst. Sie hat all die Geister munter gemacht, die sozialkritischen und kirchenkritischen, die nach einer neuen Lösung suchten. *So ist Jakob Böhme zum Vater des schwärmerischen, des radikalen Pietismus geworden,* jener Außenseiter des kirchlichen Pietismus. Man wird hier Emanuel Hirsch beistimmen, wenn er gerade darauf hinweist, daß dieser stille Denker, der allem äußeren Separatismus abhold war und in seiner lutherischen Kirche leben und sterben wollte, dies bewirkt hat[9].

Doch wird man darüber nicht übersehen dürfen, daß Jakob Böhme auch stark auf den kirchlichen Pietismus gewirkt hat. Wir meinen, weder August Hermann Francke noch Zinzendorf sind bei ihren ökumenischen Bauplänen ohne den nachwirkenden Einfluß Jakob Böhmes zu verstehen. Jedenfalls stößt man auch bei ihnen, wenn man sie in ihrem geschichtlichen Werdegang erfassen will, immer wieder in erstaunlichem Umfang auf Impulse, die ursprünglich von Jakob Böhme ausgelöst wurden. Jedenfalls haben sich die führenden Männer des kirchlichen Pietismus mit ihm beschäftigt und nachdem sämtliche Schriften Böhmes Ende des 17. Jahrhunderts überall greifbar waren, haben sie im Gesamtumkreis dieser neuen Bewegung viele Leser gefunden. Offen oder heimlich haben sich Zahllose, die vom Pietismus erfaßt wurden, mit Böhme beschäftigt.

Wir werden immer wieder darauf stoßen, wie fließend die Grenzen zwischen dem kirchlichen und dem schwärmerischen Pietismus wurden. Z. B. sind dessen androgyne wie Sophienspekulationen immer wieder an die ureigenen pietistischen Grundüberzeugungen angehängt worden. Doch auch das andere ist nicht zu übersehen, daß, als die Faszination, die von dem Görlitzer ausging, abflachte, vieles von dem wieder abgestoßen wurde. Am sprödesten gegenüber Jakob Böhme, der wirklich gegen Ende des 17. Jahrhunderts offenes oder verschwiegenes Gespräch in unzähligen Kreisen war, hat sich dann Spener verhalten. Und doch wurde seine Entscheidung richtunggebend, wie wir meinen, sein Urteil über den Görlitzer. Spener übersah nicht, daß sich genug Berührungspunkte ergaben. In dem Suchen nach neuen Wegen, um die Glaubenswahrheiten in die persönliche Erfahrung zu führen, begegneten sie sich. Von einer Verurteilung Böhmes hielt Spener nichts. Er wollte damit nicht noch mehr Öl in die fürchterliche Art der vorherrschenden Polemik gießen. Vielleicht hielt ihn auch die Rücksicht auf seine Freunde zurück, die er im radikalen Pietismus besaß und die er nicht vor den Kopf stoßen wollte. Freund und Feind haben ihn immer wieder dazu gedrängt, doch ein grundsätzliches Wort zu Böhme zu sagen. Er beteuerte und das war deutlich genug, daß er nur wenige Schriften Böhmes gelesen habe, jedoch keinen Anlaß finde, sich gründlich mit ihm zu beschäftigen. Manches in Böhmes Schriften habe er nicht verstanden.

Zudem war Spener viel zu vorsichtig, um der Orthodoxie eine Möglichkeit zu geben, ihm mit „eindrucksvollen Einwänden" entgegenzutreten.

Doch ausschlaggebend, soweit ich sehe, war für seine betonte Zurückhaltung Speners theologische Einstellung, seine strenge Ausrichtung auf die neutestamentliche Botschaft, seine Nähe zu Luther, die ihn vor theosophischen Spekulationen abschreckten.

Das Ergebnis der konstanten Weigerung Speners, Böhme zu verurteilen, ja nur zu beurteilen, bewahrte Böhme »vor einer allgemeinen Verteufelung und sicherte seinen gemäßigten Anhängern einen stillen, aber bleibenden Platz innerhalb der evangelischen Kirche«[10].

Etwas nicht Vorgesehenes bahnte sich an. Böhmes großer Freundeskreis war nach dessen Tod nicht müßig geblieben. Die Manuskripte von ihm waren gesammelt worden. So konnte die erste sorgfältig gearbeitete fünfzehnbändige Gesamtausgabe seiner Werke im Jahre 1682 in Amsterdam erscheinen. Vorher gab es bereits: holländische und englische Übersetzungen. Wie in Holland hatte sich auch in England ein Böhme-Kreis gebildet. Er scharte sich anfänglich um den anglikanischen Geistlichen John Pordage (1607–1681). Als ein Erklärer der Schriften Böhmes, bei denen er vieles vereinfachte, wurde er dort geschätzt. Jedoch erst als Jane Leade (1624–1704) zu dieser Gruppe stieß, gelang die Gründung einer freilich nur lose organisierten »Philadelphischen Sozietät«[11].

Böhmes Prophezeiungen der nahen Wiederkunft Christi und sein Ruf nach einer Sammlung der Kinder Gottes lösten hier eine Dynamik aus. Die fromme Engländerin griff das alles auf, daß die Ankunft des Herrn, der Anbruch des tausendjährigen Reiches, von dem die Offenbarung Johannes spricht, nahe bevorstehe. In der Kette ihrer inneren Geschichte bedrängte sie eine Tatsache, die konfessionelle Zerrissenheit und Zerspaltung der Christenheit. Christus aber kommt nur, wenn zuvor sein Vermächtnis unter den Christen erfüllt worden ist, sein hohepriesterliches Gebet, daß sie alle eins seien. *Nur auf eine in wahrhaftiger Bruderliebe geeinte Christenheit senkt sich das neue Jerusalem herab!* Jane Leade meint nicht, daß sich die Konfessionskirchen auflösen sollen. Mögen sie ruhig als ein Notdach stehenbleiben, das noch nicht entbehrt werden kann. Doch die Bruderschaft soll bezeugt werden, die große Bekundung der brüderlichen Verbundenheit, ungeachtet der Mannigfaltigkeit der Bekenntnisse und Kirchenformen. Der Gedanke der großen Weltharmonie, der diese Generation am Ende des 17. Jahrhunderts, das aufsteigende Bürgertum vor allem in allen europäischen Ländern begeisterte, einer Harmonie, die sich auf einer zusammenklingenden Mannigfaltigkeit aufbaut, zeigt sich selbst in den visionären Bildern dieser Engländerin. Harmonie, wie wir schon sagten, war das Stichwort der Zeit, das die Gemüter der Zeitgenossen weithin beseelt und beschwingt.

Auf dem Kontinent wurde J. H. Dittmar ihr Bote, der vor allem Deutschland, Holland und die Schweiz bereiste. Diese neue Zielsetzung einer gesamtchristlichen Bruderschaft zündete in all den Kreisen und Gruppen und bei den Einzelgängern, die das Unbefriedigende und Unvollendete in der Gestaltung und Durchführung der Reformation spürten und daran litten. Es zündete der Gedanke, dabei den mühsamen und dornenreichen Weg einer Dogmenangleichung zu verlassen und nur die Bruderschaft zu realisieren. Das ist die große Gemeinsamkeit, die jene Menschen zusammendrängt. Die Philadelphische Gesellschaft gewann wohl in Berleburg einen Stützpunkt. Spener, Francke, Gottfried Arnold lasen die Schriften von Jane Leade und Pordage, die in deutscher Sprache auf den Büchermarkt gelangten, blieben aber zu dieser Sozietät geflissentlich in gemessener Distanz. Direkte Parteigänger finden sich unter den Pietisten, die zum Kreis des radikalen Pietismus zu rechnen sind. Dort werden wir ihnen wieder begegnen.

Für August Hermann Francke wurde es mit von schicksalhafter Bedeutung, daß er, der aus Leipzig und dann aus Erfurt vertrieben war, von Männern in den Sattel gehoben wurde, bei denen die grundlegenden Gedanken der Philadelphia Eingang fanden.

Unter den führenden Staatsmännern in Brandenburg-Preußen, die die letzte Entscheidung zu fällen hatten, ob Francke auf den Vorschlag Speners und Seckendorfs eine Professur an der neugegründeten Universität Halle erhielt, zählt Dodo von Knyphausen. Er war nicht nur der engste Mitarbeiter des leitenden Staatsmannes von Brandenburg-Preußen, sondern zugleich der geniale Organisator der staatlichen Domänenverwaltung. Die Gedanken der Engländerin hatten ihn begeistert. Gehörte doch auch ein Glied seiner engsten Familie, ein Baron von Knyphausen, der in London wohnte, zur Gemeinde von Jane Leade. Ihre Gedanken mußten in einem Staat, dessen Herrscherhaus und das höchste Beamtenkorps weithin der kalvinistischen Kirche zugehörte, während die überwältigende Mehrheit der Bevölkerung lutherisch war, bei der Abtragung einer konfessionellen gegenseitigen Gereiztheit und zur Anbahnung einer Union sehr willkommen sein.

Man wußte um die Bruderschaften und Schwesternschaften, die Francke in Leipzig und dann in Erfurt gesammelt hatte, die auf alle Absonderung von der Kirche und Sonderorganisationen verzichtet hatten, um nur in einer losen Form ein Gemeinschafts- und Zusammengehörigkeitsgefühl zu pflegen, in dem das wach war, was die philadelphische Sozietät bewegte. Ausschlaggebend ist jedoch Danckelmann gewesen, vor dem Francke in Berlin predigt. Der brandenburgische Staatsmann hat hier den Geist gespürt, den er zu fördern suchte. Daß auch Franckes spätere ökumenische Baupläne nicht ohne den vorbereitenden Einfluß philadelphischer Gedanken ausreiften, ist wohl kaum zu übersehen[12].

Wie stand es jedoch mit Zinzendorf? Hat bei der Ausbildung seiner sogenannten Tropenidee, einer Einigung der Konfessionskirchen in der Bejahung der Mannigfaltigkeit, in der er die tiefsten Absichten Gottes fand, Jane Leade einen Anstoß bzw. eine Auslösung bewirkt? Die Kenntnis der Schriften von Leade, die zwischen 1694–1705 der Reihe nach erschienen, zuletzt auch eine Gesamtausgabe nach 1705, kann man bei Zinzendorf als gesichert voraussetzen. Vielleicht ist er bereits bei seiner Kavaliersreise in Holland auf sie gestoßen. Nur muß man alles in einem größeren Zusammenhang sehen. Der Gedanke einer freien zwischenkirchlichen Querverbindung auf Grund der »Liebe zum Heiland« war damals von einer unerhörten Universalität. Nicht in Wittenberg, nicht in Genf, nicht in Rom haben sich damals die Persönlichkeiten, die mit Entschiedenheit Christen sein wollten, zuletzt zuhause gefühlt, sondern in jener unsichtbaren und doch überall greifbar in Erscheinung tretenden »Philadelphia« waren sie mit ihren Herzen beheimatet. Zinzendorf stand in dieser großen gesamteuropäischen Stimmungslage.

Man wird das also nicht übersehen können, daß »der Gedanke der philadelphischen Erweckung als eines gottgewollten Planes, der der ganzen Christenheit gilt, bei Zinzendorf immer wiederkehrt«. Man wird hier Leiv Aalen zustimmen, daß Zinzendorfs Gemeindeideal im Zusammenhang mit den übrigen Grundzügen seiner Auffassung von der Kirche mit den Tendenzen der Philadelphiabewegung entspricht. Noch auf seiner Reise nach Pennsylvanien im Jahre 1742 ist er erfüllt von »seiner philadelphischen Mission« als ein »seit der Apostelzeit« nie Dagewesenes[13]. Diese Hinweise mögen genügen.

Befremdlicher könnte erscheinen, wie auffällig stark zeitweise Zinzendorfs Neigung zur *Lehre von der »Wiederbringung aller«*, d. h. der Allversöhnungslehre gewesen ist. Sie verbindet ihn mit dem von der Böhme-Tradition ausgehenden schwärmerischen Pietismus. Von da aus ist auch seine vorübergehende Begeisterung und lebhafte Zustimmung zu dem Theologen, Chemiker und Arzt Johann Konrad Dippel (1673–1734) verständlich, der einen Frontalangriff gegen die Lehre vom Zorn Gottes und der Strafstellvertretung Christi startet. »Gott sei vielmehr die Liebe und habe Christus aus Liebe auf die Welt gesandt, daß wir ihm nachfolgen sollten.« Doch hielt die gefühlsmäßige Übereinstimmung bei Zinzendorf mit Dippel nicht lange stand und es kam bald zum Bruch. Daß jedoch Dippel »sonst ein so wunderbarer Mann ist« hat er nicht zurückgenommen.

»Gott erbarme sich in Christo über ihn.« Jedenfalls hat der Graf schnell erfaßt, daß damals ungezählte Zeitgenossen bereits so dachten wie Dippel[14].

Einen Schritt weiter führt eine andere Frage. Wie weit ist Zinzendorf unmittelbar und nicht nur über die Böhmisten seiner Zeit mit dem Schrifttum Böhmes in Berührung gekommen? Daß Zinzendorf einzelne Schriften Böhmes gelesen hat – und zwar gründlich – ist nachweisbar. Man stößt selbst beim reifen Zinzendorf, der längst seine Wendung zu Luther vollzogen hat, nicht nur auf die Terminologie Böhmes. Selbst inhaltliche Anknüpfungen an Böhmes Theosophie tauchen oft in seinen Reden und Schriften auf, die zweifelsohne direkt von Böhme stammen. Auch der zeitgenössischen Polemik blieben diese Analogien zwischen dem Grafen und Böhme nicht verborgen.

Gegenüber den vielfachen Bemühungen Zinzendorf bleibend mit mystisch-enthusiastischen Elementen in seiner Frömmigkeit wie seinen theologischen Aussagen zu behaften, sprechen jedoch Tatsachen, die schwer zu entkräften sind.

Otto Uttendörfer, der wie kein anderer Zinzendorfforscher die handschriftlichen Quellen von und über Zinzendorf ausschöpfen konnte, gibt folgendes zu bedenken. Des Grafen geniales Einfühlungsvermögen ließ ihn mühelos die verschiedensten Richtungen verstandesmäßig erfassen. Dabei konnte er sich so intensiv in sie einleben, daß er zeitweise ihnen begeistert zustimmen konnte. Er konnte sich in seinen Selbstaussagen einmal einen orthodoxen Lutheraner nennen. Dann verwarf er die Orthodoxie restlos. Bald sagte er, er sei ein Pietist, ein andermal verneinte er es. Ausdrücklich lehnt er die Mystik ab, dann wieder knüpft er an sie an. Er warnt wiederum vor dem Enthusiasmus und bezeichnet unmittelbar darauf seine Brüder, daß sie Enthusiasten wären[15].

Tatsächlich redete Zinzendorf aus ganz unmittelbaren Eingebungen, wie sie in ihm aufstiegen. Nach einer klaren Disposition vermochte er nicht zu reden, doch hielt er sein Thema durch, das er sich vorgenommen hatte. Scheinbare Widersprüche, Antinomien mied er nicht, er vermochte immer die andere Seite einer Sache im Auge zu behalten. Oft erklärte er, daß er sich nicht mehr auf das besinnen könne, was er tagszuvor gesagt habe. *Zinzendorf war tief davon durchdrungen, daß die Wahrheit stets paradox sei und von verschiedenen Seiten angegangen werden muß.* »Ein geschlossenes System hätte auch den Reichtum seiner Gedanken kaum zu fassen vermocht.« Und doch blieb seine Denkart von einer seltenen Einheit und er verlor die Mitte seiner tiefsten Überzeugungen nicht aus den Augen, so gern er querfeldein ging.

Zinzendorf hat die ihm in der Pietismusforschung so stark angekreideten spiritualistisch-mystischen oder theosophisch anmutenden Elemente in seiner Theologie in sein lutherisches Grundverständnis eingebracht. Im Blick auf seine Zeitgenossen könnte man es auch als ein barockes Spielen, ein Theologisieren in einem bewußt weiten, fast grenzenlosen Spielraum genialen Charakters bezeichnen, wovon der Graf immer wieder zu dem Mittelpunkt seiner Theologie zurückkehrte[16].

Wie stand es mit Gottfried Arnold (1666–1714)? Er widmet der »berühmten Engländerin« Jane Leade in seiner Kirchen- und Ketzerhistorie viele Seiten. Er hatte Tuchfühlung mit Philadelphen, denen er eine freundliche Aufmerksamkeit widmete. In seinem Nachlaß fanden sich 9 Schriften von Jane Leade und 7 von John Pordage. Man wird auch bei ihm sagen können, daß die gedanklichen Berührungen zwischen ihm und Leade auf die gemeinsame Abhängigkeit von Böhme beruhen und nicht so sehr auf eine direkte Beeinflussung durch die Engländerin, so gut er sich auch über ihre Aussagen auskannte.

Wie stand Gottfried Arnold zu Jakob Böhme selbst, der sich mit den Böhmisten zu ernsthaft beschäftigt hatte und mit einem der temperamentvollsten ihrer Vertreter, mit Friedrich Breckling (1629–1711) enge Tuchfühlung gehalten hat? In seiner »Unparteiischen Kirchen- und Ketzerhistorie« hat er im 1. Band dem Görlitzer Schusterphilosophen 52 Spalten eingeräumt. Im 2. Band nach der Ausgabe von 1729 sind noch 35 Spalten dem Philosophus teutonicus zugestanden worden.

Man soll sich aber hüten, die Einwirkung Böhmes auf Gottfried Arnold zu überschätzen. Er wählte, und hier folgen wir Hermann Dörries, »aus dessen Schriften aus, was ihm und den Lesern entsprach und schweigend beiseite zu lassen, womit er oder sie nichts anzufangen wußten»[17]. Es wäre reizvoll wie aufschlußreich, was er bei Böhme übergangen hat. Und weiter: an Böhme vorbeigehen konnte er nicht, »der sich mit den vorwärtsdrängenden Kräften seines Zeitalters im Bunde wußte«. Gleichwohl blieb er ihm im Grund fremd. »Weder seine Naturspekulationen konnten dem nach Erlösung von Natur Verlangenden zugänglich sein, noch gar die Idee, daß auch das Böse (urstände) in der Gottheit etwas anderes als Grauen einflöße ... Wieviele Motive und Anregungen Arnold immer von Böhme überkam, beide waren innerlich geschieden, und Arnold entfernte sich immer mehr von dem eine Zeitlang bewunderten, je mehr er von ihm erfuhr und je sicherer er seinen eigenen Weg fand«.

Von dem, was Böhmes Nachwirkung im radikalen Pietismus auslöste, wird in dem entsprechenden Kapitel noch die Rede sein. *Innerhalb der gesamtpietistischen und kirchlich gestimmten Bewegung unternahm schließ-*

lich der Württemberger Friedrich Christoph Oetinger einen neuen Anlauf, das Anliegen Jakob Böhmes in die Gedankenwelt des schwäbischen theosophisch geprägten Pietismus hineinzunehmen und mit der Allversöhnungslehre zu verbinden. Doch die »barbarische Kraft« der Gedankenmassen Böhmes, nicht zuletzt durch Oetinger wieder offengelegt, strömte weiter und führte in der Weite europäischer Geisteswelt zu neuen befruchtenden Anstößen, man denke nur, wie wir schon erwähnt haben, an die Romantik und an Hegel und die ganze Hegelsche Schule[18].

Summa summarum: Ohne ihn ist doch manches, was im Pietismus aufbrach, nicht recht einsichtig. *Böhme gehört zu den vorbereitenden Mächten, die die Dynamik des Pietismus erheblich mit auslösten.*

An Bedeutung für den Pietismus steht hinter Jakob Böhme keineswegs Johann Arnd (1555–1621) zurück. Er übertrifft ihn um ein Vielfaches. Sein Hauptwerk, die »Vier Bücher vom wahren Christentum« hat in wenigen Jahren eine gewaltige Verbreitung erfahren. Der anfangs zaghafte Widerspruch eigentlich nur unbedeutender Theologen verstummte rasch. Selbst in den Kreisen der strengsten Orthodoxie trat dieses Werk einen Siegeszug an. *Arnd wurde die Rechtgläubigkeit nicht verweigert. Seine lutherische Grundhaltung wurde für unantastbar gehalten.* So war die Stimmung im 17. Jahrhundert, in der Zeit, in der die lutherische Orthodoxie im kirchlichen Raum noch unumschränkt herrschte, für Arnd. Manche Bedenken, daß hier und dort einzelne Ausführungen mißverständlich sein könnten, wurden nur nebenbei vermerkt. Kein Wunder, daß es im Pietismus von Anfang an keine Vorbehalte gegen Arnd gab, auf welche Gruppierungen man auch blickt.

Bei seinem Lebenslauf ist nichts Auffälliges zu bemerken. 1555 in Edderitz bei Köthen als Pfarrerssohn geboren, wollte Arnd anfänglich Medizin studieren. Er blieb auch zeitlebens daran interessiert. Sein Bildungsweg führte ihn nach Besuch der Gelehrtenschulen in Aschersleben, Halberstadt und Magdeburg nach Helmstedt an die Universität, dann nach Wittenberg, Straßburg, wo Arnd zum überzeugten Lutheraner wurde, nach Basel. Jedenfalls hat er sich gründlich nicht nur in der Theologie umgeschaut. Als Pfarrer hat er oft gewechselt. 1590 war er aus seinem Vaterland Anhalt auf fürstlichen Befehl ausgewiesen worden. Er hatte sich als einziger Pfarrer geweigert, die von oben befohlene Abschaffung des Taufexorzismus zu akzeptieren. Unruhige Jahre folgten. Von Quedlinburg wechselte er nach Braunschweig über, wo ihm übel in den bürgerlichen Streitigkeiten mitgespielt wurde. Nach kurzer Amtszeit in Eisleben kamen die völlig unangefochtenen Jahre als Generalsuperintendent im Fürstentum Braunschweig-Lüneburg mit dem Amtssitz in Celle.

Dieses zuerst unruhige Leben hat ihm einen unverbauten Blick in die ganze äußere Situation der evangelischen Kirchen vermittelt. Der harte Existenzkampf des Luthertums angesichts der zum entschlossenen Gegenangriff ansetzenden römischen Kirche, Arnd ahnte das Unheil des Dreißigjährigen Krieges voraus, das Vordringen des Calvinismus belastete ihn hart. Was nur wenige Zeitgenossen zuerst erkannten sah er erschreckend deutlich. Die verhängnisvolle Fehlhaltung der Theologie, die sich fast völlig auf eine Rundumverteidigung nach außen konzentrierte, provozierte eine Frömmigkeitskrise, für die sie weithin blind blieb.

Um Johann Arnds Bedeutung zu verstehen, muß man wissen, daß seine Zeit nach elementaren Frömmigkeitskräften begehrte. Man hungerte nach inniger und das ganze Leben erfüllender und umwerfender Nähe des lebendigen Gottes. In dieser breiten Front der Unruhe und eines noch nach außen verborgenen Aufbegehrens konnten Johann Arnds vier, schließlich fünf Bücher vom wahren Christentum diesen durchschlagenden Erfolg antreten.

Schon längst war in die Leerräume immer mehr mystisches Gut eingedrungen, das wie eine steigende Flut das ausgehende 16. und das anhebende 17. Jahrhundert überrollte.

Bei Johann Arnd wußten sich die leidgeprüften Menschen vor und dann im Dreißigjährigen Krieg verstanden, daß eben Selbst- und Gotteserkenntnis nur aus Leiderfahrung kommt. Sie schickt Gott. Das einfach nur belehrende Wort genügt nicht. Die täglich neue Erfahrung, daß Menschen, die Christen sein könnten, unchristlich leben und ihr ewiges Heil verspielen, bewirkte Ängste. Bei Johann Arnd und in der stillen Welt, in die sein Erbauungsbuch führte, konnte man diese Kümmernisse hinter sich lassen. Noch Jahrzehnte nach dem Dreißigjährigen Krieg stetig bedroht durch Brand, Mord, Wassersnot, Pestilenz und Krieg, nachts und wenn man morgens aufwachte, zitterte diese Angst nach. Wachend oder schlafend waren Tod und Krankheit nahe. Hungersnöte ohne Zahl quälten die Bevölkerung. Hunderttausende starben daran und erst im ersten Drittel des 19. Jahrhunderts mußte auch der Ärmste nicht mehr bangen, Hungers zu sterben. Räuber und gut organisierte Banditenhaufen plagten das Land. Sie kamen plötzlich und zerstreuten sich so schnell wie sie gekommen waren. Ganze Ketten von Herbergen waren darauf eingerichtet, diese Räuber zu verbergen und das Diebesgut weiterzuleiten[19].

Wer fünfzig Jahre alt wurde, hatte schon lange gelebt. Die Kindersterblichkeit war groß. Wer ins hohe Alter schreiten konnte, sah nur zu oft Ehefrauen, Söhne und Töchter und Enkel vor sich sterben[20]. Die Pest verschonte keine Generation und räumte bis an die Schwelle des 18. Jahrhunderts Städte und Dörfer unbarmherzig aus. Diese Menschen sah Johann Arnd vor Augen. Für sie schrieb er das »Wahre Christentum«, das erste in deutscher Sprache erschienene lutherische Erbauungsbuch für das Volk, das bis weit ins 18. Jahrhundert hinein von Tausenden und Abertausenden gelesen wurde in den Hütten der Armen und in Bürgerhäusern, auf den Burgen und in den Schlössern[21].

Dabei stellte sich Johann Arnd der Wahrheitsfrage zugleich, die damals angesichts der glaubensbedrohenden Probleme der Kosmologie und der aufkommenden Naturwissenschaft virulent geworden waren. Jakob Böhme war hier bis zum Letzten gefordert worden. Nicht anders Johann Arnd, dessen letzte Bücher der Weltenstehung galten, die er eng mit dem Schöpfungsglauben verklammerte. Der jüngere Zeitgenosse Johannes Kepler (1571–1630) vermochte bereits nicht mehr die jeweils zentrale Formulierung der christlichen Wahrheit durch die drei großen Konfessionen nachzuvollziehen. Er zog sich auf das Buch der Natur zurück und faßte seine Arbeit als Astronom als Priesterdienst auf. Der Mensch, nach Gottes Bild geschaffen, denkt in der Naturwissenschaft Gottes Schöpfungsdenken nach[22]. In diesem großen Ringen, Schöpfung und Naturwissenschaft bzw. Astronomie nicht auseinandergehen zu lassen, weiß sich auch Johann Arnd gerufen.

So zwiespältig fing das neue Jahrhundert an, das Mitteleuropa bald so jäh in das Grauen des Dreißigjährigen Krieges stürzen sollte. Arnd vertrat dennoch ein für die angefochtenen Zeitgenossen geradezu naiv wirkendes nüchternes Naturverständnis. Edmund Weber hat in der wohl heute instruktivsten Untersuchung über Johann Arnds »Vier Bücher vom wahren Christentum« auf die Tatsache hingewiesen, daß es Arnds Naturfrömmigkeit gewesen ist, die mit den Boden für die biblisch orientierte Physikotheologie vorbereitet hat[23]. Denn bei seinem wahren Christentum handelt es sich um eines der wenigen Erbauungsbücher, welches die Natur mit in die Andacht einbezieht. Das hat sich auf die ganze Naturdichtung des Luthertums ausgewirkt. Ihren ersten Höhepunkt erreichte sie in Paul Gerhardt. Arnd scheute sich dabei nicht, die Naturmystik, ja kabbalistische Elemente neben Paracelsus als Bundesgenossen einzuspannen. Die Emblematik, die Arnd dabei entwickelte und die in der Folgezeit ihre Wirkung ausübte, kann hier nicht zur Debatte stehen.

Das alles sollte eine Gegenposition aufbauen angesichts des barocken Weltpessimismus, eines grenzenlosen Gefühls der Verlassenheit »vor der Unendlichkeit der Leichenhallen des Alls«, vor dem die barocke Seele in die Mystik zu fliehen suchte. Schon zeichnete sich die makabre Lust aus, in die barocke Kunst ganze Knochengerüste und Totenschädel einzubeziehen. Selbst für die anatomischen Schausäle französischer Hochschulen verknappte sich jetzt manchmal der Vorrat der Leichen. Wohlhabende Bürger kauften sie auf, einer neuen Sucht folgend, um auf irgendeinem Tisch in einem Raum ihres Hauses das verwesende Menschenfleisch zu zerlegen. So morbid konnte sich das Jahrhundert zeigen[24]!

Neben der Naturmystik, der Johann Arnd in die späteren Bücher seines »Wahren Christentums« Eingang verschaffte, holte er in den ersten Teil seines Erbauungsbuches katholische Mystiker herein. Das war so ungewöhnlich nicht. Schon längst schreiben lutherische und katholische Schriftsteller, voneinander unbesorgt und ungeniert ab. Die Gebetsliteratur des Luthertums dieser Zeitspanne hat z. B. ohne Hemmungen auf jesuitische und selbst mittelalterliche Gebete und ganze Gebetbücher zurückgegriffen.

Es sollte nur nicht übersehen werden, daß Johann Arnd dabei sehr überlegt vorging. Jesuitische Quellen scheiden von vornherein aus. Nur einer einzigen der Mystikerinnen, die er in sein Werk hineingenommen hat, wurde die Ehre zuteil, selig gesprochen zu werden, aber nicht heiliggesprochen. Es handelte sich um Angela de Foligno (1248–1309). Die Außenseiter wie Paracelsus oder Raimund von Sabunde († 1436) wurden von den Päpsten links liegengelassen. Bernhard von Clairvaux (1090–1153), den Arnd mit aufnimmt, konnte Luther als den Prediger Christi selbst Augustin vorziehen. Die deutschen Predigten Taulers († 1361) finden wir im 3. Buch des Wahren Christentums.

Luther hatte Tauler in den Jahren 1515–1544 26mal sämtlich im positiven Sinn zitiert. Er setzte nur hinzu, daß man Tauler freilich »cum iudicio« lesen solle. Die Theologia Deutsch, die Arnd auch einfügt, gehört zu den anfänglichen Neuentdeckungen Luthers, die er 1516 und 1518 mit verschiedenen Vorreden versehen herausbrachte.

Es hat sich tatsächlich in Luthers Stellung zur Mystik kein wesentlicher Wandel vollzogen, weder durch sein Kennenlernen der Mystik Taulers und der Theologia Deutsch, noch durch die Abwehr der Schwärmer, auch nicht durch die reformatorische Wendung. In betonter Kontinuität hält er diese Linie durch. Er steht positiv zur Mystik als einer Sapientia experimentalis, als einer Lebensweisheit, gemäß der »der Mensch der religiösen Wirklichkeit nicht theoretisch spekulierend gegenüber, sondern in ihr steht und aus ihr lebt«.

So läßt sich, soweit ich sehe, kein Grund finden für die Annahme, Luther habe mystische Theologie überhaupt verworfen. *Man hat mit Recht schon auf »die mächtige Tradition« in der neueren protestantischen Theologie hingewiesen, die mit einem pauschalisierten Mystikbegriff nur irreführt, daß Mystik immer und in allen ihren Äußerungen katholisch sei*[25].

Warum konnte Luther und nach ihm der Lutheraner Johann Arnd sich z. B. mit Tauler befreunden? *Sie wußten zu differenzieren und waren nicht der Meinung, daß hinter aller Mystik ein für alle Mal ein religiöser Grundgedanke stehe, der der reformatorischen Grundposition feindlich sei.*

Es ist schwerlich von der Hand zu weisen, daß die moderne Pietismusforschung übersehen hat, daß man mit vollem Recht von einer allgemeinen Popularisierung der Mystik in der spätmittelalterlichen Frömmigkeitsliteratur sprechen kann. Was hier etwa von der Mystik Bernhards aufgegriffen wurde, war vielfach nicht die Hochmystik, die Verschmelzungsmystik, sondern ihre Frömmigkeit.

Bei Valentin Weigel, aus dessen Gebetbüchlein, das freilich erst 1612 in Halle gedruckt wurde, er Teile in sein »Wahres Christentum« aufnahm, war alles schwieriger. Gottfried Arnold zitiert in seiner Unparteiischen Kirchen- und Ketzerhistorie Arnd, der »in den ersten Jahren allerdings gut freund und einig« mit Weigel gewesen sei. Als die Polemik gegen Weigel aufflammte, habe sich Arnd schnell zurückgezogen. Er blieb aber dabei, daß er »viel Gutes an Weigelio erkannt und gebraucht, in den übrigen ihn als einen gebrechlichen Menschen seinem Richter stehen lassen« wolle. Übersehen werden sollte auch nicht, daß Johann Arnd nur den tridentinischen Katholizismus, der sich eine Gegenfront gegen die evangelische Christenheit errichtete, schroff ablehnte.

Alles wurde einer strengen lutherischen Revision unterzogen. *Man lutheranisierte verfängliche Passagen in den mystischen Texten.* Daß dabei auch manches unkorrigiert blieb, einfach übersehen oder überlesen worden ist, wird man zugestehen müssen. Edmund Weber kann das an vielen Stellen nachweisen. So spezifizierte man die Vereinigung mit Gott recht unmystisch: »Solche Vereinigung muß nothwendig geschehen durch den Glauben, weil die Sünden uns und unseren Gott voneinander schieden. Jes. 59,2.« Ob die gedankliche Synthese dabei immer wirklich gelungen ist, fragt Edmund Weber dabei öfters mit Recht.

Johann Arnds schriftstellerische Geschmeidigkeit besaß ihre deutlichen Grenzen. Die pfarramtlichen Verpflichtungen spannten ihn stramm an. Vier Methoden sind nach Edmund Weber zu erkennen: 1. die der Eliminierung, des Wegstreichens, 2. die der Kommentierung einer mehr oder weniger geglückten Umschreibung, 3. die der Biblisierung und 4. die der Laisierung, denn er gab dieses Andachtsbuch in die Hände der Nichttheologen[26]. Er kannte durch den Umgang mit allen Schichten des Volks, *wie sehr gerade schlichte Menschen nachdenklich und grüblerisch leben können.* Ihre Empfindungsstärke war noch nicht eingeebnet, sondern tief in Schmerz und Freude. Die Kraft der Phantasie war noch nicht verflacht, sondern lebendig. Die Sinne waren noch geschärft, man »begriff« mit dem Tastsinn von Händen und Füßen mehr. Die Schärfe der noch nicht überbeanspruchten Augen erfaßte die Bilderwelt, die in der Emblematik des Barock Triumphe feierte, noch ganz unmittelbar. Nicht daß die Menschen damals glücklicher gewesen wären als zu anderen Zeiten. Es gab die Erfahrung des Jammertals, ebenso die Erlösung, unglaubliche Grausamkeit wie unendliche Hingabe. Schließlich waren alle Familienglieder, oft von zwei oder drei Generationen noch zugegen, wenn ein Mensch zur Welt kam oder starb.

Wie der Reformator, der vertrauensvoll die verdeutschte Bibel in die Hand selbst des »gemeinen Mannes« gab, daß er daraus lebe, aber nicht den isolierten Bibelleser im Blickfeld hatte. Denn man hörte regelmäßig die Predigten, man hatte seinen Katechismus gelernt und wußte auch ihn wohl anzuwenden, man sang die Choräle. In seinem Herzen blieb ungestört: »Mit unserer Macht ist nichts getan« und »Es ist das Heil uns kommen her«. Er übersah das nicht bei dem Lesen des dicken Wälzers, den das »Wahre Christentum« darstellte. Doch manches änderte sich, die Wandlung vom intensiven zum extensiven Lesestoff setzte ein. Die Gemeindeglieder waren nicht mehr unkritisch gegenüber Kapriolen ihrer Prediger. Man hütete sich gewiß wohlweislich, die Autorität der Pfarrherren anzutasten. Doch die Ratsherren in den Städten, die Dorfschulzen auf dem Lande wie die Patronatsherren sorgten dafür, daß der Hirtenstab der Pfarrherrn zu sehr zu einem »Stab Wehe« wurde.

Nach dem Dreißigjährigen Krieg, der die bedrückende Kleinstaaterei in Deutschland zementierte, waren die einzelnen Landeskirchen ihren Landesherren oft zu stark ausgeliefert und unbeweglich geworden. Manche reichsgräfliche Geschlechter haben durch fortgesetzte Erbteilungen hier und dort zu der Groteske geführt, daß schließlich mehrere regierende Linien auf einem Schloß zusammenhausten. Und jeder wachte eifersüchtig, daß seine eigene Justizhoheit nicht angetastet wurde, richtete ein eigenes Konsistorium ein und besaß einen eigenen Hofprediger.

Wenn auch nach dem großen Krieg Tausende von Kirchen- und Schulämtern noch Jahrzehnte unbesetzt blieben, die Höhe der Besucherzahlen auf den Universitäten, die sie vor dem Krieg aufwiesen, erst im 19. Jahrhundert wieder erreicht wurde, die Gottesdienste nicht mehr so regelmäßig und ausnahmslos besucht wurden, man sich in der Bibel, im Choralgut und dem Katechismus nicht mehr so gut auskannte, die Kirche war als bestimmende Macht im Leben unversehrt. In den Häusern erscholl noch in der Regel morgens und abends der Morgen- oder Abendchoral, der Hausvater hielt immer noch einen Hausgottesdienst ab und nahm dabei ein Erbauungsbuch in die Hand.

So mußte auch der Pfarrherr nicht Ängste ausstehen, wenn mystische Texte wie im »Wahren Christentum« so intensiv studiert wurden. Die konfessionelle Bestimmtheit war weithin noch ungebrochen. Der evangelische Wanderbursche, der in Paris krank wurde, nahm im katholischen Hospiz lieber Nachteile in Kauf als daß er seinen evangelischen Glauben verleugnete und das Kreuz mit schlug.

Nicht anders verhielt es sich auch, als man unter den Reformtheologen der Orthodoxie anfing, anglikanisch-puritanische Erbauungsschriften ins Deutsche zu übersetzen.

Hans Leube, der dieser Erscheinung besonders nachgegangen ist, führt dabei aus: »Der Siegeszug der englischen Erbauungsliteratur in der lutherischen Kirche wurde dadurch eingeleitet, daß die Übersetzung der Praxis pietatis (erg. Baylys) und des »güldenen Kleinods« (erg. Sonthombs) für die Lutheraner besonders bearbeitet wurden.« Diese beiden englischen Schriften sind in Pfarrerskreisen wie in Laienkreisen verbreitet gewesen[27].

Spener und Francke haben da nichts Auffälliges und Außergewöhnliches getan, wenn sie die in Deutschland besonders beliebten und hier genannten englischen Erbauungsbücher als Eingangslektüre denen empfehlen, die in die neuen pietistischen Gedankengänge eindringen wollen. Das geschieht unter deutlichem Vorbehalt. Wenn sie in Predigten darauf Bezug nehmen, wird der Tenor ein anderer. Der Ton liegt im Gegensatz zu Bayly und Sonthomb nicht auf einer negativen Abwertung der irdischen Welt, vor der man gleichsam einen Ekel bekommen soll, um sich leichter zur ewigen Welt hinzuwenden. Wir könnten die Proben und Gegenüberstellungen beliebig erweitern[28].

Wer das alles übersieht, gerät bei seinen Analysen auf einen Sandweg. Noch etwas anderes fordert unsere Aufmerksamkeit. Unverkennbar steigert sich im 17. Jahrhundert, bei Johann Arnd vornehmlich festzustellen, der unmittelbare Blick auf das Leben Christi selbst, nicht nur auf das, was er in Kreuzesleiden und Auferstehung getan hat. Die einzelnen Züge im Leben des irdischen Jesu gewinnen eine neue Bildkraft. Man denke nur an Paul Gerhardts »O Haupt voll Blut und Wunden«, an die Karfreitagslieder, die Passionslieder überhaupt und an das Lied »Schönster Herr Jesu«. Wir beobachten bei den Schülern Arnds, die vor ihm in diese Richtung gewiesen worden sind, daß sie, wenn sie auf Christus zu sprechen kommen, von einer unmittelbaren Empfindung der Liebe und Herzensbewegung zu ihm durchglüht sind. Das ist auch bei August Hermann Francke, der ganz in dieser Tradition steht, der so nüchtern sein kann, wahrzunehmen, wenn er in seinen Predigten plötzlich vor Christus selbst zu stehen meint. Auch hier wird deutlich, daß der begnadete Mensch nicht von diesem Mittelpunkt abgedrängt wird.

Ohne alles auf einen Nenner zusammenbiegen zu wollen, werden wir mit Cornelis Pieter van Andel »Paul Gerhardt, ein Mystiker zur Zeit des Barock« als den ansehen können, wo das alles zusammenklingt, was Johann Arnd einleitete[29]. Er ist wie Arnd fröhlich und unbesorgt durch die Tür geschritten, die Luther für die Mystik offengehalten hat. Durch sie war keiner vor und nach Arnd mit so viel Erfolg gegangen und hat die Verbindung zwischen Luthertum und Mystik erneut zustandegebracht. Arnd hat Paul Gerhardt unmittelbar beeinflußt, wie van Andel in einem schönen Aufsatz aufgezeigt hat. Wie Johann Arnd »entlehnte Gerhardt der mystischen Sprache seine Wörter, seine Bilder, die Formen, mit denen er den vertrauten Umgang mit Gott und die daraus hervorgehende Freude ausmalte«. Das war kein Rückzug aus einer vom Dreißigjährigen Krieg verwüsteten bösen Welt. Sie wußten alle, die sich vom »Wahren Christentum« und der Bibel nährten, »auf welchen Pfaden Gott der Herr mit den Seinen gehen will«. Man wird beides festzuhalten haben, daß die lutherische Orthodoxie nicht nur in einer regelrechten Arnd-Schule von Erbauungsschriftstellern, also in vielen Andachts- und Gebetbüchern das »Wahre Christentum« anwendete, sondern daß sie zugleich Vertreter einer Übergangszeit waren, mit Paul Gerhardt »Nachfahren des orthodoxen Luthertums und zugleich Wegbereiter des Pietismus«[30].

Der Gedanke ist darum kaum abwegig, daß aus den Reihen derer, die wie Paul Gerhardt gestimmt waren, die Männer und Frauen kamen, die sich zuerst dem Pietismus öffneten und sich ihm zuwendeten. Sie drängten heraus aus der »Erstarrung und Frostigkeit«.

Eine Frage ist noch offen geblieben und auf sie zielt auch diese Untersuchung über Johann Arnd. Wie wirkte Arnd auf den Pietismus? Wilhelm Koepp stellt fest: »Der geheime Herrscher ... ist kein anderer als Johann Arnd. Er war in der Höhezeit des Pietismus drei Generationen lang der Herrscher der Frömmigkeit. Hier erfuhr Arnd die größte Weite seiner Wirkung. Er lebte in aller Herzen. Jedes Jahr bringt eine neue Lebensbeschreibung oder eine neue Vorrede, eine neue Untersuchung oder den Wiederabdruck einer alten. Jedes Jahr erscheinen drei Neuauflagen oder noch mehr. In jedem einzelnen Haus weiter Landschaften liest man wenigstens eine Schrift von Johann Arnd täglich. Dazu gibt es eine Fülle von Übersetzungen, fast wie bei der Bibel, ins Dänische, Englische, Schwedische, Wendische, Böhmische, oder ins Jiddisch-Deutsche, oder in Sprachen der Missionsgebiete, ja in die alte Kirchensprache Rußlands, und schließlich auch in das internationale Lateinische. Zinzendorf veranlaßt eine französische ... Johann Arnd wuchs in das Ökumenische«[31].

In diesem Zusammenhang sei noch daran erinnert, daß Speners Pia desideria, die große Einleitungsschrift des Pietismus als Vorrede zu Arnds Postille erschien. Die letzten Wochenpredigten seines Lebens hat er noch über die drei ersten Bücher vom Wahren Christentum gehalten. Neben der aufgeschlagenen Bibel lag Johann Arnds Buch auch bei August Hermann Francke.

Doch diese Feststellungen genügen kaum. Die wesentliche Frage wird lauten müssen, *welche Impulse löste Johann Arnd im Pietismus aus,* wie wurden seine Anstöße aktualisiert? Wurde er vielleicht ganz anders kommentiert als von den Generationen unmittelbar vor, im und nach dem Dreißigjährigen Krieg?

Schon von dem zwölfjährigen August Hermann Francke wissen wir, daß er in Johann Arnds »Wahrem Christentum« gelesen hat. Daß er damit eine auffallende Ausnahme darstellte, möchten wir nicht annehmen[32].

Wir fragen: War das nicht eine ganz enge Welt? Gott und die Seele, Abwendung von der Welt und Hinwendung zu Gott? Forderte Arnd nicht eine leise Frömmigkeit, die demütig und gelassen fernab der lauten Straßen der Welt eine klösterliche Gottes- und Christusminne kultiviert?

Diese Fragen sind immer wieder ventiliert worden. Die Tadler, die bei Arnd immer nur Weltflüchtigkeit wahrnehmen, haben dabei wohl übersehen, daß Arnd die Gottes- und Nächstenliebe untrennbar miteinander verklammert hat. Ganze Teile seines umfangreichen Werkes kreisen in einer weitausgedehnten Auslegung um das Hohelied der Liebe im 13. Kapitel des 1. Korintherbriefes. Gedanken klingen an, in denen eine revolutionierende Kraft liegt. Wurden sie erkannt und aufgenommen? Ein starkes soziales Pathos ist unverkennbar. Bei der Eigentumsfrage fallen Worte wie: »Das Feuer brennt für die Armen wie für die Reichen.« Arnd ist unruhig geworden angesichts krasser sozialer Unterschiede. »Wer seinen Bruder nicht liebt, wie kann er Gott lieben? Wer mit Gott vereinigt ist in der Liebe, der wird auch mit dem Bruder nicht unvereinigt bleiben. Damit die Einigkeit unter den Christen groß werde, muß dieselbe ihren Ursprung nehmen aus der Einigkeit mit Gott. Die Einigkeit ist ein großes Gut der Menschen und ihre größte Stärke.«

Unermüdlich wird der Gedanke der allgemeinen Bruderschaft variiert. Von Natur sind wir Brüder, sagt Arnd. Gott hat uns miteinander geschaffen. »Aber das Evangelium lehrt uns eine viel höhere Bruderschaft in Christo Jesu, daß wir alle untereinander Glieder seien unter einem Haupt.«

Der Gedanke der großen Bruderschaft aller, die Menschenantlitz tragen, der Gedanke der Menschheit als einer Ganzheit, liegt im Menschenverständnis Arnds bereits ausgesprochen. Es ist der homo societatis! Vor Gott bleibt der Mensch ein hilflos der Erbsünde ausgeliefertes Geschöpf. Sein ewiges Heil vermag er selbst nicht zu schaffen. Aber der Welt zugewandt, bleibt der Mensch nicht hilflos. Spiegelt sich in seinem Geist nicht der Makrokosmos, die große Schöpfungswelt? Ist er nicht fähig, die Baugesetze der sichtbaren Schöpfung zu erforschen? Die großartige Zahlensymmetrie der Sternenwelt ist für den menschlichen Geist nachrechenbar. Arnd gehört in die Reihe der paracelsisch Gesonnenen. Sein Leben lang hat er nicht von naturwissenschaftlichen Studien gelassen, um das zu erkennen, was die Welt im Innersten zusammenhält.

Was bedeutet die rastlose Durchforschung der Natur und ihrer Kräfte? Jede Erkentnis der unendlichen Schöpfungs- und Zahlenharmonie des Weltalls, jeder Einblick in die innere Struktur der Natur erziehen zur Ehrfurcht und Anbetung. So betriebene Naturerkenntnis vertieft die Gottes- und Nächstenliebe. Hier wird, wie wir bereits andeuteten, die Physikotheologie vorbereitet[33].

Arnd nimmt den Menschen als aktive Persönlichkeit. So beansprucht ihn das Evangelium.

Die Gottesebenbildlichkeit, von der Johann Arnd unermüdlich als von einem der tragenden Grundgedanken seiner Frömmigkeit spricht,ist jedem Menschen eingestiftet. Damit rückt der Mensch an sich, ungeachtet einer Rassenzugehörigkeit, als Geschöpf und Ebenbild in den Mittelpunkt des Frömmigkeitsinteresses. Diese Zusammenhänge scheinen auf den ersten Blick wenig zu bedeuten. Aber es liegt in ihnen eine verborgene Sprengkraft. Das Menschenbild Arnds zeichnet das vor Gott und seinem ewigen Heil hilflose, auf Gnade angewiesene Geschöpf. In der Welt aber ist der Mensch zur Aktivität, zum Einsatz gefordert. Seine Vernunft wird in ihrer Ordnungsfunktion ernstgenommen. Sie vermag im Geiste der Gerechtigkeit die menschlichen Gemeinschaftsformen zu ordnen. Und doch ist die Gerechtigkeit auf ihre Überhöhung durch die Barmherzigkeit angelegt. *Dem Christentum ist die universale Aufgabe anvertraut, durch seine Liebeskräfte zur Neuordnung der staatlichen und gesellschaftlichen Beziehungen beizutragen.*

Die Nähe zu einer im 17. Jahrhundert erstarkenden Grundstimmung ist unübersehbar, die von einem Umwandlungs- und Verwandlungswillen nach vorwärts bewegt ist. Für Arnd muß das Engagement des Christen dem Glauben als konkrete Tat gelten, als einer Übersetzung dessen, was Gott in ihm lebendig macht.

Auf alle Fälle bedeutet diese Schau, die in einer radikal und ohne Einschränkung vorgetragenen Forderung der allgemeinen Bruderliebe und Bruderschaft gipfelt, nichts weniger als *eine vorbehaltlose Ausdehnung der Liebes- und Dienstpflicht auf die ganze Menschheit.* Alle durch die Geschichte und durch geographische Trennung errichteten Mauern zwischen den Rassen, Völkern und Zeiten, ja zwischen den einzelnen Gesellschaftsschichten werden im letzten unwesentlich. Unter dem Einfluß dieses grenzenlos erweiterten Liebesbegriffes ist man dann im Pietismus bereit, über Meere zu reisen, um nur einige zu retten. In diesem Nächstenbegriff liegen bereits die Wurzeln zu einem Heroismus, wie er im Pietismus an seiner äußersten Front, der Juden- und Heidenmission aufbrechen soll.

Es bleibt dabei unbestritten, daß ein starkes Thema bei ihm der Einzelmensch bleibt. Gott hat jeden als sein Spiegelbild in die Welt gestellt. Der Mensch ist das Bindeglied zwischen demSchöpfer und der Schöpfung. Die Würde des Menschen, seine Ebenbildlichkeit liegt in seiner Bindung an Gott, in seinem Leben in Gott, die ihn den Engeln gleich macht. Und doch liegt die Würde des Menschen zugleich im Handeln. Denn was Gott für den Makrokosmos darstellt, das ist der Mensch als Mikrokosmos für die Erdenwelt. Zweifellos vermählen sich hier paracelsisch-pansophische Gedanken mit seinem Biblizismus, einer Weltdeutung aus dem biblischen Glauben, aus dem Buch der Schrift mit dem Buch der Natur.

Hier liegen zweifelsohne Spannungen. Das Herz, die Seele, das Ich vor Gott bildet die eine Betrachtungsmitte. Doch ufert diese Subjektivität des nach Gott hungernden Menschen nicht zu einer egozentrischen Subjektivität, zu einem schrankenlosen Individualismus aus. Denn gleich elementar bleibt bei Arnd ein ergreifendes Suchen und *Rufen nach Gemeinschaft und Neugestaltung aller menschlichen Ordnungen* und wächst sich zu einem zweiten Betrachtungszentrum aus. So jedenfalls ist Arnd von August Hermann Francke nicht mit Unrecht verstanden worden, der bis zu seinem Lebensende unter dem Einfluß Arndscher Frömmigkeitsausprägung bleibt. Hier liegt sein heimliches Ideal, hier finden wir das Leitbild von prägender Kraft in seinem Leben. Er hat ihn im höchsten Maße aktiviert und in die Welt des Handelns geführt[34].

August Hermann Francke ist völlig unmystisch veranlagt. Durch das elterliche Erbe und noch mehr durch die Umgebung, in der er aufwuchs, weiß er sich mitten in ein aufstrebendes Bürgertum hingestellt. Hier ist dem Willensstarken und Hochbegabten von Gott seine Platzanweisung gegeben. Zeitlebens bleibt er weltzugewandt.

Als im Jahr 1704 eine Hochflut mystischer Schriften in Halle unter den Studenten auftaucht und zu lebhaften Debatten führte, fühlte sich Francke genötigt, in sechs Vorlesungen über die »Theologia Mystica« einzugreifen. Sein Standpunkt stand fest, Theologia Mystica, wenn sie legitim und dem Evangelium gemäß sein will, erlaubt niemals ein Auslöschen des Ichbewußtseins, ein frevelhaftes Eindringen und verzücktes Versinken in die Gottheit und kein hemmungsloses Spekulieren. *Die evangeliumsgemäße Theologia Mystica bedeutet vielmehr höchste Aktivierung einer christlich durchgestalteten Existenz.* Hier beruft er sich auf Luthers Verständnis der Mystik. Er kennt sich sehr gut darüber aus. In weiter Ausführlichkeit demonstriert er anhand der »Vier Bücher vom wahren Christentum« die Zielrichtung echter Mystik. Auf andere Formen der Mystik läßt er sich nicht ein. Er weiß sich damit einig mit dem Luthertum des 17. Jahrhunderts und seiner Zeit. Das genügt ihm![35]

Alles ist seelsorgerlich gemeint. Menschen, die das Wort Gottes verachten und sich darum mystischen Schriften zuwenden, geraten auf einen falschen Weg. Sie sind »wie Mücken, die ins Licht flattern und sich dabei verbrennen.« Der wortflüchtige, spekulativ-mystische Spiritualismus ist für ihn eine Verfallserscheinung. Dem Satan fällt es hier leicht, auf allerhand Illusionen und Irrwege zu führen.

Die Distanz Speners zur Mystik ist nicht anders begründet. Auch hier erweist sich, wie stark Johann Arnd die beiden bedeutenden Gestalten geprägt hat[36].

Zu Johann Arnd bekannte sich ein Zeitgenosse, der dem Alter nach dessen Sohn sein könnte. Zwei seiner wesentlichsten Schriften sind für den Pietismus bei der Aufzeigung der Traditionen, die er aufgriff, von Bedeutung. Es handelt sich um Johann Valentin Andreä (1586–1654), den württembergischen Theologen, Gelehrten und einen der einflußreichsten Kirchenmänner seiner Heimatkirche[37].

Er hat seinem geliebten und verehrten Freund Johann Arnd seine freilich erst viel später berühmt gewordene »Christianopolis« (Christenstadt) gewidmet, die im Stil der Reißbrettutopien der Renaissance gestaltet ist. Sie wurde bezeichnenderweise in der freien Reichsstadt Straßburg 1619 gedruckt, weil Andreä im eigenen Land Schwierigkeiten befürchtete[38].

Er hat sich darin Gedanken gemacht, wie man auf allen Gebieten des Lebens ein wahres Christentum verwirklichen könnte. Im Blickpunkt behält er dabei die Erziehung des wahren homo societatis, des Christenmenschen, der vom Evangelium her das alles durchsichtig macht. Der Form nach ist es eine utopische Christenstadt. Das verwischt der Verfasser nicht. Unter den letzten Sätzen dieser Schrift finden wir den bezeichnenden Satz: »Niemand wird uns geneigteren Willen erzeigen, als der, der unsere Republik immer mehr dem Himmelreich nachbilden und von der Erde am weitesten entfernen wird, darum haben wir uns längst einen Sitz gewünscht, der zwar eben unter diesem gütigen Himmel, aber außerhalb dieser bekannten Welt und ihrem zusammenfließenden Unflat liegt.«

Das, was Gott von seinen Glaubenden erwartet, wird von Andreä in einem spielerischen Ernst in der literarischen Form der barocken Emblematik, die ihre tiefsten Gedanken in Bildern und Symbolen auszusprechen bzw. einzukleiden sucht, dargestellt. So bedeutet die »Christianopolis« nichts anderes als einen Appell zur Verwirklichung christlichen Lebens in einer wahrhaft christlichen Gesellschaft durch das Zusammenwirken Gleichgesinnter. Das soll zeichenhaft inmitten dieser Welt versucht werden, wo immer es nur geschehen kann. Doch alles verharrt an der Oberfläche, wenn dahinter nicht das Transzendieren auf das Nochzuerwartende von Gott her gesehen wird. Von einer Perfektionierung ist nirgends die Rede. Auch diese Christianopolis bleibt eine Stadt in dieser Zeitlichkeit[39].

Andreä ist unruhig geworden, wenn er an die Zerrüttung und das Absinken kirchlicher und gesellschaftlicher Sitten denkt. Ein anderes Bild von einer zuchtvollen Gemeinde hat er auf einer Reise in Genf gesehen. Der theologischen Logistik steht er wie die Laien fassungslos gegenüber.

Überall spürt er das Neue, ein Eindringen einer neuen Wissenschaftsgesinnung, die von der Theologie abrückt und eines rein weltlich argumentierenden humanistischen Bildungsprogrammes. Nicht zuletzt in einer Verbindung mit dem vorwärtsdringenden Neustoizismus sucht man hier aus dem Rahmen eines christlichen Humanismus herauszubrechen. Damit beides sich nicht auseinanderlebt, entfaltet er in der »Christianopolis« ein christliches Erziehungsprogramm, aufgebaut auf christlicher Lehre, Zucht und Unterweisung.

Ein christliches Weltbild soll neu konzipiert werden nicht gegen die konkreten Ergebnisse der Astronomie, der ganzen Naturwissenschaft, der Mathematik als der »königlichen Wissenschaft, die das Verborgene enthüllt und die Harmonie zwischen allen Wissenschaften darstellt«. Das soll alles einbezogen werden gegenüber einer Tendenz, ohne Gott auszukommen.

Sein Wiedergeburtsbegriff, angelehnt an dessen Verständnis bei Johann Arnd, ist nicht nur eine Umschreibung der Erneuerung und wunderbaren Verbindung und Bruderschaft mit Christus, die den ganzen Menschen erfaßt. Sie füllt im Inneren ein Vakuum und erweckt in der ganzen Breite eine Lebenswirklichkeit nicht nur als eine rechte Anweisung zum rechten Leben. Sie erweist sich, und das ist der neue Akzent bei Andreä, als eine Ordnungswelt, als eine intellektuelle Kraft, die bei der Deutung der Schöpfung im Buche der Natur den göttlichen Spuren nachgeht und hineinführt in eine Wunderwelt voller Harmonien. »Niemand wird etwas aus der Betrachtung des Universums folgern können, bei dem nicht der Geist ist.«

War damit Andreä ein Vorbereiter des Pietismus mit dieser Herausstellung des Wiedergeburtsbegriffes oder spielte er in seinen Gesamtentwürfen, die er in verschwenderischer Fülle vorlegte, nur eine fast zufällige und singuläre Rolle? Nahm er vielleicht nur ein interessantes und durch Johann Arnd ins Gespräch gekommenes Schlagwort auf?

Zu denken geben folgende Tatsachen. In seinen 12 Glaubensartikeln, die er in seiner »Christianopolis« ausformuliert und die später Spener gern neu veröffentlicht hätte, lautet der 3. Artikel und so weit schiebt er es vor: »Wir glauben durch eben diesen (erg. Jesus Christus) eine Wiedergeburt (regeneratio) unseres Geistes, die Abtuung unserer Sünden, die Bruderschaft unseres Fleisches mit und in ihm (Jesus Christus: wahrer Mensch gleich wie wir unser Erlöser) und die Wiederbringung unserer durch den Fall Adams verlorenen Herrlichkeiten.« Im 9. Artikel innerhalb dieser 12 Glaubensartikel kommentiert er das in seinem Bekenntnis zum Wirken des Heiligen Geistes, »unserem Tröster und Lehrer, durch den wir geheiligt, lebendig und tüchtig gemacht werden ...« Das gleiche Thema nimmt er noch einmal im 77. Kapitel der »Christianopolis« auf bei »De praxi theologica«: »Denn wie in Christus die Fülle aller Geheimnisse ist, so fängt die Wiedergeburt (regeneratio) in uns eine ganz andere Kindheit, Jugend und männliches Alter an und befördert solches, als welches nicht dem alten Adam, sondern Christus, unserem Buch des Lebens konform ist«[40].

Andreä läßt nicht ab, von diesem neuen Leben, von einem gelebten Glauben, von der Christusgebunden- und -verbundenheit zu sprechen und darauf zu dringen. Er tut es nicht monoton wie auch später weder Spener noch August Hermann Francke, noch Zinzendorf oder Johann Albrecht Bengel. Keinesfalls sprengt er dieses Anliegen immer in jeden Gedanken hinein. Die hohe Einschätzung des Taufsakramentes in der lutherischen Orthodoxie, ungebrochen auch bei den hier angeführten großen Gestalten des Pietismus, ist bei Andreä nicht abgeschwächt. Im 6. der 12 Glaubensartikel spricht er vom »Bad der heiligen Taufe in zarter

Kindheit«. Weil dieser »Same« zu »zart« ist, der dem Täufling ins Herz gepflanzt wird, muß er in einer Erziehung zur »Gottseligkeit« gepflegt werden. Das ist ohne Zweifel ein neues Motiv, das im 17. Jahrhundert nicht nur bei Johann Arnd und bei Johann Valentin Andreä angesichts kirchlicher und sittlicher Verwüstungen Energien weckt. Bekehrung und Erziehung, Regeneratio und Erziehung liegen hier, auch später nicht nebeneinander, sondern ineinander. All die großen Erweckungsprediger sind immer zugleich große Erzieher und Pädagogen gewesen wie z. B. August Hermann Francke.

Noch ein anderer Ton kommt bei Andreä auf, eine gereizte Stimmung gegenüber dem barocken Staat, der seine Kompetenzen auf Kosten der Kirche zu erweitern sucht. Das Stichwort »Caesaropapismus» taucht auf. Der Staat ist in seine Schranken zu verweisen. Er ist gegen eine Staatsallmacht. Akzeptiert wird er, wenn er der Kirche bei ihren ureigensten Aufgaben beisteht. Anderseits sieht Andreä sehr realistisch die Situation der Landeskirchen. Er verhehlt sich nicht, daß »ohne Zwang der Obrigkeit wohl nur wenige Dörfer einen Geistlichen ernähren wollten und dies bei dem Lasterleben der Geistlichen nicht verwundern könne. Bei solchen Zuständen traut er dem Predigtwort allein nicht mehr jene gemeinschaftsbildende Kraft zu, die er an den Urgemeinden hervorhebt«.

So sehr er also den Staat apostrophiert, so sehr will er mit dem Staat gehen, wenn er seine Pflicht erfüllt, die ihm als Schutzmacht der Kirche zugefallen ist.

So mäßigt er im Laufe seines Lebens seine Kritik am Staat. Er sieht, wie in vielen Landeskirchen in Deutschland nach dem Dreißigjährigen Krieg neue Ordnung einzieht, bei der der Staat seine volle Fürsorgepflicht erfüllt. Anderseits verkennt er nicht, daß das kritische Bewußtsein bei vielen angesichts der Ungereimtheiten und Risse im kirchlichen Leben wächst. Die Fülle der Mißstände, die die sogenannten Vertreter einer Reformorthodoxie selbst dem Staat gegenüber verrechnen, dann das deutlich abgesunkene kirchliche Leben im akademischen Betrieb beklagen, belegen die Wirkung Johann Arnds. Nach der positiven Seite hin beginnt ein Nachsinnen über die Überwindung und Neugestaltung, das sich in vielen frommen Wünschen (Pia desideria) noch vor Speners Reformschrift äußert.

Bereits diese Anstrengungen verunsichern auch die separatistischen Kreise, die sich weit verstreut im Lande eingenistet haben und ihre Kritik gegenüber der Kirche »als Hure Babel« nicht zurückhalten. Hier wird auch das »Wahre Christentum« sehr aufmerksam und offenen Herzens studiert. Es ist nicht von der Hand zu weisen, daß Johann Arnd wesentlich mitgeholfen hat, den Separatismus wieder mit der Kirche zu versöhnen, ehe der Pietismus sein Reformprogramm eröffnete und einen Durchbruch durch veraltete Zustände errang.

Wenden wir uns wieder Johann Valentin Andreä (1586–1654), dem Enkel des württembergischen Reformators und Tübinger Kanzlers Jakob Andreä (1528–1590) zu. Es war nicht von ungefähr, daß es ihm gelang, seine 18 Kinder unter den Honoratiorengeschlechtern Württembergs zu verheiraten. Denn am Hofe der Württembergischen Herzöge standen sie im Ansehen nicht hinter dem Landadel zurück. Johann Valentin Andreäs Vater, Pfarrer in Herrenberg, fand einen offenen Zugang zum Herzog durch das gemeinsame Interesse an der Alchimie. Der Vater verlor sein ganzes Vermögen durch die alchimistischen Versuche. Er starb früh. Der Herzog sorgte für die Witwe, der er nach dem Tode des Mannes (1601) das Amt einer Hofapothekerin übertrug.

Die Neigung des Vaters zur Naturwissenschaft ging auf den Sohn über. Er hätte kaum studieren können, wenn nicht die akademische Honoratiorenschicht den begabten Andreä unterstützt hätte. Er studierte in Tübingen alles und wächst hinein in das Bildungsideal der Polyhistorie. Nach sechsjährigem Studium folgt 1607 eine jahrelange akademische Reise, die ihn nach Straßburg, Heidelberg, Lyon, Paris, München, Basel, Genf, nach Österreich und in verschiedene italienische Städte, vor allem in die Republik Venedig führte, um die wichtigsten Stationen zu nennen. Ein Pfarramt trat er in Vaihingen an, wohl beschlagen neben der Theologie in Mathematik, Astrologie, Kabbala und Magie. Die naturwissenschaftliche Problematik hatte er voll erfaßt. In Vaihingen sind seine besten Schriften entstanden, unter den hundert, die dort geschrieben wurden, die »Christianopolis«. Während des Dreißigjährigen Krieges als Superintendent in Calw teilte er das Schicksal der schwer heimgesuchten Stadt. Seinem nach Straßburg entwichenen Herzog blieb er treu, besuchte ihn dort, sammelte für ihn Geld und wurde später gegen den Willen des Landeskonsistoriums von seinem Landesherrn zum Hofprediger und Konsistorialrat berufen. Was Andreä in Calw und dann von Stuttgart aus für die württembergische Kirche geleistet hat, auch an sozialen Einrichtungen, gehört in die Territorialgeschichte seines Landes.

Hier interessieren uns nur die Schriften von Andreä, die ihm einen Platz in der europäischen Kulturgeschichte eingetragen haben. Vieles haben wir darum zu übergehen.

Über die unmittelbare Nachwirkung seiner wichtigsten Schriften in seinem eigenen Lande besteht noch keine übereinstimmende Meinung. Er habe viele Leser in Württemberg gehabt und fand viel Beifall, steht dem anderen Urteil entgegen, daß er nur wenig gelesen wurde und sein Freundeskreis klein gewesen wäre. Fest steht nur, daß in Württemberg sich Johann Albrecht Bengel (1687–1752) und nach ihm vor allem Friedrich Christoph Oetinger (1702–1752) intensiv mit Johann Valentin Andreä beschäftigt haben. Ja, der Lebensweg Oetingers weist überraschende Parallelen zu ihm auf. Es verbindet sie eine gleiche leidenschaftliche Hinwendung zu naturwissenschaftlichen Fragen. In der Schärfe ihres Gesamtüberblickes über die anstehenden Probleme der Naturwissenschaft und ihrer Grenzsituation stimmen sie zusammen. Bei beiden findet man den starken Willen, das Volk nicht aus dem christlichen Glauben auswandern zu lassen. Verdankte nicht Oetinger wie vor ihm Johann Valentin Andreä seine Berufung zum Prälaten und zum Mitglied des Landeskonsistoriums dem Herzog, der sie einfach erzwang? Beiden gemeinsam war auch das Mißgeschick, ihre wichtigsten Schriften nicht in Württemberg drucken lassen zu können.

Wieder entdeckt hat Spener Johann Valentin Andreä, den man in der Öffentlichkeit gegenüber Johann Amos Comenius, dessen pädagogische Schriften Weltruhm erlangten, aus den Augen verloren hatte.

Die Andreä-Forschung ist über Anfänge noch nicht herausgekommen. Sicher bezeugt ist es nicht, ob der Rechtskonsulent Johann Jakob Schütz (1640–1690) in Frankfurt, ein Vetter 2. Grades von Andreä Spener bereits dort auf ihn hingewiesen hat. Jedenfalls hat der Frankfurter Senior Spener am 8. Oktober 1692 u. a. von Andreä gesagt: »Ich wüßte nicht, wen unter den Theologen im ersten Teil dieses Jahrhunderts ich ihm vorziehen sollte ... Oft wollte ich seine Christianopolis oder etwas ähnliches wieder herausgeben.« Dazu ist es freilich nie gekommen. Bei dem engen Gedankenaustausch, der zwischen Spener und Francke bestand, liegt es durchaus nahe, daß der Hallenser durch ihn auf Andreä aufmerksam wurde.

Francke hat in seinem »Großen Aufsatz« (1704) sich ausdrücklich zu Johann Valentin Andreäs Staatsutopie »Christianopolis« bekannt. Denn diese von Andreä entwickelte neue Christenstadt stellt u. a. eine ungeheuere Anstalt zur Forschung der Natur dar. Die Mauern der Stadt sind Bilderwände, an denen in kunstvollen Darstellungen sämtliche Himmelsvorgänge, aber auch die unendliche Fülle der Natur in den Ländern der Erde anschaulich gezeigt werden. Überall auf den Straßen befinden sich Bilder und Statuen der berühmten Männer, die deren Taten der Nachwelt preisen, um die Jugend mit hoher Begeisterung zu erfüllen. Entscheidender ist das von Andreä entwickelte Schulsystem. Es ist eine folgerichtig aufgebaute Bildungspyramide, die Francke realisiert und ihr in der Halleschen Stiftung eine Gestaltung gibt, die die europäische Öffentlichkeit überrascht. Andreä fordert bereits die geschlossene Internatserziehung der Jugend. Schon in dem grammatisch-rhetorischen Unterbau sind die neuen Überzeugungen berücksichtigt, die nach Andreä vor allem Ratke und Comenius ausgesprochen haben, die der Muttersprache, der Natürlichkeit, der Stoffbeschränkung und vor allem der Anschaulichkeit den Vorrang geben. Auf der Unterstufe werden Latein und Griechisch durch die lebenden Fremdsprachen ergänzt. Sie werden nach einer vereinfachten Methode zum praktischen Gebrauch gelehrt. Daneben wird Mathematik getrieben. *Der Geist des mathematischen Zeitalters bricht auf.* Die Mathematik gilt als Grundlage aller praktischen Erfahrungen. »Sie ist die einzige Wissenschaft, wo der Mensch mit der Endlichkeit ringt und tief in die Geheimnisse der Ewigkeit eindringt, wo er die Körperwelt in ihrer Abstraktion erfaßt und in der Verworrenheit der Welt die Wege zu den ersten Prinzipien aufzeigt« (Johann Valentin Andreä). Wenn man in der Schulstadt Franckes die erste Sternwarte errichtet, Anatomieunterricht erteilt, auch wenn man nur tote Hunde seziert und nicht Menschenleichen, wenn man in der Botanik Heilkräuter sammelt und vieles andere tut, was bisher dem Schulunterricht ferngelegen hat, so läßt sich das alles in der »Christianopolis« nachlesen.

Und wenn Francke die bisher völlig vernachlässigte und unbeachtete Mädchenerziehung propagiert und ausdrücklich fordert, daß die weibliche Jugend die gleiche Ausbildung wie die männliche empfängt, so folgt er hier Anregungen auch aus Fénelons (1651–1715) programmatischer Schrift über die Erziehung höherer Töchter. Sein väterlicher Freund, der lutherische Staatsmann Ludwig von Seckendorf (1629–1693) hat in die gleiche Richtung gewiesen. Doch auch hier wird Andreäs Schatten sichtbar. »Ich weiß nicht«, sagt Andreä, »warum dies Geschlecht, das doch von Natur nicht unbegabter ist, anderswo von der Bildung ausgeschlossen ist«. Andreä selbst steht unter dem Eindruck des humanistischen Kulturzieles der »gelehrten Frau«, in dem Traditionsraum, der eine neue Einschätzung der Frau in der Bildungswelt von kulturrevolutionärem Ausmaße einleitet. So laufen die Anregungen hin und her. Francke hat jedoch wie es Andreä im Sinn hatte, bereits auf der Elementarstufe das Mädchenschulsystem eröffnet. Die Hälfte der später bald 3000 Kinder, die die Halleschen Anstaltsschulen besuchten, sind tatsächlich Mädchen gewesen, wenn auch das Mädchengymnasium nie recht florierte[41].

Darüber darf natürlich nicht das Neue bei Francke übersehen werden, was bei ihm auch im Austausch mit den Leibnizschen Leitideen, die dazu eine starke Verwandtschaft an den Gedankenkreisen der Staatsutopien des 16. Jahrhunderts zeigen, auf fruchtbaren Boden gefallen ist. Doch Andreä steht Francke in der letzten Zielsetzung der Bildung näher, den Menschen fromm zu machen, damit er nun auch die rechte Klugheit gewinnt, die Welt richtig zu sehen, eben als Gottes Welt.

Johann Valentin Andreä sprach ihn auch aus anderen Gründen unmittelbar an. Dessen wiederholt ausgesprochener Plan einer großen Bruderschaft, der zuerst verschlüsselt in den Rosenkreutzer-Schriften anklingt, war Francke wie aus der Seele gesprochen.

Was Andreä erstrebte, war nach Franckes Überzeugung nun Wirklichkeit geworden. In den Halleschen Stiftungen hat Gott das »General- und Hauptwunder der Zeit« gestiftet. In seinem Projekt zu einem Seminarium universale spricht er davon, daß das Werk in Halle »gleichsam Cymbalum mundi werden soll, als eine Stadt, die auf dem Berge liegt, jedermann in die Augen fallen und also dieses Exempel selbst andere zum Nacheifern reizen soll«.

Halle ist Mittelpunkt und Ausstrahlungsort der ganzen Reich-Gottes-Bewegung. Darum ringt Francke, daß Gott das Werk, »zu einer allgemeinen Verbesserung in allen Ständen nicht allein in Deutschland und in Europa, sondern auch in der übrigen Welt in kurzer Zeit hinausführe«. In 14 Einzelpunkten, bei denen es reizvoll wäre, sie mit den entsprechenden Absätzen in der »Christianopolis« zu vergleichen, wird diese Überzeugung bei Francke verfochten. Er vertritt darin nichts Geringeres als den Anspruch, daß die »Christianopolis« eines Johann Valentin Andreä sich hier unter Gottes Segen verwirkliche, eine Idealstadt im kleinsten Maßstab, als ein Muster einer Christenstadt[42].

Wie stark dieser Gedanke gewirkt hat, zeigt Zinzendorf, der als Glied des Hochadels später ebenfalls versucht, eine selbständige, reichsunmittelbare Grafschaft Zinzendorf irgendwo in Hessen oder Franken zu erwerben. Die Brüdergemeine sollte Mittelpunkt dieses kleinen Staates, einer Christianopolis sein. Was ihm gelang, waren »Dörfer des Heilands«, geschlossene Siedlungen nur für die Brüder und Schwestern auf gutsherrschaftlichem Grund. Francke beflügelt eine Eile, die gleiche, die Leibniz drängt. Es ist die Angst, daß »Gott sein Werk stecken lasse«. Auch Halle bleibt – das sieht Francke im Laufe seines Lebens immer stärker ein –, so wie Andreä es sah, ein »Vorspiel des ewigen Lebens«.

Noch ein anderer ist nicht zu übersehen, der in Johann Valentin Andreä seinen Lehrer sah und sich selbst seinen Schüler nannte, obwohl sie nur wenige Briefe gewechselt hatten, Johann Amos Comenius (1592–1670)[43]. Er hat auch bei den pädagogischen Plänen Franckes eine nicht unwichtige Rolle gespielt. Exulant aus Mähren, Senior der Reste der böhmisch-mährischen Brüderkirche im polnischen Lissa, pädagogischer Berater des englischen Revolutionsparlamentes, wie des schwedischen Staatsführers Oxenstjerna, Schulreformer im siebenbürgischen Ungarn, Theologe, Historiker, politisch im europäischen Leben tätig, ruhelos umhergetrieben, verbrachte er seinen Lebensabend im Amsterdam Rembrandts und Labadies.

Mit Johann Valentin Andreä verband ihn die gemeinsame humanistische Tradition, die von Erasmus, Vives, Campanella und von Lipsius, der den Neustoizismus repräsentierte, geprägt war. Gemeinsam war beiden die Liebe zu Johann Arnd, auch ein Respekt vor Jakob Böhme und Valentin Weigel und vor Ratichius. Daß Andreä seinen »Theophilus« drukken lassen konnte, verdankt er Comenius, bei dem eine Abschrift des verloren gegangenen Manuskriptes lag.

Vieles ist ihnen gemeinsam in ihren Erziehungsprogrammen, obwohl sie nicht voneinander in ihren Ausgangspunkten abhängig sind. Für sie steht fest, daß »Gott uns nur drei Bücher gab, die für das Ganze genügen: die Welt mit seinen Schöpfungen rings um uns, den Geist mit den Wahrheiten des Verstandes in uns und die vor unserer Zeit in Worte gefaßten Offenbarungen der Hl. Schrift ... Diese drei Bücher heißen Quellen der Weisheit. Im Vergleich zu ihnen sind die besten Menschenbücher nur Rinnsale, angefüllt mit den Regentropfen einzelner Beobachtungen. Jene Gottesbücher sind aber wie eine große unterirdische Schlucht, der ewige Quellen entströmen«. Nur diese drei Bücher sollen Geltung haben, um damit Gottes Verherrlichung zu dienen. Andreä kennt die gleichen drei Bücher, nur spricht er von einem Buch des Gewissens anstelle der Vernunft, meint aber nichts Konträres. Noch wichtiger ist die Theologie der Ordnung, die beide aussprechen. Der Anspruch bleibt, die Welt in Ordnung zu bringen. Doch zunächst muß der Mensch in Ordnung kommen. Denn der Mensch hat die Mitte des Ganzen verlassen. So muß der Mensch erst aus seiner Verfallenheit herausgeführt werden. Wiedergeburt und Erziehung korrespondieren miteinander, das betont vor allem Andreä. Comenius dazu: »Der Mensch ist ein der Zucht zugängliches Wesen«.

Das Zweite, das »In-Ordnung-bringen der Welt« ist Auftrag und Pflicht des Christen. Denn die menschliche Finsternis hat Gottes Ruhm eingehüllt.

Der Mensch wird bei diesem Auftrag nicht überfordert. Die Funktion des Menschen wird von Comenius mit dem Reflexionsvermögen eines Spiegels verglichen. Hier wird, wenn auch pansophisch umständlich, ausgesagt, daß *jede Selbstinterpretation der Welt, der Geschichte im Absehen von der Gottesfrage immer wieder zum Scheitern verurteilt ist.*

Dabei beherrscht das endzeitliche Denken das ganze Denken des Comenius, unmittelbarer und direkter als bei Andreä. Die Zeit des Herrn ist nahe. Darum müssen wir die Welt in uns und um uns ordnen. So proklamiert er die Missionspflicht gegenüber der Heidenwelt, damit auch dort die gottgewollte Ordnung in ihren Herzen zur Geltung kommt, was bei Andreä fehlt[44].

Im Unterschied zu Andreä war Comenius ein systematischer Pädagoge und der Begründer einer wissenschaftlich orientierten Pädagogik und des pädagogischen Realismus. Einzelheiten im Wissenschaftsprogramm stören nicht, wenn sie bei beiden anders akzentuiert werden. Comenius übernimmt nicht den Lobpreis der Mathematik als königliche Wissenschaft. Gegen die Anatomie wettert er. Menschen werden hier wie Schlachtvieh behandelt. Man darf dabei nicht übersehen, daß auch vieles, was beide Männer sagten, irgendwie schon im öffentlichen Gespräch war.

August Hermann Francke ist in Gotha durch eine nach den Reformplänen des Comenius arbeitende Musterschule gegangen. Nicht zu vergessen ist, daß Ernst der Fromme (1601–1675) mit den Reformbestrebungen seines Jahrhunderts persönlich aufs engste verbunden ist. Er kennt all die großen Reformer persönlich: Ratichius, Johann Amos Comenius, Evenius, Andreas Reyher und Kromayer. Evenius wird ins Land gerufen. Als Student in Kiel ist Francke von Professor Mathoff erneut und nachdrücklich auf Comenius hingewiesen worden. Francke hat die Schriften des Comenius gesammelt. Ihre Veröffentlichung lag Francke am Herzen. Durch ihn sind sie in den pietistischen Kreisen erst richtig bekannt geworden. So hat Francke das letzte der pansophischen Werke, die Pannuthesia setzen lassen, doch über den Andruck hinaus stockte alles. Die Schriften des Comenius waren in Österreich verfemt. Vielleicht zögerte dadurch Francke, der ganz bestimmte Interessen der Diasporafürsorge nicht gefährden wollte, die sich auf die habsburgischen Länder erstreckten[45].

Wohl das letzte der Manuskripte des Comenius, von unbekannter Hand geschrieben und auch manche ungelöste Fragen stellend, barg das Archiv der Halleschen Stiftungen, bis es entdeckt wurde. Auffällig ist eine Gemeinsamkeit Franckes mit Comenius und auch Andreä in einer theologischen Ordnungslehre. Erhard Peschke hat in seinen Studien zur Theologie August Hermann Franckes im Ordnungsprinzip ihre Strukturelemente gesehen[46]. Wesentliche Aussagen Franckes lassen sich subsummieren unter: die Ordnungen Gottes, das Wesen der Ordnung Gottes, die Gestalt der Ordnung Gottes, die Stufen der Ordnung Gottes, die Kräfte der Ordnung Gottes.

Wir bewegen uns damit auf eine letzte Frage zu, die noch ansteht. Wie vermochte der Pietismus, der so vieles an Anstößen und Anregungen aus dem Jahrhundert entnahm, in dem er erstand, der so eng mit seinen geistigen Strömungen verbunden war, mit ihren Nöten und ihrer Unruhe, sich überhaupt als eine eigene, selbständige und schöpferische Bewegung an der Nahtstelle zwischen dem 17. und 18. Jahrhundert entfalten?

Dabei sind wir noch nicht auf den von Frankreich einströmenden romanisch-quietistischen Mystizismus mit der Ausstrahlungskraft, die von der großen katholischen Heiligen Tere de Jeses von Avila (1515–1582) auch auf den Pietismus überging, eingegangen[47]. Daß Blaise Pascal (1623–1662) mit manchen seiner Gedanken den Pietismus beeinflußte, ist bis heute noch nicht wirklich geklärt. Noch weniger sind die Einflüsse, die vom englischen Revolutionsjahrhundert, vor allem vom Puritanismus und über Holland einsickerten, in unsere bisherige Darstellung hineingenommen. Auch eine andere Frage blieb offen, wie weit Luther selbst und die reformatorischen Einsichten beachtet worden sind.

Die Frage nach der Luther-Rezeption werden wir bei den einzelnen großen Pietisten zu stellen haben. Die englischen und holländischen wie die von Frankreich herüberkommenden Einwirkungen sind am unmittelbarsten im radikalen Pietismus wahrnehmbar.

Wir werden wieder an dem anzuknüpfen haben, was wir eingangs feststellten. Eins ist gewiß, man darf den barocken Pietismus keineswegs nur als eine heftige Reaktionserscheinung gegenüber der lutherischen bzw. der reformierten Orthodoxie verstehen. Was sich vor allem nach 1675 als pietistische Erneuerungsbewegung Bahn brach, war offengestandenerweise aggressiver, ungeduldiger, auch lauter und ungerechter als die Reformorthodoxie.[48] Der Pietismus als eine Reformbewegung innerhalb des Protestantismus war jedenfalls unbequemer als die Reformorthodoxie, von der sie viele Anstöße übernahm, sie aber energischer zu praktizieren suchte. Ein Wille zur Sonderung war überall spürbar, eine Aufgeregtheit. Schwärmerische Gruppen wucherten überall, besonders in den unruhevollen Anfangszeiten. Der linke Flügel der Reformation war vor allem im süddeutschen Raum nicht völlig zerschlagen worden. Die in lautlosen Zirkeln untergetauchten Taufgesinnten, Separatisten, Schwenckfelder rührten sich wieder, als der Pietismus seine kirchen- und sozialkritischen Thesen aufstellte.

Die Unterwanderung durch diese unkirchlichen Seitenströmungen lag nahe, wurde aber abgewehrt. Doch Groteskes, Lächerliches, Verworrenes, Abstoßendes sickerte in den Anfangszeiten aus diesen Zirkeln auch in das Strombett des kirchlich gesonnenen Pietismus ein. Daß ein gewisses Schwärmertum oft gefühlsmäßiger Überhitzung eine besondere Gefahr für den gesamten Pietismus, ein Überwuchern solcher Frömmigkeit ohne die Zucht nüchterner Besinnung eine stete Versuchung geblieben ist, kann nicht verschwiegen werden.

Es war nicht leicht für die altgläubige Theologie, ein gerechtes Urteil über den Pietismus zu gewinnen. Er trat als eine außergewöhnliche, ja vielschichtige Erscheinung innerhalb der barocken Welt auf. War der Protestantismus nicht in Gefahr, durch die pietistische Nebenströmung seine innere Geschlossenheit zu verlieren? Bisher waren Sondergruppierungen mit einem eigenen Programm, mit einem eigenen Frömmigkeitsstil im deutschen Protestantismus unbekannt.

Eine Tatsache überrascht. Bei dieser neuen pietistischen Strömung in der Welt des barocken Protestantismus handelte es sich eindeutig um eine Minderheit von Theologen und Laien. Manche Landschaften wie z. B. auch die welfischen Fürstentümer, verschlossen sich von Anfang an dem Pietismus. In manchen Reichsstädten wurden durch die hart zugreifende Obrigkeit alle pietistischen Gruppen zersprengt. Wenn nach 1700 dem Pietismus ein gewisser Spielraum eingeräumt wurde, so geschah es unter dem Eindruck der Religionspolitik in dem mächtig aufstrebenden Brandenburg-Preußen. Sehr ruhig vollzog sich die Auseinandersetzung nicht. Dafür sorgte die lutherische noch mehr als die reformierte Orthodoxie, die »im Gleichschritt mit der weitereilenden Wissenschaft ständig moderner wurde in immer größerem Abstand zum Luthertum«. Aber auch ihr fiel es schwer, denn man war nicht gewohnt, daß sich inmitten einer kirchlichen Einheitskultur nichtkonforme Stimmen meldeten.

Der Pietismus forderte ein gewisses Mitgestaltungsrecht in allen protestantischen Gebieten Europas, in Deutschland, der Schweiz, in Holland, in Skandinavien, im baltischen Ostraum, in den österreichisch-ungarischen Ländern mit ihren geduldeten oder geheimen protestantischen Minderheiten.

Man wird einfach nicht übersehen können, daß der Pietismus rasch auch in nichtkirchliche Bezirke eindrang. Man wird den Pietismus nicht richtig darstellen können, wenn man unbeachtet läßt, daß er einen erstaunlich intensiven Einfluß auf die Breite des kulturellen und geistigen Lebens ausstrahlte, den die lutherische wie reformierte Orthodoxie immer mehr einbüßte. Der aufkommende Pietismus fing an, den Dialog vor allem mit jenen zu führen, die sich innerlich vom herrschenden Kirchentum abgesetzt hatten, mochten diese es noch nicht wagen, in einer scheinbar geschlossenen Kirchlichkeit der Zeit vernehmbar zu opponieren.

Es wird immer wieder viel zu wenig oder nur widerstrebend gesehen, daß der Pietismus sich Bahn brach und ein weites Echo fand, weil er inmitten ei-

ner gesamteuropäischen Bewußtseinskrise auf Sehnsüchte und Fragen, die hier aufwachten, elementar reagierte. Seine Antworten wirkten einfach überzeugender als das, was die Orthodoxie vor allem im lutherischen Raum im Umbruch der Zeit zu sagen wußte. Ein Umformungsprozeß – es handelte sich um gesamteuropäische Vorgänge – vollzog sich in einer Komplexheit der Bestrebungen, die nicht leicht zu fassen sind. Was hier heraustrat, um nur kurz zu skizzieren, war nicht zuletzt ein allgemeiner Stimmungsumschwung gegenüber einer überspitzten konfessionellen Ausschließlichkeit, von welcher Seite er auch ausgesprochen wurde. Europa war der Uneinigkeit der Konfessionen müde, ja überdrüssig geworden. Man strebte nach einem dauerhaften Religionsfrieden in Europa auf Grund vernünftiger Übereinkunft und war sich einig in der Relativierung der verschiedenen konfessionellen Standorte. Man konnte dabei an Bekundungen der gemäßigten Orthodoxie anknüpfen, die nicht so starr war, daß sie sich nicht ständig auch zu wandeln versuchte und durchaus keinen erratischen Block darstellte.

Nur noch einige Aspekte sollen aufgezeigt werden. Das Entscheidende trug dabei England in seinem Revolutionsjahrhundert zwischen 1600 und 1700 bei. Hier wurde vornehmlich aus der Glut puritanischer Leidenschaften eine religiös begründete Toleranzgesinnung geboren. Erzwungener Glaube wurde zur Sünde erklärt, anderseits jeder zum Bruder, der sich unter den Anspruch der Schrift beugt. Englands Bedeutung für die Verbreitung der toleranten Stimmung ist nicht leicht abzuschätzen. Die Hauptvertreter des klassischen Pietismus waren von dieser Neuorientierung geprägt[49].

Nach einer Periode des kulturellen und wirtschaftlichen Niedergangs meldete sich auch in Deutschland ein neu erstarktes Bürgertum zu Wort. Langsam erhebt es seine Bedenken gegen die Staats- und Pastorenkirche und meldet ein kirchliches Mitspracherecht an. Eine europäische Unruhe setzt auch von hier aus ein. Voran gehen die wirtschaftlich fortschrittlichsten Länder Europas. Hier ist das Bürgertum bereits im 17. Jahrhundert zur Herrschaft gelangt. Dieses Bürgertum trägt eine weltweite Expansion. Ein kraftvolles und siegesbewußtes europazentrisches Selbstbewußtsein regt sich in ihm. Die erfolgreiche Emanzipation des Bürgertums hat ihren Ausgang von England und Holland genommen.

In einer europäischen Unruhe wird die Ökumene geboren, die jetzt etwas anderes sucht als nur unverbindliche Theologengespräche vergangener Zeiten. Drei Strömungen vermischen sich von Anfang an. *Mit der Sehnsucht nach Toleranz verbindet sich das Verlangen nach einer neuen europäischen geistigen Einheit. Eine europäische Hochstimmung entsteht.*

Hunderte von populären und wissenschaftlichen Zeitschriften und Bücher nehmen auf Europa Bezug. Sie betonen ihren europäischen Zuschnitt. Mögen sie sich Theatrum Europaeum, Europäische Fama, Diarium Europaeum, Europäisches Staatssekretarius oder ähnlich nennen, sie beanspruchen, europäische, ja weltweite Information zu liefern und europäische Meinungen zu vertreten. Internationale Gelehrtenzeitungen wie das Pariser Journal de Savants, die Leipziger Acta Eruditorum und L'Europe savante schreiten von gesamteuropäischen Berichten zur Weltkunde, zur Nachrichtenvermittlung aus Übersee. Danach hat man in den Jahrhunderten vorher vergeblich gesucht[50].

Am innerlichsten hat an dieses neue europäische Bewußtsein Comenius in seiner Panegersia appelliert. In der Vorrede wendet er sich an die Europäer, an die Leuchten des Erdteils, an seine Gelehrten, Gottesmänner und Machthaber. Er sieht in einer Vision alle Europäer in einem Schiff und die Asiaten, die Afrikaner und die anderen auf ihren bedrohten Schiffen im gleichen Ozean der Welt dahintreiben. »Im allgemeinen Namen unseres europäischen Erdkreises« müsse man den Menschen in ihrer Finsternis, die nicht im Schiff Europas sitzen und an seinen Segnungen teilnehmen, das volle Licht des Glaubens, die Flammen der Wissenschaften bieten. Es gibt um 1700 eine ganze Reihe großer Europäer, nicht zuletzt ist dabei auch an Leibniz (1646–1716) zu denken, die zur Neubegründung einer »Europa Christiana« aufrufen.

Dieser neuen Situation ist die Orthodoxie weithin nicht mehr gewachsen. *Unverkennbar hat ein Selbstauflösungsprozeß eingesetzt.* Mit ihrer starren Festlegung auf die scholastisch-aristotelische Schul- und Denkmethode gelingt es ihr nicht mehr, die kritischen Fragen, die sie umbranden, in den Griff zu bekommen. So tapfer sie alle Angriffe zurückschlug, die ihr galten, erlitt sie eine wissenschaftliche Niederlage nach der anderen. Wie in einem Trotz beantwortete sie alle Hinweise auf naturwissenschaftliche und historische Schnitzer im Alten Testament mit einer immer dichter geschlossenen Verbalinspirationslehre[51]. Nicht nur der Inhalt, jedes einzelne Wort der Schrift war unmittelbar von Gott eingegeben. Die Orthodoxie hat die Dringlichkeit, mit der hier im Zuge einer fortschreitenden wissenschaftlichen Erkenntnis Fragen gestellt wurden, die den Menschen wirklich auf der Seele brannten, nicht mehr begriffen und völlig verschüttet war Luthers Schriftverständnis, das sich in dieses starre Schema einfach nicht pressen läßt. Die Orthodoxie konnte sich von einem falschen Perfektionsgedanken nicht mehr lösen. Bei aller Freude an der Schrift, die ihr zuzugestehen ist, sie hat mit ihr gelebt, ließ sie sich hier von der theologia crucis abdrängen.

Die von vielen Seiten angegriffene Orthodoxie suchte mit Hilfe der Verbalinspiration eine falsche Sicherheit. Sie behauptete ein Mirakel und verleugnete die echte Geschichtlichkeit der Schrift. Die Folgen waren unabsehbar. Zu einer Hilfe in Bibelnot, die sie hätte geben sollen, war sie nicht mehr fähig und elastisch genug, eingefangen in die Neuscholastik mit ihrem Aristotelismus als Wissenschaftsmethode, die unter dem Zeichen einer Rückwärtsorientierung blieb. Dagegen steht das tapfere Bekenntnis Keplers zur Schrift, die ihm in allem, was sein zeitliches und ewiges Heil bedeutet, Autorität ist und bleibt, aber über Naturwissenschaftliches will und kann sie ihn nicht in den neuen Einsichten irre machen.

Es ist wohl zu voreilig, wenn gesagt worden ist: »Die Orthodoxie stirbt langsam ab und mit ihr die letzte Gruppe, die mit Entschiedenheit am universalen Anspruch der Schrift festhielt«. Der Pietismus hat vielmehr die universale Stellung der Schrift erhalten bzw. erneuert. Unter ihm entstand die erste Bibelgesellschaft und die Bibel kam jetzt erst richtig in die Häuser, so daß die in der Erweckungsbewegung im 19. Jahrhundert entstehenden Bibelgesellschaften Not hatten, ihre Bibeln abzusetzen.

Dann wieder wurde unter dem Druck einer neuen mächtigen Zeitströmung, die jäh aufbrandete und dann doch zurückflutete, Orthodoxie und Pietismus förmlich zusammengetrieben. *In der Zeit zwischen 1670 und 1720 wurde Europa von einer Flut von Skepsis, von Zweifeln und Zweifelssucht erfaßt.* Der Atheismus rührte sich in vielerlei Formen. Zweifelsohne war es auch eine Unlust, eine Opposition gegenüber der Orthodoxie, ein Streben, sich der bisherigen Vorherrschaft der Theologie zu entziehen. Denn merkwürdigerweise nachdem die Orthodoxie ihre unbestrittene Position in der europäischen Geisteswelt eingebüßt hatte, kühlte sich diese atheistische Bewegung deutlich ab. Man flüchtete sich in die ewigen Wahrheiten, soweit man noch religiös war.

In der Zwischenzeit wurden Pietismus und Orthodoxie förmlich Bundesgenossen, ohne dies einander zuzugestehen. Doch die überzeugenden Argumente, die Angefochtenen, die nicht den Gottesglauben verlieren sondern neu gestärkt werden wollten, wirklich halfen, bot der Pietismus an. Wir werden auch das näher zu untersuchen haben. Noch eins macht den Niedergang der Orthodoxie und das Aufkommen des Pietismus mit deutlicher. Der Hexenglauben und die Hexenverfolgungen werden erst durch den Pietismus und durch die Aufklärung gestoppt. Bis zu ihrem Abtreten verharrte die Orthodoxie in der Masse ihrer Geistlichen in diesem Aberglauben, obwohl sie vorsichtiger und nicht so blindwütig vorging wie katholische Bischöfe, die im zu Ende gehenden 17. Jahrhundert hier und dort noch viele Scheiterhaufen anzünden ließen.[52]

Der Wind stand gegen die Orthodoxie. Es ist eine alte Beobachtung, gelesen wird, worin eine Zeit, eine Epoche sich erkannt fühlt. *Was der Pietismus an neuen Impulsen aufgriff und gestaltete, entsprach elementar der neuen Zeitstimmung.* Gewiß grenzt jeder Stimmungsumschwung ans Irrationale. Er interpretiert anders und bleibt auch nie frei von Mißverständnissen, wenn er sich auf seine »Freunde« beruft.

Jedenfalls: die führenden Gestalten im Pietismus waren sich gewiß, gerade weil man Gott vertraut, kann man sich aufs freie Feld wagen. Man braucht sich nicht gegen eine neue Zeit mit ihren neuen Fragestellungen zu stellen. Nein, wenn man helfen will, den Staub von Jahrhunderten, wo er erstickend wirkt, abzuschütteln und für Toleranz, für Humanes und soziale Umgestaltung, für wissenschaftliche Erkenntnis einzutreten, muß man nicht gegen Gott sein.

Philipp Jakob Spener (1635–1705) und der frühe Pietismus

»Überblickt man, was Speners »Pia desideria« binnen eines Menschenlebens ausgelöst hat, so ist nicht nur die Tiefe, sondern auch die Breite ihrer Auswirkung ein Beweis dafür, wie wenig das barocke Luthertum mit seinem verdünnten Humanismus und dem erstarrten Bekenntnis den wahren Bedürfnissen der Frommen entsprochen hatte«[1].

Daß die lutherische Orthodoxie noch weniger den Unruhiggewordenen, die nach einer Orientierungshilfe suchten, gerecht geworden ist, haben wir bereits verdeutlicht. Fast möchte man bei Spener, den man den Vater des Pietismus geheißen hat, sofort auf seine berühmte Programmschrift von 1675 zueilen, mit der eine neue Epoche beginnt. Der Pietismus tritt damit ins volle Licht der Öffentlichkeit. Doch türmen sich hier eine Fülle von Fragen auf. Man vermag einfach die »Pia desideria« nicht aus dem Lebenszusammenhang mit der Biographie Speners zu isolieren.

Spener, der vor allem für den lutherischen Pietismus bestimmend geworden ist, kommt aus einer der dichtesten Kulturlandschaften Europas. Er wurde am 13. Januar 1635 im oberelsässischen Weinstädtchen Rappoltsweiler als ältester Sohn eines Straßburger Juristen geboren, der zuletzt als Rat und Archivar der Herren von Rappoltstein tätig war. In diesem Ort saßen über Jahrhunderte die Grafen von Rappoltstein, die als das vornehmste Geschlecht im Elsaß überhaupt galten. Wohl starb die männliche Linie dieses Geschlechts im 17. Jahrhundert aus. Spener hat das alles miterlebt. Die letzte der Erbherrinnen, Katharina, heiratete den Pfalzgrafen von Zweibrücken, der zum Stammvater der dann in Bayern regierenden Wittelsbacher wurde. Und letzter Herr der Grafschaft Rappoltstein mit ihrem vielen Streubesitz war Maximilian Joseph, später Kurfürst und erster König Bayerns.

Das ist nicht unwichtig. Denn seine Patin Agatha von Rappoltstein hat bis zu ihrem Tod (1648) sich sehr um den jungen Spener gekümmert. Ihr verdankt er viel, denn auch seine Studien verfolgte sie. Von früh an war er so gewöhnt, sich auf dem spiegelglatten Parkett der Adelshäuser zu bewegen. Einer weltflüchtigen Frömmigkeit hat seine Patin, die alte Gräfin Agatha geb. von Solms-Laubach-Wildenfels, kaum gehuldigt. Das entsprach durchaus auch nicht den Traditionen ihrer eigenen Familie vom eigenen Vater her. Daß sie Johann Arnds »Wahres Christentum«, für das damals ganz Straßburg begeistert war, zur Weltflucht animiert hätte, war nach der Intention dieses Erbauungsbuches wenig wahrscheinlich.

Der junge Spener wuchs mit Johann Arnds »Wahrem Christentum« auf. Einen starken Einfluß auf ihn hat der Hofprediger Joachim Stoll (1615–1678), der nach 1647 nach Rappoltsweiler gerufen wurde, ausgeübt. Neben seinem Vater, dem Juristen Johann Philipp Spener (1590[?]–1657), hat er von früh an ihn den Weg zu den nichttheologischen, jedoch zeitgenössischen Bildungselementen gewiesen. Stoll hat 1660 Speners 1636 geborene Schwester Agatha Dorothea geheiratet. Wenn auch schon 1648 der 13jährige als Student der Straßburger Philosophischen Fakultät immatrikuliert wurde, auch der frühe Eintrittstermin war nicht ungewöhnlich, leitete Stoll weiterhin seine Studien. Er hat ihn in die richtige Richtung gewiesen, wenn er ihn zur Lektüre der beiden großen Niederländer Justus Lipsius (1547–1606) und Hugo Grotius (1583–1645) anregte. Das lag auch durchaus nahe.

Was bisher in der Spener-Forschung kaum beachtet worden ist, hier schon vollzog sich eine entscheidende Weichenstellung. Justus Lipsius hat mit seinen Handbüchern des stoischen Systems, dem Neustoizismus, der das 17. und 18. Jahrhundert tief bestimmte, den Weg gebahnt. *Die Ethik der römischen Stoa wurde durch seine bahnbrechenden Veröffentlichungen zur Morallehre in Frankreich und England, in Schweden und Deutschland.* Nicht nur die wilden Haudegen im Dreißigjährigen Krieg, auch Juristen und Staatsmänner haben in schweren Schicksalsführungen als Barriere vor Verzweiflung sich auf Gott verlassen und zugleich die stoische »Constantia«, Standhaftigkeit oder Beständigkeit geübt. Dieser Begriff wurde, wie Gerhard Oestreich feststellte, »in allen europäischen Sprachen zu einem Kernbegriff des moralisch-weltanschaulichen Empfindens jener Zeit«. Ein echtes religiöses Bedürfnis, das nach einem religiösen, durchaus nicht verdogmatisierten Fundament suchte, fand hier eine Hilfe, um so mehr, als sich dabei eine gewisse Anpassung an die christliche Frömmigkeit vollzog[2].

Justus Lipsius und nach ihm seine unmittelbarsten Schüler haben dieser neuen Bewegung die wissenschaftliche Begründung und Befestigung geliefert. Das 1584 von Lipsius im glänzenden Latein des holländischen Späthumanismus geschriebene Werk »De constantia in malis publicis« hat über 50 Auflagen erlebt und ist schnell in alle modernen Sprachen übersetzt worden.

Es führt von unserem Thema nicht ab, wenn darauf hingewiesen wird, daß hier »Geduld und Selbstbeherrschung (patentia et temperantia), Ertragen aller Schicksalsschläge in den Nöten der Zeit, Zügelung der Leidenschaften zum Vorbild wurden. Der innere Widerstand war das Gebot der Stunde.«

Über Theologie schrieb Lipsius nicht. Ihm lag es an dem Willen zur Selbstbehauptung, dem »robur animi«, dem Durchstehen und Aushalten. »In dem Lebensschiff, das Gott steuert, muß jeder tüchtig zum Riemen greifen.« In seinem Hauptwerk über »Politik« forderte er von dem Staat nüchterne Überlegung bei allen Handlungen, nur nicht »dem blinden Nebel der Emotionen« folgen und Vorurteile hegen!

Diese »Politica seu civilis doctrina« von 1589, das Hauptwerk des politischen Neustoizismus wurde zu dem Lehrbuch des im 17. Jahrhundert planmäßig vorgetriebenen Ausbaus der Fürstenmacht. Die Geschichte und die Erfahrung sollten dabei nutzbar gemacht werden.

Der Regent wird fest ans Gesetz gebunden. Sein persönliches Regiment soll nicht hinter einer Adelsbürokratie verschwinden. Das einmal gegebene Wort ist unbedingt zu halten.

Lipsius räumte auch den Fürsten keine freie Entscheidung über die kirchlichen und religiösen Fragen ein, nur ein Inspektionsrecht. Gegen den eigenen Willen zu glauben, sollte niemand aufgezwungen werden. Unbedingt sollte dabei die Unterscheidung zwischen aufständigen und stillen Andersgläubigen festgehalten werden.

Der junge Spener hat zweifelsohne in der Vorbereitung auf seine Magisterarbeit die Tacitus-Ausgabe von Justus Lipsius von 1574 verwendet. Was sie zu ihrer Berühmtheit führte, war nicht nur die damit verbundene geniale Textkritik und Philologie, sondern die Verbindung von Historie und Politik.

Mit dieser historisch wie moralisch und vor allem politisch motivierten Strömung als einer neuen Lebensmacht im 17. Jahrhundert ist Spener zeitlebens konfrontiert worden. Sie hat den neuzeitlichen Macht- und Wohlfahrtsstaat des aufgeklärten und abgebremsten Absolutismus, den aktiv-asketischen neustoizistisch geprägten Kulturstaat vorbereitet. Ihren Vertretern ist Spener in den Amtsstuben der Städte wie der Adelsbürokratie an den Höfen begegnet, bei den Militärs, nicht zuletzt im Juristenstand. Vieles in Speners späteren sozialen Unternehmungen fand bei diesen Persönlichkeiten nicht nur eine unerwartete Aufmerksamkeit, sondern Bereitschaft, ihn dabei zu unterstützen. Selbst in der Auseinandersetzung Speners mit dem radikalen Pietismus hat sich Spener fast wortwörtlich der entsprechenden These über Toleranz bei Lipsius bedient. Wenn der Landesherr von Kursachsen, Johann Georg III., einer der »Saufjörge«, ein barocker Kriegsheld, Spener, seinen Oberhofprediger, nicht einfach aus dem Land jagte, als er ihm unbequem geworden war und er sich mühsam beherrschte, geschah dies im Blick auf die gebotene politische Klugheit im neustoizistischen Geist.

Warum war man in Brandenburg-Preußen, in dessen Metropole Spener seinen Lebensweg beschließen sollte, bereit, mit dem Pietismus zusammenzuarbeiten? Spener hatte voll die Naturrechtslehre von Hugo Grotius akzeptiert. Hugo Grotius selbst, der die zweite Welle des Neustoizismus repräsentierte, der geniale Schüler von Lipsius, war mit seiner Gesellschafts- und Staatstheorie für diesen Staat mit richtunggebend in den kulturellen Entscheidungen geworden. Um auf Spener zurückzukommen, so gilt, daß unter den deutschen Universitäten, die geradezu Lipsius-Schulen bildeten, Straßburg mit zur wichtigsten geworden war. Am Schnittpunkt deutscher und französischer Einstrahlungen, von Holland abgesehen, war das zu verstehen.

Hier hat die große Persönlichkeit von Matthias Bernegger, Inhaber des Lehrstuhles für Geschichte (1613–1640) eine feste Lipsius-Tradition eingeleitet. Sie lebte in seinem Schüler Jacob Schaller, bei Veit Ludwig von Seckendorf und bei dem jungen Leibniz, der aus diesem Grunde in Straßburg studierte, wenn auch in stets verwandelter Form weiter. Der Vollender der neustoischen Strömung wurde schließlich Hugo Grotius. Die naturrechtlichen Prinzipien, aus einem christlich-stoischen Naturrecht entwickelt, gründeten sich auf eine Übereinstimmung mit der menschlichen Vernunft, die der von Gott geschaffenen Natur des Menschen konform geht. Hier sind »lipsianischer Neustoizismus und grotianisches Naturrecht« durch das Herausstellen von Gewissen und Pflicht eng verzahnt worden.

Die disziplinierende Wirkung dieser Geistesbewegung wirkt sich im Bürgertum aus. Sie verbürgerlichte. Die politisch-moralische Lehre des Neustoizismus zog ein in die Ratshäuser. *Dieses ganze Wertsystem von Mäßigkeit, Nüchternheit, Klugheit und Tugend, Gravität, aus der sich das Zeremoniell als Stütz- und Haltfunktion entwickelte, die Lehre vom guten Namen und der Rücksicht auf den Nachbar nahm gutbürgerliche Züge an.*

Diese ganze Entwicklung bis hin in die »politische« Weltklugheitslehre läßt sich an der Verbreitung der lipsischen Literatur, die einschließlich ihrer Übersetzungen 80mal gedruckt wurde, relativ sicher ablesen. So geriet auch das aufstrebende Bürgertum in diesen Sog. Im Sinn des Neustoizismus wurde es zur Selbstdisziplin, zum Gehorsam und Respekt vor der Obrigkeit und nicht zuletzt zur systematischen Leistungssteigerung auf allen Gebieten angehalten. Auch August Hermann Francke hat nicht zufällig das Hauptwerk des Lipsius seiner Bibliothek eingereiht. Bei Zinzendorf steht es nicht anders.

Diese Aneignung fiel nicht schwer. Christliche Grundvoraussetzungen sind nicht zu übersehen. Denn das Menschenbild war selbst in einer philosophischen Formulierung das christliche. *Es ist der der Sünde verfallene, der den Leidenschaften ausgelieferte Mensch, der diese Disziplinierung verlangt.*

Unverkennbar ist schon hier einer Ethisierung des Christentums in der Aufklärung Vorspann geleistet worden. Wie weit die asketisch-strengen Grundelemente der pietistischen Ethik dadurch mitgeformt worden sind, läßt sich nicht so leicht beantworten, kaum aber abstreiten. Offensichtlich strömen auch melanchthonische Traditionen mit in dieses Strombett. Melanchthon, der einen wurzellos gewordenen Humanismus wieder zu disziplinieren sucht, hat ihn hart in die Pflicht genommen. Wir sind mit unserem ganzen Menschsein »coram Deo« (vor Gott) verantwortlich. Für Melanchthon bedeutet dies die Aufforderung, Verantwortung »im denkbar größten Ausmaß auch tatsächlich« zu übernehmen. Der vor Gott verantwortliche Mensch »kapituliert vor seinem göttlichen Richter« und ist ganz seiner Gnade ausgeliefert. Er kapituliert aber nicht vor »der Bestie im Menschen und auch nicht vor geschichtlichen Widerständen«. Damit ist der einzelne in eine gemeinsame Verantwortung gestellt[3]. Auch von calvinistischen Grundvoraussetzungen her, durch die Verbindung mit stoischen Elementen, die bereits bei Calvin hervortreten, vollziehen sich Gedankenbrücken zu einer weitgehenden Übereinstimmung.

So verschieden bei jeder Persönlichkeit diese einzelnen Strukturelemente auch zur Wirkung kommen, hier wird ein erregender Vorgang sichtbar. *Im 17. und im 18. Jahrhundert vermischen sich melanchthonisch-humanistische Traditionen mit neustoizistischen und besonders im aufbauwilligen Brandenburg-Preußen noch mit hugenottisch-calvinistischen.* In diese weiträumige Atmosphäre arbeitet und lebt sich der junge Spener ein, in der sich die zukunftsträchtigen Kräfte regen. Zeitlebens bleibt ihnen Spener verhaftet. Sie helfen ihm, die Wirklichkeit, in die er hineinwachsen soll, zu erkennen und ihr zu begegnen.

Im Jahre 1653 erwarb er 18jährig den philosophischen Magistergrad bei Jacob Schaller (1604–1676), der 1633 die Professur für praktische Philosophie erhielt, die ihn verpflichtete, über Ethik und Politik zu lesen. Er lenkte Spener von seinem ursprünglichen Thema, sich auf die natürliche Theologie festzulegen auf eine Auseinandersetzung mit Thomas Hobbes (1588–1679), der damals in aller Munde war. Wir haben hier nur das Wichtigste festzuhalten. Offenkundig ist bei Spener ein Abrücken von

Aristoteles. Ferner bleibt das Ja zur natürlichen Theologie ungebrochen. Dabei stehen die praktischen Konsequenzen im Vordergrund. Angesichts der paulinischen Aussage nach Römer 1, 19.20 können die Heiden aus den Werken der Schöpfung Gott erkennen, sowenig ihnen dadurch selbst ein Wissen von Gott zuwächst, ob er den Menschen gnädig ist.

Das hält Spener fest, wenn er von der natürlichen Gotteserkenntnis ausgeht, die angeboren ist und zur unverlierbaren Ausstattung des Menschen nach dem Sündenfall gehört. Dabei spricht er von Gott als das »höchste Sein«, als das »unveränderliche Sein« in apersonalen Formulierungen im Sinne der lutherischen orthodoxen Lehrmeinung, d. h. in metaphysischen Begriffen, die er sonst ablehnt. Er weiß von einem »ersten vorberuff Gottes«, d. h. von einem vorgängigen Ruf Gottes, der zur »Annehmung der göttlichen ferneren offenbarung in dem wort bereitet wird/da hingegen ohne diese vorerkanntnüß Gottes die übrige offenbarung schwerlich eingelassen werden würde«[3a].

Spener bezieht sich auch hier auf Römer 1,20, auf jene »innerlich natürliche erkäntnüß«, durch die gleichgewichtige andere äußerliche »natürliche erkäntnüß/welche aus ansehen und vernünfftige betrachtung der göttlichen geschöpffe ausser uns erlanget wird«. So sind alle unentschuldbar, die sich dem zu entziehen suchen.

Es ist für ihn ein »unzerstörbarer Funke einer Gotteserfahrung« in jedem Menschen vorhanden. Selbst theoretische Atheisten »dörffen jenes Licht nicht gantz auslöschen«. Sie vermögen es zu »verdunkeln«, durch »die von unserer Verderbnus dagegen aufsteigenden Zweifel sehr zu schwächen«, völlig auslöschen können sie dieses Licht nicht. Von hier aus ergibt sich für ihn eine gemeinsame Frontstellung gegenüber philosophischen Meinungen, welche eine angeborene Gotteserkenntnis bestreiten, wie auch gegenüber einem theoretisch begründeten Atheismus. Wenn man diese »Fünklein-Theorie« einem Einfluß der spekulativen Mystik auf Spener zuschieben möchte, muß man dies gleichzeitig der lutherischen Orthodoxie anlasten. Außerhalb des Neuen Testamentes bewegen sich dabei weder Spener noch die Orthodoxie! Wahrheit und Versuchung liegen immer dicht beieinander und der Graben ist schmal, der beides trennt. Jedenfalls ist durchgängig bei einer motivgeschichtlichen Untersuchung nicht zu überspringen, daß vieles, was in nächster Nachbarschaft, vielleicht von dort aus aktualisiert aus mystisch-spiritualistischen Quellen sprudelt, sich nicht dort angesiedelt hat. *Es gehört zu den Meisterproben, die Vielschichtigkeit zu erkennen und nicht abzuqualifizieren, was in Wirklichkeit nicht aus dem Neuen Testament herausfällt.*

Schon in Straßburg mußte Spener in der Auseinandersetzung mit klugen Gottesleugnern erfahren, daß ihnen nicht leicht beizukommen war. Ob sie ihm bereits mit den Tatsachen entgegengetreten sind, daß diese Welt so viel Übel, so viel Sinnloses und Böses, so viel an Leid, an zerstörerischen Mächten enthalte, daß davor die natürliche Theologie mit ihrem Optimismus kapitulieren muß, wissen wir nicht. Später lag hier ihr Hauptargument gegenüber der fröhlich operierenden Physikotheologie, die auch bei Spener anklingt. Daß Spener in seinen späteren Jahren Bedenken aufgestiegen sind, ist bekannt. Einen theoretisch versierten Atheisten aus seiner Überzeugung wegzulocken komme einer »Totenauferwekkung« gleich. Spener hielt sich hier an Luthers Erklärung zum 3. Glaubensartikel, »daß Glaube nicht aus eigener Vernunft noch Kraft entsteht«. Zu erreichen suchen sollte man dagegen alle diejenigen, die sich in einen »praktischen Atheismus«, in ein Leben ohne Gott verirrt haben und dabei nicht zur Ruhe kommen. Um bei diesem Thema zu bleiben, die große Auseinandersetzung mit dem Atheismus, die eine Fülle antiatheistischer Kampfschriften quer durch alle Konfessionen hervorrief, brach erst zwischen 1670–1725 herein. *Jetzt erst hatte der Atheismus, von Westeuropa ausgehend, europäische Ausmaße* angenommen und sich als eine erschreckende Tatsache und Herausforderung des Christentums formiert.

Doch schon in der Zeit, in der Spener sein Studium aufnahm, waren von Paris her, wo man damals von mehreren Zehntausend an erklärten Gottesleugnern tuschelte, Stimmen nach Straßburg durchgedrungen. So wird das Wort Speners zu verstehen sein, daß es wohl bald nötig sein werde, weniger polemische Theologie zu treiben als »sich auf den Kampf gefaßt zu machen/welchen man mit den Atheisten zu thun haben werde ...«

Später stellte sich bei Spener eine von diesem Atheismus mit angeregte Selbstkritik ein, daß »wir alle bereits von natur den saamen des atheismi in unserer verderbnus bey uns tragen ...« Der mit ihm befreundete Veit Ludwig von Seckendorf bekannte, daß atheistische Gedanken in der Brust eines jeden, wenn auch mit wechselnder Stärke anzutreffen seien, der »atheismus practicus« also keinen verschone. Im Grunde war das Luthers Satz von dem »homo in se incurvatus«, dem in sich verkrümmten Menschen[4].

Die rein theoretisierende Auseinandersetzung mit dem Atheismus, von zufälligen Veröffentlichungen abgesehen, hat der Pietismus in seinen Hauptvertretern kaum gesucht. Dem Hochgefühl der gebildeten Europäer über die schnellen Fortschritte auf allen Wissensgebieten, an die sich der Atheismus hochgerankt hatte und jene Flut, ja Lust an Skepsis und Zweifeln erweckt hatte, wollte man nicht frontal begegnen. Zu sehr war man an der Aufräumungsarbeit gegenüber überständigen Traditionen aus alten Zeiten beteiligt. Man schätzte das Experiment als eine der wichtigsten Arbeitsmethoden selbst zu hoch ein, aus der die moderne Wissenschaft ihre Ergebnisse gewann.

An dieser Lust am Experiment knüpfte man an und fand plötzlich eine weite Aufmerksamkeit. Jedenfalls taucht bei Spener diese Möglichkeit auf. Spener weist, und das immer so stark, daß er darauf eine Glaubenslehre aufbauen möchte, auf *die Aussage in Johannes 7,17 hin: »Wer da will des Willen tun, der mich gesandt hat, der wird innewerden, ob meine Lehre von Gott sei oder ob ich von mir selbst rede.« Zu dieser experimentellen Erprobung, zu einer Auslotung dieser Aufforderung, ob sie standhält, ruft man auf.* Das Experimentieren lag der Zeit im Blut, ja von den Tagen an, da man der Alchymisterei huldigte, und jetzt erst recht. August Hermann Francke hat mit seinem Bericht über die massiven Gebetserhörungen in seinen Anstalten, vor allen die Atheisten anzusprechen gesucht, was in dem Titel sich schon andeutet: »Die Fußstapffen Des noch lebenden und waltenden liebreichen und getreuen GOTTES/Zur Beschämung des Unglaubens/ Und Stärkung des Glaubens/.« D. h. Realist ist, wer mit Gott rechnet. Zinzendorf hat in der Vorrede zu seiner »Ebersdorfer Bibel« sich betont an die Zweifler gewendet. Er verweist auf den Erfahrungsbeweis und zitiert dabei ebenso Johannes 7,17. Bis auf Bengel und Oetinger läßt sich diese Anwendung von Johannes 7,17 verfolgen.

Im Blick auf eine Bibelvorrede von Spener im Jahre 1691 gilt es bereits: »Die bereitwillige, methodisch überlegte Öffnung des Menschen für ein effektives Wirken des Heiligen Geistes, das ist der Neuansatz des Pietismus, der auch diese Vorrede – die bedeutendste des Pietismus – prägt«[5].

Unverkennbar wird hier ein neues Stichwort eingeführt. *»Die Erfahrung des Wirkens Gottes im Wirken des Menschen tritt nun an die Stelle des ontologischen Gottesbeweises: Diese Erfahrung soll den Atheismus widerlegen.«* Damit ist auch für die Pädagogik, doch darüber hinaus für das ganze Wirklichkeitsverständnis der Neuzeit ein wesentliches Moment einbezogen worden. Es war im Pietismus der Hinweis auf die handgreifliche, ja unheimliche Nähe des lebendigen Gottes. Das Gottesbild jener Zeit drohte in der Vorstellung des »fernen Schöpfergottes« zu verschwimmen. Diese Einstellung hing ganz unmittelbar mit der neuen Weltzugewandtheit und der Konzentration auf die experimentelle Erfahrung zusammen.

Mit der Botschaft von dieser handgreiflichen Nähe des heiligen Gottes, der wunderbare Hilfen schenkt und harte Proben nicht erspart, der in fürchterliche Anfechtungen fallen läßt, aber durch alles hindurch Glauben und Zuversicht schenkt, wenn man ihn nur wirklich suchen und finden will, schob man vielen selbstsicheren Zeitgenossen eine harte und unbequeme Frage ins Gewissen. Jedenfalls hat man dadurch Ungezählten Mut gemacht, neu mit Gott zu rechnen.

Die Gefahr, das Erfahrungschristentum in der Gestalt eines Erfolgschristentums zu übersteigern, ist eine bleibende Versuchung an den Rändern des Pietismus geblieben, jene massive Einseitigkeit in einer ganz individuell zugespitzten und erfahrbaren Siegesgeschichte Gottes im eigenen Dasein.

Daß dem säkularen Erfahrungsdenken christliche Impulse zugeflossen sind, ist unbestreitbar. Man darf dabei eine gewisse psychologische Schwelle nicht übersehen, daß der Pietismus die Erfahrungen der Nähe Gottes so voranstellte. Die Zeitgenossen hungerten nach Realitäten, nach festem Boden unter den Füßen. Sie sahen, wie schnell abstrakte Denkgebäude auch im theologischen Bereich in sich zusammenfielen.

Im letzten Grund sollte mit Johannes 7,17 nicht die leidenschaftliche Frage nach der Wahrheit abgeschnitten werden. Nur haben der Intellektualismus und Rationalismus nicht das letzte Wort. Zur Wahrheitsfindung, die über den Universitätsbegriff einer rational erfaßbaren, mit natürlichen Kräften greifbaren Wirklichkeit hinausgeht und über sie hinausgreift, gehört für sie die Gabe des Heiligen Geistes. *Die Wahrheit, die tiefer reicht als die Wahrheit der Wissenschaft, das Wissen vom Wesen des Menschen, das tiefer wurzelt als die Rationalität, erschließt sich nur bei einem Fragen nach der christlichen Wahrheit.* »Überzeugen wird diese Wahrheit, wo sie gelebt wird.«

Im Blick auf zahlreiche unverdächtige Stimmen jener Zeit ist der Hauptstoß eines nach Deutschland vordringenden Atheismus vom Pietismus mit aufgefangen worden. Die stärkste Überzeugungskraft ging dabei von Männern wie Philipp Jakob Spener und von August Hermann Francke aus, die durch ihre Lebensleistung ein so weites Echo fanden. Francke erwarb sich darüber hinaus eine internationale Anerkennung nicht nur in Westeuropa, sondern bis nach Rußland. Daß die Aufklärung in Deutschland nicht radikale und kirchenfeindliche Züge wie teilweise in Westeuropa aufnahm, lag mit auf dieser Linie. Gewiß haben die Spätorthodoxie und die Physikotheologie, die auf die »wunderweise Ordnung« in der Naturwelt, bei Pflanzen und Tieren zumal, unermüdlich hinwies, ihren Teil beigetragen. *Der Hauptsturm der skeptischen Stimmen ist vom Pietismus aufgefangen worden.*

Wenn wir, um ihn besser kennenzulernen, um seinen großen Einfluß zu ermessen, vom jungen Spener ausgehen, so darf dies eins nicht heißen:

vorschnell auf den jungen Studenten das zurückzuprojizieren, was ihn viel später kennzeichnete. Doch der Reifung dieses bedeutenden unter allen deutschen Theologen im Pietismus nachzugehen und Theologie und Leben nicht zu trennen, gibt diesem Weg ein gewisses, wenn auch begrenztes Recht. Vieles wird deutlicher, wenn man dem nachzuspüren versucht, was sich im jungen Spener keimhaft vorzubereiten scheint. Sehr geliebt hat der junge Spener den Theologieprofessor Johann Schmidt (1594–1658), einen geborenen Bautzener, der als Student nach Straßburg kam, dort hängenblieb und bereits 1623 eine Professur erhielt und mit 35 Jahren Präsident des Kirchenkonvents wurde. Er hat offensichtlich dem jungen Spener, dem er wohlgewogen war, einen Erziehungsauftrag für die beiden im Altersabstand kaum jüngeren Pfalzgrafen bei Rhein Christian und Johann Carl vermittelt. Wesentlich sollte ein Auftrag in Genealogie bei den beiden jungen Pfalzgrafen sein. Spener hat sich so intensiv eingearbeitet, daß hier der Grund gelegt wurde für seine späteren großen repräsentativen Werke über Genealogie und auch die Heraldik des europäischen Adels, der international versippt war und bis zur Ablösung der Adelskultur durch die bürgerliche am Beginn des 19. Jahrhunderts weitaus tonangebend blieb.

Der vielbemerkte Einfluß, den Spener dadurch in der Adelswelt gewann, hat das Aufkommen des Pietismus mit erleichtert und ihm viele Türen geöffnet. *Seine wissenschaftlich fundierte Genealogie, in der sich seine Meisterschaft bewährte, machte ihn zu dem bedeutendsten Vertreter dieses Faches in ganz Deutschland.*

Straßburg galt als eine Prinzenuniversität. Das konnte nicht von ungefähr kommen. Hatte hier nicht die Lipsius-Schule ihre glänzenden Vertreter gefunden und war auch Hugo Grotius, der von Lipsius ausging und vieles neu ausformte, nicht unbedingt Autorität? Matthias Bernegger und sein Nachfolger Johann Heinrich Boecler (1611–1672) waren hervorragende Interpreten, ja einmalig zugleich in ihrer Zeit als Geschichtsforscher. Sie leiteten ihre Schüler zu sorgfältigster Quellenausschöpfung an. Die Zielrichtung blieb, die Lehren aus der Geschichte in klare Einsichten für die gegenwärtigen Aufgaben nicht allein in der Politik umzumünzen.

Nach seinem Übergang in die Theologische Fakultät trat der junge Spener in ein engeres Verhältnis zu Johann Konrad Dannhauer (1603–1666), dem unermüdlich auf dem Feld der Polemik streitenden Gelehrten, der dabei nicht die Verbesserung der kirchlichen Verhältnisse und die Förderung der »Gottseligkeit« aus den Augen verlor. Seine Reserve gegenüber der Begeisterung, mit der die Straßburger kirchlichen Kreise Johann Arnds »Wahres Christentum« aufgenommen haben, war deutlich zu spüren. Dabei war er selbst von einer aufrichtigen Frömmigkeit erfüllt. Seinem Aristotelismus als Baugesetz dogmatischen Systemwillens stand Spener bereits zweifelnd gegenüber. Jedenfalls war er gezwungen, sich in theologischen Einzelfragen gegenüber der geistigen Übermacht Dannhauers zur Wehr zu setzen. Doch in dessen »Katechismusmilch« und vor allem dessen »Hodosophia christiana« kannte er sich zeitlebens so gut aus, daß er viele Passagen auswendig wußte. In großen Umrissen ist Dannhauers Dogmatik seine eigene geworden und dann auch geblieben.

Beeinflußt hat Spener auch der stille, fast schüchterne Sebastian Schmidt (1617–1696). Seine Kommentare über die biblischen Schriften sind noch im 18. Jahrhundert fleißig gelesen worden. Man wird ihn als einen der Vorbereiter der »Biblischen Theologie« bezeichnen können, der die erstarrend wirkende Bindung an die Verbalinspiration unmerklich gelockert hat.

Erstmalig werden bei ihm in einer sauberen Exegese, die auf die geschichtliche Verwurzelung jeder biblischen Aussage zu achten lehrt, Altes und Neues Testament getrennt. Das hinderte ihn freilich nicht bei einem zweiten Schritt, die Botschaft beider Testamente erneut zusammenzusehen. Denn Mose habe nicht anders als Christus und Paulus wie die Propheten geredet. Dabei soll die ganze Bibel zur Geltung kommen.

Spener hat hier seine Bibelerklärung gelernt und ist auf dieser Linie geblieben. So sah er z. B. Paulus nie getrennt von der Urchristenheit. Anderseits ist ihm, soweit wir sehen können, entgangen, daß der Paulinismus nicht durchgängig das Neue Testament bestimmt.

War hier nicht bereits der Schritt von der Verbalinspiration zur Personalinspiration vollzogen?[6] Vielleicht wollte er diese Frage ausklammern und es ging ihm nur um einen Ausbruch aus der scholastischen Auslegungsmethodik?

Er sprach doch später von der Anpassung des Hl. Geistes an Geist und Stil der biblischen Schreiber. War er dann wirklich noch ein Vertreter der Verbalinspirationslehre oder zögerte er, um nicht einen erbitterten Streit mit der Spätorthodoxie heraufzubeschwören, an dem ihm nicht liegen konnte? Er wäre nur von den interessiert und spöttisch zuhörenden bibelkritischen Gegnern ausgeschlachtet worden.

Tatsächlich konnte sich Spener darüber erregen, daß Atheisten »insgesamt die göttliche warheit der schrifft in zweiffel ziehen« nur weil sie »auf einige sich scheinbar widersprechende Schrifftstellen« stoßen.

Anderseits warnt Spener, worauf Emanuel Hirsch betont hinweist, die Prediger ausdrücklich davor, leichterhand in ihrer Verkündigung »Behauptungen vorzutragen, die unbegründet sind und deshalb keine echte Gewißheit hinterlassen«.

Dann schiebt er wiederum das Aufkommen bibelkritischer Fragen im Atheismus dem toten Gewohnheitschristentum zu. Auch der Kanzelredner muß sich diesen Vorwurf gefallen lassen, wenn er nicht mit seinem ganzen Lebenseinsatz glaubwürdig hinter dem steht, was er predigt. Fragen über Fragen!

Wie stimmte das mit seiner betonten Hochachtung des großen Holländers Hugo Grotius zusammen? Ließ sich dessen Einfluß nur auf die von ihm vorgetragenen naturrechtlichen Fragen eingrenzen, in denen er ein echtes Zusammenleben aus vernünftiger Übereinkunft für alle, für Christen und Nichtchristen begründen wollte? Grundsätzliche Bedenken dagegen finden sich bei Spener nicht, vielmehr der Ausspruch: »Es kann also keinem gereuen, Hugo Grotius' Werk zu studieren«. Nur wünscht er, daß die Lehrer des Naturrechts »aus der biblischen Offenbarung die Erkenntnis des Naturrechts zu läutern, zu befestigen und zu bereichern«, d. h. zu ergänzen und zu erweitern versuchen.

Überließ er dadurch die Naturrechtslehrer sich selbst, daß sie allein zusehen sollten, wie sie mit Hugo Grotius fertig werden? Der große Holländer hatte doch eine Fülle kritischer Fragen und Beobachtungen auf dem Felde der Bibelwissenschaft aufgeworfen, die sich von seiner ganzen Theorie vom Naturrecht und ihrer Begründung nicht einfach abtrennen ließen. So bestritt er z. B. die unbedingte und wörtliche Autorität des Alten Testamentes und wußte das überzeugend zu begründen.

Nach Beendigung seines Theologiestudiums in Straßburg schloß Spener noch ein Studienjahr an der Basler Universität an. Dort saß er zu Füßen des berühmten Hebraisten Johann Buxtorf (1599–1664), der auf Grund rabbinischer Traditionen die Unversehrtheit des alttestamentlichen Bibeltextes verteidigte und doch dabei auf einem verlorenen Posten kämpfte.

Der Eindruck verstärkt sich, daß Spener offensichtlich die Sprengkraft bibelkritischer Gedanken unterschätzt hat. Auch eine anfänglich glänzende Abwehr durch Buxtorf d. J. wie durch Calov haben nicht vermocht, diese unausweichlichen Fragen zu drosseln. *Speners Unsicherheit, seine Unklarheit, die zwischen Ja und Nein hin- und herschwankt, hat in der weithin gebrochenen Haltung des Pietismus zur Bibelwissenschaft weitergeschwelt.*

Spener ließ sich wohl zeitlebens aus dieser abwartenden Position, die er dabei einnahm, nicht herauslocken. Unverrückt blieb sein Ziel in aller exegetischen Arbeit, aus den vorliegenden Bibeltexten klare und einleuchtende Anweisungen für das Christenleben herauszuarbeiten. *Voran steht die Anwendung. Sie dominiert beim Schriftgebrauch über das Schriftverständnis. Das exegetische Interesse richtet sich seit Spener fast ausschließlich auf das Neue Testament* und wird erneut richtunggebend für die Auslegung des Alten Testamentes.

Nicht von ungefähr haben die pietistischen Schrifterklärer von Spener an die neutestamentlichen Schriften, bevorzugt die Briefe, weniger die Evangelien, kommentiert. Das ist auch beim württembergischen Pietismus zu bemerken. Auf einer nüchternen Basis hat sich eine von ihm betriebene solide wissenschaftliche Schriftauslegung wesentlich auf das Neue Testament konzentriert. Das gilt für Bengel. Wenn dagegen Oetinger den Versuch unternahm, das Alte Testament mit hineinzuziehen, so blieb das bei ihm ein Torso.

Zweiflern gegenüber hat man auf der ganzen Linie das Experiment mit Johannes 7,17 empfohlen. Wer in einer vernünftigen Gewissenhaftigkeit sich hier in aller Aufrichtigkeit und Strenge einen Weg zu Gott zeigen läßt, bei dem vollzieht sich das Wunder, das die persönliche Glaubensgewißheit schenkt. Man wird nicht vergessen dürfen, daß Spener die gnadenlose Konfrontation mit der kritisch arbeitenden Bibelwissenschaft erspart blieb. In seiner Generation ging es nur um ein Vorgeplänkel. Deutschland war gegenüber Westeuropa wie eine Insel.

War es Speners übervorsichtige Haltung, daß hier Unsicherheiten stehenblieben? Gewiß hat er festhalten wollen, daß es eine andere Sache ist, die Bibel wissenschaftlich zu erforschen und doch die gleiche, ihr persönlich standzuhalten. Doch die Meisterfrage im Umgang mit der Schrift, über dem ewigen Wort in ihr ihre Menschlichkeit nicht zu übersehen und über diese geschichtliche Gebundenheit und Anfälligkeit nicht das Evangelium in ihr zu überhören, ist bei ihm nicht so klar beantwortet worden, wie es wohl hätte sein sollen.

So konnte Johann Albrecht Bengel diesen unerwarteten Sprung vollziehen, im Neuen Testament plötzlich bei der Offenbarung Johannes die Verbalinspirationslehre in voller Ausdrücklichkeit in Anwendung zu bringen, während er die anderen biblischen Schriften von der Personalinspiration anging.

Doch in einer Richtung hat Spener der Bibelwissenschaft den Weg offen gehalten. Sein theologisches Studium hat ihn angeleitet, von der Theologie aus Fragen an die Frömmigkeit zu richten und umgekehrt ihr seitens der Frömmigkeit unausweichliche zuzuschieben. Der intensive Bibelleser besitzt durchaus das legitime Recht, an die Bibelwissenschaft kritische Fragen zu stellen und sie zur eigentlichen Sache zu rufen.

In seiner ganz persönlichen Frömmigkeit nährte sich Spener vor allem an Johann Arnds »Wahrem Christentum«, das er neben der Bibel liegen hatte. Die von England nach Deutschland herüberkommenden Erbauungsschriften lernte er in Straßburg kennen und schätzen. In seiner strengen Sonntagsheiligung erhielt er von dort aus Anstöße. Im Grunde genommen war es die Frömmigkeitswelt in seinem Elternhaus, in ihr lebte die gräfliche Familie, in der er ein- und ausging. Ihr begegnete er in den Häusern der Stadt, die sich ihm öffneten. Die Traktate von Stephan Praetorius bekam er in einer späteren Ausgabe von Johann Arnd in die Hände.

Nach dem Studienaufenthalt in Basel wollte er nunmehr seine akademische Reise antreten, erzogen in der strengen lutherischen Lehre, von der er sich lehrmäßig keine Abweichung gestattete. Es ging ihm um ihre Umsetzung in das Leben.

In Genf fand Spener eine freundliche Aufnahme bei den Honoratioren. Sein Lehrer Dannhauer hatte nicht Französisch gelernt, der junge Spener vorerst nur die italienische Sprache. Sein Französisch bedurfte noch einer Glättung. Dazu war in der Stadt Calvins reichlich Gelegenheit. Professor Antoine Léger, bei dem er wohnte, war von 1628–1636 in Konstantinopel gewesen. Daß er den orthodoxen Patriarchen Kyrillos Lukaris (1572–1638) dazu bewegen konnte, das calvinistische Glaubensbekenntnis anzunehmen, brachte diesem kein Glück. Es entstand ein großer Wirbel und schließlich, nachdem selbst in Europa darüber ein Sturm entfacht war, fand der Patriarch ein trauriges Ende. Janitscharen erdrosselten ihn und warfen seinen Leichnam ins Meer.

Für Spener selbst ergaben sich unangenehme Folgerungen aus der Bekanntschaft mit dem Exjesuiten Jean de Labadie (1610–1674), der 1659 in Genf zum außerordentlichen Prediger berufen worden war. Die Genfer sahen in ihm, der alle Unsitten ungeschminkt beim Namen nannte, den wiedererstandenen Calvin. Labadies Predigten in ihrer zündenden Beredsamkeit beeindruckten Spener, sah Labadie es doch als seine Lebensaufgabe an, die Kirche nach dem Modell der Urchristenheit zu erneuern, wenn dieser auch erst später sich in Holland mit einem Konventikel aus der Kirche separierte. Spener folgte wie ein Schatten der Verdacht nach, der nicht von ihm weichen soll, daß er eben nicht anders dächte als Labadie[7].

Vielleicht war das Mißtrauen dadurch entstanden, daß Spener eine kleine Schrift Labadies ins Deutsche übersetzte und dann in Frankfurt 1667 veröffentlichte. Der »La pratique de l'oraison«/»et Meditation Chretienne« gab er den deutschen Titel »Kurtzer Underricht von Andächtiger Betrachtung«. Es ließ sich nicht leugnen, Labadie hatte auf ihn einen tiefen Eindruck mit seiner Frömmigkeit gemacht.

Nicht vorgesehen war eine dreimonatige Krankheit, die seinen Plan nach Paris zu reisen vereitelte, um dort mit den beiden jungen Pfalzgrafen zusammenzukommen. Paris soll im 13. Jahrhundert bereits 100 000 Einwohner gezählt haben. Hier befand sich die Metropole der westeuropäischen Wissenschaft. So strebten auch alle jungen Aristokraten auf ihrer Kavaliersreise an den Hof Ludwigs XIV, um sich an ihm in dem Glanz, der von dort aus die Adelshöfe verzauberte, zu sonnen. Eine gewisse Entschädigung bot ihm dafür eine Reise nach Lyon. Dort lebte der Jesuit Claude Menestrier (1631–1705), eine erste Autorität auf dem Gebiet der Heraldik, der Wappenkunde, die zugleich die Geschichte der Fürstenhäuser und des gesamten europäischen Adels bot. Spener hat bei diesem Forscher, der ein unwahrscheinliches Gedächtnis besaß, Entscheidendes gelernt und ist nach ihm der Meister im gleichen Fach geworden.

Nach dem Elsaß heimgekehrt brach er 1662 nach Württemberg auf. In Stuttgart konnte er an einer Fürstenhochzeit als Begleiter des Grafen von Rappoltsweiler teilnehmen und Herzog Eberhard kennenlernen, »der fast resolviert, mich zu accomodieren« als Professor für Genealogie und Heraldik an der 1592 in Tübingen gegründeten Ritterakademie, dem Collegium illustre. Doch daraus wurde nichts. Eine Freundschaft verband ihm aber mit dem Tübinger Alttestamentler Balthasar Raith (1616–1683), der gleiches Sinnes war wie er. Die schwere Enttäuschung, daß er in Württemberg nicht Fuß fassen konnte, überwand er durch »Gottes Gnade«. Ein kleiner Trost lag in der Möglichkeit, seine erste genealogische Schrift 1660 in Stuttgart veröffentlichen zu können. Mit der Prinzessin Antonia (1613–1679), der Schwester des regierenden Herzogs, konnt er viele Gespräche über pansophisch-kabbalistische Themen führen. Mehr als eine leise Sympathie vermochte er für diesen Themenkreis, so modern wie außergewöhnlich zugleich er damals auch war, nicht aufzubringen[8].

Wie nach ihm August Hermann Francke konnte Spener mit dem 4. Buch im »Wahren Christentum« mit seiner paracelsischen Naturphilosophie nichts anfangen. Zweifler, die durch Ergebnisse der Naturwissenschaft in Nöte kamen, verwies man auf die experimentelle Erprobung, die Christus selbst nach Johannes 7,17 angeboten hat. »Dem Aufrichtigen läßt es Gott gelingen.« Zu viele haben Spener wie Francke auf diesem Weg zur Glaubensgewißheit gelangen sehen, als daß ihnen hier Bedenken aufstiegen.

Erst Oetinger hat die Lehrtafel der Prinzessin Antonia in seine Theosophie eingebaut, vor der Spener mit der Prinzessin sinnend sich ausgetauscht hat, ohne daß dies Spuren bei ihm hinterlassen hätte. Nur ungern nach Straßburg zurückgekehrt erhielt er schließlich die 2. Freipredigerstelle am damals noch evangelischen Straßburger Münster, die ihm wenig Amtspflichten auferlegte. Einem Pfarramt war er geflissentlich aus dem Weg gegangen. Ob man ihn wirklich an die Heimat zu binden suchte? Der Erwerb des theologischen Doktorgrades wurde ihm nahegelegt. Spener sollte anhand von Galater 4,19 die Wiedergeburtslehre Großgebauers, der sie von der Taufwiedergeburt lösen wollte, biblisch und dogmatisch widerlegen. Nach Großgebauer vollzöge sich die echte Wiedergeburt bewußt wie tiefinnerlich. *Spener blieb bei der Taufwiedergeburt.* Seine Arbeit erhielt noch eine aktuelle Zuspitzung. Im Blick nicht nur auf die neuerliche Türkengefahr, die Gesamteuropa bedrohte, sollte er aus der Offenbarung Johannes Kapitel 9, Vers 12–21 alles beleuchten. Im Grunde stimmte Spener jetzt noch der pessimistischen Haltung der lutherischen Orthodoxie zu, die immer neu und verstärkt auf den einen biblischen Ausspruch hinwies: »Wird Christus, wenn er wiederkommt, noch Glauben finden auf Erden?«

Am 24. Juni 1664 war es so weit, daß in einem feierlichen akademischen Akt ihm durch seinen Doktorvater Dannhauer die erstrebte Würde zugesprochen wurde.

Nun konnte der so Ausgezeichnete am gleichen Tag standesgemäß die 20jährige Patriziertochter Susanne Ehrhardt im Straßburger Münster zum Traualtar führen. Mit der Erlangung eines akademischen Grades war ihm sein weiterer Weg vorgezeichnet, entweder in ein höheres kirchliches Amt einzusteigen oder die akademische Laufbahn einzuschlagen. Es vergingen jedoch noch zwei Jahre und die Fakultät rührte sich nicht. Schließlich erreichte ihn nach mancherlei Vorverhandlungen 1666 der Ruf, als Senior des Geistlichen Ministeriums an die Frankfurter Kirche zu gehen. Er war ein Verlegenheitskandidat. Daß er an der lutherischen Fakultät in Straßburg studiert hatte sprach für ihn. Sie und die Gießener Fakultät standen im besten Ruf bei der Stadt Frankfurt. Lieber wäre Spener nach Württemberg gegangen und bis 1666 hat er immer wieder Pläne gefaßt, wie er nach dem Schwabenland zurückkehren könne. Daß er einmal, berühmt geworden, mit der württembergischen Kirche den engsten Kontakt haben würde, konnte er damals ja nicht ahnen. Da die Theologische Fakultät auch jetzt keine Anstalten machte, ihn zu halten, alles geschah sehr verschwiegen, überließ er den Ratsherren beider Städte, Straßburg und Frankfurt, sich zu einigen. Er ließ sich, leicht enttäuscht, denn er hing sehr an Straßburg, »seinem lieben Vaterland«, nach Frankfurt freigeben. Ob sich hier wirklich ein quietistischer Zug bei ihm meldete? Wäre er so wenig aktiv geworden, wenn ein Ruf aus Württemberg ihn erreicht hätte? Das wäre etwas anderes gewesen!

Die quietistische Neigung, nicht selbst Schicksal zu spielen, hat sich später bei Spener verstärkt. Im Pietismus bildete sich eine entsprechende Tradition[9]. Anlaß fand sich genug dazu. In der Kirche war ein Ämterschacher eingerissen, der skandalöse Formen annahm. Alteingesessene Honoratioren schoben ihren Söhnen bedenkenlos die fetten Pfründen zu. Sollten sich Pietisten in dieses Spiel hineinbegeben? Konnten sie das vor Gott verantworten? Manches Skrupelhafte schlich sich dabei ein. Man wollte keine Hand bei einer Stellensuche bzw. bei einem Stellenwechsel rühren sondern ganz »passiv« bleiben. Andere sollten entscheiden. Oder man däumelte und fand in zufällig aufgeblätterten Bibelstellen ein Orakel, eine Wegweisung. Man war auch nicht müßig im Aufstellen von Tabellen. Auf die eine Seite links wurden die Negativposten, auf der rechten Seite die Positivposten aufgezählt. Man wog beides gegeneinander aus. Bei diesem Gewissensrat zog man Vertraute oft zu Rat. Was wog schwerer, die Gefährdung, die größere Anforderung in einem neuen Amt, oder die Pflicht, aus missionarischer Verantwortung zuzusagen?

Man wollte unbedingt an Gottes Hand gehen. Für Zinzendorf war dieser Weg zu kompliziert. Er stellte sich mit seinen Brüdern unter das Losverfahren, ohne ihm knechtisch zu verfallen. Wenn es zu sehr gegen den Strich ging, wurde es fröhlich und ohne Herzklopfen suspensiert. Daß die Lospraxis damals weithin auch in kirchlichen Kreisen wie Behörden gang und gäbe war, ist inzwischen aus dem Bewußtsein verschwunden. Doch wenn die Entscheidung gefallen war, bezog man den gefahrvollsten Posten als eine Platzanweisung von Gott her. *Im Pietismus wurden Kräfte an Wagemut, an Einsatzfreude, an Leistungswillen, an zähem Ausharren selbst auf verlorenen Posten freigelegt.* Als der Zimmermann Christian David von Herrnhut aus zu den Eskimos im dänischen Schutzgebiet abgeordnet wurde, sagte man ihm unterwegs, daß er sich dort keine Hütte bauen könnte. Dann graben wir uns im Eis ein, war seine unerschütterliche Antwort. Theologiekandidaten ließen sich von Halle aus auf Auslandsposten senden, wo sie sich zuerst durchhungern mußten, bis sie sich durchgesetzt und einen Achtungserfolg errungen hatten, der ihrer Überzeugungstreue die Türen öffnen half. Für solche Pionierleistungen lassen sich zahllose Beispiele finden.

So wurde eine quietistische Stimmung nicht zu einem tötenden Prinzip. Und die Gewissensräte, die sich im Pietismus bildeten, waren bei starken Naturen oft Anlaß, querfeldein einen anderen Weg einzuschlagen. Bei dem Pietismus hat er auf der ganzen Strecke eine Fülle ganz individueller Begabungen und Berufungen wachgerufen.

Der Ruf nach Frankfurt bewahrte Spener vor vieler Unruhe. Denn bereits ein Jahr nach dem Weggang aus Straßburg mußten zehn elsässische Reichsstädte wegen der ständigen Übergriffe Frankreichs Schutz beim Regensburger immerwährenden Reichstag suchen. 9 Jahre später waren diese elsässischen Reichsstädte bereits Ludwig XIV. untertan. 1681 war das Schicksal Straßburgs besiegelt. Ludwig XIV. war klug genug, fast alle bisherigen Privilegien der alten elsässischen Reichsstädte unter einer lokkeren mehr repräsentativen Oberaufsicht nicht anzutasten. Der alteingesessene elsässische Adel blieb ungekränkt, stieg sogar rasch an Ehren, wenn er sich dem König zur Verfügung stellte. Das elsässische Bürgertum, verhältnismäßig glimpflich behandelt, begann sich der französischen Kultur zu öffen, ohne sich der eigenen Kulturtradition zu entfremden. Das Straßburger Münster, das im 16. Jahrhundert entgegen dem damals geltenden Recht evangelisch wurde, war nun dem katholischen Kultus wieder zugeführt. Spener erblickte in dem allen ein Strafgericht Gottes für alte Sünden.

Der 31jährige Spener fand in Frankfurt mit seiner Antrittspredigt einen guten Eingang beim Rat, bei der Bevölkerung und was wichtig war, auch bei den Pfarrkollegen im Geistlichen Ministerium. Dort hatte man zuvor manche Bedenken wegen der Jugend und der mangelnden Amtserfahrung Speners gehegt.

Vieles erwies sich in Frankfurt als äußerst günstig. In der Freien Reichsstadt herrschte reges geschäftliches Leben, Wohlstand war eingekehrt in der Stadt, die 15 000 Einwohner zählte. Manche meinen, damals waren es bereits 20 000, darunter 2500–3000 jüdische Mitbürger. Frankfurt war Messestadt und lag noch im Rennen mit Leipzig für kurze Zeit voran. Viele Gäste kamen und gingen. Als der Reichskrieg 1674 gegen Frankreich erklärt worden war, ging es noch lauter und lebhafter zu. Denn Franzosen hatten unmittelbar zuvor die ganze Pfalz verwüstet. Durchziehende Truppen waren zu verpflegen. Alle Nachrichten vom Kriegsschauplatz waren brandneu. Wie die Eroberung der Stadt Straßburg und die neu heranziehende Türkengefahr waren diese Ereignisse und andere Katastrophen wie Pestzeiten und Hungersnöte heilsgeschichtliche Daten, wie sie sich bereits in der Promotionsarbeit Speners niedergeschlagen hatten.

Man war freilich vom härteren Schlag und das liebe Kreuz wurde geduldig getragen. Was blieb anderes übrig? Ein wehleidiges Geschlecht war es nicht. Man arbeitete und man verzichtete, man feierte um so ausgelassener als barocke Menschen auch die Feste. Alter Glanz strahlte immer neu in Frankfurt, wenn eine Kaiserwahl in ihren Mauern fällig war oder im katholisch gebliebenen Dom ein neugewählter Kaiser mit den Reichsinsignien bekleidet wurde. Trotz aller von außen hereinbrandenden Unruhe vermochte der Senior Spener sich die Stille seines Studierzimmers zu bewahren. Eifersüchteleien zwischen Geistlichen und Professoren konnten nicht aufkommen, weil eine Universität fehlte. Das erleichterte vieles.

Es war für Spener von unschätzbarem Wert, daß in der Freien Reichsstadt jährlich zwei Buchmessen veranstaltet wurden, die von den Verlegern im nahen Holland stark beschickt wurden. Ketzerische Literatur, die sonst schwer absetzbar war, in Holland aber frei gedruckt werden konnte, fand so einen ungehinderten Eingang in Deutschland. Von Frankfurt aus sickerte sie dann ungefährdet ein. Die Stadt selbst hütete sich, durch eine zu nörgliche Zensur sich wirtschaftlich selbst Schaden zuzufügen. Unter dem Ladentisch brauchte nichts angeboten zu werden, wie es in Frankreich und Spanien bei manchen Werken, wie z. B. bei Pierre Bayles »Historischen und kritischen Wörterbuch« unumgänglich war. Daß der Kaiser eingriff und Bücher auf der Buchmesse wie z. B. Schriften von Edelmann verbrennen ließ, blieb eine seltene Ausnahme.

Unter den ansässigen Verlegern gelang es David Zunner, sich an die Spitze vorzuarbeiten. Mit ihm, der vor allem sich auf Erbauungsliteratur legte, kam Spener in enge Verbindung. Zunner ließ sich von ihm beraten und nahm vor allem die Manuskripte, die ihm Spener anbot, unbesehen an. Zwischen 1665–1705, dem Todesjahr Speners, wurde fast die gesamte literarische Produktion Speners von Zunner verlegt. Hier fand Spener die Kanzel, die seine Gedanken weit hinaus trug bis in die baltischen Provinzen.

Auch die große repräsentative Ausgabe von Speners »Theatrum Nobilitatis Europae« erschien in 4 großen Bänden zwischen 1668–1677 bei Zunner. Im Geistlichen Ministerium der 12 Pfarrer, die wöchentlich zusammenkamen und wo Spener den Vorsitz zu führen hatte, arbeitete man gut zusammen. Der neue Senior, 6 seiner Kollegen waren älter als er, bemühte sich aufrichtig um eine brüderliche Atmosphäre. Die Autorität, die er ausstrahlte, wirkte nie bedrückend. An Speners Reformplänen haben sie teilgenommen. Sie wurden dabei nicht sonderlich aktiv, aber sie hatten auch keinen Anteil an der später aufkommenden Gerüchtemacherei wider ihren Senior.

Die Amtspflichten des Seniors waren in Verwaltungsdingen gering. Es blieb genügend freier Raum, dem Amt einen eigenen Stil zu verleihen. Zu dem unaufgebbaren Pflichtenkreis gehörte voran die sonntägliche Frühpredigt in der Barfüßerkirche mit der damit verbundenen Abendmahlsfeier und der vorgängigen Privatbeichte, die der Senior abzunehmen hatte. Von den Kasualhandlungen war er befreit. In der einen und ungeteilten Pfarrei der Stadt besaß übrigens jeder Pfarrer seine Personalgemeinde.

Der Predigtarbeit galt Speners erstes Mühen. Von dem barocken Kunstpredigtstil hatte er sich getrennt. Er erzog seinen Predigtzuhörer zu aufmerksamem Hören der Schrift. Auf seine Aufforderung hin gewöhnten sich viele daran, ihre Bibeln in den Gottesdienst mitzubringen, um mitzulesen. Selbständige Kirchenchristen wollte er erziehen, die aufmerken und kritisch alles an der Schrift messen.

Da Jahr für Jahr nach der verbindlichen Perikopenordnung der gleiche Evangeliumstext am gleichen Sonntag auszulegen war, stückelte man ihn. Es war üblich, auf diese Weise den nächsten Unterabschnitt des gleichen Textes für das kommende Jahr aufzusparen. Es war auch möglich, die Einleitung zum eigentlichen Text durch einen freien Text zu erweitern, unabhängig von dem vorgesehenen Text, zu dem man im Hauptteil hinkehrte. Als sich Spener dem Katechismusunterricht in der Stadt zuwandte, schob er in diese Einleitung die sonntägliche katechetische Lektion ein. In dem Vorspann zur Sonntagspredigt erschien also dieses Katechismusstück, während er sonst zusätzlich Texte aus den neutestamentlichen Briefen auswählte.

Wer wirklich Spener kennenlernen will, muß versuchen, sich in seine Predigten einzulesen. Es sind mehrere dickleibige Predigtbände mit wechselnden Generalthemen von ihm erschienen. Spener hat sie auf Bitten seiner Gemeinde und anderer Freunde drucken lassen. Nach dem Erscheinen der Pia desideria waren es vor allem seine Predigten, nach denen Freund und Feind zuerst griffen. Anfänglich kamen sie als Einzelpredigten, als Gelegenheitspredigten bei besonderen Anlässen heraus. Überhaupt sind von Speners Schriften seine Predigtbände am stärksten verbreitet und immer neu aufgelegt worden. *Der deutsche Pietismus hat sich als Predigtbewegung durchgesetzt.*

Spener schrieb seine Predigten wortwörtlich genau auf und konnte sie sofort zum Drucker weitergeben. August Hermann Francke hatte Studenten darauf eingeübt, sie wortwörtlich nachzuschreiben und las sie dann sorgfältig durch, ehe sie veröffentlicht wurden. Zinzendorf verfügte nicht einmal über eine genaue Disposition im einzelnen, wenn er redete. Er wußte, worauf er aus war. Dann fand er oft keine Zeit, die Nachschriften zu kontrollieren. So kamen sie oft mit derben Schnitzern in die Drukkerpresse. Nun mußte sich der Graf wieder entschuldigen. Das war und blieb immer eine ärgerliche Sache. Zinzendorf wußte den nächsten Tag zumeist nicht mehr, was er tags zuvor im einzelnen gesagt hatte. Spontan brach alles aus ihm hervor, dessen Geist unaufhörlich arbeitete. Er fand Lust am Meditieren. Die Einfälle strömten ihm beim einsamen Wandern am reichsten zu.

Eine zündende Redekraft oder eine hinreißende Diktion in der Schreibweise wird man bei Spener vergeblich suchen. Der Erfolg seiner Predigttätigkeit fußte auf dem Eindruck seiner geistlichen Vollmacht. Er wandte sich immer dem einzelnen zu. Ihn redete er unmittelbar an, aber nicht isoliert, sondern als Glied seiner Familie, bezogen und hineingeflochten in die Nächsten- wie Feindesliebe. Die Barockzeit ist, man denke nur an die vielen Wälzer, die damals gelesen wurden, nicht nur eine Lerngesellschaft gewesen, sondern zweifelsohne auch eine Lerngemeinde. Oft mutete Spener den Lesern oder Hörern zuviel zu, wenn er lange Ketten von Bibelstellen und Autorenzitate in seine Schriften oder Reden einhängte.

Als Prediger des Evangeliums war er nicht so sehr Dogmatiker, wenn er sich auch alles gründlich überlegte, was er sagen wollte. Über das, was ihm Gegner vorhielten, grübelte er lange nach und war durchaus selbstkritisch. Man wird Spener erst richtig beurteilen können, wenn man ihn als einen theologischen Pragmatiker begreift. Eine solche Einstellung besitzt ihr volles theologisches Gewicht[10].

Er blieb zeitlebens Geistlicher, der konkreten Gemeinde immer unmittelbar zugewandt. Ein ordentliches Lehramt hätte er gern übernommen, dazu kam es nicht. Theologische Vorlesungen hat er nicht gehalten. Sein seelsorgerliches Bemühen galt denen, die unter der Kanzel saßen. Sie wollte er durch das oft so kurze Leben helfend, schützend, mahnend und vorwärtsweisend begleiten.

Als Predigtbewegung, durch die Predigten auf vielen Kanzeln, durch die gedruckten Predigten, die wie Flugschriften von Hand zu Hand weitergegeben wurden, durch Mundpropaganda breitete sich die pietistische Bewegung aus.

Noch eine andere Beobachtung ist nicht zu übersehen. *Der Pietismus wurde zugleich zu einer katechetischen Bewegung.* Spener ging damit in Frankfurt voran. Er blieb dieser Aufgabe getreu auch als Oberhofprediger in Dresden. Dort sammelte er, dem das höchste Amt zuteil war, das das deutsche Luthertum zu vergeben hatte, sonntäglich, viel bespöttelt und belacht, gegen 1000 Kinder, wie er selbst in einem Brief berichtete, in der Christenlehre um sich, die freiwillig zu ihm kamen. Als er Dresden verließ, gab es dort viel Trauer. Andernorts mißlang das oft, wenn eine

Stadtgeistlichkeit alle Kinder zur Einführung in das Abendmahl in einer Stadtkirche versammelte und man der Unruhe nicht Herr wurde.

Die katechetische Begeisterung übertrug sich von Spener auf den ganzen Pietismus. Im Schulwerk von August Hermann Francke wurde sie bis nach Rußland hinein weitergetragen. Begeisterte Theologiekandidaten zogen von Halle aus in alle Himmelsrichtungen. Wo sie dann waren, sammelten sie Kinder um sich und sei es in Indien durch den ersten halleschen Missionar Bartholomäus Ziegenbalg.

Man wird das in einem größeren geistes- und kulturgeschichtlichen Zusammenhang sehen können. *Das 17. Jahrhundert spielte eine Schlüsselrolle für die Entdeckung der Kindheit.*[11] Ein ganz neu geartetes, vorher unbekanntes Interesse an der Zuständlichkeit des Kindes in seiner Verschiedenheit von der Verfassung des erwachsenen Menschen bahnte sich an. Im 17. Jahrhundert gestaltete sich erstmalig eine kindliche Kleidung. Bis dahin hatte man das kleine Kind, sobald es den Tüchern entwuchs, in die man die Säuglinge einwickelte, seinem Stand gemäß gekleidet wie die Erwachsenen.

Die Epochen haben jeweils ihre bevorzugte Altersstufe, ein Lebensalter, dem sie ihre besondere Aufmerksamkeit zuwenden. Nicht, daß die frühere Gesellschaft kein Verhältnis zur Kindheit gehabt hätte. Die Kinder waren auch vordem nicht vernachlässigt, verlassen oder verachtet. Doch es gehörte das Kind einfach der Gesellschaft der Erwachsenen an. Wandlungen sind zuerst immer atmosphärische Erscheinungen, die sich allmählich im vollen Bewußtsein auswirken. Gewiß bahnte sich das alles zuerst in Westeuropa an und drang langsam nach Mitteleuropa, wenn wir richtig beobachtet haben, über die Niederlande mit den schon zu Beginn des 17. Jahrhunderts z. B. vorbildlichen Waisenhäusern.

Geistige Umschichtungen finden ihre Entsprechung im kirchlichen Raum. Wir beobachten, wie nach dem Dreißigjährigen Krieg eine gleichgeartete Wende einsetzt. Man erinnere sich an Comenius mit seinem gelebten Katechismus, »seiner Mutterschule«. Wir können Johann Gerhard anführen. So Johann Arnd im »Wahren Christentum« im Blick auf die Kinder: »Im Katechismus redet Gott zu uns wie in der Bibel«.

Im Straßburger Vorfeld war Spener mitten hineingestellt in eine Belebung der katechetischen Arbeit in Gemeinde und Fakultät. Dannhauers »Katechismusmilch oder Erklärung des christlichen Catechismi«, auch seine »Hodosophia Christiana« haben wir bereits früher erwähnt. Bedeutung gewann hier auch der Präses des Straßburger Kirchenkonvents, Johann Schmidt. Er erwartete vom Katecheten eine »anständige Vorbereitung« daheim. Den ganzen Tag über sollte den Kindern nicht aus dem

Sinn gehen, »was er ihnen gesagt habe«. Spener konnte in Frankfurt an eine vorbereitete Situation anknüpfen. Der Rat der Stadt hatte bereits 1665, also vor dem Antritt des neuen Seniors auf Betreiben des Geistlichen Ministeriums streng obrigkeitlich verordnet, daß sich die gesamte Jugend sonntags am Nachmittag mit den Lehrern zur Kinderlehre einzufinden hate. Der Geistliche habe dann das vorzunehmende Katechismusstück in der Predigt von der Kanzel zuerst zu erklären. Die sich anschließende Gruppenbesprechung sollen die Lehrkräfte übernehmen.

Spener behagte von Anfang an nicht der obrigkeitliche Zwang. Er sah die Kinder vor sich, die so schnell und übergangslos in die Verhaltensnormen der Erwachsenen hinüberglitten. Viel Zeit blieb ja nicht. Es wurde früh gestorben. Vierzehnjährige Mädchen konnten Ehe- und Hausfrau sein. Es war nicht viel Zeit zu einem langsamen und individuellen Heranreifen. Zeit haben für die Kinder, Zeit der Kirche für die Kinder, das lag Spener am Herzen. Wenn auch mit der Konfirmation Frankfurt im Rückstand war, auf dem Gebiet des mündlichen Unterrichts in der Kirche war man nicht zurück, sondern voraus.

Spener als Katechet und Katechetiker entfaltete sich in Frankfurt. Von amtswegen ist er weder Katechet noch Katechetiker gewesen. Jetzt aber geht er planmäßig vor. Er will das Katechismusexamen am Sonntagvormittag von Anfang an aufwerten. So bringt er zuerst drei Erwachsene mit, seine Dienstmagd und zwei ihr befreundete Frauen bzw. junge Mädchen. Bald setzt ein Besucherstrom aus der Gemeinde ein. Man zählte ebenso viele Erwachsene wie Kinder, obwohl die Kinderlehre blieb, was sie sein sollte. Oft fanden sich Durchreisende und Messebesucher ein. Man war weithin auf dieses neue Experiment aufmerksam geworden und konnte hier im Umgang mit den Kindern offenbar den Senior am unmittelbarsten kennenlernen.

Den Unterricht gestaltete Spener verstehbar. »Wer den Grund der Lehre aus dem Katechismus nicht gefaßt hat, der wird das meiste in der Predigt nicht verstehen.« »Der Acker der Hertzen müsse bald in der Jugend beackert und besäet werden, ehe er von den Dornen allzusehr und dick bewachsen werde.«

»Der christliche Unterricht der Jugend ... ist nicht von geringerem werth als die öffentliche Predigt.« Die katechetische Arbeit darf der Träger des geistlichen Amtes nicht allein auf die Schullehrer abwälzen. Biblisch und seelsorgerlich soll sie ausgerichtet sein. Aus dieser Arbeit in Frankfurt und aus den Ansätzen zur Katechismuspredigt im sonntäglichen Hauptgottesdienst erwuchs auf Bitten der Gemeinde die »Einfältige Erklärung Der Christlichen Lehr. Nach der Ordnung deß kleinen Catechismi deß theuren Manns Gottes Lutheri«, 1677 erstmalig in Frankfurt erschienen und von allen Schriften Speners weitaus am zahlreichsten nachgedruckt bis in das nächste Jahrhundert hinein. 1683 erschienen die »Tabulae Catecheticae«, die Spener auf Wunsch seiner Amtsbrüder zusammenstellte. Seine »Kurzen Katechismuspredigten« (Exordien aus Predigten, im Laufe der 70er Jahre in Frankfurt gehalten) wurden 1689 gedruckt. Diese Schriften erhielten die Bedeutung eines Erwachsenenunterrichtes und wurden so verwendet.

Die 1283 Fragen und Antworten in der »Einfältigen Erklärung« waren für den Hausvater, der täglich die Hausandacht mit den Seinen hielt als eine Hilfe, als ein Arbeitsbuch gedacht. Es geht Spener um klare Erkenntnisse, um einen Glauben, der immer neu wieder persönlich überprüft werden muß, der stets gefährdet ist und verloren gehen kann. Der Glaube ist unverkennbar wachstümlich, wenn er gesund bleiben soll.

In dem breiten, zuerst ungeklärten Strom eines Aufbruches, den er rings um sich sah, bestand die Gefahr eines im Gefühl verschwimmenden Evangeliums greifbar nahe. Dagegen stemmte sich Spener mit einer bewußt nüchternen Unterweisung im biblisch-reformatorischen Evangeliumsverständnis.

Es geht Spener keinesfalls um eine Pseudoaktivität. Sie wollte er verhindern, so wenig er sich mit einer unverbindlichen Anerkennung einer Summe von Glaubenswahrheiten oder einer Verdünnung ihrer Inhalte zufrieden geben wollte und konnte. Kosten- und folgenlos konnte man nicht mehr evangelisch sein.

In seiner »Einfältigen Erklärung« kann man das in seinem Umgang mit dem lutherischen Hauptartikel von der Rechtfertigung studieren. Wie bei Luther im Kleinen Katechismus findet man auch bei ihm nicht dieses Wort, aber die Sache. *In diesem bis tief ins 18. Jahrhundert hinein im katechetischen Unterricht verwendeten Buch ist die Verkündigung nicht um die Aussage von der Wiedergeburt komponiert.*

Das läßt sich nach zwei Seiten aufweisen, zuerst bei dem Fragenkomplex, ob es eine »positive Selbstliebe« gäbe. »Wie hoch hab ich mich dann zu lieben?« Die Antwort lautet: »Unter GOTT und meinem Nächsten gleich.« »Als eine gute creatur Gottes« und »als Instrument seiner ehre und gefäß seiner gnade« darf ich Raum gewinnen für mich selbst. Nach Spener »habe ich meine Seele und meinen Leib zu lieben und alle Kreatur«, selbst die stummen Geschöpfe zu ehren. Es kommt nur auf das Wie an. Stille und Sammlung besitzen ihr volles Recht.

Die Pseudoaktivität, die man bei Spener zu beobachten meint, wird weithin auf einem Mißverständnis beruhen. Ein ständiges Angehaltensein zur Liebe, das erfordert doch eine grenzenlose Anstrengung, ja Überforderung! Spener kultiviert das in seiner Katechismuserklärung nicht[12].

Das Thema von der Wiedergeburt läßt Spener nicht aus. Er will hier einen Tatbestand verdeutlichen. Bei jedem, der sich der Zusage Gottes nicht entzieht, sondern sich dem gnädigen Anruf öffnet, vollzieht sich ein Umbruch. Gott löst ihn aus der Fremdherrschaft des altbösen Feindes. Spener stützt sich hier ausdrücklich auf Luthers berühmte Auslegung des 1. Gebotes in seinem Großen Katechismus: Der Mensch wird entweder von Gott oder dem Teufel geritten. Er hat immer einen Oberherrn, dem er sich nicht entziehen kann. Das ist für Spener von kristallklarer Eindeutigkeit.

Die Wiedergeburt ist vollkommen, unanzweifelbar. Doch kann sie weder denkerisch noch psychologisch noch faktisch von der »Erneuerung« getrennt werden. Beides liegt ineinander. Die Erneuerung ist unvollkommen, täglich neu zu erarbeiten, doch keine hoffnungslose Angelegenheit »durch des menschen geschenkte neue kräfften«. Darum tut not »die fleißige und tägliche Erforschung seines Lebens ... wie man immer vor Gott stehe«. Alles wäre aber »eine Schinderei, wenn es nicht die krafft der auferstehung Christi gäbe!«[13]

Es handelt sich bei Spener im Blick auf die »Wiedergeburt« nicht um die Auslösung eines pädagogischen, gar eines mystischen Prozesses einer Selbstfindung und Selbstverwirklichung bzw. um eine von unten aufgestellte Himmelsleiter, auf die der Mensch nach oben steigt. Die »innere Geburt« soll ein besonderes Ereignis festhalten, ohne es im einzelnen unbedingt mit einem bestimmten Datum, und nicht im Gegensatz zum Taufgeschenk, zu behaften. *Mit der »inneren Wiedergeburt« soll die Aktivität Gottes apostrophiert werden.* Er ist es, der den passiven, zufolge seiner Sündhaftigkeit hierzu untüchtigen Menschen von seiner Ferne zu ihm loslöste, ihn umwendet (Buße) und damit zum »neuen Menschen« macht. Dieses Ergebnis steht Spener vor Augen und dabei nicht im Gegensatz zum objektiven Vorgang der Taufe.

Hier wird das ganze Ringen des 17. Jahrhunderts unter den Vorbereitern des Pietismus zu einem Ergebnis gebracht, die durch Namen wie Jakob Böhme, Johann Arnd, Johann Valentin Andreä, Johann Amos Comenius und Männern wie Schwenckfeld, Valentin Weigel und Stephan Prätorius im 16. Jahrhundert gekennzeichnet sind. Nicht vergessen auch Theophil Großgebauer (1627–1661) mit seiner »Wächterstimme aus dem verwüsteten Zion« von 1661, bei der im langatmigen Titel nicht der letzte Satz übersehen werden soll: »samt einem treuen Unterricht von der Wiedergeburt«.

Dabei haben wir nicht zu übersehen, was sich schon vor und neben Spener abzeichnete, die Wirkung des Neustoizismus wie der aufkommenden Bewegung eines pädagogischen Realismus, »wo alles und jedes auf den Menschen hingeordnet wird«. Die Grenzlinie erscheint hauchdünn zu Spener. Doch unverwischbar bleiben die fundamentalen Gegensätze in der Grundvoraussetzung. Bei Spener geht es um den Willen Gottes, der Liebe ist und den Menschen sucht, der ihn von sich selbst losbinden und an ihn binden möchte. Das ist der leitende Gesichtspunkt. »Die realistische Tendenz des Pietismus ist also keineswegs dem pädagogischen Realismus identisch, weil alles aus der Kraft Gottes getan wird«. Noch einmal: »Die Tat Gottes, die den Menschen zur Durchsetzung seines göttlichen Liebeswillens in der Welt beruft«, steht im Mittelpunkt der Aussagen. Gewiß geht es hier um eine hart herausgearbeitete »Aktualisierung der Potentialität«, die von Gott ausgeht.

Verhängnisvoll ist es nur, wenn man das nicht von der »Philosophie der Monadologie« auseinanderhält, aus der sich eine »subjektivistische Potentialitätsanthropologie« entfaltete. Von hier aus entwickelt sich die klassische neuzeitliche Pädagogik. Sie zielt beim Menschen als eines autarken Wesens auf Selbstverwirklichung, auf die Entfaltung aller eigenen Möglichkeiten und der eigenen Kraftreserven im Selbstvollzug.

Ohne Zweifel besteht eine verwandtschaftliche Grundstimmung, doch das »macht die Auffassungen nicht deckungsgleich!« Diese an sich haarscharfen Unterschiede drohten später oft zu verwischen. Ungewollt hat Spener selbst dazu beigetragen, indem er im Anschluß an neutestamentliche Stellen und an »Gelegenheitsäußerungen der symbolischen Bücher« z. B. die Unterscheidung von »Sünde haben und Sünde tun« wie den Begriff der »Vollkommenheit« in die Theologie und auf der Kanzel eingeführt hat[14].

Diese voll vom Pietismus aufgenommenen Thesen haben zu unendlichen und dauernden Mißverständnissen geführt. Selbst Valentin Ernst Löscher gelang es nicht mehr, zwischen kirchlichem und schwärmerischem Pietismus die Grenzlinien zu erkennen[15]. Von einem Perfektionswahn im Leben des »neuen Menschen«, des »Wiedergeborenen« setzt sich Spener klar ab. Daran ist nicht zu zweifeln, wenn man seine Aussagen nicht pressen will und ihnen Konsequenzen anhängt, die er nie im Sinn hatte. In seiner »Abgenötigten Erörterung dreyer Lehr-Puncten« von 1672 beruft sich Spener hier auf die von Luther gebrauchten Grenzbegriffe desperatio (Verzweiflung) und superbia (Vermessenheit). Vor beiden soll der Glaubende bewahrt werden, vor der Verzweiflung an Gottes Huld und vor der Überschätzung eines Wachstums im Glauben.

Auch diese »Heiligungsprobe« bzw. Gewißheit ist theologisch im Rechtfertigungsglauben verankert. Mit Emanuel Hirsch stimmen wir darin ein: »Es gehört zu den Grundgesetzen in der Geschichte der Theologie, daß kein theologischer Lehrer die Wirkung seiner Gedanken und Worte in der Hand hat. Sie gehn oft in ganz anderer Richtung, als seinen eignen Absichten und Wünschen entspricht.« Mit selbstverständlicher Entschiedenheit hat Spener die lutherische Rechtfertigungslehre vertreten. Doch dann hängt sich virulantes mystisch-schwärmerisches Gedankengut, das damals überall eindrang, in diese Thesen Speners, nistet sich dort ein und schafft viel Verwirrung und schwärmerisches Abgleiten. Die Orthodoxie hat viele Leerräume, weil sie zu viel Theologie und zu wenig Frömmigkeit lehrte, sie erzeugt und trägt an dieser Vermischung ihr Teil. Von einer Zwiespältigkeit im Ansatzpunkt der Theologie Speners und einer »Überfremdung seines lutherischen Ansatzes« durch »spiritualistische Elemente« zu reden, wird immer unglaubwürdiger, je mehr man von dem Rückgriff auf wenige Schriften auf die ganze Breite seiner Äußerungen hingeht.

Als eine Predigtbewegung und zugleich katechetische Erneuerung bahnte sich der Pietismus seinen Weg. Gedankliche Klarheit zu bewahren ist Anliegen der nachfolgenden pietistischen Generationen geblieben. Das gilt im Blick auf August Hermann Francke wie Zinzendorf. Daß sie in einer ausgesprochenen Übergangszeit, in der sich so viele geistige Grundströmungen mischten und gegenseitig zu verwirren anschickten, selbst ihren Tribut errichten mußten und durch schwere Erschütterungen hindurchschritten, hat sie von dem von Spener vorgezeichneten Weg nicht abgebracht. Wahrheit der Väter bleibt konstant Hilfe für sie.

Spener wurde in seiner Frankfurter Zeit zu dem großen Seelsorger im evangelischen Deutschland. Er hat jedes Jahr bald tausend seelsorgerliche Anfragen erhalten. In seinen letzten Lebensjahren klagte er einmal, daß er nur 600 beantworten konnte und über 300 unbeantwortet bleiben mußten. Noch war er unermüdlich. Der Kaiser räumte ihm Portofreiheit ein. In 10 dickleibigen Bänden sind seine Antworten unter dem Titel »Theologische Bedenken« von 1700 an und über seinen Tod hinaus gedruckt erschienen. In seiner großen Gewissenhaftigkeit hat Spener seine zur Veröffentlichung freigegebenen Briefe von all dem sorgfältig befreit, was den Adressaten hätte erraten lassen. So sind bis heute nur ein Teil von ihnen entschlüsselt worden[16].

Den Grund zu diesem großen Vertrauenskapital hatte Spener bereits in Frankfurt mit seinen Predigten und nicht zuletzt durch seine unermüdlichen Hausbesuche in Frankfurter Familien gelegt.

Welche Kreise erreichte er? Es ist feststellbar. Als Spener nach Dresden gerufen wurde und schneller abreisen mußte, als er es zuerst geplant hatte, blieb er manchen Abschiedsbesuch schuldig. So läßt er dann von Dresden aus unter andern »die Krankenmutter in dem Hospital, sodann die Anna Kunigund, die Seilerin, welche ich nochmalen bitte, daß sie bei ihrem Nachbarn meinem Gevatter Schumacher Adam Langen, dem Balbirer unter dem Catharinenport und Herrn Reußen auf dem Graben« grüßen und bittet um Entschuldigung, daß er entgegen seiner Intention »nicht Abschied bei ihnen genommen«. So konnte er auf dem kleinen Hirschgraben, dem oberen Teil des Kornmarkts und großen Sandgaß auch nicht Abschied nehmen.

Noch von Berlin aus, 16 Jahre nach seinem Fortgang von Frankfurt, erkundigt er sich in einem Brief nach Ungezählten. Er zählt sie auf, nach ihren Wohnungen geordnet. Da ist der Name eines Notars, eines Juristen, eines »Doktors« und der Mutter eines Predigers und daneben finden sich die Handwerksleute, Schneiderinnen und Wäscherinnen, ein einstiges Dienstmädchen Speners und eine Frau, »die so trefflich gesungen«[16 a].

Neue Aufgaben erwuchsen durch einen Flüchtlingsstrom, der sich den Rhein auf- und abwärts wälzte, von den französischen Truppen erbarmungslos vor sich her getrieben. Hier war Hilfe not, denn Frankfurt war von dem Kriegsgreuel verschont geblieben.

Spener konnte jetzt auf eine Hilfsorganisation zurückgreifen, die ursprünglich nur für ein zu gründendes Armen-, Waisen- und Arbeitshaus entstanden war. 1679 war nicht zuletzt durch Speners Zähigkeit diese Gründung verwirklicht worden. Es war durch das freiwillige Zusammenwirken der Pfarrer und der Bürger, die sich zu regelmäßigen Spenden zusammengefunden hatten, ermöglicht worden.

Als nun die Flüchtlingsnot an die Tore der Stadt klopfte, war dieser Spenerkreis bereit, zu helfen, wie er nur helfen konnte. Aus einem Bericht im Krisenjahr 1696 kann ersehen werden, welchen Umfang diese Hilfsgemeinschaft annahm. Wenn wir die Zahlen richtig aufschlüsseln, die genannt wurden, sind ungefähr 1000 Personen in der Stadt selbst betreut worden. Darüber hinaus wurde bald 9000 Personen »Wegsteuer und Brot« zuteil, auch in der Form regelmäßiger wöchentlicher Zuwendungen. Man kann mit 3000 evangelischen Familien damals in Frankfurt rechnen und muß hier in der Tat eine großartige Hilfsbereitschaft konstatieren[17].

Was ist daran aber ungewöhnlich? Solche Sonderaktionen lassen sich unschwer auch sonst im evangelischen Deutschland nachweisen. Das Wegweisende und Neue lag in der Art, wie hier auf freiwilliger Basis eine

Hilfsorganisation entstanden war, der sich weitere Gemeindekreise zuwandten. Spener hat nicht als Amtsperson, dazu hätte es der Anordnung des Rates bedurft, sondern als Seelsorger aus eigenem Antrieb die Führung übernommen. Die Verwaltung der umfänglichen Stiftung wurde von Spener nicht dem Rat der Stadt übergeben, sondern dem mit ihm befreundeten Juristen Johann Jakob Schütz (1640–1690).

Das ist als ein Durchbruch in eine neue diakonische Form zu verstehen. Denn in der Reformationszeit ist der Schritt hin zu einer kirchlichen Diakonie, einer Diakonie nach altchristlichem Vorbild, das Luther so hoch pries, nicht gelungen. Die öffentliche Liebestätigkeit in den evangelischen Gebieten, im Dreißigjährigen Krieg abgeschlossen, geriet fast völlig in die Hand der obrigkeitlichen weltlichen Verwaltung.

Die christliche Gemeinde gewöhnte sich daran, daß städtische bzw. staatliche Instanzen recht und schlecht ihr diese Aufgaben abgenommen hatten. Die Liebesarbeit war bürokratisiert worden. Der Rathausegoismus feierte dabei nur zu oft Triumphe. Spener tat beides. Er entließ die Obrigkeit keinesfalls aus ihrer Verpflichtung, sich um die Wohlfahrt ihrer Untertanen zu kümmern. Anderseits schaffte er für eine rein kirchliche Initiative einen freien Raum. Eine von der Obrigkeit freigegebene, von Kirchengliedern getragene Liebesarbeit konnte sich entfalten. Ihre Verwaltung unterstand nicht der Obrigkeit. *Zeichenhaft lag hier der erste Anfang einer Inneren Mission der Kirche selbst, so eng auch das Verhältnis zum Staat als der weltlichen Obrigkeit war*[18].

Man kann hier mit Fug und Recht von einer »großartigen Pionierleistung Speners« sprechen. Der Ruf nach sozialer Gesinnung und sozialer Tat fand in Speners Predigten einen eindeutigen Platz: »Die Armut ist ein Schandfleck unseres Christentums.« In seinen Predigtreihen über Johann Arnds »Wahres Christentum« nahm Spener dessen sozialkritische Töne, dessen unverkennbares soziales Pathos auf. Dort stand: »Das Feuer brennt für die Armen wie für die Reichen.« »Wer seinen Bruder nicht liebt, wie kann er Gott lieben?« Spener forderte »eine andere gemeinschaft der güter ganz notwendig«. Unser Hab und Gut ist als »ein gemeinschaftliches Gut« anzusehen.

Noch etwas anderes drängte sich Spener auf. Jeder sechste Bewohner der Stadt war ein Jude. Wie aber wurden sie von Gassenjungen oft auf der Straße angepöbelt. Das waren immer beschämende Szenen am Rande jüdischer Existenz außerhalb des Schutzes ihres Gettos, in dem Tausende gedrängt zusammenwohnten. Doch Spener sah, wie hier immer neu das Verhältnis zwischen Christen und Juden belastet und die christliche Liebespflicht grob verhöhnt wurde. Wie konnte so eine echte Begegnung möglich werden? Mit der obrigkeitlichen Aufforderung, wie es noch oft in lutherischen Ländern geschah, die die Juden zwang, an einem festgelegten Tag sich in einer Kirche einzufinden und eine Judenpredigt zu hören, die sie bekehren sollte, war nichts getan. Man wird in Frankfurt, neben Prag und Wien das größte Judengetto in Mitteleuropa, nicht zu übersehen haben, daß sich die jüdische Bevölkerung in dieser Stadt sicher- und wohlfühlte. In der Reichsstadt und im Land Hessen war eine Konzentration von jüdischen Gemeinden in einer Dichte erfolgt, wie sie sonst in den Reichslanden nicht zu finden war. Die Frankfurter Judenschaft erschien den anderen Juden wie ein leuchtender Stern. Ihre Oberrabbiner bildeten eine Elite unter den europäischen jüdischen Gelehrten, die man von auswärts berief. Das geistige und religiöse Leben im Frankfurter Getto war von einer überdimensionalen Intensität gekennzeichnet. Ihre Ärzte waren berühmt und begehrt. Gegen Betrüger in den eigenen Reihen schritt man scharf ein.

Die Frankfurter christliche Bevölkerung verkehrte ohne Hemmungen mit den Juden. Es wurde hin und her gehandelt. An den Sonntagen herrschte reges Treiben, von Sonntagsruhe war wenig zu spüren. Ob in Frankfurt der Sonntag am schnödesten entheiligt wurde, ist wirklich fraglich. Denn von alters her stand es in den Bauerndörfern und Städten nicht besonders gut damit. Mit einer Sonntagsruhe nach englischem Vorbild war nichts zu machen. Spener steckte hier auch merklich zurück. Bei allen Klagen über Verfall der Sitten und der kirchlichen voran in seiner berühmten Pia desideria fehlt bezeichnenderweise die über Sonntagsentheiligung, die ihm doch auf Schritt und Tritt entgegentrat.

In Frankfurt verlockte die jüdische Bevölkerung, nur an die Sabbatruhe gebunden, zu Handel und Wandel an den Sonntagen. Man lebte mit der christlichen Einwohnerschaft friedlich zusammen. Als eine große Feuersbrunst fast die ganze Judengasse einäscherte, nahmen die christlichen Bewohner der umliegenden Straßenzüge ohne Zögern die jüdischen Obdachlosen in ihre Häuser auf. Was die Juden kränken mußte, waren stehengebliebene obrigkeitliche Verordnungen wie z. B. die Kopfsteuer, die doch sonst nur beim Schlachtvieh erhoben wurde[19].

Was Spener bei der Judenfrage auch bewegte und zu einem völlig neuen Verhältnis zu den Juden drängte, sprach er in den Pia desideria aus, auf die wir dort einzugehen haben.

Noch ein anderes beschwerliches Thema war in Frankfurt nicht zu umgehen, das Verhältnis zur reformierten Gemeinde, die ihre Gottesdienste nur außerhalb der Stadtmauern feiern durfte. Immer wieder unternahm sie den Vorstoß, in der Stadt selbst Kultusfreiheit zu erhalten. Volles Bürgerrecht besaßen an sich die Reformierten. Zu ihnen gehörten viele wohlhabende Kaufmannsfamilien.

Die reformierte Gemeinde hatte der lutherischen vieles voraus, wenn sich Spener auch damit tröstete: »Wenn sie auch unter uns säumiger sind, keine Kirche wird sich rühmen können, daß alle dero Glieder ihren vorgeschriebenen Reguln nachkommen«. Doch er gesteht zu, daß die Sonntagsheiligung ohne Tadel unter ihnen eingehalten werde, die Hausbesuche regelmäßig durchgeführt werden, Pastoren und Älteste Hand in Hand arbeiten. Kirchenzucht wird nicht erst durch die Zustimmung des Rates ermöglicht. Spener befand sich in einer zwiespältigen Situation. Kurz vor seinem Amtsantritt in der Stadt hatte der Rat ein erneutes Ansuchen der von Holland her betreuten reformierten Gemeinde um Kultusfreiheit innerhalb der Stadtmauern glatt abgelehnt, des Beistandes der alteingesessenen lutherischen Bürgerschaft gewiß, die sich damit auch wirtschaftlich nicht überspielen lassen wollte. In der einzigen anticalvinistischen Predigt, deren Veröffentlichung Spener bis ans Lebensende tief bereut hat, stellte er sich hinter die Entscheidung der Stadt. Lehrmäßig richtete er sich nur gegen die Prädestinationslehre und Abendmahlsauffassung der Reformierten. Alle Verunglimpfungen, sonst gang und gäbe, vermied er. Ohne jeden Abstrich soll das unbedingte Liebesgebot zwischen beiden Konfessionen herrschen. Die dabei vernehmlichen Zwischentöne sind aus der besonderen Situation in Frankfurt verständlicher. In ihrem Drängen nach Kultusfreiheit hatte die reformierte Gemeinde immer wieder ihre wirtschaftliche Macht ins Spiel gebracht. Die Ressentiments der alteingesessenen lutherischen Bürgerschaft konnte und wollte Spener nicht übergehen.

Unverkennbar hatte die reformierte Kirchenpolitik in Deutschland bei der ungehemmten Anwendung des Grundsatzes »cuius regio eius religio« in damals lutherischen Gebieten eine gereizte Stimmung im deutschen Luthertum ausgelöst. Es mußte manche schmerzliche Einbrüche in das vordringende Reformiertentum beklagen. Speners ganzes Bestreben lief darauf hinaus, den rein lutherischen Charakter der Stadt Frankfurt bewahrt zu wissen und sich vor jedem Verdacht, heimlich reformierten Anschauungen zu huldigen, zu reinigen. Dieses Gerücht war ihm von Straßburg nach Frankfurt gefolgt.

Doch dadurch, daß Spener in seiner »christlichen Predigt Von Nothwendiger Vorsehung vor den falschen Propheten«, in welcher er diese Auseinandersetzung führte, auf alle persönlichen Verunglimpfungen verzichtete und den Reformierten nicht ihr Christsein absprach, das er in der Entschiedenheit, wie es in ihrer Gemeinde gelebt wurde, hoch schätzte, klang ein völlig neuer Ton an. Eine Wendung vollzieht sich, die sich in der Pia desideria ausreift[20]. Eins ist bereits deutlich, der stille, fast übervorsichtige Spener entwickelte eine zähe und ausdauernde Energie, wo ihn sein Gewissen dazu trieb zu handeln und nicht zu schweigen. Frankfurt, die große und reiche Freie Reichsstadt erwies sich als das Übungsfeld. Hier sammelte er seine vielen Erfahrungen, hier reiften seine Gedanken über der Kirche Besserung. Zwei Faktoren sind noch anzuführen. Spener empfing einen ganz konkreten Auftrag, an einem Bibelkommentar, aus Luthers Schriften zusammengestellt, mitzuarbeiten. Der kurpfälzische und vorher oberpfälzische Rat Johann Heigel in Heidelberg, ein Laie, doch ein großer Lutherverehrer und vor allem ein fundierter Lutherkenner bat Spener, in diesem Gesamtwerk arbeitsteilig die Briefe des NT und die Offenbarung Johannes zu übernehmen. So arbeitete er von 1669–1675 an diesem gelehrten Kommentar zur Bibel aus den Schriften Martin Luthers. Der Druck des fertiggestellten Werkes begann 1676. Doch der Satz blieb in den Anfängen stecken. Wahrscheinlich stellten sich unüberwindliche finanzielle Schwierigkeiten ein. Das Projekt verschwand für alle Zeiten von der Bildfläche.

Für Spener selbst blieb es keine vorübergehende Episode. Denn hier holte er in der bei ihm gewohnten Gründlichkeit eine profunde Lutherkenntnis nach, zu der er in Straßburg nicht angehalten worden war. In all den Schriften, die er nunmehr herausgab, tritt uns eine Fülle von Lutherzitaten entgegen. Einen Gesamtüberblick, welche Werke Luthers Spener dabei bevorzugte und welche er überging, besitzen wir noch nicht. Die zu schnelle Feststellung, daß Spener, wo er Luther zitierte dabei »lutherfremd« geworden ist, entbehrt einer überzeugenden Beweisführung. Bestreiten wird man jedoch schwerlich können, daß Spener von Luther »nicht aufs Tiefste geprägt« worden wäre. Man wird eher der Beobachtung von Gerhard Ruhbach zustimmen können: »Zwei Merkmale sind es, die der Pietismus Spener verdankt: einmal die bleibende Verbindung zur Kirche und dann die Verankerung in der Reformation Martin Luthers.« Und »Speners Umgang mit Luther hat ihn ... auf seinem eigenen Weg befestigt, ihn erst eigentlich zu dem Kirchenreformer weit über Frankfurt hinaus heranwachsen lassen und ihm bald den Namen eines zweiten Luther eingetragen.« *Spener blieb zeitlebens der dankbare Schüler des Reformators*[21].

Ein nächster Anstoß ergab sich aus der Gründung des ersten Erbauungszirkels, für den sich später der Name »collegium pietatis« einbürgerte. Wie aufmerksam und aufnahmebereit Speners Predigtzuhörer waren, wird auch hier deutlich. Am 3. Oktober 1669, am 17. Sonntag nach Trinitatis, hatte er freie Versammlungen vorgeschlagen, bei denen man sich auf biblische Gespräche konzentrieren und ihnen die gehörte Sonntagspredigt bzw. Erbauungsschriften zugrunde legen sollte. Schon im nächsten Jahr fand sich ein Kreis von Akademikern zusammen. Ob sich hier wirklich bereits mystisch-spiritualistische Grundtendenzen meldeten, ist ungeklärt. Der erste Eindruck bestand darin, daß man sich hier ehrlich im persönlichen Christsein zu fördern suchte und auch die Sorge um die innere Lage der Kirche laut wurde. Wahrscheinlich war bei allen eine intime Kenntnis von Johann Arnds »Wahrem Christentum« vorauszusetzen. So sprach man in einer allen vertrauten Frömmigkeitssprache.

Später hat Spener, als der beteiligte Kreis sich erweiterte, Nichtakademiker und Frauen und Mädchen in ihn hineindrängten, den Versammlungsort in das Pfarrhaus und schließlich um den Öffentlichkeitscharakter dieser neuen Versammlung zu wahren, in das Gotteshaus verlegt. Das lief vorerst und bis 1675 gut und unanstößig, obwohl Speners Amtsgenossen sich betont zurückhielten.

Man wird dabei folgendes nicht zu übersehen haben. Das Frankfurter Modell ist sehr rasch überall bekannt geworden und hat ein jäh aufflammendes Interesse wie auch Widerspruch erweckt. Bereits zwischen 1670–1674 hat Spener die Frage nach einer Übernahme des Frankfurter Modells mit Kollegen in den Freien Reichsstädten im schwäbisch-fränkischen Raum besprochen. Man wird dabei auf die Reichsstädte Augsburg, Windsheim, Rothenburg, Schweinfurt, Nürnberg, Ulm und Regensburg zu achten haben. Zum Teil lebten hier Freunde Speners, mit denen er in einem laufenden Briefwechsel stand. »Nicht erst das Erscheinen der Pia desideria hat diese Frage gestellt, wohl aber verschärft und entschränkt.« Der Frankfurter Senior riet seinen theologischen Freunden dabei zu großer Vorsicht. Die kirchliche Situation war in jeder der Reichsstädte anders gelagert, auch die Einstellung des Rates als kirchlich vorgeordneter Obrigkeit. Zu schnell konnte hier das gewiß berechtigte Mißtrauen aufsteigen, daß diese freien Versammlungen einen ersten Schritt zu einer gezielten größeren Unabhängigkeit selbstbewußter Kirchgemeinden von obrigkeitlicher Bevormundung darstellen. Im Grunde strebte Spener nach mehr Bewegungsfreiheit für die ihrer eigenen Sendung bewußte Christenheit innerhalb der vom Staat gegängelten und weithin unbeweglich gewordenen Landeskirchen[22]. Das lag auf der gleichen Linie, wie Spener seine Hilfsorganisation in Frankfurt so zielbewußt von einem kirchlichen und freiwilligen Trägerkreis getragen wissen wollte. Die unterstützende Hand der Obrigkeit wurde dabei nicht schnöde zurückgewiesen.

Es ist nicht von der Hand zu weisen, daß Spener in den Freien Reichsstädten vorerst den günstigsten Boden für die Entwicklung des neuen Modells in der Gestalt der »collegia pietatis« sah. Hier fehlte es nicht an einem verantwortungsfreudigen wie selbstbewußten Pfarrerstand und Bürgertum, auch nicht an einer geistigen Beweglichkeit. Die Obrigkeit suchte doch die besten Prediger für ihre Städte zu gewinnen und mußte ihnen so auch einen größeren Spielraum gewähren. Hatte nicht auch Martin Luther an die Freien Reichsstädte in ähnlicher Weise gedacht? Hier war eine Offenheit vorhanden und die richtige Adresse für seinen Vorschlag in dem berühmten Vorwort zur Messe von 1525. In ihm räumte er denen, die mit Ernst Christ sein wollten, das Recht zu eigenen Versammlungen innerhalb der volkskirchlichen Gemeinde mit einer freiwillig akzeptierten Kirchenzucht und eigenen Abendmahlsfeiern ein. Der Reformator resignierte später mit den Worten, daß er die Leute dazu nicht habe, ohne für die Zukunft für diesen Vorschlag einen Sperriegel vorzuschieben. Auch Spener hat in der Zeit zwischen 1670–1674 in diesen fränkisch-schwäbischen Reichsstädten nicht viel erreicht. Doch sind die Impulse, die von Spener in jener ersten Phase im Verhältnis von Pietismus und Reichsstadt ausgingen, nicht zu unterschätzen. Die Ernte brachte der energischere Hallesche Pietismus ein. Die Entwicklung des Verhältnisses zwischen Spener und Württemberg im Blick auf die Stunden gehört in die Geschichte des schwäbischen Pietismus innerhalb des Herzogtums Württemberg.

Die Pia desideria schrieb Spener 1675 als eine Auftragsarbeit[23]. Keine Veröffentlichung eines evangelischen Theologen hat eine so weltweite und ununterbrochene Zustimmung wie heftige Ablehnung erfahren wie Philipp Jakob Speners kleine Reformschrift, die er mit 40 Jahren in kirchenleitender Position in der stolzen und unabhängigen Reichsstadt Frankfurt am Main als Senior einer der größten und einflußreichsten lutherischen Stadtkirchen schrieb. Es war eigentlich nur als ein Vorwort zu einer neuen Ausgabe der »Evangelien-Postille« von Johann Arnd von einem der erfolgreichsten Verlage des 17. Jahrhunderts, von Zunner erbeten worden. So kurz vor der Septembermesse war diese Arbeit angefordert worden, daß Spener unter Zeitdruck diese Schrift wie in einem Zuge niederschreiben mußte, was ihr nur gut bekommen ist. Doch nahm er sich die Zeit, die ganze Schrift seinen sämtlichen Mitgliedern des Geistlichen Ministeriums der Kirche zu Frankfurt in vollem Wortlaut vorzulesen und auf Abänderungswünsche einzugehen. So wurde diese Programmschrift zu einem gemeinsamen Votum aus der Sicht einer bedeutenden Reichsstadt, im Schnittpunkt auch französischer und niederländischer Einflüsse, mit dem größten Judengetto Mitteleuropas neben Prag und einem kraftvollen Bürgertum.

Und doch bleibt sie Speners ureigenstes Werk. Seine Wirkung erklärt es noch nicht. Es waren zwei andere Faktoren. Zuerst die Tatsache, daß damals die Christenheit zutiefst verunsichert und erschöpft war. Hinter Speners ganzen Ausführungen stand die tiefe Sorge um eine gefahrdrohende Glaubenskrise, in die damals Europa hineinglitt.

Zugleich stand die andere Frage im Raum: Was nützt die Kirche der Gesellschaft? Die wilden Konfessionskriege im 17. Jahrhundert hatten nicht nur eine virulente Kirchen- und Sozialkritik hervorgebracht. Offensichtlich waren die Kirchen nicht imstande, ein gutes Nebeneinander der Nationen zu gewähren und die Spannungen abzutragen. »Die Vernunft des Menschen muß zum Siege kommen, wenn die Kirchen unvernünftig bleiben!« Das war damals ein Schlagwort. Durch die aufkommende exakte Naturwissenschaft verschärften sich die Spannungen.

Zur rechten Stunde kam nun ein rechtes Wort nicht in einem dickleibigen Folianten, sondern in einem äußerlich anspruchslosen Vorwort, später auch als Sonderschrift mit erweitertem Inhalt, schließlich eine lateinische Version und eine wortwörtliche Übersetzung dieser lateinischen Ausgabe ins Deutsche. Sie war konzipiert auf sechs klare Forderungen und verwirrte nicht mit einer Fülle zu vieler Einzelpunkte. Die voranstehende Darstellung der Mißstände in Kirche, Obrigkeit und Hausstand unter Berufung auf zahllose anerkannte Autoritäten, bei denen der umstrittene Theophil Großgebauer geflissentlich übergangen, aber seine Anliegen vorgebracht wurden, ist zeitgebunden.

Im Grunde zielte Spener von Anfang an auf etwas anderes, auf eine Umkehr in die Zukunft. Er wollte eine verunsicherte Theologie von verquälten Fragen wegführen, auf die sie sich versteift hatte. Der lutherischen Frömmigkeit lag eine starke eschatologische Gespanntheit zugrunde. Sie war im 17. Jahrhundert, durch das Elend des Dreißigjährigen Krieges verschärft, von einem Glauben an ein nahes Ende aller Zeiten geprägt. Doch wurde die Predigt vom nahen Weltende immer unglaubwürdiger in einer Zeit, in der sich Europa anschickte, in die Aufklärung und einen weltverbessernden Optimismus auszuwandern.

Spener überraschte seine Generation mit seinen Zukunftserwartungen, die er aus dem NT herauslas, von denen er beanspruchte, sie richtig zu verstehen. Er besaß damit die Kraft, die lutherische Orthodoxie nicht zu kritisieren, sondern als Epoche zu überwinden. Auf alle Resignation, wo sie sich auch ankündigte, antwortete er herausfordernd mit der »Hoffnung zukünftig besserer Zeiten«. Aus dem Neuen Testament sagte er der Kirche nicht nur voraus, daß sie nicht zerfallen und die Pforten der Hölle sie nicht überwinden werde. Das sollte, mit anderen Zeugnissen zusammen gesehen, freilich nicht schlechthin als Garantie für eine Überlebenschance jeder einzelnen konkreten Kirche gesagt sein. Er wußte um den traurigen Zustand der orientalischen christlichen Kirchen und ihren Bettelreisen nach Europa in der Gestalt reisender Bischöfe seit seiner Reise nach Genf sehr konkret. Doch im Blick auf die ganze Christenheit in allen Zonen und zu allen Zeiten sah er die großen Verheißungen als noch ausstehend an. Nach verschiedenen Seiten versuchte er es zu verdeutlichen. Er knüpfte an das Schicksal der Juden an. Angesichts des Unwesens der Judenverspottung und Judenbelästigung nicht nur auf den Gassen Frankfurts im Hintergrund, wies er auf Römer 9,11 hin. Das jüdische Volk, wenigstens der »heilige Rest« als entscheidender Teil, wird sich wieder Christus zuwenden. Vorerst sind »die Christen das schwerste Hindernis einer Judenbekehrung«. Und doch: Was hat Gott uns für die Zukunft der Kirche verheißen? Einen besseren Zustand – die Heimkehr Israels – der zu erwartende tiefe Fall des päpstlichen Roms – die einmal aus Juden und Christen gesammelte Kirche. So könnte man die einzelnen Ausführungen dazu sinngemäß unterteilen. Wenn auch Spener noch nicht von der Heidenmission in diesem Büchlein sprach, er gab auch hier indirekt den Anstoß zu neuem Beginnen[24].

Die Kirche wird sich über den ganzen Erdkreis ausbreiten. Die getrennte Christenheit wird Zäune abbrechen und aufeinander zugehen. Das alles wird unter der Wirkung des lebendigen Gottesgeistes, der in alle Wahrheit führt, geschehen. Das Antlitz der jetzt so armseligen und hilflosen Kirche wird wieder strahlend werden. Vieles von dem wird sich ereignen, was sich die ernsten und aufrichtigen Glieder derselben immer ersehnt und erbeten haben.

Von dem Optimismus der Aufklärung, auch der frommen, von dessen Erdgeruch gewiß auch in Speners »Hoffnung zukünftig besserer Zeiten« etwas wahrzunehmen ist, trennt ihn die nüchterne Feststellung, daß die Kirche bleibend mit der Kreuzesgestalt ihres Herrn in ihrem Dasein verhaftet bleibt. Doch sie wird mit Freuden, was ihr auch angetan werden wird, dem Anbruch des tausendjährigen Reiches entgegenwandern. Auf diesem Weg wird ihr nicht mangeln Mut und Gewißheit.

Darin ist sich die neuere Spener-Forschung vielleicht sogar zu einig, wenn sie hier in Speners »Umkehr in die Zukunft« den entscheidenden neuen Grundton dieser Reformschrift zu finden meint. Man spricht bei ihm von einem »Chiliasmus subtilis«, von einer Akzeption des »Tausendjährigen Reiches«, wenn auch nicht in der gröbsten und sinnlichsten

Form, ja von einer Übernahme aus dem chiliastisch geprägten Separatismus, auch englischer Stimmen.

Man wird dabei nicht aus den Augen verlieren dürfen, daß es sich hier um einen vielschichtigen und wohl schwerlich voll einzusehenden Prozeß einer Aneignung disparater Elemente, auch bestimmter Autoren handelt, die er selbst anführte. Es ist das alles verbunden mit einem Gespür für eine in der Luft liegende Erwartungsstimmung, die dann in einem schöpferischen Durchstoß nicht an den Aussagen der Schrift vorbei, aber in Freiheit von bisher festgefahrenen Auslegungstraditionen erfolgt. Das alles gipfelt in der provokatorischen Aussage von der »Hoffnung zukünftig besserer Zeiten«. Die Kirche, die vor ihm steht und allein Hoffnung haben kann auf Gehör, muß eine hoffende sein, eine helfende Kirche, eine bußfertige Kirche, die offen zeigt, was sie versäumt hat, eine Kirche, wie sie nach Speners Verständnis Gott will, in der Freude am Lebendigsein und an der Hoffnung für die Zukunft.

Durch die Integrierung eines dynamisch verstandenen Reich Gottes-Begriffes, der im Pietismus aufgenommen wird, durch die Wiederentdekkung des 3. Glaubensartikels mit dem Bewußtsein nicht nur eines kontinuierlichen Wirkens des Heiligen Geistes, sondern auch plötzlich starker Geistesströme, wurde zugleich und folgerichtig die eschatologische Perspektive gewonnen[25].

Alle theologische Reflexion bei Spener steht zugleich in einem unauflöslichen Konnex mit seiner Frömmigkeit. *Die eschatologisch gestimmten Aussagen haben zugleich ihren Wurzelgrund in einer lebendigen Gotteserfahrung.* Denn was in der Widmung und in der Vorrede der Pia desideria zusammenklingt, ist seine elementare Grunderfahrung, mit der er gegen eine trübe Gegenwart, wie sie vielen erschien, angeht, mit dem trotzigen lutherischen »dennoch«. Gott ist ein lebendiger Gott, er lügt nicht, er wird seine Christenheit immer wieder erneuern. Er hat die Erde und die Menschheit gewollt und auch das Gespräch, das nicht abbrechen soll. Der Heilige Geist bricht sich Bahn, wenn nicht bei uns, so dann bei andern.

Spener hat sich dabei theologisch abzusichern gesucht, vor allem nachträglich in seiner »Behauptung der Hoffnung künfftiger Besseren Zeiten in Rettung des insgemein gegen dieselbe unrecht geführten Spruches Luc. XII v.8.« (1693) von Berlin aus. Er hat dabei auf Luther, Brenz, Calov und Grotius zurückgegriffen. An dieser Stelle sei nicht vom letzten Kommen Jesu am Weltende die Rede. Mahnend fügt Spener hinzu, daß wer in einer gewaltsamen Erklärung alle Weissagungen für geschehen ansieht, liefere nur den Spöttern und Atheisten Material, um die Bibel zu zerpflücken. Zugleich wahrt Spener den Zusammenhang mit dem entscheidenden Heilsereignis von Kreuz und Auferstehung. Dieses »Schon« des vollbrachten Heilswerkes und das »Noch nicht« der ausstehenden Ereignisse sind unlöslich miteinander verbunden. *Die Zusammenhänge zwischen Kreuz und Auferstehung und der Parusieerwartung sind unübersehbar.* Trotz des errungenen Sieges auf Golgatha ist das Ziel des Reiches Gottes noch nicht erreicht.

Spener weicht konsequent jeder Ausmalung dieser Zukunft aus. Aller kosmologischen Aussagen enthält er sich. Es genügt ihm deutlich zu machen, daß die Geschichte der Kirche vorerst im tausendjährigen Reich ausläuft. Eine erstmalige damit eingeleitete Auferstehung lehnt er nachdrücklich ab. Historisiert wird allein das Ereignis der Judenbekehrung und der Fall Roms. Beide Verschiebungen fallen offensichtlich in die Anfangszeit des tausendjährigen Reiches, damit sie nicht mehr die Siegesgeschichte der immer mächtiger werdenden Kirche hemmen können, so wenig wie auch der in dieser Spanne in Fesseln geschlagene letztlich satanisch inspirierte Widerstand gegen das Evangelium. Keinen Schritt weiter geht Spener.

Wichtiger ist hier die Frage nach der Auswirkung dieser eschatologisch-chiliastisch ausgerichteten Zukunftserwartung. Hat sie vielleicht in einer ganz anderen Richtung eine Stoßkraft entfaltet, an die Spener gar nicht gedacht hatte? Lag hier nicht die Versuchung nahe, einem chiliastischen Quietismus zu verfallen, jedenfalls für die Zeit, bis daß das tausendjährige Reich hereinbricht?

Es tritt ein, was Spener so kaum vorausgesehen hat. Das, was er sehr vorsichtig und zurückhaltend für die Zukunft vorausgesagt hat, wird in die eigene Gegenwart projiziert. Im Stimmungsfeld einer frommen Frühaufklärung mit ihren beflügelten Hoffnungs- bzw. Fortschrittserwartungen wird eine Begeisterung geweckt. Jetzt beginnt sich im frühen Pietismus bereits eine Dynamik zu entfalten.

Im württembergischen Pietismus, wo man es vielleicht am wenigsten erwartet hatte, sah man jetzt das Buch der Hoffnungen mit anderen Augen an. Bisher sprach man in einer verhaltenen Scheu, Luthers Warnung entsprechend, von dem Buch mit den sieben Siegeln, zu dem die Auflösungen fehlen. Johann Albrecht Bengel erlangte hier mit seiner Arbeit eine unverwechselbare Bedeutung.

Bei Spener bleibt es bei seinem Hauptanliegen: Die spannungsvolle Einheit des »Schon jetzt« der Rechtfertigung und des »Noch nicht« der eschatologischen Zukunftsperspektive voll zu belassen.

August Hermann Francke ist Spener gefolgt, doch hat er dieser eschatologischen Schau andere Akzente gegeben. Zuerst wehrte er im Sinne

Speners mit der ganzen Theologischen Fakultät in Halle jedes spekulative Weiterfragen konsequent ab. Es wurde als »stratagemata satanae«, als ein Ablenkungsmanöver Satans abgelehnt. Dabei käme das Entscheidende leicht ins Hintertreffen, Buße und Bekehrung und Dienstleistung im Reiche Gottes.

Anderseits griff man ein Stichwort voll eschatologischen Klanges wieder auf, das im 16. und 17. Jahrhundert oft auftauchte, um etwas Neues anzukündigen. Das Hallesche Werk nannte man das »neue Jerusalem«, eine Stadt, die auf dem Berge gebaut ist und nicht verborgen bleiben kann, die hell scheint, weil hier Gott in außergewöhnlicher Weise sein Werk vollbringt. Die Perspektiven, die Johann Valentin Andreä in seiner »Christianopolis« aufgezeichnet hatte, verbinden sich mit denen eines Johann Amos Comenius und der »philadelphischen« Bewegung und der Schau Speners. Was Spener als zukünftig ansah, wird jetzt bereits gegenwärtig: Judenmission, Heidenmission, ein Aufeinanderzugehen getrennter Kirchen, der Liebesdienst an Armen und Entrechteten, von dem Johann Arnd sprach.

Zinzendorf fieberte als Pädagogiumsschüler in Halle, daß er mit seinem Einsatz vielleicht zu spät komme in dem allgemeinen Aufbruch, der sich vor seinen Augen abzuspielen beginnt. Vielleicht fällt von der eschatologischen Schau Speners aus auch ein neues Licht auf den Missionsplan, »Erstlinge« auf dem Missionsfeld zu sammeln, bis Gott die große Ernte einbringen läßt.

Es lohnt sich der Einsatz. Das wirkte sich nach den verschiedenen Richtungen positiv aus. Es wurde ein Aktivismus im Protestantismus, auf Deutschland gesehen, wach wie in den Tagen der Reformation, ein neues Beginnen, das langsam die reine Pastorenkirche zu verwandeln begann. Es sammelten sich jetzt vielerorts Männer und Frauen, vorwiegend aber Jugend, die nun »das allgemeine Priestertum aller Gläubigen« zu praktizieren versuchten. Die Werke der Äußeren Mission, der Judenmission, der freien Liebesarbeit begannen im Pietismus zeichenhaft einzusetzen. Selbst der Adel blieb nicht unberührt, sondern übernahm oft mit den Geistlichen die Führung in dieser Aktivierung des Protestantismus.[26]

Noch ein Zweites wird greifbar. Speners Reformschrift entwaffnete die Kirchenkritik des Separatismus. Die Kirche war kein hoffnungsloser Fall. Speners Behutsamkeit im Umgang mit diesen Kräften brachte ihre Früchte. Das Bild der zukünftigen Kirche war auf die Dauer stärker als die Träumereien von einer separatistischen Geheimkirche. Speners Bedeutung für eine wirksame Einleitung einer allgemeinen Judenemanzipation in Deutschland ist nicht zu vergessen.

Gegenüber aller »Utopie« des nur Bewahrens, gegenüber aller Resignation vornehmlich unter den Theologen hieß das: rechnen mit Überraschungen, hieß es planen, wagen, spontan, schöpferisch, gewiß von einem Provisorium oft zum andern genötigt, doch wissend um die Dynamik des Heiligen Geistes, der da lebendig macht, Glauben bewirkt und Christen sammelt und tüchtig macht zu allen Zeiten. Mit Spener hieß das, mitten im eigenen Alltag leben, wie er es überzeugend in Frankfurt versuchte zu tun, im steten Bewußtsein, in einer Christenheit zu stehen, die auf der ganzen Erde kämpft, leidet und missionarische Siege erhält, wenn nicht hier, dann anderswo.

In der Wiederentdeckung der Realitäten, von denen Luther in seiner Erklärung zum dritten Glaubensartikel spricht, empfängt Speners Chiliasmus seine ganze Lebendigkeit und Unmittelbarkeit, wenn man schon den Quellort seiner eschatologischen Perspektiven einzugrenzen sucht.

Alles wird noch konkreter bei der Aufweisung der einzelnen Vorschläge in Speners Reformprogramm. Sie bewegen sich alle im vorgegebenen Raum, nicht in einem erst zu schaffenden und erträumten. Die Basis, in der sie zu verwirklichen sind, ist die volkskirchliche. Die wesentlichen Forderungen Speners sind klar ausformuliert. Die Stichworte liefert der Text. Wir wiederholen sie hier: Intensivierung des persönlichen Bibelstudiums; das Wort Gottes ist reichlich unter uns zu bringen; der Gottesdienst allein genügt dabei nicht, um die Schrift bekannt zu machen; jeder soll die Bibel selbst in die Hand nehmen. Gemeindeveranstaltungen sind nötig, um die Bibel kennenzulernen; darum Wiedereinführung der alten apostolischen Art der Kirchenversammlungen; die Leitung soll der Pfarrer haben. Dort ist nichts notwendiger als miteinander in Rede und Gegenrede Gottes Wort zu studieren. Darum Hinwendung zur ganzen Schrift; Heimkehr zum Bruder, zu einer brüderlichen Kirche. Die Gemeinde ist Bruderschaft oder existiert in Wahrheit nicht.

Die Praktizierung des allgemeinen Priestertums aller durch die verantwortliche Mitarbeit der Laien in der Gemeinde ist notwendig, jene Ausübung und fleißige Übung. Das Papsttum hat die Laien entmündigt und die Laien sind in der evangelischen Kirche auch träge geworden. Die Größe und Grenze, ja die Unentbehrlichkeit und Würde des geistlichen Amtes tritt dann nur um so heller hervor. Nach Luthers Tod sind weithin der priesterliche Dienst der Laien wie ihr fleißiges Bibelstudium vergessen worden.

Das Christentum besteht nicht im Wissen, sondern in der Tat. Spener ist hier viel angegriffen und oft mißverstanden worden: Gott fordert die ganze und ungeteilte Nachfolge. Wo sie geschenkte Wirklichkeit wird, dort wird nach Speners Überzeugung vieles neu. Dort wird das Christenleben von Kräften erfüllt. Man hat Spener vorgeworfen, er spräche zu viel davon. Es ist nicht sein einziges und jeder Predigt erzwungenes Thema gewesen. Er hat klar festgehalten, auch wo er »mit mystischer Zunge« sprach, daß das neue Leben von der Vergebung zehrt. Es bleibt bruchstückhaft und wie er in der Pia desideria sehr eindrücklich davon spricht, ist man, je reifer ein Christ wird, um so weiter von der Einbildung der Vollkommenheit entfernt. Dem Anfänger im Glauben muß man dabei zugestehen, daß er noch alles überschätzt. Weil das alles dem Christenstand nach dem Neuen Testament entspricht, daß der Glaube zumal in der Liebe tätig ist, richtet Spener in seiner Reformschrift die Aufmerksamkeit auf die alte Kirche, ohne ihre Erscheinung kritiklos zu verherrlichen und die Schatten zu leugnen. Doch er sieht jene Liebesglut, die das ganze Leben an Christus band und sich ihm auslieferte. Zeichenhaft geschahen Taten, die der Christenheit aller Zeiten geboten sind. Sie leuchten noch heute. Als großes Beispiel, nicht als Wiederholungsmöglichkeit in der Zukunft, wollte er die alte Christenheit ansehen.

In allem kämpft er gegen den unverbindlichen Glauben, gegen die bloße Lehrzustimmung, gegen die »billige Gnade«. Hier lag die Not und die Gefahr, daß ein solches Christentum lautlos und haltlos in die Aufklärungszeit hineinglitt, deren erste Schatten bereits in seine Lebenszeit fallen. Darum mußte er aus seelsorgerlicher Angst so provokativ reden.

Er protestierte gegen einen platten Aufklärungsoptimismus, so sehr er mit der Aufklärung bereit war, gegen die vielen Schäden, den »Staub der Jahrhunderte« anzugehen. Er hat in seiner Widerlegung des noch grassierenden Hexenglaubens und im Eintreten für die Toleranz und den nicht erzwungenen Glauben seinen Anteil geleistet. Doch gegen einen platten Aufklärungsgeist opponierte er, was ihm den Vorwurf einer »Weltflucht«, einer asketischen Abstandshaltung eintrug. Aus dem Glauben an die Zukunft des Christentums durch die Zukunft des wiederkommenden Christus erwuchs bereits der frühen Christenheit die weltverwandelnde Dynamik. Gott wird endgültig all die Nöte auflösen, um die sich jede Generation mühen muß. Wenn aber die Kirchen wirklich gehört werden wollen mit ihrer aufgetragenen Botschaft und nicht als eine auswechselbare Größe nach ihrem fraglichen gesellschaftlichen Nutzen, werden sie von der »Fraglichkeit des Menschen« sprechen müssen, von den Urängsten, die Schuld, Leiden, Vergänglichkeit bei jedem Menschen erzeugen, aber auch von dem Angebot und der Realität einer Urgeborgenheit, die allein Gott schenkt. Dabei mußte er warnen vor einer Überschätzung der diesseitigen Wirklichkeiten, vor den vergeblichen Bemühungen, die diesseitige Welt rein aus sich heraus interpretieren zu können oder zu müssen. Das meinte Spener, wenn er von der »Welt« sprach. Bei ihm stand jene biblische Illusionslosigkeit über das Wesen der vergehenden Welt dahinter, an die sich die Christen nicht naiv verlieren dürfen, um nicht innerlich Schaden zu leiden.

Wie wir uns bei unfruchtbaren Religionsstreitigkeiten zu verhalten haben: das Gebet für die Irrenden; das gute Vorbild; die Irrtümer sollen wir ihnen zeigen; vor allem aber herzliche Liebe erweisen, das sind erste Schritte auf dem Weg zur Wiedervereinigung der Kirchen; Streitgespräche können die Herzen verderben; wir wollen Menschen zurechthelfen auf jede Weise; wahre Christen sollen brüderlich den Weg des Herrn zeigen; wie ein Mensch zu Gott steht, wird am deutlichsten in der Weise, wie er mit seinen Mitmenschen umgeht!

Im Blick auf die damals noch auf vollen Touren laufende konfessionelle Polemik, die im Pietismus einen neuen und dankbaren Stoff fand, war das scheinbar ins Leere geredet. Unverkennbar lief sich die Polemik gegen Spener, wo sie aufkam, schnell tot. Ihr folgte auf dem Fuß die gegen den Halleschen Pietismus, um sich schließlich hochgradig gegen Zinzendorf zu wenden. Doch schon hier zeigte es sich bald, daß es nur noch eine abtretende alte Generation an Streithähnen war, die immer stärker von den nachkommenden Geschlechtern abgelehnt wurde. Wäre diese Polemik hart an der Sache geblieben, hätte sie bei einem anderen Ton den Pietismus vor Einseitigkeiten rechtzeitig bewahren können. Daß Spener diesen Punkt so unmittelbar in sein Reformprogramm aufnahm, brach doch schließlich den steinigen Boden auf. Auch hier sah der Seelsorger nicht nur auf die Wunden, die eine hemmungslose Polemik dem anderen schlug, sondern auf die Gefährdung dessen, der so polemisiert. Eine Reform des Theologiestudiums im Blick auf den Dienst in der Gemeinde und Ausrichtung der Verkündigung auf das Missionarisch-Seelsorgerliche kann auf das nicht verzichten, was ein Christenmensch im Leben und Sterben benötigt.

Wieder sind die Unterabschnitte mit ihren Einzelthemen dabei sprechend genug: Das Vorbild der Professoren; Studieren und Christentum der Tat gehören zusammen; Theologie ist ein habitus practicus; der Heilige Geist ist der wahre und einzige Lehrmeister, der nicht in Herzen wohnt, die von der Sünde nicht lassen wollen; die Theologie ist nicht eine bloße Wissenschaft; es geht nicht um Religionsphilosophie, sondern um das Theologiestudium; die Professoren sollten nicht allein nach der Begabung die Studenten fördern; es möchten Disputationen auch in deutscher Sprache gehalten werden, um zu lernen, wie man zu einer Gemeinde verständlich spricht; der angehende Student bedarf eines treuen Mentors; die ganze Theologie wieder zur apostolischen Schlichtheit bringen; Luther empfiehlt die Predigten Taulers; es wird die Errichtung von Collegii pietatis für die Studenten vorgeschlagen; wie könnte man solche Übungen anstellen? Eine brüderliche Verbindung der Studenten könnte darüber wachsen. Worin liegt die Meisterschaft der Professoren? Seelsorgeseminare einrichten. Anstelle theologisch-gelehrten Prunkes Ausrichtung der Predigt auf das Missionarisch-Seelsorgerliche; nicht müde werden, den Katechismus zu treiben; die Predigten sollen den Glauben stärken, der lebendig und tätig ist; der innerliche Mensch; Johann Arnds Postille. Auch andere Töne fehlen nicht im Ganzen der Reformschrift: Ich klage mich auch an; zur Theologie genügen nicht menschlicher Fleiß und menschliche Klugheit allein; Fremdes ist in die Theologie eingedrungen; wir lernen vieles in der Theologie, von dem wir wünschten, es nicht gelernt zu haben.

Man hat unter dem Eindruck dieser Pia desideria bis heute sich nicht gescheut, zu erklären, daß sie in ihrer Bedeutung den 95 Thesen nahestehe. In der ersten Theologischen Fakultät, die mit pietistischen Professoren in Halle besetzt worden ist, hat man diese Programmpunkte zu erfüllen gesucht. Das blieb nicht erfolglos. Die theologische Wissenschaft hat von da an die biblischen Fächer in den Vordergrund gestellt, anstelle der systematischen Theologie das alleinige Vorrecht zu lassen[27].

War jedoch der Vorschlag einer Wiederaufnahme urchristlicher Gemeindeveranstaltungen, eine Konzentration der Kerngemeinde, eine Sammlung derer, die mit Ernst Christen sein wollen unter der Obhut des Pfarrers das eigentlich Revolutionäre in diesem Programm? Die Realisierung dieser »collegia pietatis« gelangte zu Speners Lebzeiten nicht über Anfänge hinaus. In Berlin müssen nach einer Äußerung Speners einige solcher Bibelkreise entstanden sein, die offenbar bis in die Erweckungszeit unter ihren Pfarrern durchhielten. Ihre Wirkungsgeschichte ist, soweit wir sehen, kaum erhellt. Unbestreitbar bleibt, daß schon die freimütige Erörterung neuer Gemeinschaftsformen, wenn man auch damit nicht ans Ziel kam, befreiend und auflockernd in den starren und allein auf die Gottesdienste eingefahrenen kirchlichen Ordnungen wirkte. Es lag etwas Vorwärtsweisendes hier vor. Oft in der Geschichte wird etwas vorausgeahnt und bedarf noch langer Anlaufzeiten, bis die Zeit dafür reif geworden ist.

Wenn wir auf die zwei Jahre nach dem Erscheinen der 1. Ausgabe der Pia desideria geschriebene Schrift Speners über »Das geistliche Priestertum« blicken, so drängt sich dort unmittelbar der Eindruck auf, daß Spener wohl viel stärker die Belebung der Hausfrömmigkeit am Herzen lag.

Auch in späteren Schriften spricht er immer wieder von der »Hausübung«. Zuerst rangiert die Hausandacht zusammen mit den Katechismusstunden. Das wurden die Hauptziele pietistischer Pfarrer. Erst an letzter Stelle wurde hier und dort die Errichtung von Erbauungszirkeln in Pfarrhäusern oder noch besser in den Gotteshäusern angeregt. Speners ganzes Bemühen galt der ganzen Kirche. Eine selbständige Laienbewegung innerhalb der Kirche stand nicht in seinem Gesichtskreis. Er wollte keine Zerkleinerung in viele Gruppen. Das ganze Volk Gottes sollte sichtbar sein und bleiben. Die Schönheit, ja Großartigkeit der Geschichte der Pfarrgemeinden und ihrer Gottesdienste, da sie öffentlich zusammenkommen und das Lob Gottes anstimmen und nicht des einzelnen persönliche Fragen und Sehnsüchte dominieren, sollte bleiben. Bis heute steht die Frage offen und wird wohl immer offen bleiben, ob Spener die Erneuerung des Pfarrerstandes in den Mittelpunkt seiner Reformgedanken stellte oder ob er stärker auf eine Besserung der Christenheit durch die Laien hindrängt. Für ihn blieb doch wohl der Pfarrer der ausschlaggebende Träger kirchlichen Lebens. Was wäre eine Kirche ohne Theologen!

Doch wollte er mit dieser Reformschrift den Pfarrer aus seinen vereinseitigten Berufsidealen lösen, aus der Überforderung einer alleinigen Gesamtverantwortung für alle, die ihm allein aufgebürdet ist. Das pietistische Pfarrerideal hat sich tatsächlich nach der Pia desideria auszurichten versucht. Es blieb freilich trotz der Beschwörung Speners die ungehobene Not des deutschen Protestantismus, die »Lehre vom allgemeinen Priestertum aller Gläubigen« niemals zu bezweifeln, ihre Konkretisierung, die sich organisatorisch allein nicht erreichen läßt, der Zufälligkeit zu überlassen. Es blieb immer personal bedingt, wenn das Heer von befähigten, phantasievollen wie schöpferischen Laienmitarbeitern zum Zuge kam.

Der durch die Veröffentlichung der »Pia desideria« plötzlich ins helle Licht einer weiten, nicht nur kirchlich orientierten Öffentlichkeit gelangte Senior der Frankfurter Stadtkirche bekam dadurch keine ruhigen Jahre mehr, vor allem nicht in Frankfurt und dann in Dresden. In einem »Sendschreiben An Einen Christeyffrigen außländischen Theologus« von 1677 wandte er sich an den wohlweislich in dieser Schrift nicht genannten baltischen Generalsuperintendenten Johann Fischer d. Ä., dem aber auch dadurch nicht das Schicksal erspart blieb, als ein Parteigänger Speners seine Heimat schweren Herzens verlassen zu müssen.

Spener war nicht glücklich darüber und er besaß genug Grund dafür, daß auf den Frankfurter Messen als Treffpunkt vieler auswärtiger Gäste oft in böswilliger oder leichtfertiger Weise Verdächtigungen über die »collegia pietatis« eingesammelt worden sind, um sie dann brieflich oder mündlich zu kolportieren. Darum richtete er sich zugleich mit dieser Schrift an die Öffentlichkeit. Es fällt auf, daß er bei der Berichterstattung darüber grundsätzlich keine bestimmten Namen ins Spiel bringt. Er sagt auch nirgends, von wem der Anstoß ausgegangen ist. Doch muß er sich bereits wieder über Jean de Labadie auslassen. Man hat Spener auch von niederländischer Seite verdächtigt, als dessen Parteigänger auf die Richtung einer Separation zuzugehen. Die Verketzerungssucht mit ihren Globalverurteilungen und persönlichen Verunglimpfungen lief trotz seines Appells in der Pia desideria ungehemmt weiter. Ja sie bot bei aller anfänglich freundlichen Aufnahme durch Theologische Fakultäten, die Straßburger freilich verweigerte die Zustimmung, ein neues Ziel für polemische Streitschriften.

Die Einübung des allgemeinen Priestertums aller Gläubigen steht im Vordergrund. Die Konventikel sollen dabei helfen. Das bleibt im Grund sein letztes Wort zu diesem Thema[28].

Mit der Gruppe von Akademikern, die einst unter wesentlicher Führung des Juristen Johann Jakob Schütz den ersten Erbauungszirkel bildete, machte Spener schließlich nur ungute Erfahrungen. Sie hatte sich im »Saalhof« als ein geschlossener Kreis neu etabliert. Ihr Ideal wurde der philadelphische Gedanke. 1675 war zu ihm die damals 31jährige Johanna Eleonora von Merlau (1644–1724), vielleicht »die eigentlich große Frau, die als Pietistin in der Öffentlichkeit beachtet wurde«, hinzugekommen. Sie wurde später aus der Stadt ausgewiesen, dann aber ihre Ausweisung wieder zurückgezogen. Es ging nicht gut. Die Kritik gegenüber der Kirche wurde dort immer schärfer. Babel wurde sie genannt. Man mied den öffentlichen Gottesdienst und die Abendmahlsfeier. Schließlich wandert ein Teil der Separatisten auf Einladung von William Penn, der Frankfurt aufsuchte, nach dessen Quäkerstaat Pennsylvanien ab. Johann Jakob Schütz starb 1680 und sein Begräbnis konnte nur mit Mühe kirchlich vollzogen werden.

Spener hatte lange versucht, mit diesem Kreis die Verbindung aufrechtzuerhalten, hat ihn vor dem Magistrat als politisch ungefährlich verteidigt und sich schließlich 1684 in der Schrift »Der Klagen über das verdorbene Christentum. Mißbrauch und rechter Gebrauch« von dem Separatismus, wie schon in der Pia desideria abgegrenzt. Die Kirche hat sich der Kritik zu stellen und selbst ihre Schäden zu beklagen. Das habe nicht gefehlt. Die Lehre der Kirche ist evangeliumsgemäß. Kein Gottesdienst und kein Abendmahl wird durch die Teilnahme von Unwürdigen und Unbußwilligen entwertet. Spreu bleibt immer unter dem Weizen.

Doch im Grunde ging es den Separatisten um etwas anderes zugleich.

Die institutionalisierte Kirche wirkt erlebnishemmend, vor allem durch die starre Bindung an die Schrift allein und die Verdächtigung der Weissagungen und inneren Gesichte. Damit werde die Spontanität in der Unmittelbarkeit zu Gott verfremdet. Eine Reise in den inneren Raum bedarf einer geistigen und ethischen Arbeit an sich selbst, die sich von diesen Eingebungen nicht trennen läßt, um aus der bewußten in die nichtbewuße innerliche Wirklichkeit zu transzendieren und um eine Wirkungsdimension zu erreichen, die dem äußeren Wahrnehmen nicht zugänglich ist. Die einzige Möglichkeit einer Erneuerung der Kirche konnte nur in einer scharfen Trennung der wahren, wiedergeborenen, erleuchteten Christen von dem institutionellen Babel liegen. So wie einst die Eremiten aus der Weltkirche flohen, um in einer kleinen Gemeinschaft selbst das verratene wahre Christentum zu realisieren, gilt das für die Christen aller Zeiten. Denn dann »wirst du dich bei der Schar der alten Christen sehen«.

In Amerika unter dem Schutz der in Pennsylvanien gewährten Religionsfreiheit haben sich diese Geister um so radikaler entfalten können, weil ihnen niemand Einhalt gebot. »Die Geschichte der Anfänge des pennsylvanischen Christentums ist die Geschichte der radikalen, enthusiastischen Experimente, die darauf abzielten, das Idealbild der Urgemeinde in den verschiedenartigsten Formen, teils als Kloster, teils als landwirtschaftliche Kommune, teils in der Form eines Eremitentums zu verwirklichen.« Von hier aus hat die amerikanische Kirchengeschichte diesen besonderen Zug behalten, der auf praktische sittliche und soziale Realisierung im Leben, auf Laienaktivität, auf persönliche Erweckung wie Geistbegabung, auch auf radikale, enthusiastisch sich übersteigernde Verwirklichung christlichen Engagements in geformten Lebensgemeinschaften immer wieder den Akzent setzt[29].

Spener drängt auf eine Einschränkung der maßlosen Forderungen. Zu einem radikalen und uneingeschränkten Kampf Luthers läßt er sich nicht bewegen. Zeitlebens sagt er entschieden ein Nein gegenüber jeder Verschmelzungs- bzw. Vergottungsmystik, welche die Grenzlinen zwischen Gott und dem Menschen, zwischen dem Schöpfer und dem Geschöpf, der dies in Ewigkeit bleibt, wie zwischen dem Erlöser und dem Erlösten verwischen.

»Die Einwohnung Christi durch den Heiligen Geist« darf nie so verstanden werden. Um diese Frage ging es auch in einer Auseinandersetzung mit dem römisch-katholischen Domherrn Johann Breving am Frankfurter Dom. Das ist das Thema in der »Abgenöthigten Erörterung dreyer Lehr-Puncten« von 1678. Was dort gesagt wurde, lag auf einer Linie zu einem anderen Thema, das unendlich oft im Pietismus behandelt worden ist. Es geht um die Auslegung von 2. Petrus 1,4, »von den teuren und allergrößten Verheißungen ..., nämlich daß ich dadurch teilhaftig werde der göttlichen Natur«.

Dieses Lieblingsthema konnte Spener nicht den schwärmerischen Kreisen unbestritten überlassen. Hier wurde eine Theologie der Vollkommenheit und der progressiven Vergottung des Menschen betrieben. Denn die göttliche Gnade repariert nicht einfach »die Scherben des zerstörten Gottesbildes, zu dem das ursprüngliche Bild Adams zusammengeflickt werden könnte«. Nein das Bild des durch den Geist erneuerten Menschen steigt höher als das Bild des ersten Adams war. Alles Sündliche wird bis auf die Wurzel ausgerottet. Hier war Gottfried Arnold in seiner Sturm- und Drangperiode einer der Stimmführer. Er wollte damit die Christen ermutigen, daß sie sich nicht immer wieder dadurch zurückschrecken lassen, daß alles Christentum doch nur Stückwerk bleibe. Der Heilige Geist treibt zu einem kompromißlosen Heiligkeits- und Vollkommenheitsstreben.

Wie dicht diese Gedanken bis in die Nähe Speners drangen, zeigt das literarische Schaffen von Johann G. Pritius (1662–1732), der 1710 als Senior auf die Kanzel Speners an der Barfüßerkirche zu Frankfurt gerufen wurde. Einige Schriften von Spener sind von ihm neu aufgelegt worden. Von der Jugend an war dieser geborene Leipziger in der pietistischen Frömmigkeit daheim, er liebte Johann Arnd, überschritt auch nie die Lehrgrenzen der lutherischen Orthodoxie. Doch er »war aufs tiefste von dem Geist der Mystik des Makarios (des Ägypters)« durchdrungen und lebte in einer Welt der weltabgewandten Meditation und Kontemplation und dem Streben nach unermüdlicher Heiligung und Vollkommenheit. Nicht anders verhielt es sich mit Balthasar Köpken (1646–1711), der zum Kreis der Hallenser Pietisten gehörte. Er ist ein Schüler Speners wie auch der Gelehrte und Prediger Pritius. Sein 1700 in Halle erschienenes Werk »Die Wahre Theologia Mystica oder Ascetica ...« hat Spener bevorwortet. Für ihn ist wie für Pritius Makarios der Ägypter, dessen 50 Homilien und kleinere Erbauungsschriften vom Pietismus neu entdeckt wurden, ein Vorkämpfer des »starken Christentums«. Köpken schildert begeistert dessen hohe geistliche Erfahrungen, die ihn bis an die Schwelle der Vergöttlichung herangeführt haben sollen. Unbefangen wird in dieser Schrift von den höchsten Graden der Vollkommenheit berichtet, wo sich die Grenzen fast zu verwischen drohen. Randnah bewegt sich im Hochgefühl der Erlösung die mystische Erfahrung an der Vorstellung einer Unfähigkeit zur Sünde[30].

Spener ist über diese Schrift dann doch unruhig geworden. Doch hat

Balthasar Köpken in einer anderen Schrift über den neuen Gehorsam »Nova obedientia« seine eigene Position klar umrissen. Er unterscheidet auf dem Weg des Christen drei Stufen des Anfängers, des Wachsenden und des Geübten. Das ist sein Bild von der Vollkommenheit, zu der wir im Sinn des Neuen Testamentes in der paulinischen Paränese ermutigt werden. Man muß diesen im Pietismus so eifrig aufgenommenen Begriff der christlichen »Vollkommenheit« als ein Kampfwort auf dem Hintergrund einer brüchig gewordenen Orthodoxie sehen. Sie verstand es nicht mehr, angesichts der durch die »billige Gnade« eingeschläferten und von der »Lässigkeit« bedrohten Gemeindeglieder das noch überzeugend darzustellen, was Luther meinte: Der Christ ist immer im Werden, nicht im Sein.

Mit diesem »Vollkommenheitsbegriff« steht hier Köpken in einer Linie, die von Luther über Johann Valentin Andreä und Spener zu ihm führte. Die vielen Zwischenglieder sind dabei ausgelassen. Man wird dieses Reizwort völlig falsch hören, wenn man es aus der Zeitsituation herauslöst und auf den Perfektionsleisten zu spannen sucht. Das ist damals in der erschreckenden Atmosphäre einer allgemeinen Verketzerungssucht unermüdlich versucht worden, die dann die Aufklärung mit Verachtung strafte.

Daß diese Schriften nicht nur im schwärmerischen Pietismus begierig verschlungen wurden, ist begreiflich. Im deutschen Pietismus, aber auch in Holland und England ist die Mystik neu entdeckt worden. Die spanisch-romanische Mystik flutete über Frankreich in diese Länder und drang nach Deutschland. Mit ihrer mystischen Sprache und ihrer Vorstellungswelt durchtränkte sie die Erbauungssprache, die bereits von Johann Arnd damit gesättigt war. Die Denkformen und vor allem die Dichtung wurde von dort aus unterwandert. Man wird hier jedoch nicht schnell zufahren können, um handfeste Feststellungen in die Hand zu bekommen. Folgende Tatsachen werden wohl beachtet werden müssen:

Ein meditatives Lesen und Hören war in all den Kreisen, die von Johann Arnds »Wahrem Christentum« und ähnlichen Erbauungsschriften lebten, eingeübt worden. Man denke an die Texte in den großen Motetten Johann Sebastian Bachs, die seine lutherische Überzeugungstreue nicht beeinflußten und ihn innerlich seinem lutherischen Glauben nicht entfremdeten.

In einem solchen Zusammenhang muß Spener gesehen werden, wenn er 2. Petrus 1,6 auslegte. Bei all seinem Rückgriff auf den damals gängigen Sprachschatz der Mystik bleibt er Lutheraner. Daß diese angezogene Schriftstelle »einen wesentlichen Bestandteil, wenn nicht einen Eckpfeiler seiner Theologie« bilden sollte, widerspricht all seinen bisherigen Grundsätzen. Es ist schwer einzusehen, daß er »der Konsequenz seines logischen Grundsatzes von der letzten Identität zwischen Gott und dem wiedergeborenen Menschen erlegen sei, weil Gott letztlich nur Gleiches anerkennen kann«. »Von göttlicher Natur sein« bedeutet für Spener nichts anderes als daß der gerechtfertigte Sünder »völlig in göttlicher huld und gnade stehe als worinnen eigentlich solche neue natur bestehet«.

Die theologische Naivität liegt Spener fern. Er kennt Luthers Schrift »De servo arbitrio« (vom geknechteten Willen) von 1525. Aus ihr zitiert er gelegentlich. Er weiß nicht nur theoretisierend von der Unfaßlichkeit der allgegenwärtigen, allmächtigen und doch verborgenen Majestät Gottes. Er kennt das Erzittern, die kreatürliche Furcht vor ihr[31].

Anderseits vergißt Spener nicht jene andere Tatsache. Auch der Christ ist nur durch eine hauchdünne Decke von einem Atheismus practicus geschieden, der immer wieder sie durchstößt, lebendig und kräftig ist. Diese Erfahrung fordert mit Luther bei ihm die tägliche Reue und Buße, damit der alte Adam ersäuft werde. Davon steht Spener nicht ab.

Die Antinomien und Paradoxien in den paulinischen Aussagen über den »neuen Menschen«, von Luther in seiner Schrifterklärung aufgenommen, gewandelt in einer völlig anderen Situation, aber nicht gegensätzlich, werden von Spener nicht in den Hintergrund abgedrängt. In seiner Situation als Prediger vor Laien in einer im Tiefsten bereits unsicheren Zeit übernimmt Spener eine neue Verdolmetschung. Er kann nicht gegen den Strom schwimmen. Was in der stürmisch vorwärtsschreitenden pietistischen Bewegung auch als theologischer Irrläufer auftaucht, muß er ergreifen. Er sucht zu klären, berechtigte Fragen und Sehnsüchte aufnehmend und ohne zu verletzen, sie zu begrenzen. Ob ihm das immer gelungen ist, sich unmißverständlich auszudrücken, ist eine zweite Frage. Sein Bestreben lief auf ein Verständlichmachen dessen hinaus, was verständlich gemacht werden kann. Dabei wird er nicht ungeduldig und kann Äußerungen stehen lassen, die er selbst so nie formulieren würde. Die Großzügigkeit Luthers gegenüber Melanchthon erfährt hier eine Wiederholung, vielleicht auf einer viel gefährlicheren Plattform. Wir meinen, zu keinem anderen Ergebnis gelangen zu können: *Spener hat weder die Wiedergeburt im naturalistischen Sinn verstanden noch in der brisanten Diskussion über die »göttliche Natur« sein Nein gegenüber jeder metaphysischen Überhöhung abgeschwächt*[32]. Jenes gravierende Mißverständnis über diese einzelne Schriftstelle wollte er gar nicht aufkommen lassen, indem er sie ohne Polemik anders und im biblisch-reformatorischen Sinne interpretierte. Köpkens begeisterte Auslassungen über Makarios den

Ägypter konnte er, weil er seinen ehemaligen Schüler kannte, gelassen hinnehmen.

Spener kann gar nicht anders argumentieren, wenn nicht alle Dämme brechen sollen. So müssen sich z. B. im Jahre 1698 Baron von Canstein, Baron von Schweinitz und im Verein mit ihnen August Hermann Francke darum bemühen, »der Frau von Gersdorf gewisse dubia (Zweifel) zu lösen, in welcher sie in ihrer Liebe für einen Bruder verstrickt war«. Sie unterstützte finanziell den amtsenthobenen Lüneburger Superintendenten Petersen, der einen baldigen Einbruch des tausendjährigen Reiches verkündigte und die Lehre von der Wiederbringung aller Menschen verbreitete. Sie bewahrte ihm auch später, als sie sich von dessen Überzeugungen trennte, eine herzliche Zuneigung. Sie hatte wahrscheinlich um 1695/96 den schwärmerischen Pietisten Hochmann von Hochenau als Informator ihres Sohnes Gottlob Friedrich, des späteren kursächsischen Konferenzministers, in ihr Haus genommen. Die Schriften der Engländerin Jane Leade, der Böhmeschülerin kannte sie. Wenn wir auch nicht wissen, um welche Zweifel es sich damals bei ihr handelte, daß so viele »Säulen« der pietistischen Bewegung sich um diese bedeutende und hochgeistige Frau bemühten, die im Luthertum aufgewachsen und ihm treu bleiben wollte, so zeigt es, wie fließend damals vieles geworden war[33].

Hier durfte sich Spener um der ganzen pietistischen Frömmigkeitsbewegung willen nicht darauf einlassen, bei aller Aufnahme von neuen Themen und Gefühlsinhalten klare Linien aufzugeben.

Das belegt auch die ganze Seelsorge, die er mündlich und noch mehr schriftlich ausübte, die sich bald über ganz Deutschland ausdehnte und alle Stände bis hin zu den hohen Fürstlichkeiten einschloß, darunter kritische Geister, selbstbewußte, sentimentale, skrupelhafte. Man greife nur das Thema des 6. Gebotes auf, auf das sich die Kirche von alters her unter einer merkwürdigen Zurückstellung des 5. Gebotes verklemmt hat. Spener bleibt behutsam, nüchtern, verlangt nichts Unmögliches, schaltet vernünftige Gesichtspunkte ein. Überall geht es ihm um ein gesundes und von Gott erwartetes Maßhalten. Kein Wunder, daß die mystisch-spiritualistischen Vertreter einer ehefeindlichen Grundeinstellung sich auch hier erschreckt von ihm abwenden. Für sie war alles, was Spener zur Ehe sagte, nichts als eine »ungeheuere Überwertung des Geschlechts«. »Er aber bleibt der treue lutherische Senior und Propst im zu Ende gehenden 17. und beginnenden 18. Jahrhundert«[34].

Sein durchgängiges Bemühen um Maßhalten soll ihn dann bei dem Thema der »Vollkommenheit« und der »göttlichen Natur«, an dieser einen Stelle verlassen haben? Er war hineingeworfen in eine Zeit, die von so viel auch pathogen wirkenden Einflüssen bedroht und tief unsicher geworden war. »Die führende Theologie und die kirchliche Hierarchie fühlten ihren Ruf und ihre Autorität gefährdet und waren verletzt. Das vom großen Krieg endlich erlöste Volk freute sich entweder der allenthalben gelockerten Ordnungen und war nicht so schnell bereit, sich aus der Zügellosigkeit wieder in vorgeschriebene Bahnen einzufügen, oder es wurde, wenn es versuchte, sein Leben mit Gott wieder zu ordnen, von allerlei Formeln, Glaubensmeinungen und Gehässigkeiten verwirrt, von fanatischem Sektierergeist ergriffen oder sonstwie, auf die verschiedenste Weise zwischen Himmel und Hölle hin- und hergerissen.«

20 Jahre diente Spener der lutherischen Kirche in Frankfurt, als ihn ein Ruf erreichte, als lutherischer Oberhofprediger nach Kursachsen zu kommen. Es gab kein höheres und angeseheneres kirchliches Amt im evangelisch-lutherischen Deutschland. Seit 1680 war am kurfürstlich-sächsischen Hof der inzwischen in ganz Deutschland berühmt gewordene Frankfurter Senior auf die Berufungsliste gesetzt worden. Kurfürst Johann Georg III. und Spener kannten sich bereits seit eines gelegentlichen Zusammentreffens, als der Fürst verwundet in Frankfurt lag. 1780 hatte ihm Spener seine Wappengeschichte (Historia insignium) gewidmet, Veit Ludwig von Seckendorf, der gute Beziehungen auch nach Dresden besaß, hatte Spener wärmstens empfohlen.

Am 11. März 1686 erhielt Spener die offizielle Berufung als Oberhofprediger, als Beichtvater des regierenden Fürsten und der Hofgemeinde wie als Konsistorialrat am Oberkonsistorium in Dresden. Ob er sich über die sächsischen Kurfürsten nicht im klaren war? Um ihres hemmungslosen Bierkonsums nannte man sie nur Bierjörge. Johann Georg III. fiel auch nicht aus dieser Rolle, selbst nicht im sexuell freizügigen Lebensstil.

Was hat ihn bewogen, zuzusagen? Kaum der ständige Ärger über den Frankfurter Magistrat, den man nur zu oft vergeblich bemühte. Wie sehr war dieser Rat überlastet und wurde von einem Kompromiß zum anderen gedrängt bei der gefährdeten Lage der Freien Reichsstadt, die auf viel und vieles Rücksicht zu üben hatte. Spener und das geistliche Ministerium saßen am längeren Hebel, sie hatten nur ein Thema. Wenn es zu arg wurde, konnte Spener, was er auch nicht unterließ, die Öffentlichkeit auf Versäumnisse des Magistrats in seinen Predigten aufmerksam machen und sie in Bewegung setzen. Er war hier zäh genug und hatte das oft bewiesen.

Spener hat bei seinem Kirchenverständnis im Gegensatz zu den Separatisten immer dazu gestanden, daß jederzeit in der Kirche wahre Christen sind und daß es ein Liebesgebot Jesu sei, den Wankenden und Schwankenden im Kirchenvolk, selbst den Bösen das Evangelium zu predigen.

Sie bedürfen es. So stand auch Luther. Offensichtlich hat sich Spener keine Illusionen über den sächsischen Fürsten und seinen Hofstaat, dem getreuen Spiegelbild ihres Herrn gemacht. Aber das hinderte ihn nicht. So sah er seine Aufgabe. Er versicherte sich noch der Zustimmung von fünf befreundeten Theologen. Sie alle, Professor Christian Kortholt in Kiel, der Lehrer August Hermann Franckes, die Pfarrer Christian Scriver in Magdeburg, Gottlob Spitzel in Augsburg, Johannes Winckler in Hamburg und Johann Philipp Seipp in Pyrmont rieten ihm zu. Speners Tochter hatte am 12. März, einen Tag später, »gedäumelt« und war auf Apostelgeschichte 7,3 und 10 gestoßen, auf Gottes Befehl an Abraham, in ein fremdes Land zu ziehen, verheißungsvoll auch das andere: Josephs Aufstieg in Ägypten[35].

Am 6. Juli 1686 zog der neue Oberhofprediger des damals 35jährigen Kurfürsten in Dresden ein. Zu seiner großen Erleichterung fand er auf der Schloßstraße eine große Dienstwohnung vor. Der Kurfürst, ein tüchtiger Soldat und Truppenführer, kein überragender Staatsmann, aber bemühter als seine Vorgänger, war trunksüchtig, gutmütig und schon von Krankheit gezeichnet. Die Ärzte gaben ihm nicht mehr viel Hoffnung. Spener als Beichtvater hat er akzeptiert. Doch hatte er sich offenbar von Anfang an vorgenommen, nicht zu viel in Dresden aufzutauchen.

Die Antrittspredigt fand der Fürst nicht unsympathisch. Doch als Beichtvater fiel er ihm allmählich auf die Nerven. Er wußte doch zu viel von seinem geheimen Lebensstil. Er umging ihn und dessen Hofgottesdienste so oft wie möglich und zog sich auf das nahe Jagdschloß Moritzburg zurück.

Doch wenn es darauf ankam, konnte Spener anfangs noch mit seiner Unterstützung rechnen. 1687 hatte Spener ein Landesdankgebet zu verfassen, was zu seiner Obliegenheit gehörte. In der beigefügten Verordnung, nicht im Wortlaut des Gebetes hatte der Geheime Rat »des Papstes und seines Reichs, so dem Reich Christi entgegen gedacht, sodann derselbe Römische Antichrist genannt«. Der Kaiserliche Resident Graf Clari bekam davon Wind und beschwerte sich gegen diese Auslassung im Namen des Kaisers aufs heftigste bei dem Kurfürsten. Das Gebet wurde nicht geändert und die Verordnung, die »nicht abgelesen wird«, blieb in ihrem Wortlaut. Wichtiger war, daß Spener in Carl von Friesen, dem Präsidenten des Landes-Oberkonsistoriums, einen Freund gefunden hatte und damit die Freundschaft der Familien Friesen und Gersdorf wie auch des Kabinettministers von Zinzendorf, des Vaters von Nikolaus Ludwig von Zinzendorf. Wenn auch Carl von Friesen bereits am 29. Juli des gleichen Jahres starb, hatte er die Wiedereinführung des katechetischen Unterrichts im ganzen Land durch die Pfarrer vorbereitet. Spener griff dieses Vermächtnis sofort auf[36].

Der Dreißigjährige Krieg hatte diese bewährte religiöse Unterweisung wegfallen lassen. Aber es rührte sich nichts im Lande unter den lutherischen Pfarrern, um sie wieder zu beleben. Dabei hätte ein Blinder sehen können, wie traurig es um das religiöse Wissen der Jugend bestellt war. Durch sein persönliches Beispiel wollte Spener die Angelegenheit nun vorwärtstreiben. Er begann mit seinen Kindern und mit den Kindern aus benachbarten Familien nach dem Gottesdienst im eigenen Hause katechetische Stunden. Bald stellten sich auch Erwachsene ein. Schließlich erbat sich Spener beim Kurfürsten die Schloßkapelle für die Kinderkatechese. Doch scheute der Fürst sich vor dem Zulauf im Schloß und bewilligte dafür die Kapelle der verstorbenen Kurfürstenmutter. Die Höflinge lachten über den neuen Schulmeister. Doch demonstrativ saßen Nicol und Katharina von Gersdorf mittwochs wie sonntags in dieser Kapelle, wenn Spener seine Katechismusunterredungen hielt. Sie müssen mit Erfolg auch andere prominente Mitglieder des Landtages dazu aufgefordert haben. Der Landtag beschloß sodann am 24. Februar 1688 die Wiedereinführung des Katechismusexamens im ganzen Lande.

Im konservativen Sachsen, wo die Volksseele zu kochen anfing, wenn sie das Luthertum als bedroht ansah, bekannten sich führende Vertreter des alten Adels, und zwar hochgebildete und überragend befähigte Persönlichkeiten, die die Welt draußen und ihr eigenes Herz kannten und an deren aufrichtiger Liebe zu ihrer lutherischen Kirche kein Zweifel war, offen zu Spener und zum Pietismus. Sie hatten die Pia desideria gelesen. So erfuhr Spener bei den führenden Laienmitgliedern des Geheimen Rates und im Landes-Oberkonsistorium weitgehend Unterstützung.

Auch als Spener am kursächsischen Hof 1689 in Ungnade fiel, änderte sich hier nichts. Die Familien von Gersdorf, die Großeltern von Nikolaus Ludwig von Zinzendorf, wie auch andere zahllose mit ihnen versippte Adelsgeschlechter richteten sich nicht danach. Sie blieben auch nach Speners Übersiedlung nach Berlin mit ihm in enger persönlicher Verbindung. Man nahm ihnen das am Hof nicht einmal übel. Denn in der nächsten Umgebung des erzürnten Kurfürsten war man einsichtig genug, die Sache nicht auf die Spitze zu treiben.

Spener hatte am 22. Februar 1689, am Frühjahrsbußtag, dem Kurfürsten einen seelsorgerlichen Brief geschrieben, wozu er sich als dessen Beichtvater, auch wenn er sich ihm entzog, verpflichtet fühlte. Johann Georg III. war wohl vor allem darüber empört, daß sein Hofprediger so vieles wußte, von dem er meinte, daß es nicht ruchbar geworden sei. Er tobte gegen vermeintliche Zuträgerinnen unter den Hofdamen. Zudem brachten ihn seine Hofschranzen gegen die »Bevormundung« auf. Es galt doch: Große Fürsten und Herren sind den Gesetzen der Bürger nicht unterworfen.

Einen starken Rückhalt besaß Spener jedoch an der Kurfürstin Christiane Eberhardine, der »Betsäule Sachsens«. Vor allem die beiden verwitweten Kurfürstinnen Anna Sophie von Sachsen und Wilhelmine Ernestine von der Pfalz, geborene Prinzessinnen von Dänemark, bildeten die Brücke zu Spener, als er bereits in Berlin weilte. Die beiden Schwestern wohnten in Lichtenberg bei Prettin an der Elbe. Jahraus jahrein weilte Spener mit seiner Frau dort, um vor ihnen zu predigen und das Heilige Abendmahl zu reichen. Sie versuchten zuerst unter Johann Georg IV. und dann unter August dem Starken erneut Spener nach Dresden zurückzuholen, 1691, 1698, 1699 und 1700. Diese Versuche wurden »im ganzen Land« ruchbar. Es hätte nicht viel gefehlt und Spener hätte sich überreden lassen. Doch der Übertritt Augusts des Starken zum Katholizismus um der Krone Polens willens ließ ihn immer wieder zögern. Kennzeichnend ist eine seiner Äußerungen: »Man hat in Sachsen keinen Pietisten leiden wollen, sondern sie auszuschaffen gesucht, nun wird man Jesuiten leiden müssen ...«[37]

Es dauerte immerhin noch drei Jahre, bis Spener von Dresden wegzog. Er nützte die Zeit aus. Die sächsische Pfarrerschaft hielt sich geflissentlich von ihm zurück. Er war ein Fremder, nicht aus einer der alteingesessenen Pfarrerdynastien. Unermüdlich sandte Spener Hunderte von Briefen an sie ins Land. Das Echo war gering. Er schrieb für sie seine kleine Schrift »Natur und Gnade« 1687. Die beiden Theologischen Fakultäten in Leipzig und Wittenberg standen dem Oberhofprediger abwartend gegenüber. Die Wittenbergische, die Hauptfakultät des Landes, getraute sich erst 1698, als Spener bereits in Berlin wirkte, ihr Schweigen zu brechen. Sie versuchte Spener dann 264 Lehrirrtümer nachzuweisen.

Die Theologische Fakultät in Leipzig konnte jedoch erfolgreich die Vertreibung des jungen Magister August Hermann Francke von der Universität betreiben und damit auch Spener schaden. Hatte doch der junge Francke dreimal Spener in Dresden, einmal sieben Wochen lang besuchen können. Eine enge Freundschaft war zwischen beiden Männern entstanden. Auch Speners Verbindung mit führenden Adelsfamilien trug ihre Früchte. Sie waren es, die dem jungen Francke in Halle die ersten finanziellen Unterstützungen zum Ausbau seiner Halleschen Stiftungen zuteil werden ließen.

Mehr Erfolg konnte Spener bei den Theologiestudenten aufweisen, die er zu examinieren hatte. Ihnen widmete er 1689 die Schrift »de impedimentis studii theologici« (über die Hemmnisse des theologischen Studiums). Hier hat Spener grundsätzlich nichts anderes geschrieben als was er bereits in seiner Pia desideria hat anklingen lassen. In einer Landtagspredigt von 1687, die auch gedruckt erschien, redete er freimütig vor den versammelten Ständen von den Pflichten christlicher Obrigkeit und der Untertanen und wies auf die zahlreichen Gebrechen im Volk hin.

Die tiefste Wirkung ging von seinen Predigten aus. Wenn er auf Dienstreisen die Gelegenheit fand wie z. B. in Leipzig, predigte er vor Tausenden. In Dresden stand ihm nur die Schloßkapelle zur Verfügung. Hunderte von Zuhörern fanden in ihr keinen Platz und er beklagte es lebhaft, daß sie draußen bei weit geöffneten Kirchentüren, bei Wind und Wetter aushalten mußten. In drei Jahrgängen von 1686–1689 behandelte er in seinen Predigten die Glaubenslehre, die Lebenspflichten und den Glaubenstrost. Sie wurden gedruckt. Bitter war für ihn zuletzt, daß auf der Kanzel der Kreuzkirche gegen die Pietisten gewettert wurde.

Spener aber machte keine Anstalten, freiwillig das Land zu verlassen. Er konnte und wollte seine Wirksamkeit nicht eigenmächtig abbrechen. Nicht er hatte sich auf diesen Platz gedrängt, man hatte ihn gerufen. Niemand hinderte ihn, sein Amt wie bisher auszuüben. Nur der Kurfürst entzog sich ihm. Auf Speners Anfrage beim Oberkonsistorium, ob der Fürst seine Entlassung erwäge, kam die Antwort: »An seine Entlassung denke er, könne sie aber nicht gewähren, damit nicht wegen dieser Ursache das Auge von ganz Deutschland auf ihn gezogen werde.« Anna Sophie machte den Vorschlag, Spener möchte statt in der Schloßkapelle fortan nur in der nahegelegenen gotischen Sophienkirche predigen, wenn der Fürst in Dresden weile und fortan nicht mehr des Kurfürsten, nur noch der Kurfürstin Beichtvater bleiben. Für ihn waren das »Weiberhändel«.

Spener blieb eisern, und »wenn er täglich in Dresden auf Dornen gehen müßte«, könnte er sein ihm von Gott anvertrautes Amt nicht eigenmächtig aufgeben.

Inzwischen hatte man längst in Berlin die Berufung Speners erwogen, seitdem man um die ganze Misere in Dresden wußte. Am 28. März 1691 wurde er nach Absprache mit dem Dresdner Hof endgültig als Konsistorialrat, Propst und Inspektor der Landgemeinden rings um Berlin an die Nicolaikirche in Berlin berufen. Erleichtert bewilligte der sächsische Kurfürst der Ehefrau ein Jahresgeld von 200 Talern, die ihr ab sofort, nicht erst bei einem eingetretenen Witwenstand, ausgezahlt wurden.

Der Empfang in Brandenburg war freundlich und verheißungsvoll. Hatten ihn viele Kinder und einfaches Volk von Dresden aus meilenweit begleitet, daß er dreimal die Kutsche verlassen und die Menschen segnen mußte, so begrüßte ihn ein kurfürstlich brandenburgischer Rat bereits in Zosen. Eine Meile vor Berlin empfing ihn eine Deputation des Rates der Stadt, was Spener als eine »sonderliche Liebe der Einwohner« dankbar annahm. Am 25. Juni 1691 predigte er vor dem reformierten Kurfürsten in Oranienburg, der dann »sehr gleich von ihm redete und den Entschluß aussprach, ihn nicht wieder von Berlin wegzulassen«.

Bedeutete die neue Tätigkeit wirklich einen Abstieg? Spener dachte anders. »Das Consistorium zu Berlin hat wohl weiter zu ordnen als das hiesige erg. Dresdner: Ich bekomme anstatt einer Capelle eine starke Gemeinde ... Die eingebildete Hoheit meiner jetzigen Stelle, so vor die vornehmste gehalten werden solle, habe ich also angesehen, daß ich mich gern entraten wolle ...«[38]

Berlin bedeutete Freiheit vom Hofdienst. Das Kurfürstenhaus war reformiert, das Land selbst überwiegend lutherisch. Brandenburg-Preußen schickte sich damals schon an, die Vormacht im Reich anzutreten. Es befand sich im rasanten Aufstieg. Sachsen aber sank zurück. Schutzmacht lutherischer Minderheiten wurde Brandenburg-Preußen und Spener bemerkte zufrieden, daß sich das mehrfach schon gezeigt habe.

Er konnte aufatmen. Endlich hatte er eine große Kirche und Tausende hörten ihm doch zu. Hier konnte er »mit dem vornehmsten Pfund, so mir der Herr mag anvertraut haben« wuchern. Auch in den »Städten Cölln, Friedrichs-Werder und Dorothea-Stadt habe ich viele Zuhörer in Predigten und Catechesen«. Von allen Amtshandlungen war er frei, auch vom Beichtabhören. Mit der Zeit gewann er auch an seiner Kirche geeignete und gleichgestimmte Amtsbrüder. Mit der Kinderkatechese begann er sofort in seinem Haus und konnte sie auch in Berlin bald in die große Kirche verlegen.

Zu seinen Predigten strömten viele Reformierte, zum leichten Ärger reformierter Prediger. Doch der Kurfürst begrüßte es im Sinn seiner Religionspolitik, die Gräben zwischen den beiden Konfessionen allmählich zuzuschütten.

Kurfürst Friedrich III. ließ sich auch nicht beirren, als ihm von August Pfeiffer (1640–1698), einem unversöhnlichen orthodox-lutherischen Theologen dessen Schrift »Scepticismus tripartitus« 1696 zugeeignet wurde. Darin hat er »mich nicht nur giftiger, sondern auch gefährlicher angegriffen, als vor ihm kein anderer je getan, und sucht mir recht nachdrücklich zu schaden, sondern, da er mir die Predigt von den falschen Propheten gegen die Reformierten mit damaligen Anmerkungen vorrücket. So heißt es nun, des Brot ich esse, des Lied ich singe, und ich hinge meinen

Mantel nach dem Winde, weil ich jetzo im brandenburgischem Dienste stehe«. Doch kann Spener erleichtert später an seine Freundin in Frankfurt berichten: »Unser Herr Churfürst aber, sein gerechtes Mißfallen über die an ihn gerichtete Dedication zu bezeugen, hat solches von den Exemplarien wegzuschneiden befohlen.«

Ärgerlicher war der Beichtstuhlstreit, der nicht nur in Berlin hohe Welle schlug[39]. Magister Schade hatte es abgelehnt, noch Privatbeichte abzunehmen. Seine Polemik war denkbar ungeschickt, ja töricht. Spener suchte zu vermitteln. Die Streitsache erregte die Berliner Bevölkerung. Das war nicht ungefährlich. Sie wuchs damals stürmisch und längst über die Zahl von 30 000 Einwohner, die Vorstädte, die noch selbständig waren, nicht einbegriffen.

Daß seit 1695 15 Streitschriften gegen ihn erschienen waren, beschwerte ihn nicht so sehr wie dieser Streit. Dagegen konnte er nur sagen: »Ach sollte Lutherus wiederkommen und die Leute auf seinem Katheder sehen!« Der Kurfürst beendete den Streit, nachdem entsprechende Gutachten vorlagen, daß an der Nikolaikirche kein Beichtzwang mehr ausgeübt werden dürfe. Auch die allgemeine Beichte wäre zugelassen. Die reformierte Kirche kannte von Anfang an keine Privatbeichte. Sie konnte die Gemeinde- und Abendmahlzucht viel durchgreifender als die Presbyter besorgen. In der lutherischen Kirche konnte jedoch niemand vom Abendmahl zurückgewiesen werden, nur auf dem Instanzenweg über das Konsistorium mit unsicherem Ausgang, so wenig reuig sich oft auch ein Beichtkind zeigte. Für Spener, der selbst in Berlin keine Privatbeichte mehr abnahm, aber an ihr festhielt, weil sie doch nicht ohne Segen sei, war diese Entscheidung bitter.

Der unglückliche Schade starb am 25. Juli 1698. Spener hielt ihm die Leichenpredigt. Er mußte es aber erleben, daß nach dem Begräbnis von einer wütenden Menge unter »vielen Lästerungen das grab ganz glatt getreten oder vielmehr wie die Schweine gewühlet, auch anderer Mutwillen verübet, daß endlich mit Soldaten dasselbst gesteuert werden müssen«.

Der Pietismus hatte inzwischen überall in Deutschland eine stürmische Ausbreitung erfahren. Spener äußert sich bedenklich dazu: »Es scheint, es wolle dazu kommen, daß an den meisten Orten zwo Partheyen werde geben müssen und wenig neutralität« mehr. Ein Paradebeispiel stand ihm ja in Berlin vor Augen. Die dritte neutrale Partei sympathisierte, wenn auch nicht offen, mit dem Pietismus. Es waren die Vertreter der Aufklärung. Sie konnten es aber mit keiner der beiden Gruppierungen verderben. Daneben gab es eine vierte Partei. Spener sprach von der »rohen Masse«, die es in allen Städten gäbe, das lebenslustige Volk, das sich amüsieren wolle ohne sich Hemmungen aufzulegen. Vor allem an den Sonntagen gingen die lebenslustigen Berliner ihren Vergnügungen ungehemmt nach. Die brandenburgischen Kirchenbehörden bemühten sich um christliche Zucht und Ordnung. Doch um die öffentliche Moral war es nicht besser als in anderen Städten bestellt.

Es gab viele soziale Not, die Spener nicht übersah. Unter der armen Bevölkerung sah man viele abgedankte Soldaten, Witwen und Waisen gefallener Söldner. Die soziale Not war unbeschreiblich, Frauen und Töchter verdingten sich zahllos der Prostitution. Planloses Geben von Almosen war keine Hilfe. Auch hier tritt wie früher in Frankfurt Spener mit seinem aktiven sozialpolitischen Wollen hervor. Durch das Frankfurter Modell ersuchte ihn 1693 Kurfürst Friedrich III. um ein Gutachten zur Behebung der Bettelplage in Berlin. Spener will hier in seinem Gutachten das Almosengeben durch die Beschaffung von Arbeitsplätzen ersetzen. Invaliden, Witwen und Waisen sollen in öffentlichen Anstalten menschenwürdig versorgt werden und zwar ohne Ansehen der Person und des Glaubensbekenntnisses. Die Finanzierung wie in Frankfurt übernimmt die Bürgerschaft durch wöchentliche Haussammlungen, der Staat zahlt für die abgedankten Soldaten einen Zuschuß. Die Verwaltung des Arbeits- und Armenhauses liegt in den Händen eines von der Bürgerschaft gewählten Zwölferausschusses unter dem Doppelvorsitz der beiden Berliner Pröpste. Diese »Hauptarmenkasse« wurde durch den Kurfürsten 1695 genehmigt. Für einige Jahre verschwanden die Bettler aus dem Straßenbild der Stadt. 1702 entstand das »Große Friedrichshospital«, das Armenhaus, aus dem die Berliner Charité, ein Waisenhaus und ein Irrenhaus hervorgingen. Bereits zwei Jahre nach Errichtung dieser Anstalten wurden nahezu 2000 Personen regelmäßig unterstützt. An vielen Orten Deutschlands sind dann in schneller Folge ähnliche Stiftungen entstanden, z. B. 1725 das große Militärwaisenhaus in Potsdam. Diese Hospitäler besaßen gewiß schwere Mängel. Doch bedeutete es einen großen sozialen Fortschritt, denn nach dem Dreißigjährigen Krieg hatte die öffentliche Armenfürsorge fast völlig am Boden gelegen. Wenn man bedenkt, daß Deutschland nach dem großen Krieg mit seinen unzähligen Höfen, welche die Bevölkerung nur zu oft auspreßten, um Versailles nachspielen zu können, kein fruchtbarer Boden für eine neue Sozialpolitik war, so ermißt man die Bedeutung dieses Vorgehens Speners zuerst in Westdeutschland und nun in der Metropole des bald mächtigsten Territorialstaates im Reich[40].

Es stürmte vieles auf den alternden Spener ein. Auf die nicht aufhören wollenden polemischen Angriffe wollte er nicht mehr antworten. Es waren doch schon andere da, die die Sache des Pietismus, der zu einem Machtfaktor geworden war, vertreten konnten. Völlig zurücktreten konnte er nicht. Es gab noch andere Aufregungen, nicht nur die ständige Beunruhigung durch die Dresdner Versuche, ihn zurückzuholen. Die Situation am Rhein war trüb. Kriegsnot peinigte die Bevölkerung. Die »gute Stadt Frankfurt« war bedroht, Heidelberg von französischen Truppen zerstört. Schon von Dresden aus half Spener mit Geldern, die ihm zur Verfügung standen unauffällig über die Frau Dr. Kißner. Das Vordringen des Katholizismus im Elsaß, die Flucht seines Bruders, eines evangelischen Pfarrers bei Straßburg nach Frankfurt bedrückte ihn. Die glorreiche Revolution, deren Beginn und Ausgang ihm bereits in Dresden Sorge bereitet hatte, setzte sich zu seiner Beunruhigung durch[41].

Den Rekatholisierungsversuchen in England war ein Ende bereitet worden. Im Blick auf die eigenen Lande konnte er immer nur vom »armen Deutschland« sprechen.

Erfolg war ihm in der engen Zusammenarbeit mit der Brandenburgischen Adelsbürokratie beschieden. Wenn auch 1697 der mächtigste Staatsmann, der geniale Danckelmann, durch Hofintrigen gestürzt war, hatte Spener zuvor zahlreiche gute Besetzungen leitender kirchlicher Ämter durch pietistisch gesonnene und tüchtige Theologen erreichen können. An die neugegründete Universität Halle waren an die Theologische Fakultät pietistische Professoren berufen worden. August Hermann Francke war zuerst innerhalb der Philosophischen Fakultät fest in der neuen Universität verankert. Speners Hauptwerk war getan. Das spürte er selbst.

Seit 1694 stand ihm der Freiherr von Canstein (1667–1719) zur Seite. Der Freiherr war durch Begegnung mit Spenerischen Schriften in seiner religiösen Entwicklung entscheidend geprägt worden. Er kam 1694 in Berlin mit dem Patriarchen des Pietismus in engen persönlichen Kontakt. Fast täglich stand er mit ihm in vertrautem Umgang. Er nahm ihm viele Korrespondenzpflichten ab, löste ihn allmählich in vielen Verpflichtungen ab und unterstützte ihn schließlich in den literarischen Arbeiten. Die Förderung des halleschen Werkes August Hermann Franckes nahm er von Speners Schultern. In Halle selbst fungierte Canstein als Freund und Stellvertreter Speners[42].

Stiller ist es nicht um Spener geworden. Sein großer Schriftwechsel blieb immer noch zu bewältigen. Die Rückstände nahmen zu. Der frühe Tod seiner Söhne Johann Jakob und Wilhelm Ludwig ging ihm zeitlebens nach, so gelassen und im unerschütterlichen Gottvertrauen alles von ihm getragen wurde. Der eine war 1692 23jährig als Professor der Physik und

Mathematik in Halle gestorben, der zweite, der einzige Theologe unter seinen Söhnen 1696 21jährig im fernen Lindenberg bei Riga. Mit dem Jahr 1704 beendet Spener seine ganze literarische Tätigkeit. Denn schon im Februar 1704 klagt er über seine Augen und über die Müdigkeit seiner Hand, daß ihm die alte Fertigkeit im Schreiben abgegangen sei. Aber er läßt keinen Predigtdienst aus.

Das Letzte, was aus Speners Hand bekannt ist, war ein Brief an den Kurfürsten vom 25. Januar 1705. Er dankt für alle Förderung und bittet, die Universität Halle weiter in seinem besonderen Schutz zu behalten und seine Frau finanziell nach seinem Tod zu unterstützen. Am 5. Februar 1705 stirbt er, 7 Tage später erfolgt seine Beerdigung[43].

Mit Philipp Jakob Spener sinkt die führende Gestalt in der ersten pietistischen Generation ins Grab. Noch zu seinen Lebzeiten drängt sich die zweite pietistische Generation vor. Er hat dafür gesorgt, daß der Hauptstrom der pietistischen Bewegung nicht von der schwärmerischen Seitenströmung überfremdet wurde.

Auch die nachfolgende Generation wird es mit der Abgrenzung zu diesem radikalen Pietismus nicht leichter haben. Speners Anliegen zielte auf eine Bewahrung des kirchlichen Pietismus vor allem Extremen, aber offen zu bleiben für die Anfragen der anderen. Im Stimmengewirr seiner Zeit sucht er Vereinfachung und Vertiefung der Frömmigkeit ohne radikalen Bruch mit dem Väterglauben.

Man wird Emanuel Hirsch recht geben, daß »Spener mit selbstverständlicher Entschiedenheit und in unantastbarer Lauterkeit und Klarheit die Rechtfertigungslehre des orthodoxen Luthertums vertritt«. Er rückt dabei auch nicht die »Gottseligkeit« so in den Mittelpunkt, daß er alles von dort aus komponiert. Er ist als Seelsorger ein theologischer Praktiker. Rechtfertigung, Wiedergeburt und Erneuerung liegen unzertrennlich ineinander. In dieser Position hat er, soweit wir sehen, keinen Widerspruch von der lutherischen Orthodoxie erfahren. Die Kampffront lag an anderer Stelle!

Spener wußte sich zwei Fronten gegenübergestellt im Ja und Nein zugleich. Gegen einen platten Aufklärungsoptimismus und gegen Überzeichnungen im radikalen Pietismus, hier gegen ein flaches Tugendstreben, dort gegen einen Enthusiasmus z. B. in der Vollkommenheitslehre eines »starken Christentums«.

Er gräbt tiefer, weiß um ein Reifen und Wachsen im Glauben in einer stetig sich wiederholenden Erneuerung des Menschen und schablonisiert nicht. Es gibt einen ganz individuellen Spielraum. Die Gaben sind verschieden verteilt. Der einzelne ist abhängig, wie weit der »Heilige Geist

Hindernisse aus dem Weg räumt und Gnadengaben austeilt«. *Logischer Schematismus und Formalismus, der im Grunde statisch denkt, wird von ihm bekämpft.* Er hat hier nicht Luther gegen sich. Schrift und Werk des Heiligen Geistes gehören zusammen.

Hat er die gewaltigen geschichtstheologischen Aussagen Luthers von der Welt als Gottes Masken-, Mummen- und Gaukelspiel in seinem Chiliasmus domestiziert? Er hat bei Gottes Walten in der Christenheit den Blick nach vorwärts, dynamisch-theologisch geweitet. Spener bleibt Luthers Schüler, ohne ihn ist er in seinen tiefsten Absichten nicht zu verstehen. *Daß die Reformation mehr zu sagen hat und Speners Pietismus nicht alles sagt, bleibt deutlich.*

Die unlösliche Wechselwirkung von Wort und Geist läßt bei Spener den Akzent stärker auf das Wirken des Heiligen Geistes setzen als bei Luther. Seine Situation ist völlig anders. Der christliche Glaube droht in der Unverbindlichkeit nicht nur des »faulen Glaubens« zu versinken sondern in der Verdünnung der Aufklärung.

Zur Erhellung ganz persönlicher Fragen in einer existentiellen Notsituation stellt Spener Johannes 7,17 mit der Erfahrungsprobe in den Vordergrund. Er weiß aber auch von der Erfahrung über die Erfahrungen und daß der Christ letztlich nicht von ihnen lebt, sondern von der ständig neu geschenkten und ergriffenen Glaubensgewißheit, auch dort, wo alles dagegen zu sprechen scheint.

Eine pessimistische Weltuntergangsstimmung verdrängt er im Pietismus durch den Chiliasmus, durch die »Hoffnung zukünftig besserer Zeiten« in unlösbarer Beziehung zum entscheidenden Heilsfaktor von Kreuz und Auferstehung. Er historisiert nur an zwei Stellen die eschatologische Erwartung. Die heilsgeschichtliche Theologie von Coccejus kennt er, verwendet sie jedoch nicht. Die neue Sicht der Heilsgeschichte als einer hoffenden Kirche löst im Pietismus einen bis dahin nicht gekannten Laienaktivismus aus.

In der Frage der Verbalinspiration hält sich Spener zurück. Er vertritt sie nicht, verwirft sie nicht, er weiß, daß sie zerfällt. Im Blick auf die beginnende Bibelnot ruft er nach einer biblischen Theologie und bahnt ihr mit den Weg. Er weiß aber auch, daß ein Biblizismus unter Absehung der reformatorischen Mitte der Schrift nicht möglich ist. Ein tieferes Gefühl für das Unzureichende aller dogmatischen Formeln bei allen »über den biblischen Wortlaut hinausgehenden theologischen Aussagen« bewahrt ihn davor, das Gespräch mit den Vertretern des radikalen Pietismus abzubrechen. Einen Menschen beurteilt er nicht rein nach seinen lehrmäßigen Gesichtspunkten. Wo man auf Christus hören und mit ihm leben und sterben will, hofft er nur, daß ein solcher in der gesunden christlichen Erkenntnis auf die Mitte des Evangeliums zu wächst.

Spener hat vieles offen gelassen und doch Richtlinien nicht unterlassen. Sein Erbe ist zu keiner bedrückenden Last für die Kommenden geworden.

Seinem großen Schüler August Hermann Francke, der in seinen Fußstapfen das Anliegen des Pietismus zu realisieren und zu organisieren sucht, hat er einen Freiraum erkämpft. Bei aller Zustimmung zum patriarchalisch verstandenen Obrigkeitsverständnis kann Spener in ein Bündnis mit dem Staat auch gegen ständische Sonderinteressen zugunsten der pietistischen Bewegung einstimmen. Die freie Initiative christlicher Aktionskreise unter Führung von Geistlichen wird auf sozialem und sozialpolitischem Raum erfolgreich praktiziert. Der Staat wird aus seiner Verantwortung nicht gelöst, er empfängt im Gegenteil neue Impulse. Eine bedeutsame Lockerung des starren und unbeweglichen Staatskirchentums mit seinem schleppenden und schwerfälligen Behördenapparat erfolgt. Die »collegia pietatis«, die dieser freien Entfaltung in und nicht gegen die verfaßte Kirche dienen sollten, sind an der fast geschlossenen Front der Pastorenkirche bis auf Württemberg und den rheinischen Raum gescheitert.

Der nach beiden Seiten fruchtbaren Verbindung von Preußentum und Pietismus, in Halle unter August Hermann Francke eingeleitet, steht bei manchem Schwanken Friedrichs I. von Preußen im Grunde nichts mehr entgegen.

Man wird Carl Mirbts weitblickendes Urteil mutatis mutandis akzeptieren können: »*Die Geschichte der Entstehung des Pietismus ist zum großen Teil die Geschichte des Lebens von Philipp Jakob Spener.*«

August Hermann Francke und der hallesche Pietismus

Mit ihm rückt die zweite Generation in den Vordergrund. Er ist am 22. März 1663 in der freien Reichsstadt Lübeck als Sohn eines Juristen geboren. Die Stadt zählte 35 000 Einwohner. Es ist eine Welt, die bei aller Schwere und Last alter Traditionen in eine Krise gerät. Die Größe Lübecks ist dahin. Desto heftiger wehrt man sich gegen die Zugluft neuer Gedanken. Noch zur Zeit des Vaters von August Hermann Francke hat man im evangelischen Lübeck fünf Hexen nach schauerlichen Folterungen und hochpeinlichen Untersuchungen verbrannt. Zwei wurden zu den Toren hinausgejagt. Der Hexenglaube geisterte noch lange durch die Winkel der Stadt. August Hermann Francke war noch keine 23 Jahre alt, als man einen Schmiedegesellen aus Ostpreußen enthauptete. Er hatte zu sorglos in der Herberge darüber sich ausgelassen, daß er mit der Lehre von der Dreieinigkeit nicht mehr zurecht komme. Der Gotteslästerer wurde nach einem eingeholten Universitätsgutachten von Wittenberg, das reichsgesetzlich verankert war, zu Tode gebracht. Im Dreißigjährigen Krieg hatten die Geistlichen noch mit ihren Gemeinden gebangt und gelitten. Jetzt war eine hohe Scheidewand zwischen den Gelehrten, den Juristen, Medizinern und Pfarrern und dem schlichten Volk aufgerichtet[1].

Die Stadt Lübeck duldete von Anfang an keinen Pietisten in ihren Mauern. Nur strenge Lutheraner wurden als Superintendenten gerufen. Bis 1767 herrschte ununterbrochen die Orthodoxie.

August Hermann Francke hat entscheidende Züge von seinem Großvater mütterlicherseits, von dem Bürgermeister und Juristen David Gloxin empfangen. Er tritt uns als eine ausgesprochene Kämpfernatur entgegen. Eine Kampfesfreudigkeit, die an Schwierigkeiten wächst, beseelt ihn von Natur. Wir finden diese Charakterzüge in seinem Enkel August Hermann Francke wieder. Klugheit von staatsmännischem Format, gepaart mit Entschlossenheit, Tatkraft verbunden mit Großmütigkeit sind die Gaben, die vom Großvater auf den Enkel übergehen.

Nach einem Taufeintrag in St. Ägidien zu Lübeck vom 25. März 1663 gehört zu den Paten August Hermann Franckes die Herzogin Hedwig Sybilla von Sachsen-Lauenburg, Tochter des regierenden Fürsten von Sachsen-Lauenburg. Nach ihm ist der Täufling benannt. Den Namen Hermann verdankt der Täufling seinem zweiten Paten Hermann von Dorne, dem ältesten Bürgermeister von Lübeck unter den vieren, die miteinander die Geschicke der Stadt lenkten. Dann finden sich auch zwei Anverwandte aus dem Kleinbürgertum unter den Paten.

Im Jahre 1666 wird der Vater, Dr. Johannes Francke, als Staatsrat Ernst des Frommen nach Gotha gerufen, zu einem der tüchtigsten Fürsten im 17. Jahrhundert. Der Vater stirbt bereits 1670 im Alter von fünfundvierzig Jahren. Doch er hat dem Sohn den Weg in eine neue Welt geebnet, die weiter und freier ist als die alte in der verknöchernden Stadt Lübeck.

Ernst der Fromme (1601–1675) weiß sich der alten Tradition der Ernestiner, denen die Albertiner die Kurwürde abgenommen haben, verpflichtet: geistige Schutzmacht des Luthertums zu sein. Als Obrist hat er unter Gustav Adolf gefochten und ein anderes Beispiel mit seinen Brüdern geliefert als die kursächsischen wankelmütigen Vettern. Er wußte um das Unbefriedigende der bisherigen Geschichte des Luthertums, um das Unvollendete in seiner Gestaltung und Durchführung, daß vieles von dem, was Luther gewollt hatte, liegengeblieben war[2].

Er ist es gewesen, der seinen Kanzler Ludwig Veit von Seckendorf, den lutherischen Staatsmann des 17. Jahrhunderts dazu veranlaßte, aus den thüringischen Aktenbeständen eine noch heute wichtige Darstellung der Reformation zu schreiben. Religiöse, soziale, wirtschaftliche, kulturelle und nicht zuletzt politische Reformgedanken erfüllen den Fürsten, dem es letztmalig gelingt, ganz Thüringen in seiner Hand zu vereinigen.

1636, noch mitten im Dreißigjährigen Krieg, der sein Land furchtbar verwüstet hatte, legt er der Straßburger Theologischen Fakultät die Frage vor: »wie das heutigen Tages tief gefallene Christentum aufzurichten und ein gottseliges Leben und Wesen zu pflanzen sei«[3]. Ein Gutachten mit 82 engbeschriebenen Folioseiten ging nach Gotha. Die zwölf speziellen Heilmittel, die genannt werden, sind im Blick auf August Hermann Francke und seiner späteren pfarramtlichen Tätigkeit nicht unwesentlich. Vieles davon kehrt bei ihm wieder. Da heißt es: »Bußpredigten; 2. Öffentliche Katechismuslehr, an der die Erwachsenen teilnehmen sollen; 3. Häusliche Katechismusübung; 4. Nachfrage der Prediger nach der häuslichen Katechismusübung; 5. Hausbesuche der Pfarrer; 6. Das vertrauliche erbauliche Gespräch bei den Hausbesuchen; 7. Das erbauliche Gespräch bei zufälliger Begegnung mit den Gemeindegliedern; 8. Das Gespräch bei öffentlichen Zusammenkünften und Feiern; 9. Die christliche Erbauung, worunter Frömmigkeitsübungen verstanden werden, die die Gemeindeglieder auch bei Abwesenheit des Pfarrers vornehmen können; 10. Die Erforschung der Fortschritte, die die Gemeindeglieder in ihrem Christentum machen; 11. Das Anlegen von Seelenregistern, in denen die Gemeindeglieder vollständig aufgenommen und ihre Fortschritte im Christentum verzeichnet werden; Die Wiederholung der Predigten in den Katechismusübungen und in Privatgesprächen.

Die Kirche von Straßburg kannte keine Privatbeichte. Vielleicht von da aus war das, was in den anderen lutherischen Kirchen der Beichtstuhl erreichen wollte, in einer viel glücklicheren Weise angeregt worden.

Vergleicht man diese 12 Vorschläge mit der Pia desideria von Philipp Jakob Spener und dann mit einer kleinen Schrift Franckes aus dem Jahre 1697: »Kurtzer und Einfältiger Entwurff/Von den Mißbräuchen Des Beichtstuhls« und den darin vorgelegten Besserungsvorschlägen, liegt alles auf einer Ebene.

Daß August Hermann Francke als Pfarrer in Erfurt, und es hätte nicht viel gefehlt auch in Glaucha bei Halle zuschanden geworden ist, liegt daran, daß er im Grunde nichts anderes gewollt hat, als jene 12 Straßburger Vorschläge, von denen wir nur annehmen können, daß er sie gekannt hat, in seiner Gemeinde zu praktizieren. Inzwischen hatte sich die lutherische Kirche in Deutschland unter dem stürmischen Vordringen des Pietismus in eine starre Festung verwandelt. In sie darf nichts eintreten. Alles ist auf »Grund der in der Bibel klar vorliegenden göttlichen Offenbarung« gut geordnet, die Lehre der lutherischen Kirche, das Amt der Kirche, die Predigt, die Sakramente als an sich heilige göttliche Wahrheit. Das alles ist »unabhängig von allen Bewegungen und Ergriffenheit des Herzens von dem Menschen«. Das Wort tut alles. Die innerliche Vermittlung kommt durch die Predigt. »Wir werden nicht durch Frömmigkeit Gottes Kinder, sondern durch den Glauben.« Der öffentliche Gottesdienst ist monopolisiert, die Gemeinde wird betreut in den bisher üblichen und eingefahrenen Amtshandlungen.

Ernst der Fromme hat alles versucht, die 12 Vorschläge in seinem Herzogtum zu realisieren. Ernst der Fromme hat darüber hinaus auch andere erstarrte Traditionen aufzubrechen gesucht. Gleichsam das ganze europäische Stimmengewirr hat er nach neuen konstruktiven Gedanken abgehört. Die pädagogischen Reformbestrebungen seiner Zeit nimmt er in sein Schulprogramm auf. Das berühmte Gothaer Gymnasium steht in der Schulmethode und Bildungshöhe über allen gleichartigen Instituten und zieht Schülerscharen aus allen Ländern an. Sie kommen aus Skandinavien, aus den Ostseeprovinzen, aus Rußland, aus Polen, aus Böhmen und Ungarn. Das ist bereits ein Stück lebendiger und bewußt gepflegter Ökumene. In einer eigenen Druckerei läßt der wirtschaftlich sehr nüchtern denkende Fürst seine neuartigen Schulbücher in französischer und italienischer Sprache herstellen.

Beraten wird er von dem Kanzler Georg Franzke († 1659) und dessen Nachfolger Ludwig Veit von Seckendorf, dem Hofprediger Christoph Brunchorst, dem Generalsuperintendenten Salomo Glassius (1593–1656) und dem Gymnasialdirektor Andreas Reyher, auch durch den Schulmann Sigismund Evenius. Ernst der Fromme veranstaltete auch eine neue Ausgabe der Lutherbibel mit Kurzerklärungen, den sogenannten Summarien, die berühmte »Ernestinische Bibel«. Sie erschien 1640 und jede Gemeinde sollte ein Exemplar aufweisen. Denn allen Staaten weit voraus führte er in seinem Land die allgemeine Schulpflicht ein.

So kennt der Fürst die reformwilligsten Männer seiner Zeit persönlich und sucht sie an seinen Hof zu ziehen, was ihm weithin gelang. In enger Bindung an das Lübecker Projekt von Nikolaus Hunnius (1585–1643) einer der einflußreichsten und jedenfalls der originellste unter den Theologen der lutherischen Frühorthodoxie, greift Ernst der Fromme dessen Plan einer kontroverstheologischen lutherischen Akademie 1670–72 auf. Er versucht und hier spannt er, wenn auch ohne Erfolg, August Hermann Franckes Vater ein, Lübeck für den Plan einer Zusammenführung des deutschen und skandinavischen Luthertums zu gewinnen. Ziel sollte die Gründung eines gemeinsamen theologischen Forums sein. 200 000 Taler wollte der Fürst zur Verfügung stellen, auch die Tagungsstätte und eine Riesenbibliothek. Zugleich tauchte bei ihm der Gedanke einer lutherischen Gesamtsynode auf mit einem »Patriarchen« an der Spitze.

In Ernst dem Frommen spricht sich die Sehnsucht seines Jahrhunderts nach harmonischem Zusammenklang und Ausgleich aus, nach einer Überwindung aller geistigen Verwüstungen durch Konfessionshaß. Sein Projekt für das Herzogtum Franken, einer kurzlebigen Gründung Gustav Adolfs von Schweden mit evangelischer und katholischer Bevölkerung, sollte hier Bahn brechen.

So zielt sein Blick immer wieder über die engen Grenzen seines Landes. Den in Ungarn und Schlesien bedrängten Protestanten bietet er in Gotha ein Asyl an. Über fünfzig katholische Persönlichkeiten bis hin zum Prälatenstand vollziehen in Gotha den Übertritt zur lutherischen Kirche. Die deutschen evangelischen Gemeinden in London und die verzankten in Moskau unterstützt er. Die in Moskau von ihm reich ausgestattete Freischule soll für das erwachende Rußland die Bedeutung gewinnen, die sein Gothaer Gymnasium als Musterschule in Mitteleuropa einnimmt. Über die Verbindung mit der evangelischen Gemeinde in Moskau wird vom Gothaer Herzog planmäßig eine Brücke zu dem Zaren geschlagen.

Im Gegensatz zu anderen zögernden deutschen Fürsten bietet Ernst der Fromme dem Zaren die Hand. Sein Landphysikus Dr. Laurentius Blumentrost, ein glühender Anhänger der Gothaer Reformbestrebungen, wird als Leibarzt an den Zaren Alexius Michailowitsch abgegeben. Dem russischen Gesandten wird die Entwicklung des Chinahandels und der Ausbau des sibirischen Landweges nach dem Reich der Mitte ans Herz gelegt. Thüringische Fachleute werden dazu angeboten. Mit seinen Fernhandelsplänen, die der wirtschaftlich eminent tüchtige Fürst aufstellt, verbinden sich Missionspläne für Asien und Afrika.

Hier in Gotha wird mit einer der lähmenden Traditionen im deutschen Luthertum gebrochen. Für das Luthertum des 17. Jahrhunderts galt weithin: Verantwortlich ist der lutherische Christ nur für den Nächsten in des Wortes unmittelbarem und buchstäblichen Sinn. Den sucht man nicht in der Ferne. Schwerlich sind in diesem Sinn Rußland und der kleine thüringische Staat einander Nächste. Hier fließen barocke Pläne der frühen frommen Aufklärung ein. Ein neuer Menschentyp erscheint. Dieser »homo societatis«, geboren im Strom der Friedenssehnsucht seiner Zeit, sieht seine Grundprobleme in einer Neuordnung der menschlichen Gemeinschaft. Der Glaube an eine sittliche Erziehung der Menschheit erzeugt ein neues Aktivitätsideal. Die Echtheit der Gläubigkeit wird in der Kraft christlicher Sittlichkeit und Liebesgesinnung, in seiner gemeinschaftsbildenden Macht gesucht. Ernst der Fromme, von diesen neuen Strömungen erfaßt, weist dem Luthertum in der Welt neue Aufgaben zu. Doch bleibt das ganze Pathos bei allen voraufklärerischen Neigungen und dem Hang zu Utopien lutherisch in Gotha.

August Hermann Francke ist ohne diese gothaischen Einflüsse und Pläne nicht zu verstehen. Selbst Zinzendorf kannte die gothaischen Projekte gründlich! Es ist das Schicksal aller Pläne des Gothaers, daß sie sich nicht unmittelbar realisiert haben. Als Ernst der Fromme stirbt, beginnt August Hermann Francke das 13. Lebensjahr. Sein eigener Vater ist bereits gestorben. Die bedeutendsten Mitarbeiter des Gothaer Fürsten fördern den jungen Francke. Vor allem der lutherische Staatsmann Ludwig Veit von Seckendorf als väterlicher Freund bildet für ihn die lebendige Verbindung mit den ökumenischen Bauplänen Gothas. Der enge Zusammenhang der Franckeschen Familie mit dem Herzoghaus bleibt auch nach 1675 bestehen. Veit Ludwig von Seckendorf, der fünf europäische Sprachen fließend spricht, gibt dem jungen Francke die Richtung auf die modernen Sprachen. Er lernt Englisch, Französisch, Italienisch, Holländisch, später auch Russisch. Der junge Francke glänzt im Gymnasium mit seinem Latein. Hiob Ludolf, Staatsrat in Gotha, der große international anerkannte Orientalist, der kostbare orientalische Handschriften besitzt, lenkt den Eifer des jungen Francke auf die morgenländischen Sprachen.

Daß der junge hochbegabte Francke Theologie studiert, hängt mit dem Willen seiner Erzieher zusammen, ihm die Gelehrtenlaufbahn zu eröffnen. Seine ganze Ausbildung ist darauf ausgerichtet.

Sein Hauslehrer hat ihn auf den Besuch der obersten Klasse des berühmten Gothaer Gymnasiums gut vorbereitet, die ganz unmittelbar auf den Hochschulbesuch zielt. Der Dreizehnjährige ist seinen Kameraden überlegen. In den elegantesten Stilwendungen der berühmten lateinischen Klassiker fließt seine Rede dahin. Mühelos lernt er Fremdsprachen. Mit vierzehn Jahren wird er nach einjährigem Besuch der obersten Klasse öffentlich und feierlich für universitätsreif erklärt. Seine Lehrer gewähren ihm, zwei öffentliche lateinische Festreden zu halten. Der Knabe bleibt für noch zwei Jahre daheim. Mit dem zweiten Konrektor des Gymnasiums, dem späteren Rektor des Lübecker Gymnasiums, werden die griechische und hebräische Sprache intensiv getrieben. Die ganze Zeit damals ist von einer großen Sprachbegeisterung beseelt. Immer neue Sprachen werden bei dem sprunghaft wachsenden Weltverkehr bekannt. Sie zu beherrschen, heißt Tür und Tor zu neuen Ländern und Völkern zu öffnen. Vielleicht sind niemals wieder Fremdsprachen mit so viel Begeisterung wie damals gelernt worden. Mit sechzehn Jahren wird er für ein Semester auf die nahe kleine Universität Erfurt geschickt.

Neben diesen Einflüssen haben noch andere auf den jungen Francke eingewirkt. Zur Lieblingslektüre des Jungen gehörte neben anderen Erbauungsschriften Johann Arnds »Wahres Christentum«. Neben der Bibel ist er in seiner Frömmigkeit von früh an von diesem Buch geprägt worden. Dieses Erbauungsbuch, ohne dessen intensive Kenntnis die lutherische Frömmigkeit des 17. Jahrhunderts schwerlich verstanden wird, ist eine Einführung in die Schätze mittelalterlicher Mystik, verbunden mit einem ehrlichen lutherischen Grundbekenntnis. Das Geheimnis mittelalterlicher und nachreformatorischer Mystik, die niemals Vergottungs- und Verschmelzungsmystik sein will, liegt in ihrer einzigartigen Verbindung mit der Tat. *Meditation, Versenkung, Gebetsleben, Inbrunst und Glaube, Bereitschaft zum Verzicht, zum Opfer sind hier eine schöpferische Einheit von Leben und Handeln geworden. Jedenfalls in jenen Geschlechtern, die darin einmal lebten, realisierten sich hier Glaubensinbrunst und innere Abkehr von einer religiös indifferenten Welt mit der Bereitschaft zu glühender Tat.* Auch später hat der stets zu Kampf und Tat hart entschlossene Francke gerade dieses Erbauungsbuch zur Aktivierung einer verinnerlichten und tatbereiten Frömmigkeit verbreitet. Er hat bewiesen, daß diese Frömmigkeitswelt nicht bloß Verinnerlichung und Verpersönlichung des religiösen und auch des seelischen Lebens bedeutete, vielmehr ein nicht fort zu denkender Weg zur Lebensführung und Lebensgestaltung. In seiner ganzen Theologie sind die Gedanken von der Nachfolge Christi unter dem Kreuz, von der Gelassenheit und vom Wohnen Christi in uns eingebaut. Sie haben ihn geformt und seine Mitarbeiter zu einem soldatischen Einsatz für das Reich Gottes und gegen das Reich des Satans. *Hier liegen die Spannungskräfte einer viel härteren zweiten pietistischen Generation, die »Tatbereitschaft« und der Entschluß zu einem hinreißenden und nimmermüden aktiven Leben.* Bei Francke verbindet sich das mit einem unbeugsamen Willen und einem klaren Verstand[4].

So hat Francke Johann Arnds Erbauungsbuch durch Neuauflagen und Übersetzungen in viele Sprachen verbreitet, auch in kleinere Sprachen wie Wendisch, Slovenisch, Slavisch, Jiddisch neben Französisch, Dänisch, Englisch, Polnisch, Ungarisch, Lateinisch und in Sprachen der Missionsgebiete. Eine Übersetzung ins Altslavische kam erst unter seinem Sohn und Nachfolger Gotthilf August Francke zum Druck. Auch die philadelphischen Einflüsse, die später bei August Hermann Francke hinzutraten wie die Beschäftigung mit der quietistischen Mystik Molinos haben ihn, weil er sie von seinem lutherischen Vorverständnis her interpretiert und sie produktiv umgeformt hat, davon nicht abgedrängt. Er scheute sich nicht, gewisse Gedankengänge zu übernehmen. Doch einer vollen Ausprägung quietistisch-molinistischer Ideen stand seine spätere starke Konzentration auf die Bibelwissenschaft, auf das normierende Wort Gottes quer. Daß unausgeglichene Spannungsmomente blieben, ist unverkennbar. Sie sind im Rahmen mancher Umformungen reformatorischer Grundanliegen innerhalb der ganzen lutherischen Orthodoxie, die ihren wesentlichen Teil dazu beitrugen, zu sehen.

Die Finanzierung seines Studiums wird durch die Schabbelsche Familienstiftung ermöglicht, die der einzige Bruder seiner Mutter Dr. Anton Hinrich Gloxin, Bürgermeister in Lübeck, als einer der beiden Stiftungsvorsteher mit verwaltet. Diese Stiftung, mit einem Grundkapital von 20 000 Talern zu 5 % bei der Stadt Lübeck angelegt, bietet vier Stipendiaten ein ungewöhnlich reiches Stipendium. Ungewöhnlich ist auch die Studienordnung. Nur Hochbegabte, die bereits ins theologische Hauptstudium eintreten, gelangen in die engere Wahl. Sie müssen sich verpflichten, die akademische Laufbahn einzuschlagen oder allenfalls in ein hohes Kirchenamt überzugehen.

August Hermann Francke hat das Glück, als ein Verwandter des Schabbelschen Stammes, mit 17 Jahren bereits in den Genuß dieses Stipendiums zu gelangen. Von Bedeutung ist, daß der Onkel ihm den Weg in die Welt der Reformorthodoxie und ihre Reformbestrebungen weist. Bei einem früheren Stipendiaten dieser Schabbelschen Stiftung, Professor Dr Christian Kortholt (1633–1694) an der 1665 erst gegründeten Universität Kiel begann Francke weiter zu studieren. Kortholt war ein Freund Speners, schrieb mehrere Schriften zur Behebung kirchlicher Mißstände und stritt gegen Spinoza, Herbert von Cherbury und Hobbes. In der Familiengemeinschaft Kortholts wohnten gleichzeitig Justus Joachim Breithaupt (1658–1732), ein Hannoveraner und späterer Kampfgefährte Franckes in Erfurt und Halle und der Sohn Christian Scrivers, dessen »Seelenschatz« weit verbreitet war. In der Lade der Schabbelschen Stiftung sind noch zwei Arbeiten Franckes aufbewahrt, die sich mit der neuen Chinabegeisterung und dem sich in Europa ausbreitenden Skeptizismus beschäftigten, Anfängerarbeiten, die noch nicht eigene Wege beschreiten.

Nach drei Studienjahren in Kiel, innerlich ein Schabbelianer, sucht er mit Einwilligung seines Oheims Hamburg auf. Während andere Städte im Dreißigjährigen Krieg in ihrer Einwohnerzahl absinken und die alte Höhe nicht mehr erreichen, steigt die Zahl der Einwohner Hamburgs auf damals 70 000 Einwohner. Sie wird zu dem bedeutendsten deutschen Handelsplatz, zum Einfallstor englischen Geistes, eine Stadt, die von Musik durchzogen ist. Im Jahr 1678 wurde die Hamburger Oper gegründet. Francke arbeitet bei Esdras Edzardus (1629–1708), Orientalist und Vorkämpfer der Judenmission. Jeden Mittwoch und Sonnabend sammelt der hervorragende im damaligen Europa bekannte Kenner des Hebräischen, des Rabbinischen und des Talmuds Juden um sich. Er hat Ungezählte von ihnen, Hunderte, auch viele Katholiken, sogar Türken zum evangelischen Glauben geführt. Er wurde darin unterstützt durch die damaligen Gesetze Hamburgs, wonach alle Juden ihre Kinder in christlichen Schulen unterrichten lassen mußten. Erst »im Alter der Unterscheidungsfähigkeit« wurde es ihnen zur Wahl gestellt, ob sie Juden bleiben oder Christen werden wollten.

Edzardus, Privatgelehrter und sehr vermögend, wirkte unter den Juden Hamburgs mit großer Liebe und tiefem Verständnis. Um ihn sammelten sich auch bis 50 oder 60 Studenten, die von Hochschullehrern vieler Universitäten zu ihm geschickt wurden, um sich bei ihm im Rabbinischen zu vervollständigen. Der junge Francke wurde von Esdras Edzardus in seine Tischgemeinschaft aufgenommen. Die halbe hebräische Bibel haben sie gemeinsam miteinander gelesen.

Plötzlich schien das Schabbelsche Stipendium auszusetzen. Francke ist wieder in Gotha, liest in dieser Wartezeit sechs- oder siebenmal seine hebräische Bibel durch und lernt Französisch. Endlich gelingt ihm, als privater Hebräischlehrer eines Studenten, der Wiederbeginn des akademischen Studiums in Leipzig. Diese Universität wird ihm zum Schicksal und wirft sein ganzes Leben um. Wohnen kann er im Hause des Schwiegersohnes Speners, des Professors Adam Rechenberg (1642–1721). Die Universität ist bedeutend. Orientalische Sprachen und Altes Testament stehen voran. Die Richtung seiner Interessen tritt deutlich hervor. Nicht umsonst wird er später zuerst Professor der orientalischen Sprachen. In das große Predigerkolleg St. Pauli aufgenommen, muß er wie jedes andere Mitglied wöchentlich unter Anleitung eines Professors eine Predigt in der Paulinerkirche halten. Nach den beiden ersten Semestern erwirbt er sich mühelos den philosophischen Magistergrad und besitzt die venia legendi in der philosophischen Fakultät. Mit einem jungen Engländer, den er in seine Stube aufnahm, übt er täglich Englisch. Mit Leichtigkeit erlernt er nebenbei die italienische Sprache. Finanzieller Sorgen ist er enthoben, denn es drängen sich die Studenten in seine Privatvorlesungen. Er muß ein geborener Menschenführer von Anfang an gewesen sein, Kontaktschwierigkeiten kennt er nicht.

Als Tischgast nimmt ihn Otto Mencken (1644–1707), Professor der Philosophie, auf, der die international eingeführte Acta eruditionis herausgab, eine wissenschaftliche Zeitschrift, in der sich die geistigen Probleme der Zeit widerspiegeln.

Wahrscheinlich erst zur Herbstmesse 1687, aber dann bestimmt, erscheint auf dem Büchermarkt eine lateinische Übersetzung des in italienischer Sprache geschriebenen »Guida spirituale« (Geistlicher Seelenführer). Diese Arbeit des spanischen quietistischen Mystikers Miguel de Molinos (1628–1696/97), der in Rom lebte, hatte damals in der akademischen Welt Aufsehen erregt. Spener hat offensichtlich Francke zur Übersetzung angeregt. Carpzov als Dekan der Theologischen Fakultät begrüßte diese Übersetzung, um für die Disputationen über Molinos ein zuverlässiges Material in den Händen zu haben.

Später wird ihm diese Übersetzung übel vermerkt. Man verketzert ihn als einen heimlichen Schüler Molinos und sucht eifrig Belege dafür in Franckes Schriften und Reden. Man wird wohl dazu kaum mehr sagen können, als daß Molinos Züge Franckes Frömmigkeitsausprägung verstärkt haben, in deren Richtung er bereits durch Johann Arnd angesiedelt war. Auch hier hat er Molinos produktiv lutherisch interpretiert. Gottfried Arnold übersetzte die Schrift 1699 ins Deutsche. Sie konnte sich im Pietismus aller Schattierungen eines allgemeinen Interesses erfreuen. Dessen radikale Lehre von der Gelassenheit fand vor allem ein aufmerksames Echo.

Entscheidend für die ganze Richtung seiner theologischen Arbeit wurde ungewollt der streng orthodoxe Professor D. Johann Benedikt Carpzov (1639–1699), ein glänzender Theologe, Redner, aber völlig unbeherrscht und eitel. Später entwickelte er sich zum leidenschaftlichen wie maßlosen Gegner Speners und des Pietismus. Er hatte jedoch ein offenes Ohr für alle Reformgedanken der Zeit und liebte sie teils bejahend, teils kritisch in seiner »Carpzovischen Prägung« weiterzugeben. Es war üblich, bei jeder öffentlichen Gelegenheit, bei Predigten, selbst in Leichenreden, in Vorlesungen und Disputationen zu Zeitfragen Stellung zu nehmen.

Er gab den Anstoß zur Gründung des »Collegium philobiblicum«, das am 18. Juli 1686 in Professor Menckens Haus als eine Arbeitsgemeinschaft junger Magister zusammentrat. Man beschließt, in jeder Sitzung ein Kapitel aus dem Alten Testament in hebräischer Sprache und ein Kapitel im Neuen Testament in griechischer Sprache zu lesen, zu übersetzen und den Sinnzusammenhang herauszuarbeiten.

Führend sind hier Francke und vor allem Paul Anton (1661–1730), der bereits Spener kennt, der wenige Wochen zuvor in Dresden als Oberhofprediger eingeführt worden war. Er stellt mit ihm die Verbindung her. Er gibt dem Kreis der acht Magister in einem Schreiben vom 17. 9. 1686 Ratschläge, alle dunklen und kritischen Stellen bei der Bibelarbeit vorerst beiseite zu lassen und nicht zu vergessen, daß die Schrift uns unmittelbar und persönlich ansprechen will. Bald treten mithörende Studenten zu dem Kreis, die ihre Fragen und Beobachtungen zu den Bibeltexten vortragen. Die Arbeitsgemeinschaft erregt Aufsehen. *Bisher waren exegetische Vorlesungen kaum an den Theologischen Fakultäten zu finden, völlig vernachlässigt unter den rein dogmatischen und kontroverstheologischen.*

Im April 1686 wohnt Spener, Oberhofprediger in Dresden, einer Sitzung dieser Magister bei und unterstreicht damit die Bedeutung des Collegium philobiblicum in der kirchlichen Öffentlichkeit. Noch zwei Neugründungen unter Theologiestudenten setzen sich durch und werden im akademischen Bereich anerkannt.

Pietistischer Parteigänger war August Hermann Francke ursprünglich nicht. Die große Wende setzte in Lüneburg ein. Dorthin lenkte ihn sein Onkel Anton Hinrich Gloxin (1645–1690). Nach fünfjähriger Unterbrechung bietet er ihm wieder den Genuß eines der vier hohen Stipendien des Schabbelianus an. Superintendent Caspar Hermann Sandhagen (1639–1697), ein alter Schabbelianer, dessen Ruf als Exeget weit verbreitet war – er wurde bald darauf Generalsuperintendent von Schleswig-Holstein –, nahm August Hermann Francke auf. D. Sandhagen war ein alter Freund seines verstorbenen Vaters. Beziehungen galten damals viel, wenn auch nicht alles. Kaum ist der Vierundzwanzigjährige in Lüneburg angekommen, bittet man ihn um eine Predigtvertretung in der Johanneskirche. Der Text ist ihm aus Johannes 20,31 gegeben. Es steht ihm zur Vorbereitung reichlich Zeit zur Verfügung. Die Predigt soll auf Herz und Gewissen der Zuhörer gerichtet sein, das weiß der Magister aus der Praxis des Leipziger Collegium philobiblicum. Über den Text: »Dieses ist geschrieben, daß ihr glaubt, Jesus sei der Christ, und daß ihr durch den Glauben habt das Leben in seinem Namen« geschieht der große Umbruch im Leben des Magisters. *Zweifelte Luther an Gottes Gerechtigkeit, so August Hermann Francke an der Existenz Gottes und der Schrift als Gottes Wort.* Das war bei ihm kein radikaler Atheismus. Denn er suchte in Lüneburg 1687 sich durch alle Zweifel hindurchzubeten. Er wollte auf diese Weise des persönlichen Gottes gewiß werden, der ihm trotz Theologiestudium und ehrlichem Wollen wie vielen seiner Zeitgenossen hinter einer grenzenlos gewordenen physikalischen Unendlichkeit einfach zu verschwimmen drohte. Früher oder später erreichte diese Anfechtung viele der hellwachen Geister, mochten sie auch diese zeitweilig ins Unterbewußte verdrängt haben. Mitten in trostlosen Zweifeln hat Francke in jenen Tagen sein griechisches Neues Testament zur Hand. Die Fragen sind vielfach: *Bist du Gott oder bist du nicht. »Bald kam mir in den Sinn, wer weiß, ob auch die Heilige Schrift Gottes Wort ist. Die Türken geben ihren Alcoran und die Juden ihren Talmud auch dafür aus, wer will nun sagen, wer Recht habe?«*

»Erstlich konnte ich gleichsam die Sünden zählen. Aber dann öffnete sich auch die Hauptquelle; nämlich der Unglaube oder bloße Wahnglaube, damit ich mich selbst so lange betrogen.« Dann erfuhr er in einer schlaflosen Nacht nicht nur, daß es »einen persönlichen Gott gibt, sondern daß dieser lebendige Gott sein Vater ist«. Luther hat oft davon gesprochen, daß Gott wohl inmitten der Verzweiflung dem Menschen am nächsten ist.

Die religiöse Gewißheitsfrage war ihm damit gelöst. »Er erhörte mich plötzlich.«

August Hermann Francke hat seinen »Bekehrungsbericht« um die Jahreswende 1690/91 geschrieben und ihn in seinen »Lebenslauff« hineingenommen, der gleichzeitig entstanden ist. So steht diese pietistische Autobiographie in der Tradition der Gelehrtenbiographie, die den Berufsweg aufzeigt. Doch nimmt sie plötzlich aus innerster Nötigung eine literarische Mischform an, da sie in die Tradition der religiösen Konfession einbiegt, um die »Bekehrung als den Angelpunkt des eigenen Lebens darstellen und dieses von Anfang an auf jenes Hauptereignis hinordnen« zu können.

Man wird den Zeitpunkt der Niederschrift dabei nicht zu übersehen haben. Sie geschieht vier Jahre nach seiner Bekehrung in Lüneburg in einer ganz besonderen Situation, in die er sich hineingestellt sieht. Sollte der Zeitpunkt zufällig gewesen sein? Francke war aus Leipzig herausgedrängt worden und jetzt wurde er aus Erfurt herausgejagt. Verzweifelt war seine Situation dabei nicht.

Im 17. Jahrhundert mit seiner konfessionellen Heißblütigkeit war das kein ungewöhnliches Schicksal, wenn ein Pfarrer seine Sachen packen und davonziehen mußte, um anderswo einen Unterschlupf zu finden. Man denke nur an Paul Gerhardt oder an Johann Arnd. Für einen tüchtigen Pfarrer, und man muß nur eine Sammlung von Pfarrerporträts jenes Jahrhunderts kennen, wie fest und klar geprägt ihr Antlitz war, bedeutete das keinen Schiffbruch. Nicht anders stand es mit dem 27jährigen Francke. In Leipzig wie in Erfurt war er nicht isoliert. Konnten sich unter den damaligen Pressionen kirchenpolizeilicher Art noch mehr Menschen zu seiner Arbeit bekennen, als es in beiden Städten zu konstatieren war? Viele taten das doch ungescheut und nahmen dafür auch die Konsequenzen auf sich wie z. B. Breithaupt. Ludwig Veit von Seckendorf, der für den Aufbau der neuen Universität Halle seinen Namen und seinen Einfluß zur Verfügung gestellt hatte, ließ Francke nach seiner Verdrängung aus Leipzig demonstrativ auf der Kanzel zu Meuselwitz in seiner Standesherrschaft predigen. Berufungsverhandlungen nicht auf Winkelposten sondern in bevorzugte Stellen liefen an. Spener in Berlin bemühte sich bereits um eine gute Position für ihn. Und doch bleibt die Frage bestehen, ob wirklich rein zufällig Francke diesen Bericht mitten im dramatischen Ablauf der Tage zu Erfurt zu Papier brachte. Die Ereignisse sind an ihm nicht spurlos vorübergegangen. Man kann das schon an seiner Handschrift feststellen, die sich jetzt ändert. Francke erlebte doch wohl eine Krise. Gustav Kramer hat in seiner Biographie »August Hermann Francke« 1880, 1. Bd. S. 65 gemeint: »Er trat damit in eine Periode seines Lebens, die recht eigentlich als die Prüfungszeit des neuen in ihm erweckten Glaubens bezeichnet werden kann. Denn kaum ist in der Geschichte der evangelischen Kirche ein zweites Beispiel planmäßig bitterer Feindseligkeit und ungerechter Verfolgung vorgekommen, wie sie Francke während der kurzen Zeit seiner dortigen Wirksamkeit erfuhr.« So wird der »Lebenslauff« mit dem Bericht seiner Bekehrung aus einer inneren Nötigung entstanden sein, gleichsam um in einer schriftlichen Fixierung der vier Jahre zuvor aufgebrochenen Lübecker Krise eine Art »Selbstvergewisserung«, eine

»Gegengewichtswiederherstellung« in der Bewältigung der Erfurter Dramatik vorzunehmen. Sie übernahm also in psychologischen Begriffen zu sprechen eine »Stabilisierungsfunktion«.

Nimmt man das an, so erhält die dreifache Betonung des »Nachher« nach der Lüneburger Bekehrung eine besondere Bedeutung. »Von der zeit her hat es mit meinem Christenthum einen Bestand gehabt und von da an ist mirs leicht worden zu verleugnen das ungöttliche Wesen . . ., von da an habe ich mich beständig zu Gott gehalten ... Von da an habe ich erkannt, was Welt sey.«

Das ist kein Selbstlob eines Rocher de bronze, der die Unerschütterlichkeit seines Königtums aus der eigenen Standfestigkeit erklärt, daß er sich von da an beständig zu Gott gehalten habe. Das war ein Geschenk wie die Bekehrung zu Lüneburg.

Wie fügt er dies jedoch in seinen »Lebenslauff« ein? Wenn es auch gewalttätig erscheint, bedient er sich dabei eines leicht erkennbaren Aufbauschemas, wie es uns in der Analyse einer puritanischen Autobiographienflut besonders entgegentritt. Das Schema ist vier- bzw. fünffach gestaffelt: eine ernsthafte Kindheit, dann eine sündige Jugend, schließlich Kampf und Versuch, eine angebliche Rechtschaffenheit zu legalisieren, um als Schlußpunkt die Illumination, die Bekehrung zu erfahren.

Auch das ist nicht das Letzte. Denn nun folgt die »Integration« in der völligen Neugestaltung des eigenen Lebens. Francke bleibt dabei: »Er erhörte mich plötzlich.« Sah er darin ein oder gar das Bekehrungsmodell schlechthin? *Seine Bekehrung bleibt ganz persönlich »individuell-autobiographisch«. Denn im gleichen Atemzug, in dem er seine plötzliche Bekehrung schildert, stilisiert er sie eben nicht zu einem Bekehrungsmodell. Er räumt ein, daß es ebenso »Mikrowandlungen« gibt.*

Die Wege Gottes, um Herzen für den Glauben zu öffnen, standen für Francke völlig frei. »Wir haben es der unausforschlichen Weisheit und Kraft Gottes anheimzugeben, auf welche Art und Weise er ... zu seinem Reiche bereit und tüchtig mache.« »Die Wiedergeburt geschieht auf eine verborgene Art und Weise, nämlich nicht äußerlich und daß sie in die Augen leuchte ... Wer sieht sie? Wer erkennt sie? Nach der Zeit findet sich's, daß die Menschen anders werden.« In seiner Wortverkündigung ging der Ruf zur Entscheidung unmittelbar in einen Zuspruch an die über, die im Glauben leben und bleiben wollten. Er vollzog in der Auslegung des Schriftwortes praktisch keine Einengung.

Und doch gewinnt seine eigene Bekehrungserfahrung für ihn und den Halleschen Pietismus eine systematisch-theologische Bedeutung. Der Ruf zur Entscheidung, daß auf die Dauer ein Christ nicht im Halbdunkel der

Entscheidungslosigkeit leben könne, ist der Kirche aufgetragen. Die Kirche seiner Zeit hat an Francke viel getadelt, nicht immer im Unrecht. Hier hat sie keinen theologischen Gegensatz gesehen. Valentin Ernst Löscher (1673–1749), der Francke am hartnäckigsten entgegenstand, hat seinen Sohn in Halle studieren lassen auf Grund dieses ungebrochenen Entscheidungsernstes der Hallenser auch nach August Hermann Franckes Ableben.

Francke hält beides fest: »Da Gott meine Seele angefangen näher zu sich zu ziehen, hat dieselbige einige Zeit gearbeitet in der Erkenntnis ihres Elendes, darein sie durch die Sünden gerathen ... Da habe ich erfahren, wie so gar alles unser Thun, Tichten und Trachten umsonst sey ... Da wirft sich wol, wie ein armer Wurm, auf die Erde hin, krümmet und bücket sich, saget Besserung zu, thut Gelübde, nimmt allerhand äußerliche Übungen vor, suchet Rat bey diesen und jenen, will sich durch die Heil. Schrift und gute Bücher helfen ... Die Sünde dränget das Hertz und treibet es zur Verzweiflung, daß man wol dencket, es sey doch alles umsonst und verlohren ... Denn, wenn unser lieber Vater im Himmel siehet, wie sich die arme Seele ängstiget ..., so gibet Er dann die Herrlichkeit des Evangelii ... der Seele empfindlicher zu schmecken ...« Und noch deutlicher: »So lange bei einem Menschen diese reale Veränderung in seiner Seele nicht vorgegangen ist, so lange ihm sein Herz nicht dergestalt durch den heiligen Geist ist umgeschmolzen worden, daß er seinen vorigen Zustand in der verderbten Natur nun mit dem Stande der Gnaden vergleichen kann, so lange sage ich, er diese Aenderung nicht wahrhafftig in seiner Seele erfahren hat ... so lange versteht er Lutherum nicht in allem dem, was hier von Gesetz und Evangelio gesagt wird.«

Francke konnte sich mit Recht auf die lutherische Predigt von Gesetz und Evangelium berufen. Die seelische Situation war gewiß eine andere. Die Generation, der Luther die göttliche Verheißung und die personale Annahme predigte, stand in der Versuchung einer Werkfrömmigkeit mit all der Trostlosigkeit, die ihr auf den Fuß folgte. Wenn Luther dann vom seligen Wechsel sprach, im Tausch von menschlicher Sünde gegen göttliche Vergebung, sagte er es Menschen, die um einen gnädigen Gott rangen. Der Mensch des 17. und des beginnenden 18. Jahrhunderts suchte elementare Lebenshilfe nicht zuletzt bei atheistischen Zweifeln, oder er war in einer noch christlich gesättigten Atmosphäre von der »Lässigkeit« bedroht.

Was tat die lutherische Orthodoxie zu Lebzeiten Franckes? Die ganze lutherische Praxis der Privatbeichte, die in Mittel- und Norddeutschland volkskirchlichen Zwangscharakter angenommen hatte, drängte eben darauf, den durch diese »Lässigkeit« bedrohten, gewiß getauften und in einer kirchlichen Atmosphäre sich bewegenden Christen zum Erschrecken zu bringen. Gewiß, aus dem erschrockenen Gewissen sollte ein getröstetes werden. Das war Sinn und Ziel der Predigt von Gesetz und Evangelium. In der lutherischen Orthodoxie galt nach ihrer ganzen harten Privatbeichtpraxis: »Ohne Heiligung kann niemand den Herrn sehen.« Wenn dieser letzte Ernst im Massenbetrieb der Kirche, wenn sich die Menschen zur Privatbeichte drängten, oft unterging und bei Predigern, die selbst recht anfechtbar lebten, nicht in den Vordergrund trat, dann geschah das im letzten Grund doch mit zwiespältigem Herzen. Wenn durch die Erweckungs- bzw. Entscheidungspredigt Franckes der getaufte Mensch wirklich in eine geistliche Bewegung und gut lutherisch in Gewissensängste geriet und nach Vergebung fragte, so blieb das im Rahmen der lutherischen Predigt von Gesetz und Evangelium. Welche unausgeglichenen Spannungsmomente mit dem Stichwort »Bekehrung« gegeben sind, hat sich im späteren Leben August Hermann Franckes sehr deutlich gezeigt. Die ganze Intention der orthodoxen Predigt innerhalb eines getauften Kirchenvolkes war nicht auf einmaligen Zusammenbruch, auf einen sich dramatisch steigernden inneren Gnadendurchbruch und auf Bekehrungserfahrungen angelegt, sondern auf das kirchliche Durchschnittsempfinden in einem Erziehungschristentum.

Es ist dann Zinzendorf gewesen, der die »Bekehrung« mit inneren Gewissensängsten und einem geschenkten Durchbruch »im Nu« und die Bekehrungserfahrungen selbst zurückstellte und auch dadurch eine lebenslange Gegnerschaft der Hallenser unter Franckes Sohn eintauschte, die ihm unendlich viel Schwierigkeiten eintrug. Bei ihm traten Dank und Freude, in die Nachfolge Christi gerufen zu sein, als Beschämte und nun Geborgene an die Stelle. War es nur eine Akzentverschiebung, um alles Ungesunde und Übersteigerte zu vermeiden? Doch *Francke konnte sich darauf berufen, daß auch nach der strengsten lutherischen Auffassung, welche die Rechtfertigung als einen rein forensischen (freisprechenden) Akt ansieht, die veränderte Relation zu Gott eine so kräftige Verwandlung der Lebensbedingungen bedeutet, daß das Leben im Verhältnis zum Gewesenen als gänzlich neu gelten kann.*

Noch ein Wort zur Geschichte seines »Bekehrungsberichtes«. Jürgen Henningsen weist darauf hin, daß Francke seine »Bekehrung« in die Nähe des Glaubenskampfes Jakobs gerückt habe, »als das grösseste arcanum und gewisseste Hülffs-Mittel in allem Falle zu recommendiren«.

Francke muß seine »Geschichte« im Kreise seiner Freunde, darüber hinaus aber auch unter seinen Schülern und vor seinen studentischen Hörern häufiger erzählt haben. Dabei treten konkrete Anklänge oder Hinweise auf seine Lüneburger Bekehrung allmählich zurück. Die »sachlich-systematischen« Hinweise stehen hier wie auch in seinen Predigten beherrschend voran. »Aber vierzig Jahre später bricht die sprachliche Gestalt der ersten Nachschrift von 1690/91 fast elementar wieder durch – vielleicht ein Beweis dafür, daß sie stets gegenwärtig gewesen ist.« Das läßt sich an dem Brief vom 23. März 1727 an Wallbaum belegen. Henningsen weist nach, daß Francke in den letzten Lebenstagen dreimal seine »Geschichte« erzählt habe, »wobei die ursprüngliche Version sich deutlich geltend macht«.

Nach seinem Tode ist seine »Bekehrungsgeschichte«, wenn auch nicht in Halle, öfters im Druck erschienen, sogar textgleich in englischer Sprache. Gotthilf August Francke soll sie nach dem Heimgang seines Vaters in einer paränetischen Lektion wortwörtlich vorgelesen haben. Dann scheint sie im Archiv der Halleschen Stiftungen unter Verschluß genommen zu sein. Gedruckt liegt sie im Wortlaut vor erstmalig in Halle in der hauseigenen Zeitschrift »Frankens Stiftungen« 1792 wie 1795.

Doch waren längst auch Einzelheiten aus dieser Bekehrungsgeschichte weit über Halle hinaus von Mund zu Mund weitergegeben worden. Vor allem ihre einzelnen Stationen: »Sündenerkenntnis, Sündenangst, Glaubenszweifel, Erlösungswunsch, ringendes Gebet, dann plötzliche Erleuchtung und Glaubensgewißheit, in der Gestalt eines kurzen, aber heftigen Bußkampfes und überraschenden Durchbruchs auf engen Raum dramatisch konzentriert«, werden in der Folgezeit prägend für die pietistische Bekenntnisliteratur. Immer wieder wird bei Selbstdarstellungen gern auf das hallesche Muster zurückgegriffen in vielfältigster Abwandlung, weithin nur in der Aufnahme des Aufbaugerüstes, wie es bei Francke zum Vorschein kam. So ist auch die deutsche Autobiographie ohne ihre Anfänge im Pietismus nicht darzustellen.

Neben dieser literarischen Wirkungsgeschichte steht die ganz unmittelbare im Einflußbereich des Halleschen Pietismus. Ungezählte bekennen gleiche Erfahrungen, wobei sich der Schematismus oft verstärkt und die Weite der Urteilskategorien August Hermann Franckes nicht mehr erkennbar wird. Andererseits tritt korrigierend auch ein anderer Ton in den Vordergrund, der Dank an die stets bewahrende Gnade Gottes, für »gnädige Führungen« durch die »hertzlenkende Hand Gottes«. Vorübergehende Krisen werden mehr flüchtig angedeutet. Es sind Selbstdarstellungen geworden, oder Augenzeugenberichte aus der Entstehungszeit des Halleschen Pietismus[5].

Doch zurück zur Biographie August Hermann Franckes! *Daß August*

Hermann Francke in Lüneburg in den seelischen Ablaufformen eines typischen Barockmenschen eine echte Begnadigungs- und Berufungserfahrung empfangen hatte, wurde in der lutherischen Orthodoxie nicht bezweifelt. Gottes Wirklichkeit hat sich dort dem jungen Magister mit ursprünglicher Gewalt aufgedrängt. Die Kräftigkeit dieses Gottesbewußtseins ist ihm zeitlebens nicht verloren gegangen. Ungeahnte schöpferische Kräfte wurden in ihm freigelegt.

Das alles mußte erst sein richtiges Maß gewinnen. Ein erster Überschwang ist unverkennbar. Die Verdrängung aus dem Vorlesungsbetrieb der Leipziger Theologischen Fakultät und dann aus dem Erfurter Pfarramt hat er mitverschuldet. Peinlicher war jedoch alles für die Orthodoxie, die sich noch viel mehr Blößen gab. Ihre Vertreter hätten klüger, besonnener und weniger fanatisch reagieren müssen.

Noch weilt Francke ein halbes Jahr in Lüneburg. Mit der ganzen Energie, die ihm eigen ist, wirft er sich auf das Bibelstudium. Philosophische Vorstudien hat er genug betrieben, in den dickleibigen Dogmatiken und in der Kontroverstheologie kennt er sich aus. *Seit dieser Lebenswende weiß er sich berufen, das Bibelstudium wieder in die Mitte des Lehrbetriebes zu stellen.* Für diesen Kampf, der Bibel wieder ihren gebührenden Platz in Haus, Schule und Kirche einzuräumen, rüstet er sich. Er will die Schrift aus dem Bann einer einseitigen dogmatischen Auswertung befreien. Die ganzen Übersetzungen, Lexika und Konkordanzen stellt er beiseite. Die Schrift will er selbst zum Reden bringen. Er entdeckt, daß die griechischen Ausdrücke im Neuen Testament erst völlig lebendig werden, wenn man den ganzen Reichtum der griechischen Sprache in der Fülle ihrer Ausdrucksmöglichkeiten überschaut. »Die sorgfältige Lektüre mannigfaltiger Profanschriftsteller ist die beste Konkordanz, die uns Sicherheit über die Eigenart der Sprache geben kann.« Er nimmt die griechischen Schriftsteller zur Hand, »bis er auf Grund scharfer Beobachtung der griechischen Sprache nicht fremden, sondern den eigenen Augen und Ohren trauen kann.« Er will sich durch die ganze erhaltene griechische Literatur durchlesen. Aus ihm noch nicht zugänglichen holländischen Forschungen erwartet er weitere Klärungen über Fragen des griechischen Urtextes des Neuen Testamentes.

Von Lüneburg her ist Francke von der Forderung einer unerbittlichen strengen sprachlichen Schulung der Theologiestudenten zeit seines Lebens nicht abgegangen. Er schneidet bereits in Lüneburg kühn die Frage einer Revision der Lutherbibel einschließlich der stehengebliebenen Fremdworte und der Verbesserung undeutlich gewordener Schriftstellen an, obwohl er hier ein heißes Eisen angreift.

Der Luthertext war damals weithin in den Nachdrucken verwildert. Doch niemand wagte noch dazu öffentlich darüber zu sprechen. Francke fühlt sich jetzt zum ersten Mal auch durch die Stipendiatenordnung der Schabbelschen Stiftung, die vor einem überflüssigen Sprachstudium warnt und den Erwerb des theologischen Doktorgrades verlangt, beengt.

Die nächste Station war Hamburg. Im neugegründeten Stadtteil, der Neustadt, waren in und nach dem Dreißigjährigen Krieg Tausende von Flüchtlingen angesiedelt worden. Die Pest hatte hier mehrmals furchtbar gewütet, doch die Lücken füllten sich rasch. Die vier Pfarrer der Michaeliskirche sind nicht mehr in der Lage, diese zuströmenden Massen kirchlich zu betreuen. Die religiöse Unwissenheit und Gleichgültigkeit unter dem zusammengewürfelten Volk ist erschreckend groß. Am 1. November 1688 erläßt der Hauptpastor an St. Michael, Johannes Winckler (1642–1705), ein treuer Freund Speners, einen Aufruf zur Gründung einer Bibelsozietät. Ein von ihm veranstalteter Bibeldruck liefert zehntausend Vollbibeln für Gemeinde und Armenschule. Selbst ein Neues Testament deutsch und griechisch gibt er in zwei Ausgaben heraus. Er erwartet von den gebildeten Lesern, daß sie aus Liebe zur Schrift die Mühe nicht scheuen, Griechisch zu lernen. Die zweimalige Auflage des griechisch-deutschen Neuen Testamentes spricht für den Erfolg. Bis zu Viertausend hören sonntäglich seine Predigten. In seinem Haus kamen Gemeindeglieder zur Bibelarbeit zusammen.

In Hamburg beginnt eine neue revolutionäre Wendung im Leben Franckes. Er wendet seine zusammengeballte Aufmerksamkeit inmitten einer sich unaufhaltsam entkirchlichenden Riesengemeinde der Kindernot zu. Er schart zuerst ganz privat Kleinkinder, selbst Fünfjährige und Vierjährige um sich, um die Grundformen religiöser Unterweisung auf der untersten Stufe zu studieren. Hier gewinnt er entscheidende und grundlegende Erfahrungen unter verwilderten Hafenkindern, wie an der Armenschule der Kirchengemeinde mit fünfhundert Knaben und Mädchen.

Die Schabbelsche Studienordnung verbietet die Schularbeit, aber Francke setzt sich durch. Zwei Tage vor dem Weihnachtsfest des Jahres 1688 trifft Francke in Leipzig ein. Eine Einladung Speners zu ihm zu kommen, offensichtlich durch den Hauptpastor Johannes Winckler veranlaßt, liegt für ihn vor. Von Haus ist Francke kein Pietist gewesen. *Auf seine Bekehrung haben keine Vertreter dieser spenerischen Frömmigkeitsbewegung irgendeinen Einfluß gehabt. Erst in der persönlichen Begegnung mit Spener gerät er in die Stromrichtung eines nüchternen und biblischen spenerischen Pietismus.*

Spener macht seinen Schwiegersohn, Professor D. Rechenberg in Leipzig, auf Francke aufmerksam. Francke beginnt eine ausgedehnte Vorlesungstätigkeit, mit Studenten auch eine Übung in deutscher Sprache über den Titusbrief. Er liest über den Philipperbrief, dann über den Epheserbrief, die Korintherbriefe folgen. Anton liest über das Johannesevangelium. Im Paulinum darf er in den Sommerferien Vorlesungen vor über 300 Studenten halten. Alle griechischen Neuen Testamente sind bald vergriffen. Ruckartig setzt eine Abwanderung aus den anderen Vorlesungen der Professoren ein.

Eine Erweckung bricht aus unter den Theologiestudenten. Damals galt als rechtes Kennzeichen eines Studenten: viehisches Saufen, Balgen und Raufen, Prellen der Bürger und Dirnenverkehr durch Studenten aller Fakultäten hindurch. »Dreißig Lebensregeln zur Bewahrung des Gewissens und guter Ordnung in der Conversation oder Gesellschaft« gibt Francke heraus. Der wohlerzogene Sohn eines Staatsrates will seinen Mitkommilitonen helfen, erst einmal zuhören zu lernen. Diese Gabe hat Francke auch in sich entwickelt. Gegen vierzigtausend Briefe im Francke-Archiv belegen noch heute, welch ein großer Seelsorger Francke geworden ist. Es sind harte Thesen, die sich aus den Vorlesungen Franckes herausschälen. Grundsätzlich denken viele der Professoren nicht anders[6].

Johann Benedikt Carpzov sieht nur den Überschwang, der unverkennbar wird. Der »geruhige Zustand der Fakultät« ist gefährdet. Carpzov spricht nicht mit Francke, er zeigt ihn in Dresden an. Zum Unglück weiß Carpzov, daß Spener in Ungnade gefallen ist. Die Philosophische Fakultät versucht Francke zu schützen. Es kommt zu förmlichen Inquisitionsverhandlungen wegen Irrlehre. Sie füllen schließlich sechs stattliche Bände, die später Spener noch in Dresden kopfschüttelnd liest. Einige der Fragen beleuchten die ganze damalige Situation, »ob er meinte, daß die Leute nicht genug von ihren vorgesetzten Lehrern und Predigern unterrichtet würden?« »Ob er bishero zu etlichen gemeinen Leuten ins Haus gegangen und sie daselbst unterrichtet habe?« »Ob er das Gesinde unterrichtet habe?« »Ob Francke nicht unter freiem Himmel gepredigt habe und ein Gelübde getan, jeden Sonntag eine Predigt abzulegen.« Schließlich unterschiebt man Francke, er habe einen Leineweber aus Magdeburg einen Bruder in Christo genannt. Er verneint es: »Aber ich halte dafür, daß die Beschreibung Christi, Matthäus 12,50, wer den Willen meines Vaters tut, der ist mein Bruder ... nicht nur den gelehrten Doctoribus, sondern auch den geringsten Laien zugutekomme.« Staat und Kirche im Zeitalter der Orthodoxie haben kein Verständnis für die neue Bewegung. Warum kommen so viele Menschen aus den verschiedensten Gemeinden in die

Stadt- oder Landkirchen, wenn Francke predigt? Ob das wohl organisiert würde? Francke kann mit gutem Gewissen das verneinen.

Hier zeigt sich, was auch später Francke kennzeichnet, ein harter Wille, keine Konzessionen zu machen. Er wendet sich an Christian Thomasius (1655–1728), den vierunddreißigjährigen Hochschullehrer und Advokaten. In seinen »Kecken Monatsgesprächen«, in seiner in deutscher Sprache erscheinenden Zeitschrift, hat er manchen Angriff gegen die ganze damalige verzopfte Gelehrsamkeit geritten und eine radikale Universitätsreform gefordert. Jetzt aber glaubt er eine neue Entdeckung gemacht zu haben: In der erstarrten Kirche erblickt er ein neues Papsttum. Mit dem von Francke gelieferten Material geht er in seinem Rechtsgutachten zum Frontalangriff über. Er nimmt die Zensierungsmethodik der mittelalterlichen Inquisitionsbehörden vor und mit der Fülle dort entwickelter Abstufungen: ketzerisch, bedingt ketzerisch, mißverständlich, zweideutig usw. zerpflückt er die Fragen der Fakultät, nur viel stürmischer, mit Hohn und sarkastischem Witz gespickt, um alles lächerlich zu machen. In einer eigenen Apologie deckt dann auch der Magister Francke die ganzen Unregelmäßigkeiten des Verfahrens auf und erhebt sich zur grundsätzlichen Kritik am ganzen theologischen Studienbetrieb.

Spener hat wohl das Richtige getroffen, wenn er meint, Francke hätte Alter und Ansehen der im öffentlichen Amt stehenden Lehrer mehr schonen müssen. Seine harte Einseitigkeit und Unerbittlichkeit hat ihm aber das freie Gelände verschafft, das er späterhin brauchte, um nicht von seinen orthodoxen Gegnern erdrückt zu werden.

Hier zog er den Kürzeren. Die Fronten brechen schon in Leipzig auseinander, die für Jahrzehnte erstarren sollten. Daß Franckes Gegner, ihm überlegen an Lebenserfahrung und Alter, nicht das erforderliche Maß an Ruhe und Überlegenheit aufbringen konnten, so stark sie auch von den Ereignissen in Mitleidenschaft gezogen worden sind, wirkte sich verhängnisvoll aus. *Erst durch eine unversöhnliche Orthodoxie entsteht überhaupt eine gesonderte pietistische Volksbewegung.* Die Leipziger Vorgänge signalisieren dies. Dr. Gloxin bittet seinen Vetter, doch Leipzig zu verlassen, weil Carpzov ihn förmlich herausdrängt und die ganzen Vorgänge in seiner Sicht in allen Himmelsrichtungen breitmacht, um die Kirche vor dem neuen Feind zu warnen.

Veit Ludwig von Seckendorf läßt Francke in seiner Patronatskirche predigen. Er selbst hat später zur Feder gegriffen, um die Sache des Pietismus zu verteidigen. Der achtungsvollen Zuneigung dieses bedeutenden älteren Mannes ist er gewiß. Herzog Friedrich läßt Francke in der Gothaer Hofkirche predigen. Ob er überhaupt ein Pfarramt nach den bitteren Erfahrungen in Leipzig annehmen solle? Zweimal führt ihn seine Reise nach Erfurt. Dort begegnet er wieder Breithaupt. Beide Männer haben in Kiel im gleichen Haus gewohnt, am gleichen Tisch gesessen und sind Schüler Kortholts gewesen. Für den erkrankten Professor Breithaupt muß er fünfmal in der Stadt predigen. Inzwischen erhält Francke auch ein Berufungsschreiben auf eine Diakonatsstelle am Wurzer Dom. So geschlossen ist die Front der Orthodoxie nicht mehr, so rücksichtslos sie auch gegebenenfalls die kirchenpolizeilichen Maßnahmen einsetzt.

Gewiß ist weithin das Kirchenzwangssystem, das im großen und ganzen die vollständige Einheit des religiösen Denkens und die Gleichförmigkeit im Ausdruck des kirchlichen Lebens damals forderte, von den Vertretern der Orthodoxie nicht als eine persönliche Unterdrückung empfunden worden. Sorgfältige Schutzbestimmungen gegen alle Fremdeinflüsse sollten ein einheitliches kirchlich-religiöses Leben beschirmen. Kirche und Staat sind eine enge Verbindung eingegangen, daß Rechtgläubigkeit und Untertanengehorsam sich decken. Die Gemeindekirche war das natürliche Zentrum der Gegend und der Gemeindepfarrer als Wächter und Förderer der Sitten nahm praktisch obrigkeitliche Aufgaben wahr. Diese starke kirchliche Umrahmung drohte der Pietismus zu sprengen. Die ganze Größe der Gefahr, die ein »mechanisiertes Kirchentum« in der Zeit der heraufziehenden Glaubenskrise für die Kirche bedeuten muß, haben sich die orthodoxen Männer nicht deutlich gemacht. Sie waren sich nur einig an den Hochschulen und in der Kirche, daß den »unreifen Studenten« an der Universität wie den »unreifen Bürgern« alle Konventikel auf den Stuben und biblische Kollegs zu verbieten sind.

Ehe diese Konventikelgesetze, die Versammlungsverbote in Leipzig ausgesprochen werden, ist Francke nach Lübeck gereist. Sein Onkel Dr. Gloxin ist gestorben. Durch Carpzov dem Lübecker Superintendenten D. Pfeiffer als Ketzer hingestellt, darf er in der Stadt nicht predigen. Doch zwei Amtsbrüder bitten ihn auf ihre Kanzel. D. Pfeiffer wettert am nächsten Sonntag gegen ihn. War Francke vorher nur ein Gast und Fremdling gewesen, so betritt sein Fuß die Stadt seitdem nicht mehr. Ein leiser Schmerz durchzittert die Erinnerung.

Man ruft Francke zur Ablegung einer Gastpredigt an die Erfurter Augustinerkirche. Das Einverständnis des geschäftsführenden zweiten Stipendiatendirektors erhält er. Wenn er hier zusagt, verliert er jedoch das reiche Schabbelsche Stipendium von 180 Talern und tauscht dafür ein jährliches Gehalt von nur 70 Gulden ein. Daß ihn in Erfurt Anfeindungen erwarten, ist ihm klar. Mit Frühjahr 1690 enden die von August Hermann Francke im Alter selbst zusammengestellten Lebensnachrichten. Für den weiteren Lauf seines Lebens sind wir auf die in großer Fülle vorhandenen Briefstöße aus seiner und seiner Freunde Hand, auf seine Predigten und Schriften, wie Teile eines Tagebuches angewiesen.

Die Geistlichen Erfurts wissen über die Leipziger Vorgänge, daß er von der angesehenen Theologischen Fakultät abgelehnt ist. Parteiungen bilden sich. Doch die Kirchengemeinde der Augustinerkirche wählt ihn einstimmig. D. Breithaupt muß gegen den Widerstand der Mehrheit der Stadtgeistlichen seine Einsetzung erzwingen. Wenn merkwürdigerweise ein Laie, der Bruder des zürnenden Leipziger Professors, Johann Benedikt Carpzov, bekannt als Polyhistor, Ratsherr und Baumeister entschieden für Francke eintritt, es geht trotzdem nicht mehr gut. Francke unterschreibt einen Revers über seine Rechtgläubigkeit. Doch er wird von allen Seiten beobachtet. Predigtdienst und Unterweisung der Kinder im Gotteshaus und Krankenbesuche sind seine Hauptobliegenheiten. Doch die Katechismusübungen vor Kindern und Erwachsenen, in denen er die gehörte Predigt durchnimmt, werden ihm untersagt. Bei den Einladungen in Bürgerhäuser zu Tisch kommt es zu religiösen Gesprächen. Er geht auch zu Einladungen in Häuser, die nicht zu seinem Sprengel gehören.

Hier fällt für ihn eine neue folgenreiche Entscheidung. Er achtet keine Gemeindegrenzen mehr. *Wenn sich ein Mensch mit einer seelsorgerlichen Frage an Francke wendet, gibt es für ihn keine Grenzen und Zäune der Parochialeinteilung.* Er weiß sich von Gott zum Dienst gerufen. Er bezieht sich dabei auf das Naturrecht in seiner Begründung.

Damit beginnt das Unheil. Die Orthodoxie hat mit Leidenschaftlichkeit ihre bewährte Parochialordnung als ein entscheidendes Glied einer Selbstverteidigung hochgehalten. Doch das ließ sich im gesetzlichen starren Sinn nicht aufrechterhalten. Die Aufklärung warf ihre deutlichen Schatten bereits auf die orthodoxe Kirche. Als sie vollends heraufzog, fragte niemand mehr nach Parochialgrenzen. Die Stillen im Lande setzten sich unter die Kanzeln, wo sie Glaubenshilfe fanden. Die Pfarrer selbst lebten jeder für sich, eine umfassende Gemeinsamkeit mit den anderen Geistlichen bestand nicht mehr und wurde auch kaum gesucht.

Es ist ein tragischer Vorgang, daß die starre kirchliche Zwangsordnung, die keine innergemeindlichen und übergemeindlichen Zusammenschlüsse zugestehen kann, schon wenige Jahrzehnte danach einfach unterspült wird in der Aufklärungszeit. Keine Gesetze und äußeren Schutzmaßnahmen halfen dann mehr.

In Erfurt und auch späterhin, als Francke nach Halle gerufen wurde, griff man noch zu unchristlichen Mitteln und nach der Polizei. Die ganze Schwere der Bevormundung der Staatskirche von oben und die Unbeug samkeit einer unbeweglich gewordenen Theologie, die die neue Situation nicht verstand, haben verheißungsvolle Möglichkeiten einer Laienbewegung in und nicht gegen die Kirche, von Württemberg und dem rheinisch-westfälischen Reformiertentum abgesehen, nicht erkannt. Doch das zwingt wiederum damals Männer wie Philipp Jakob Spener, August Hermann Francke, Justus Breithaupt, den Senior in Erfurt, Veit Ludwig von Seckendorf und andere zusammen. Sie wissen, daß für die neuen Gedanken, zur Verpflichtung zur Völkermission, zur Bibelverbreitung, zur Schaffung eines gemeinevangelischen Bewußtseins, das Rufen nach einer Ökumene einer durch alle Landeskirchen laufenden Gesinnungs- und Opfergemeinschaft bedarf und sich hier niemals alle Getauften wie Amtsträger zur Verfügung stellen werden. Hier gibt es für sie kein Zurück.

Die wenigen evangelischen Dozenten an der kleinen Universität Erfurt verlieren fast alle Studenten an Francke. Er läßt sich Bibeln senden. Der Rat läßt einige der ankommenden Pakete öffnen. Die polizeilichen Maßnahmen gegen ihn laufen. Von den vierzehn Stadtgeistlichen stehen neun gegen fünf, die für Francke votieren. Seine Vorlesungen werden ihm untersagt. Breithaupt, der unentwegt für ihn eintritt, muß schließlich auch Erfurt verlassen. Schmähschriften wie z. B. »wider den verführerischen Lehrmeister Magister August Hermann Francke und sein pietistisches Gift« erscheinen. Francke werden vom Rat »die täglichen und nächtlichen Einschleichungen in die Häuser, zumalen außer seiner Pfarre ... bei Strafe der Dienstentlassung« verboten. Für fortgesetzte Vorlesungen hat er 20 Taler zu zahlen. Unter Ausschaltung widersprechender Glieder, unter ihnen Hiob Ludolf, der berühmte Sprachgelehrte, wird durch den Rat die Entfernung Franckes aus seinem Amt beschlossen. Am 27. September 1691 weicht Francke der Gewalt und verläßt Erfurt. So endet der erste Pfarrdienst eines Achtundzwanzigjährigen. Professor Breithaupt entgeht einer Maßregelung, da er am 25. September dem Rat mitteilen kann, daß er als Konsistorialrat des Herzogtums Magdeburg und als Professor der Theologie nach Halle berufen sei. Er gedenke am Michaelisfest seine Abschiedspredigt zu halten. Als ihm kurzerhand jede Predigttätigkeit untersagt wird, verläßt er am 14. Oktober 1691 Erfurt. Die orthodoxe Partei der Rechtgläubigkeit verkrampft sich immer mehr gegenüber den pietistischen Kreisen, die doch mit ihr in der Kirche leben. Die Parochialordnung, die den einzelnen Kirchenchristen damals an diese Grenzen band, wenn er nicht ehrlos, infam und vogelfrei sein wollte, war an sich eine gute Ordnung im Kirchenkörper, nur nicht als ein Zwangsinstrument. Der katholische Christ war hier weit freier. Bei aller Bindung an seine Pfarrgemeinde konnte er sich den Beichtvater seines Vertrauens selbst wählen.

Es mußte kirchenrechtlich gesehen nicht immer der Ortspriester sein. Er konnte in einer Klosterkirche oder an einem Wallfahrtsort vor dem Beichtstuhl knien. Wallfahren ging er mit der Gemeinde. Aber man traf sich dann mit Hunderten und Tausenden. Die Gemeinsamkeit mit anderen katholischen Christen ergab sich auch bei den großen Diözesanfesten im bischöflichen Dom. Seinen Bischof sah und hörte man. Man konnte sich unter die Kanzel berühmter Prediger setzen ohne Mißtrauen im eigenen Pfarrsprengel zu erregen. Mochte das auch oft die Eifersucht des eigenen Pfarrherrn erregen.

Die Möglichkeit übergemeindlicher Zusammenkünfte war in den lutherischen Staatskirchen nicht zu finden. Zur Privatbeichte konnte man nur den Beichtstuhl des Ortspfarrers aufsuchen, denn zum Abendmahl war man nur in der Ortskirche, wo man bekannt war, zugelassen. Erst die Aufklärung lockerte den starren Zwang. Die Gemeinde mußte nicht unmittelbar hinter dem Ortsgeistlichen stehen. Die Geistlichen, in der Aufklärung keine geistliche Obrigkeit mehr, waren in den großen ländlichen Gebieten oft einem Patrimonialismus ausgeliefert. Die Stellenbesetzung durch den Adel wurde oft zu einem schäbigen Pfründenhandel. Die etwaige Mätressenheirat konnte zur Anstellungsbedingung erklärt werden. Die kärglich dotierten Landpastoren wurden gegen Ende des 18. Jahrhunderts oft in lähmender Weise vom adligen Patron oder der Bauernschaft abhängig.

Der ausgewiesene Francke ohne Amt wird in der Übergangszeit, die folgt, von manchen Seiten getröstet. Dazu gehört die schöne Adelheid Sibylle, mit der er als Student Griechisch und Hebräisch getrieben hat. In Lübeck inzwischen mit einem Künstler verheiratet, sammelt sie dort einen Erbauungskreis, dem auch die Witwe des Bürgermeisters Dr. Gloxin angehört, der so verstehend den bisherigen Lebensweg seines Neffen begleitet hat, freilich argwöhnisch vom Stadtsuperintendenten beobachtet. Adelheid Sibylle gehört zu den weissagenden Frauen, die in einer von großen seelischen Spannungen erfüllten Zeit auf eine gefährliche enthusiastische Bahn gedrängt werden. Sie hat fest an die nahe Wiederkunft Christi und den Einbruch des Tausendjährigen Reiches geglaubt. Da war Anna Maria Schacht in Erfurt, deren Visionen Gottes Gericht und die Ankunft des Herrn ankündigen, der eine Zeitlang Francke und Breithaupt, sogar Thomasius kritiklos gegenüber gestanden haben. Die Ernüchterung ließ nicht auf sich warten. Adelheid Sibylle ist früh gestorben. Ihr Töchterlein Candida Benedikta nahm Francke in sein Haus auf[7].

In Halle ist eine neue Universität im Entstehen. Man ist dabei, die Hallesche Ritterakademie in eine Universität umzuwandeln. Sie ist als eine

Konkurrenzuniversität zu den streng lutherischen Universitäten Wittenberg und Leipzig von dem brandenburgischen reformierten Kurfürsten Friedrich III., dem Landesherrn auch für Spener, ins Leben gerufen worden. An die Theologische Fakultät ist bereits Breithaupt von Erfurt her berufen worden. Vermittler ist hier Spener gewesen, der seit dem 14. Juni 1691 in Berlin amtiert. Spener hat auch für Francke vorgearbeitet. Ein Tag zuvor, ehe Francke Erfurt verlassen muß, wird in der kleinen Amtsstadt Glaucha, deren Straßen direkt vor den Mauern Halles auslaufen, der Ortspfarrer nach dem Gottesdienst verhaftet. Im Beichtstuhl habe er angeblich einem Mädchen eine unsittliche Zumutung angetragen. Sein Leumund war nicht gut gewesen, so machte man ihm einen kurzen Prozeß und lochte ihn auf der Feste Giebichenstein ein. Man denkt in Berlin an Francke. Inzwischen bietet ihm der Leibarzt des Herzogs von Weimar die Stelle eines Hofpredigers und Prinzenerziehers auftragsgemäß an. Breithaupt ist doch schneller gewesen und hat veranlaßt, daß Francke nach Berlin eingeladen wird. Inzwischen liegt für Francke noch eine Anfrage aus Coburg vor. Man sucht dort einen neuen Stadtpfarrer, dem auch das Lehramt eines Theologieprofessors am akademischen Gymnasium zufällt. Spener ist über alles orientiert. Nun zögert man in Berlin nicht mehr, nachdem er in Berlin vielmals auch vor den leitenden Beamten des Staates gepredigt hat. Am 7. Februar 1692 betritt Francke die Stadt Halle. Hier muß er jedoch zuerst noch einen harten Kampf ausfechten, der sich auf über zehn Jahre ausdehnte. Ihm war gleichzeitig mit der Berufung auf die Pfarrstelle in Glaucha, um ihm ein regelmäßiges Gehalt zu sichern, eine Professur für orientalische Sprachen an der neuen Universität, aber ohne Gehaltsbezüge verliehen worden.

Als Francke in Halle erschien, war es, als ob sich aller Widerstand der lutherischen Orthodoxie gemeinsam mit den renitenten Landständen auf ihn zu konzentrieren suchte, um den Pietismus endgültig niederzuzwingen. Mit Ausnahme von Brandenburg-Preußen wurden überall die Pietisten bedrängt und ihrer Führer durch Landesverweisung beraubt. Das sollte nun auch hier in einem Exempel statuiert werden.

Die Stadt Halle und die Landstände wollten für die Universität nicht einen Taler geben, als sie hörten, daß Pietisten die Lehrstühle der Theologischen Fakultät einnehmen werden. Nach der großen Pest im Jahre 1682 auf 1683 war in Glaucha nur noch jeder dritte Einwohner übrig geblieben. Die Stadt Halle und auch Glaucha standen am Rande einer Zahlungsunfähigkeit.

Schmähschriften gegen Francke erschienen, Spitzel besuchten Frankkes Gottesdienste. Die eigene Gemeinde wurde gegen ihren neuen Pfarrer aufgewiegelt, der offenbare Ehebrecher und Säufer nicht ohne weiteres zur Beichte zulassen wollte, der also nicht mehr in Bausch und Bogen alle absolvierte. Von den mächtigen Landständen unterstützt verlangte man vom Kurfürsten die Abberufung von »Francke und Konsorten« wegen Irrlehre und Störung des Kirchenfriedens.

Es tritt jedoch ein, was nicht vermutet wurde, ein Bündnis zwischen dem preußischen Absolutismus unter Friedrich III. mit dem halleschen Pietismus, der schon in Berlin von Spener vorbereitet war. Es erfolgt ein gemeinsamer Kampf gegen die konservativen Mächte in der Kirche und in der Gesellschaft, gegen die Orthodoxie, die adligen Landstände und die Zünfte. Was hat jedoch den preußischen Staat bewogen, die Schutzherrschaft über die sich schnell ausweitende Arbeit August Hermann Franckes zu übernehmen, ungeachtet der nicht ungefährlichen Widerstände im eigenen Lande? Warum hat sich Preußen nicht den Unterdrückungsmaßnahmen gegen den Pietismus in anderen Territorien angeschlossen? Was bewog den Pietismus, auf dieses Bündnis einzugehen und wo waren die Gemeinsamkeiten zu suchen? Hat sich der hallesche Pietismus bei aller Dankbarkeit dieser Schutzmacht gegenüber eine Freiheit gewahrt, in Gewissensfragen auch politisch »unzeitgemäß« handeln zu können? Auch die andere Frage weitet den ganzen Rahmen: Mit welchen Kräften haben der frühe preußische absolutistische Staat und der hallesche Pietismus für die Umwandlung Deutschlands von der Adels- zur Bürgergesellschaft mitgewirkt?[8]

Was gewann der hallesche Pietismus durch dieses Bündnis mit dem Staat? *Er hätte sich ohne staatliche Stützung auf die Dauer nicht gegenüber den heftigen Angriffen der Orthodoxie halten können.* Gegenüber der eigenen Tendenz, der Kirche im Staat einen größeren Spielraum einzuräumen, den Zusammenhang zwischen Staat und Kirche zu lockern und der Einzelgemeinde einen größeren Spielraum einzuräumen, ist Francke schließlich für Zentralisierung, Vereinheitlichung und Stärkung des absolutistischen Regiments nicht nur in der Kirche sondern auch in Kultur und Rechtspflege eingetreten. Francke vertrat tatsächlich bei der Abwehr seiner Gegner die extremste Akzentuierung des »Territorialismus«, die dem Landesherrn kraft seiner landesherrlichen Stellung das Recht über die äußere Ordnung der Kirche zugesteht neben einem Bereich kirchlicher Selbständigkeit.

Der reformierte Hof erhielt dagegen einen Helfer im Pietismus bei der Schwächung der lutherischen Orthodoxie, der geistigen Hausmacht des gegen den Berliner Absolutismus verschworenen lutherischen Landadels. Der Pietismus hat tatsächlich einen Beitrag zur Versöhnung des reformierten Herrscherhauses mit den lutherischen Untertanen durch eine Verbreitung des Toleranzgedankens geleistet. Hier ist für die weitere Geschichte und den Fortgang des Pietismus in Deutschland eine wesentliche Weichenstellung erfolgt.

Wenn auch in Deutschland nach dem Dreißigjährigen Krieg sich ein wohlhabendes, religiös und politisch selbstbewußtes Bürgertum langsam zu sammeln begann, so konnte doch der Pietismus in seiner Anfangszeit, so sehr er eine Angelegenheit des Bürgertums in den größeren Städten wie Frankfurt, Leipzig, Hamburg und Augsburg zu werden schien, nicht durchsetzen. Durch die feindselige Stellung der Stadtmagistrate ging diese erste bescheiden anlaufende reichsstädtische bürgerliche Phase des Pietismus rasch zuende[9].

Doch im letzten Jahrzehnt wurde deutlich, daß die Hauptgegner des pietistischen Reformprogramms inzwischen die orthodoxen Pfarrer waren. Sie hetzen das Volk auf, der Magistrat begann nur zögernd mitzuziehen. Die weltlichen Amtsträger in Dresden zur Zeit der Tätigkeit Speners zeigten bereits, daß sie anders zu denken begannen. Der aus Erfurt ausgewiesene Francke erhielt Anfragen von Weimar und Coburg. Es wären noch andere gefolgt, wenn nicht Berlin schnell zugegriffen hätte.

Das massive Eingreifen der Berliner Regierung zugunsten der Theologischen Fakultät und für August Hermann Francke dauerte volle zehn Jahre. Dann erst sah die orthodoxe Stadtgeistlichkeit Halles, die sich mit den Magdeburger Landständen verband, ein, daß sie weder Francke noch Breithaupt noch Anton aus Halle verjagen konnten. In dieser turbulenten Zeit traten sie alle vor und das war zugleich ein Stück Kirchen- und Sittengeschichte: Geistliche, Ratsherren, die Bürgerschaft und auch der Pöbel; »ein buntes, oft grelles Bild der Zustände jener Jahre. Da wird gepredigt und demonstriert, gedroht, gehetzt, gescholten und auch geprügelt. Pamphlete werden verfaßt, dem Gegner ins Haus geschickt oder verteilt«. Der Adel stand geflissentlich im Hintergrund.

Unter den Geistlichen herrschte allgemeines Mißtrauen: »Die einen hatten Kollegen im Verdacht, sie hegten allerlei schwärmerische Neigungen, die anderen lehnten den Vorwurf ab, fanden aber damit nicht immer Glauben. Sie machten sich das Leben schwer, stritten um die Lehre und vergaßen die brüderliche Liebe. Man war noch konfessionell und lehrhaft lutherisch bestimmt.« Der Pietismus und nach ihm die Aufklärung wurden als unerhörte Neuerung empfunden und mußten Lehrstreitigkeiten unter den Pastoren hervorbringen, was immer eintritt, wenn andere als die herrschende Richtung sich nicht unterdrücken lassen wollten.

Das erlebte Francke handgreiflich in Leipzig, in Erfurt, vorher in Lübeck und nun in Halle, eben überall, wo sich der Pietismus zeigte. Tatenlos wollte er nicht mehr zuwarten. Er setzte zum schärfsten Gegenangriff an, als es zum Endkampf ging. Bereits am 14. August 1698 hielt er eine Predigt »Von den falschen Propheten«, die auf die hallesche Geistlichkeit gemünzt war. Er brachte sie sofort zum Druck, daß seine Gegner sie gründlich lesen konnten.

Die herrschende Nachlässigkeit der orthodoxen Partei in Halle in ihrem kirchlichen Dienst mußte er anprangern. Von 1695 an strömen aus der gesamten Stadt Halle Kinder, vor allem Armenkinder, nach Glaucha in seine Schulen. Aber nicht ein einziger Taler kommt von den Kirchen der Stadt, obwohl die Hallenser Kirchenkassen damals Kapitalien anhäuften. Sie scheinen nur darauf zu warten, daß der Gabenstrom aussetzt und Francke die Studenten und Kinder wieder wegschicken muß. Das läßt ihm keine Ruhe. In seinem »Bekenntnis vom Ministerio zu Halle in Sachsen« vom 27. April 1699, einem kulturhistorischen Dokument besonderen Ranges, enthüllt er rücksichtslos unter Anführung konkreter Beispiele, unter Namensnennung der Stadtgeistlichkeit den ganzen Verfall des Halleschen kirchlichen Lebens. Die Analyse ist von einer so gnadenlosen Wahrhaftigkeit und deckt alles so schonungslos auf, daß in Berlin selbst der Präsident des Generalkonsistoriums, Geheimrat von Fuchs und auch Spener zu der Überzeugung gelangen, dies sei kein Weg. Man hielt dort den Atem an, daß Francke so rücksichtslos sein konnte. Es war jedoch nicht egoistische Rechthaberei. Es ging um Sein oder Nichtsein seines Werkes für arme Studenten und arme Kinder und daß niemand für ihn in die Lücke treten würde.

Er wie seine Nachfolger haben niemals im Sinn gehabt, das Werk in Glaucha bei Halle an den brandenburgisch-preußischen Staat auszuliefern. Francke erreicht es, daß seine Halleschen Stiftungen sich selbst verwalten konnten und autonom der leitende Direktor des Werkes bei Lebzeiten seinen Nachfolger designieren konnte. Damit war die Anstalt jedem direkten Zugriff des Staates entzogen. So sehr auch später die Stiftungen für den brandenburgisch-preußischen Staat arbeiten, ihren ökumenischen und weltweiten Spielraum behielten sie.

In dieser Richtung lag auch die wichtigste Frage des preußischen Königs Friedrich Wilhelm I. an Francke bei seinem ersten Besuch 1713 in Halle: »Was hält Er vom Kriege?« Franckes Antwort: »Ew. Majestät muß das Land schützen, ich aber bin berufen, zu predigen: Selig sind die Friedfertigen.«

Zurück zu den Jahren vor 1700. Nach diesem Vorgeplänkel arbeitete er im Mai 1700 einen Plan zur Bildung einer aus Theologen und Juristen zusammengesetzten »Generalkommission« aus. Sie sollte der Berliner Regierung die geeigneten Vorschläge liefern, um endlich Ruhe in diese Streitigkeiten zu bekommen. Da sollte für alle brandenburgisch-preußische Provinzen von oben her eine einheitliche Rechts- und Kirchenordnung geschaffen werden. Unumgänglich wäre auch eine Beseitigung bzw. eine drastische Beschneidung des Kirchenpatronats der adligen Standesherrschaften wie der städtischen Magistrate. Im Herzogtum Magdeburg vor allem müßte die Regierung durch fremden und nicht durch einheimischen renitenten Adel besetzt werden. Dem käme dabei zu, die entsprechenden und bewährten Männer zu bestimmen.

Der brandenburgisch-preußische Staat zog nur langsam nach. Bis 1713 bot er den Pietisten Schützenhilfe vor allen Angriffen. *Als 1705 eine Krise eintrat, gelang es August Hermann Francke, den Kronprinzen, den späteren König Friedrich Wilhelm I. für Halle zu gewinnen.* Erst nach dem Regierungsantritt Friedrich Wilhelm I. im Jahre 1713 erfolgte eine wirklich durchgreifende Änderung[10]. Im Todesjahr Franckes 1727 bestimmte er, daß alle Pfarrer, die in seinem Reich unterkommen wollten, ein Jahr in Halle studiert haben mußten. Schließlich kam die ganze Militärseelsorge in die Hände der Schüler Franckes. Sie halfen entscheidend mit, daß aus einem zügellosen Söldnerhaufen eine disziplinierte Armee geschaffen wurde. Ein letzter Schritt war die Aushöhlung des adligen Kirchenpatronats. Die Abhängigkeit der Kirche vom Landadel wurde ausgetauscht mit der Abhängigkeit vom Staat, die weniger drückend war. Die staatliche Verwaltung saß weit weg vom Schuß im Unterschied zur Adelsherrschaft dicht im Dorf. Zumal auch der aufgeklärte Absolutismus sich selbst Zügel anlegte gegenüber einer im Adel nicht immer unterdrückten Willkürlichkeit, die oft Pfarrer und die Bevölkerung voll traf. So war in klug abgewägten Schritten von der Regierung alles erreicht, was Francke bereits im Jahre 1700 vorgeschlagen hatte. Nur bei dem Bemühen der Berliner Regierung, eine reformierte Professur der Theologie in Halle anzugliedern, stieß sie bei der Theologischen Fakultät auf eisernen Widerstand. Auch Spener hatte immer abgewinkt und auf spätere Zeiten hingewiesen, wenn Unionsgespräche auf die Tagesordnung gestellt werden sollten.

In diesen Jahren der wilden Entschlossenheit seiner Gegner, ihn nicht aufkommen zu lassen, begann August Hermann Francke sein großes pädagogisches Aufbauwerk. Zuerst ging freilich alles schief. Das Schulgeld, das er den Armenkindern gab, um die Stadtschule zu besuchen, nahmen sie an. Doch in die Schule gingen sie nicht. Als er dann eine eigene Schule gründete, fehlten die Lehrbücher. Der Unterricht war kostenlos, die Lehrbücher wurden angeschafft und den Kindern mitgegeben. Die Kinder verkauften sie. So kam er nicht vorwärts. Ein Internat für Waisenkinder und für verwahrloste Kinder wurde gebaut. Aus diesen bescheidenen Anfängen hat sich nach und nach das ganze große Hallesche Werk entwickelt, das Weltruhm erlangen sollte.

Als Pfarrer, der über die Not der Bettelkinder und Waisen einfach nicht hinwegsehen konnte, wurde er durch eine erste große Gabe von 4 Talern und 16 Groschen dazu getrieben, sich der Kindernot und bald darauf der Studentennot anzunehmen. Er gehört zu den charismatischen Persönlichkeiten, denen bei jeder Not, die ihnen begegnet, immer noch etwas einfällt. So wagte er es im Jahre 1695, ohne jeden amtlichen Auftrag, allein im Vertrauen auf Gott, das alles zu beginnen. Dank seiner glänzenden Begabung, die er in eisernem Fleiß in Hamburg und dann in Erfurt entwickelt hatte, wuchs das kleine Schulwerk rasch empor. Von allen Seiten strömten dem begabten Pädagogen die Schüler zu. Aus Hunderten wurden Tausende, Knaben und Mädchen. Eine ganze Schulstadt mit einer Fülle neugeschaffener Schularten entstand. Was ihm europäischen Ruhm eintrug, war nicht allein dieser unbedingte Wille, auf neuen Wegen im Sinne der Bildungsbegeisterung des Jahrhunderts, das zu Ende ging und eines neuen, das hier noch aktiver wurde, der Kinder- und Bildungsnot zu begegnen. Noch stärker wirkte, daß Francke selbst ein gegenwartsnaher Mensch war, der den Menschen seiner Zeit verstand. Es war ein Geschlecht, das den überlieferten Autoritäten nicht mehr recht traute und selbständig in den Werkstätten experimentierte, um auf der »via experimentalis« sich Gewißheit und Wahrheit zu verschaffen suchte.

Durch die seine Zeitgenossen erschreckende Radikalität, mit der er auf jede finanzielle staatliche Unterstützung verzichtete, kein Stiftungskapital suchte oder feste Einnahmen für sich zu buchen suchte, sondern »allein vor der Tür seines himmlischen Vaters anklopfen wollte«, zwang er seine zweifelnden Zeitgenossen zum Aufhorchen. In seinem kleinen Büchlein »Von den Fußstapfen des noch lebenden und waltenden, liebreichen und getreuen Gottes durch den ausführlichen Bericht vom Waisen-Hause, Armen-Schulen und übrigen Armenverpflegung zu Glaucha« von 1701 hat er seine Erfahrungen mit dieser seiner Methode, an keines Menschen Tür bittend anzuklopfen, berichtet. Der Bericht ist nüchtern geschrieben und verschweigt nicht die Stunden, als die Kassen leer waren. Man hat dann von der persönlichen Habe ins Leihhaus gebracht, was entbehrlich war. Aber eindringlicher waren die vielen offensichtlichen Gebetserhörungen zur Stunde der größten Not. Damit schockierte er viele Zeitgenossen. *Er zeigte ihnen, daß es jedem freisteht, nach Johannes 7,17 die Tragkraft der neutestamentlichen Zusagen selbst auszuprobieren*[11]. So erfolgte in diesem Zusammenhang in seinem Werk die Gründung der Cansteinschen Bibelgesellschaft (1710), welche die im Pietismus aufbrechende Bibelbegeisterung, die mit der vordringenden Bibelkritik Schritt hielt, ungemein förderte[12].

Wir gehen wohl kaum fehl, wenn wir feststellen, daß August Hermann Francke hier für seine Zeit das zu leisten suchte, was der Verkündigung immer aufgegeben ist, den Menschen dort zu suchen, wo er wirklich daheim ist. Luther hat das unermüdlich betont, daß die Gottesvorstellung des Menschen immer durch seine äußere, konkrete Erfahrung geprägt wird. Die Verkündigung jeder Zeit hat nach den heimlichen Abgöttern ihrer Generation zu fragen und sie mit der Wahrheit des Evangeliums zu konfrontieren.

Man wird Franckes Bemühen, dem Menschen des Barock in seiner besonderen Situation inmitten der europäischen Bewußtseinskrise zu begegnen, beachten müssen. Er wußte, daß er auf der einen Seite vom praktischen Atheismus bedroht war, und daß seine Gottesvorstellung vom »fernen Schöpfergott« unmittelbar mit seiner äußeren und konkreten experimentellen Erfahrung und Weltzugewandtheit zusammenhing. Denn er suchte vorwiegend die experimentelle Vergewisserung. Hier wollte Francke einen Beweis des Geistes und der Kraft liefern, wie es später auch Lessing vom Christentum forderte. Jedenfalls hat Francke mit seinem Christentum provozierend gewirkt und Unzähligen wieder Mut gemacht, mit Gott zu rechnen.

Das war der entscheidende Grund, daß sich um Francke ein weiter Freundeskreis innerhalb und außerhalb des deutschen Sprachraumes scharte, der ganz spontan entstand. Unter dem Adel wie unter dem aufstrebenden Bürgertum, auch im armen Volk, entstand diese Bewegung. Zugleich setzt ein Besucherstrom in Halle ein. Selbst Juden ließen sich durch die Schulstadt führen.

Jedenfalls hat August Hermann Francke konkrete religiöse Fragen seiner Zeit konkret beantwortet durch sein berühmtes Hallesches Werk.

Nur auf entscheidende Vorgänge kann hingewiesen werden. *Francke hat als erster in Deutschland die verhängnisvolle Verbindung des Waisenhauses mit dem »Armen-, Arbeits- und Zuchthaus« unterbrochen und die praktische Ächtung des Waisenhauses als Brutstätte frühen Kindersterbens beseitigt.* Das geschah durch die Einführung moderner hygienischer Maßnahmen nach dem holländischen Vorbild. Der Fluch seelischer Verkrüppelung zugleich wurde beseitigt. Wo man hier Francke nicht folgte, blieb später der Aufklärungsgesellschaft nichts anderes übrig, als sie schleunigst aufzuheben[12a].

Luthers Ruf nach Mägdleinschulen war in der Not des Dreißigjährigen Krieges untergegangen. Einer gehobenen und modernen Mädchenschulbildung hat Francke Bahn gebrochen. *In seiner Schulstadt zählte man täglich unter 2300 Kindern 1000 Mädchen.* Das erste Mädchengymnasium wurde in Halle, wenn auch mit mäßigem Erfolg gegründet. Damit wurden dem weiblichen Geschlecht hier erstmalig alle Bildungsmöglichkeiten bis zur Hochschulreife langsam geöffnet.

Die armen Studenten konnten durch einen täglichen zweistündigen Unterricht in Franckes Schulstadt ihr Studium mitfinanzieren und wurden nicht ausgenützt. Die begabtesten Lehrerstudenten sammelte Francke in seinem »Seminarium Selectum Praeceptori«, und schuf damit die Anfänge einer geordneten Lehrerbildung in Deutschland. Das Bildungsprivileg der höheren Stände brach Francke, indem er begabte und vielversprechende »Armen- und Waisenkinder« bis zum Hochschulstudium führte. Gewiß geschah das damals auch in Köln, in Hamburg, in Braunschweig, in Ulm. Doch hier in Halle geschah es ausdrücklicher, weil eine weite Öffentlichkeit das zur Kenntnis nahm[13].

Im Jahre 1706 befanden sich von den 96 Waisenkindern, die aus den elendsten Verhältnissen stammten, sechzig auf der Lateinschule. Dort galt derselbe Lehrplan wie auf der Standesschule des Adels, dem »Pädagogium Regium«. Was andernorts zufällig geschah, war bei Francke ein klares Programm. *Sein Erziehungssystem versuchte, »die Stände auf friedlichem Wege einander anzunähern und zu versöhnen.«* Gegen den Widerstand der Orthodoxie und der Zünfte sollte jedem Kind, auch dem unehelichen, jede Bildungsmöglichkeit seinem Charakter und seiner Begabung entsprechend offen stehen, um es zu einem »nützlichen Mitglied der menschlichen Gesellschaft und zu Christen mit sozialem Verantwortungsbewußtsein« heranzubilden[14].

Was kümmerte es ihn, daß die Orthodoxie ihn als Nachfolger Thomas Müntzers anschwärzte, der mutwillig die von Gott besetzte Ständeordnung zu zersetzen suchte!

Den Adligen sagte er, daß Standesunterschiede vor Gott nicht gelten und Gott die Herzen wägt. Die Lehrer sollten in den jungen Adligen nicht »Junker und große Herren« vor sich sehen, sondern ihnen zeigen, daß christlicher Glaube sich darin bewähre, daß die Herren den Geringen helfen. Viele pietistische Adlige haben der bloßen Repräsentation den Abschied gegeben, haben Manufakturen eingerichtet und aus dem Reingewinn z. T. Waisenhäuser unterstützt oder ihn Francke zur Verfügung gestellt. Man findet jetzt diesen pietistischen Adel in bürgerlichen Berufen, in der preußischen Verwaltung, im Heereswesen, unter den Juristen. *Aus dem »Pädagogium Regium« in Halle ging ein hoher Prozentsatz des preußischen Beamten- und Offizierskorps hervor. Der preußische Staatssozialismus hat seine stärksten Kräfte aus dem Pietismus bezogen.* Allgemein gilt, wo sich der Adel dem Pietismus öffnete, bahnte sich die Verbürgerlichung und Entfeudalisierung des Adels mit zuerst an.

Das was Comenius als moderne Reform des Schulwesens an Plänen entwickelt hatte, wurde hier realisiert. Die erste Schulsternwarte, das »astronomische Observatorium«, eine Lehrmittelsammlung, die »Naturalienkammer«, eine mechanische Werkstatt, ein botanischer Garten wurden eröffnet. Die Schüler wurden regelmäßig zu den Handwerkern der Stadt Halle geführt, um ihnen ein Bild von ihren späteren Berufen zu ermöglichen. Der Werkunterricht wurde eingeführt und in einem rhythmischen Wechsel zwischen theoretischem und anschaulich-praktischem Unterricht und der sogenannten »Rekreation« im gestrafften Tagesablauf alle Langeweile vom Schulbetrieb entfernt.

Wenn man nicht dem Fehler verfällt, diese Schulmethoden auf moderne Leisten zu ziehen und den zeitbedingten Zuschnitt mit all seinen Einseitigkeiten einrechnet, so war hier vieles revolutionär. So konnten sich die Schüler ihre Unterrichtsfächer ihrer Begabung gemäß selbst frei wählen, jedoch nur drei Fächer gleichzeitig. Die notwendigen Grundvoraussetzungen für fortführende Kurse mußten vorliegen. »Epochenunterricht, äußerste Konzentration und ständige Wiederholungen sind Kennzeichen dieser neuen Methode. Der ganze Mittwoch und Sonnabend diente ausschließlich der Repetition.« Es gab nur ein Fachsystem, kein starres Klassensystem. Je nach der vorgewiesenen Leistung in den einzelnen Fächern war es dem Schüler möglich, sich an Kursen von stärkeren Ansprüchen anzuschließen.

Von den Armenkindern wie Waisenkindern lernte jedes ohne Ausnahme Lesen, Schreiben, Rechnen, Physik, Astronomie, Geographie, Geschichte und die Landespolizeiordnung. In den Lateinschulen kamen dazu die Fremdsprachen wie die klassischen. Im »Pädagogium Regium« der Adligen wurden dazu noch Französisch, Botanik, Arzneikunde, Anatomie, Werkunterricht im Glasschleifen, Drechseln und Pappverarbeitung betrieben. Für den Sprachunterricht verwendete man auch ausländische Zeitungen und übte fleißig das Parlieren.

Genial in dieser Ausrichtung waren 1. die planmäßige Anleitung zur Selbsttätigkeit und Selbständigkeit der Schüler. Ältere Kinder sollte man »allmählich zur größeren Freiheit kommen lassen«. 2. Die ganze Schulzeit lag bei Francke nicht als lebensfremder Einschnitt zwischen spielerisch-zweckfreier und einsichtsvoll-zweckbestimmter späterer Berufsausbildung, sondern die Schüler der Franckeschen Schulen traten nac Ende der Schulzeit »nicht ins Leben«, weil sie sich nie aus ihm entfer hatten.

Eine Wissenschaftsfeindlichkeit läßt sich Francke dabei schwerlic überzeugend nachweisen, denn er suchte nur eine menschlich-überhebl che Wissenschaft abzuwehren. Sein Kampf galt nur den negative Begleiterscheinungen einer an sich guten Sache. *Franckes Arbeits- un Berufspädagogik verstand sich als institutionalisierte Propädeutik de künftigen Arbeitswelt, in die die Schüler hineingingen.* So gründe Francke mit seinen Schulen zugleich Wirtschaftsinstitute, eine Papierfa brik, eine Buchdruckerei, eine Apotheke, landwirtschaftliche Betrieb formen, nicht nur, um den Bestand seiner Schulen damit zu sichern, son dern um zugleich die Schüler in eine Arbeitswelt einzuleben, in der sie sic später einmal bewegen und bewähren sollten. Bildungsplanung und Wir schaftsplanung zielten in die gleiche Richtung. Sie fügten sich in die beste hende wirtschaftliche Struktur ein, zersprengten sie nicht, schoben si aber langsam auf eine höhere Ebene[15].

Manches war streng, zu streng in der Erziehungsmethode, geformt vo einer pietistischen Askese. Sie bewegte sich in auffälliger Nähe zu den calvinistisch-neustoizistischen Geist, der das Preußentum damals mi formte und groß gemacht hat. Die langen Fronten der Halleschen Stiftun gen, das Waisenhaus in seinem bewußten Herrenhausstil ausgenommen erinnern unwillkürlich an einen zu Stein gewordenen preußischen Stil de Schlichtheit, der Zucht, der Zweckmäßigkeit, der gesammelten Konzen tration auf das Wesentliche[16]. Und doch wird alles falsch verstanden ohn die große Liebe zu den Kindern, ohne den Willen, die Sache der Arme und Entrechteten, der Bedrohten und Versäumten, »gemäß dem Evange lium vom kommenden Gottesreich zur Sache der Christenheit zu ma chen«. Diese geschlossene Grundkonzeption wird durchgehalten. Da zeigt sich nach allen Seiten.

Das hemmungslose Prügeln z. B., das bis ins 19. Jahrhundert da Schulwesen allgemein mit charakterisierte, war in den Stiftungen unter bunden. Ein Spielverbot bestand nicht, wohl eine Spieleinschränkung, di nur für die Internatsschüler und die Waisenhauskinder wirksam war Diese Kinder sollten aber viel Bewegung haben, um so Krankheiten z verhindern. Am Ziel der Ausflüge durften sich die Kinder frei bewegen nur »nicht schreien, noch ungeziemende Dinge ausüben wie sich balger oder schleudern«. Oft wurden die Kinder zum Baden an die Saale geführt Man war stolz darauf, daß im Gegensatz zu vielen Badeunfällen andern orts keines der anvertrauten Kinder ertrank.

Der Wille der Kinder sollte nicht gebrochen werden, sondern nur der auf-ässige, mit dem das Kind selbst nicht zu Rande kam. Der Religionsunter-icht stand im Mittelpunkt des Unterrichtes. Die Bekehrung war nicht das Jnterrichtsziel. Sie konnte nicht künstlich anerzogen werden. *Francke hat ei einer Epidemie an Schülerbekehrungen in der Anstalt sich nicht gefreut, ondern sehr nüchtern hier eine psychische Ansteckung eingerechnet.* »Es st weder der pflanzt, noch der da begießt, etwas, sondern Gott, der das Gedeihen gibt.« Daß der Mensch geformt werden kann, diese Überzeu-ung teilte Francke mit der ganzen Aufklärung. Später hat Francke, an chweren Enttäuschungen reich, hier sehr nüchtern gedacht.

Er hat erhofft und erbeten, daß innerhalb des Halleschen Werkes, in lem viel Glauben investiert wurde, eine christliche Erziehung eine be-ondere Verheißung besitzt, die auf »Gottseligkeit« und »christliche Klugheit« hinzielt.

Die radikale Bindung an Gott, als »Gottseligkeit«, als Urgeborgenheit erstanden, soll sich im Leben in einer »christlichen Klugheit« auswirken. Die von Gott geschenkte Begabung ist zu entwickeln. Die »christliche Klugheit« achtet auf die Führung Gottes, wo sie eingesetzt werden soll. Dazu gehört »Gelassenheit«, daß man zu warten versteht, bis Gott den Weg und die Aufgabe erkennen läßt. Dann darf nicht mehr gesäumt wer-len, sondern die »kostbare Zeit« ist auszukaufen.

Alle Wissensanhäufung findet hier ihren eigentlichen Zweck. Eine be-ondere Festkultur mit regelmäßigen großen Schulfesten der über 2000 Kinder, dann aber auch kleine Überraschungen für jedes Kind, die wö-hentlich nicht fehlen, sollen allen die Schulstadt zu einem Stück Heimat verden lassen. Es wurde viel gesungen und im Pädagogium der Adligen nusiziert. Man wird nicht übersehen dürfen, daß Francke vor einer säku-arisierten Wissenschaft, die die Welt aus sich heraus zu erklären und zu beherrschen suchte, nicht zu kapitulieren bereit war. Alle aufbrechenden neuen Kräfte sollten sich in den Dienst des christlichen Glaubens stellen und bewähren. *Ein vorbildliches Arbeitsethos, gestaltet durch unermüdli-chen Fleiß, Begeisterung am naturwissenschaftlichen Experimentieren und alles in christlicher Dienstgesinnung, sollte in seinen Stiftungen sichtbar und für seine Zeit eine Wegweisung werden, damit sich Christentum und Wis-senschaft nicht gegenseitig entfremden*[17].

Was vor August Hermann Francke Männer wie Johann Arnd, Johann Valentin Andreä und Comenius auf ihre Weise versucht haben, um nur die Gestalten zu nennen, die ihn tief beeinflußt haben, Christentum und Wissenschaft partnerschaftlich zu verbinden, hat er damals auf seine Weise auszusprechen versucht. So viele Einflüsse auch auf ihn eingewirkt

haben, die Sozial- und Kirchenkritik und Reformbestrebungen der soge
nannten »Reformorthodoxie«, aus der er selbst kommt, all diese Anre
gungen formen sich bei Francke zu einer einheitlichen Konzeption, dere
großer Zug unverkennbar ist, wo er sie auch aktiviert. Es kam bei ihr
nicht nur zu einer Entdeckung der diakonischen Aufgabe der Kirche
sondern auch zu einer Entdeckung der notleidenden evangelischen Dia
spora, zu einer Entdeckung der weltweiten Bruderschaft aller Christen
und ihrer Missionspflicht an den afrikanischen und asiatischen Völkern
die damals erst voll in den Gesichtskreis Europas traten. *Daraus entwik
kelte sich ein Dienst an der Diaspora, ein Dienst in zwischenkirchlichen
Arbeitsgemeinschaften und ein unmittelbarer Missionseinsatz in Indien
und Nordamerika. Das alles ist neu im deutschen Protestantismus.*[18]

Methodisch ist es nicht leicht, die einzelnen Arbeitsfelder zu trennen
auf denen sich der sehr realistische und aktivistische Hallesche Pietismus
unter Franckes Führung eingesetzt hat. Wenn er auch je nach Gunst ode
Ungunst der Lage die verschiedenen Einsatzgebiete ändert, so lassen sich
auch hier gewisse Grundzüge feststellen.

Nur Schüler und Studenten stehen Francke zur Verfügung und doch
wachsen ihm hier die begeisterten und opferbereiten Helfer zu, die e
braucht. Durch eine Elite von Schülern überspannt Francke die evangeli
sche Welt mit einem Netz von Stützpunkten und Anstalten, die von dem
gleichen Helferwillen beseelt sind.

Die Hallesche Diasporahilfe wird im Donauraum wohl zuerst aktiv. Die
Habsburger haben hier den Protestantismus nach dem Dreißigjährigen
Krieg in der Gegenreformation fast ganz zusammengeschlagen. In Böh
men bestehen keine lutherischen, calvinistischen, keine ultraquistischen,
keine brüderischen Gemeinden mehr, weder unter den Deutschen noch
unter den Tschechen und Slowenen. Bedroht ist das evangelische Kirchenwesen in Siebenbürgen und Ungarn selbst. Doch fristen – hier legal,
dort illegal – eine immer noch recht ansehnliche Zahl von protestantischen Gemeinschaften im Donauraum ihre Existenz, die zum Teil sogar
ein blühendes Leben entfalten. Es waren zwei Umstände, die ihnen zugute kamen, das »Auslaufen« zum Gottesdienst, wo er noch möglich war
und das andere Mittel, in der Diaspora das zu stärken, was zu sterben
drohte, durch das geschriebene und gedruckte Wort. Angesichts der ständigen Konfiszierung war der Bedarf an evangelischen Schriften unendlich. Hier setzte sich Francke ein. Über alle Einzelvorgänge sind wir nicht
unterrichtet. Seine Liebe gilt Böhmen. *Ohne Zögern übernimmt er die alte
Tradition illegaler Methoden bei der Einschmuggelung protestantischen
Schrifttums.* Eine Menge tschechischer Schriften werden in Halle ge-

druckt. 1705 erscheint ein tschechisches Neues Testament, 1715 folgt das tschechische »Wahre Christentum« Arnds, 1722 liegt die tschechische neue Bibel vollständig vor. Daneben werden handliche Flugschriften pietistischen Inhalts hergestellt, bis 1723 gegen 49 000, und über die Grenzen geschmuggelt. Selbst im Diplomatengepäck pietistischer Gesandtschaftsprediger und anderer zuverlässiger Personen werden wertvolle evangelische Bücher verstaut. Der größte Mäzen Böhmens damals, der kaiserlich-böhmische Statthalter, der mit Francke in Verbindung stehende Graf Sporck, ließ z. B. ein in Dresden repariertes mechanisches Musikgerät mit evangelischen Flugschriften vollstopfen und so nach Böhmen zurücktransportieren.

Im Blick auf Ungarn erwächst Francke in Matthias Bél (1684–1749) die stärkste Kraft, später einer der größten Gelehrten Ungarns. Er war 1704 in den Rakosziaufstand verwickelt und zum Tode verurteilt worden, dann doch begnadigt und nach Halle gekommen. Er wird zu Franckes Vertrauensmann für alle Hilfe, die nach Ungarn und Siebenbürgen geht. Es kommt auch zu streng vertraulichen Absprachen zwischen Francke und dem menschenhungrigen brandenburgisch-preußischen Staat, man rüstet sich auf eine große Einwanderungswelle aus dem Donauraum. Unaufhörlich sickern protestantische Tschechen nach Brandenburg-Preußen. Pietistische Grafenhäuser in Oberschlesien bilden eine Kette von Unterstützungspunkten für die Exulanten. Nach dem Ringen um die religiös erregte tschechische Seele und einer bewußten Unterstützung ihrer Sprecher, die auch mit revolutionären Zielen arbeiten, ist besonders die Hilfe für die Salzburger denkwürdig. So gelang es dem Halleschen Vertrauensmann in Süddeutschland, dem Augsburger Senior Samuel Urlsperger (1685–1772) mühelos, über 20 000 Salzburger nach Brandenburg-Preußen zu lenken und eine zweite Gruppe im gleichen Jahr 1732 über London nach Nordamerika auszusiedeln, von Halle aus unter dem Nachfolger August Hermann Franckes, seinem Sohn Gotthilf August Francke (1696–1769) gelenkt. Den bedrohten evangelischen Gemeinden in Schlesien, die von einer konstanten Gegenreformation bedroht waren, konnte August Hermann Francke selbst zur Hilfe kommen. Als der Schwedenkönig Karl XII. (1697–1718) nach seinen Siegen über Rußland und Polen, durch Schlesien nach Sachsen zog, baten ihn die Schlesier kniefällig um Beistand in ihrer Glaubensnot. Francke kam ihnen dabei zu Hilfe. Er ließ sich bei dem König melden, der im Schloß von Altranstädt – zwischen Halle und Leipzig – Quartier genommen hatte, und machte ihm konkrete Vorschläge für Verhandlungen mit Kaiser Joseph I., dem Herrn Schlesiens.

Francke war über Schlesien bestens unterrichtet. Das Ergebnis der Konvention von 1707 war die Rettung des evangelischen Kirchenlebens in Schlesien: nicht weniger als 113 Kirchen mußten die Katholiken sofort zurückgeben. Sechs Gnadenkirchen durften gebaut werden. Die größte Gemeinde in Teschen besaß die fast unmöglich zu erfüllende Aufgabe, gegen 60 000 evangelische Oberschlesier, größtenteils polnischer Sprache, die, auf einen Umkreis von Tagesreisen, in kleineren Gruppen verstreut lebten, zu versorgen. Hier hat der Hallesche Pietismus viel getan. Francke vermittelt mehrsprachige Geistliche, deren Erweckungspredigten bis ins tschechische und slowakische Sprachgebiet hineinwirken. Dadurch wird ein starker Hunger nach christlichen Erbauungsschriften geweckt. Teschen wird ein Ausgangspunkt für ihre Verbreitung. So wurde von Halle in elastischer und zielbewußter Weise jede Hilfsmöglichkeit aufgegriffen. Im Grunde war es zumeist Hilfe für einzelne pietistische Stützpunkte in diesen Gebieten und behielt ganz persönliche Züge. Die Diasporahilfe Franckes wollte immer ganz persönliche Unterstützung sein, nicht wirtschaftlicher Art, die fast völlig zurücktritt, wenn man nicht an die Bücherspenden und an die berühmten Halleschen Medikamente aus der Waisenhausapotheke denkt, die damals im Rufe von Wundermitteln standen. Man kümmerte sich um alle Vertrauensleute, die z. T. in Halle studiert hatten, wenn sie dann in ihrem Land oft auf einsamem Posten standen. Für solche, die sich müde gearbeitet hatten, stellte Francke als Altersversorgung die Beleihung mit Pfarrstellen innerhalb der brandenburgischen Kirche oder in Territorien pietistischer Grafschaften sicher[19].

Daneben trat die Nachrichtenvermittelung aus der weiten »Reichsgottesarbeit«, um die oft schwer umkämpften Halleschen Vertrauensleute zu ermutigen. Ihre Söhne und Töchter fanden notfalls Zuflucht in der Halleschen Schulstadt, um dann nach einem abgeschlossenen Studiengang wieder in die angestammte Heimat zurückzukehren.

Schließlich gerät Francke auf das Feld der großen Politik. Rußland trat plötzlich unter Peter dem Großen in die europäische Politik. Es bedrohte zuerst die schwedische militärische Großmacht, die, von der diplomatischen Kunst und durch das Geld Frankreichs gestützt, das Vordringen Rußlands am Ostseerand zu blockieren hatte. Die Gegenspieler England, Dänemark und Brandenburg-Preußen näherten sich dagegen behutsam auf diplomatischer Ebene der neuen Großmacht im Osten. In dieser Situation bahnte bereits 1695 ein deutscher Diplomat in englischen Diensten, Heinrich Wilhelm Ludolf (1655–1712) eine Verbindung mit Halle an. Der Londoner Geheimrat, ein bedeutender Sprachgelehrter, hatte für den Westen die erste Grammatik der russischen Sprache geschaffen und war auf dem Weg nach Moskau, um zu sondieren.

Ludolf war ein überzeugter Pietist. Er leistete seinen diplomatischen Dienst im Geist des pietistisch-philadelphischen Bruderschaftsgedankens. Es ging dabei auch um die Wiederbelebung des ökumenischen Gesprächs mit der orthodoxen Kirche, zu der einige ihrer Würdenträger aufgeschlossen war. Die lutherischen Fremdengemeinden in Moskau und andernorts sollten hier Gesprächsbrücken bilden. Für die Jugend dieser Diaspora, aber auch für das russische Geistesleben war es ein Markstein in ihrer Geschichte, daß der Freund Franckes, der Propst Ernst Glück, mit anderen Halleschen Theologen 1703 das erste akademische Gymnasium in Rußland, die zaristische Moskauer Ritterakademie, eine Vorläuferin der 1725 in Petersburg gegründeten Akademie der Wissenschaft, aufbaute[20].

Im Baltikum, das russisch wurde, kam es zu einer Verbindung pietistischer deutscher Geistlicher mit deutschen Baronen, aber nicht mit der deutschen Stadtbevölkerung, denen die große Not der ihnen untertänigen estnischen und lettischen Leibeigenen deutlich gemacht wurde. Von Halle aus wurde bereits 1706, als das Baltikum noch schwedisch war, eine Übersetzung des Neuen Testamentes ins Estnische vorbereitet, die erst in der russischen Zeit 1725 gedruckt wurde. Dadurch wurde das Estnische zur Schriftsprache. Auch die Letten kamen zu einer Bibel in ihrer Sprache[21].

Peter der Große selbst hatte durch Pietisten, die er in Moskau kennengelernt hatte, Interesse für das große Hallesche Schulwerk gewonnen. Seit 1698 dokumentierte der erste Besuch eines Russen den Anfang einer Fühlungnahme des Zaren mit Francke. Seine Gattin Katharina hat einmal inkognito die Stiftung besichtigt. Wenn wir nach konkreten Ergebnissen dieser nach dem Osten gerichteten Diasporaarbeit Franckes suchen, so ist die Gegenfrage möglich: Was wäre aus dem Kryptoprotestantismus in Böhmen geworden, wenn nicht in entscheidenden Jahrzehnten der Hallesche Pietismus ihm selbstlos beigestanden hätte? Das gleiche gilt für die estnische und lettische Kirche. An der Bibel und dem pietistischen Erbauungsgut rankte sich hier auch ein neues völkisches Selbstbewußtsein hoch. *Eines wird noch deutlich: eine so weitgespannte Tätigkeit vermochte Francke nicht ohne Zustimmung politischer Stellen aufzubauen, noch dazu in einer Zeit ausgesprochener Geheimdiplomatie.* Francke fand hier an einer der Nahtstellen der damaligen Weltpolitik das volle Vertrauen der betroffenen Regierungen Brandenburg-Preußen, England und Rußland.

Schließlich verdient noch ein denkwürdiger Einsatz Franckes im Osten

Erwähnung. Die Schweden hatten im Sommer 1709 die furchtbare Niederlage bei Poltawa erlitten. Das ganze schwedische Heer, 20 000 Soldaten, 1600 Offiziere und über 8000 schwedische Frauen und Kinder fielen den Russen in die Hände. In dem wohl dunkelsten Jahr für diese Kriegsgefangenen, im Jahre 1712, brach in Tobulsk, der neuen sibirischen Hauptstadt, von der aus seit 1681 die Missionierung Sibiriens durch die russische Kirche in Angriff genommen wurde, eine Erweckung unter den schwedischen Gefangenen aus. Am 21. Juli 1713 berichteten neun schwedische Offiziere an Francke. Nun setzte eine Liebestätigkeit von Halle aus ein. Francke schrieb viele seelsorgerliche Briefe und versorgte die Freunde mit Geld, Medikamenten und Schriften. Wie ein Lauffeuer eilte die Kunde von dieser Erweckung durch Deutschland.

Die erweckten Offiziere begannen unter der heranwachsenden schwedischen Lagerjugend, unter deutschen und russischen Kindern eine bescheidene Schularbeit im Halleschen Geist. Schließlich wurden in vier Städten Kinder unterrichtet. Das russische Schulwesen, das damals im Ausbau war, hat hierdurch viele Anregungen erhalten. In solchen Pionierzeiten sind erste Modelle oft von ausschlaggebender Bedeutung. Die heimkehrenden schwedischen Soldaten – die letzten zogen 1722–1724 heim, trugen den Keim der Erweckung nach Schweden. Unvergessen blieb auch, daß Francke den geordneten Briefverkehr zwischen den heimwehkranken Gefangenen und ihrer Heimat durch seine baltischen Freunde in Moskau, Minister des Zaren, einleiten und sichern konnte.

Franckes ökumenische, die Diaspora sammelnde, den Christenglauben ausbreitende Tätigkeit, war auch nach dem Westen gerichtet. Bereits mit Westdeutschland, dem Mutterboden deutscher Geschichte, fühlte sich Francke aufs Engste verbunden. Die Reise ins »Reich«, die er nach seinem Rektorat an der Universität Halle 1717 antrat, war wohl einer der Höhepunkte seines Lebens. Trotz gelegentlicher Anfeindungen glich diese Fahrt durch hessisches Gebiet, vor allem durch Schwaben und Franken, einem Triumphzug. Unterwegs predigte er unentwegt in überfüllten Kirchen. Von jener Reise an datiert der steile Anstieg im Absatz seiner Schriften. Allein im Jahre seiner großen Rundreise sind 77 900 Predigttraktate, bei Durchschnittsauflagen von 1500 bis 5000 Stück je Einzelpredigt, ausgegeben worden. Bis 1723 steigerte sich der Gesamtumsatz auf eine halbe Million Schriften, darunter 350 000 Predigtteile. Seit der intensiven Flugblattverteilung der Reformationszeit ist es wieder die erste große Schriftenverbreitung in Deutschland.

August Hermann Francke fühlte sich als Europäer. Es gab damals ein intensives gesamteuropäisches Bewußtsein. In Westeuropa, in Amerika unter der weißen Bevölkerung Südafrikas besaß er Freunde, die ihm regelmäßig Nachrichten zukommen ließen, daß er bereits 1703 wagen konnte, an die Herausgabe der ersten Zeitung in Brandenburg-Preußen zu denken. Sie hielt nach ihrer Privilegierung, was sie versprach, weltweite Informationen zu liefern.

Junge Theologen aus Halle gingen auf Franckes Veranlassung in die Niederlande. Auch er selbst begab sich zweimal in seinem Leben nach Holland, dem Musterland der vorzüglich eingerichteten sozialen Wohlfahrtseinrichtungen, der Altersheime, der Krankenhäuser und Waisenhäuser, deren Sauberkeit und sanitäre Einrichtungen die noch unerreichten Vorbilder für das ganze Abendland bildeten. Zwischen den zahllosen Erwecktenzirkeln in den Niederlanden und Halle bahnten sich enge Beziehungen an. Doch alles blieb sporadisch. Holland wurde zum wichtigsten Durchreiseland für die weitgreifenden Beziehungen, die sich nun auch mit England boten.

Immer sind es persönliche Beziehungen nahestehender Männer, die Francke den Weg bahnen. Wahrscheinlich hat der Londoner Geheimrat Ludolf auch den ersten Anstoß zu einem streng vertraulichen Briefwechsel zwischen dem Erzbischof von Canterbury, D. Tenison und Francke gegeben. Der Erzbischof bat um den Aufbau eines Halleschen Schulwerkes in London. Der erste Versuch zweier junger Lehrer Franckes, Wigers und Meders, gelang nicht recht. Inzwischen war am 8. März 1699 die Society for Promoting Christian Knowledge von prominenten Laienmitgliedern der Church of England gegründet worden, die einer jener Religious Societies entstammten, die aus der religiösen Erweckung der Jahre 1678/79 entstanden waren. Der Society gelang es inmitten der Großstadt London, die damals 500 000 Einwohner zählte und ein erschreckendes Massenelend und eine grassierende Unkirchlichkeit aufwies, innerhalb einer kurzen Anlaufzeit 40 000 arme Kinder in ihren neugegründeten Charity-Schulen zu sammeln[22].

In dieser Gesellschaft bestand von vornherein ein Interesse an der berühmt gewordenen Schulstadt in Halle und ihrem Gründer, den sie bald zu einem ihrer korrespondierenden Mitglieder ernannte. Vorwiegend durch den dritten Boten Franckes, den Waldecker Anton Wilhelm Böhme (1673–1722), wurde die Verbindung mit Halle immer enger. Er übersetzte eine Reihe Schriften von Francke ins Englische, so den Bericht über das Waisenhaus, das Traktätlein »Nikodemus oder die Menschenfurcht« wie die Missionsberichte aus Indien, die Bartholomäus Ziegenbalg schrieb und die bald ein waches Interesse in England fanden. Söhne englischer Kaufleute, die der Society angehörten, zogen nach Halle, um dort als Schüler des Königlichen Pädagogium Franckes und dann als Studenten die Universität zu beziehen, die als eine der modernsten der Zeit galt. Nachdem Böhme lutherischer Hofprediger des dänischen Prinzgemahls der englischen Königin Anna geworden war, stiftete diese das »Englische Haus« innerhalb der Franckeschen Stiftungen, dessen »schmucke Zöglinge« Friedrich Wilhelm I. bei einer Besichtigung der Anstalt sofort auffielen.

Die Arbeitsgemeinschaft zwischen Francke und der Society gestaltete sich immer enger. Die große und repräsentative Laienorganisation der Kirche von England, die in den deutschen Staatskirchen undenkbar damals gewesen wäre, behandelte alle sozialen und sozialpolitischen Fragen, die sich ihr aufdrängten und befragte oft Francke. Zweimal sollte dies besonders bedeutungsvoll werden.

Im Jahre 1709 verließen nach einem Katastrophenwinter, in dem der Wein in den Fässern gefror, panikartig gegen 15 000 Pfälzer ihre Heimat und fluteten in verschiedenen Stößen an die holländische Küste, um über London nach Nordamerika auswandern zu können. London war auf diesen Massenansturm nicht eingerichtet. Doch entwickelte sich zur Versorgung der Flüchtlinge eine Hilfsorganisation, deren Seele Anton Wilhelm Böhme und die Mitglieder der Society gewesen sind. Nur ein Bruchteil der Pfälzer, 2227 Männer, Frauen und Kinder, erreichten, auf 10 Schiffen eingepfercht, im Frühjahr 1710 Nordamerika. Tausende von Pfälzern wurden in Nordirland angesiedelt. Die Amerikafahrer sammelten sich nach schweren Abenteuern in dem freien Pennsylvanien. Geistliche fehlten ihnen. In den turbulenten Anfangszeiten fehlte jede Sicherung für einen geordneten Diasporadienst. Doch Böhme zog im Auftrage Franckes eine Schriftenmission auf. Zentnerschwere Kisten mit Bibeln, Erbauungsschriften und Halleschen Medikamenten wurden in Halle gepackt und über London nach Pennsylvanien gesandt. Unermüdlich versuchte man, einen leicht beweglichen lutherischen Laienstand dort heranzubilden. Man beschwor die deutschen Farmer, ihre Nachbarn zu Hausandachten einzuladen und damit eine Gemeindeorganisation vorzubereiten. Böhme selbst wollte nach Pennsylvanien reisen, in dem das Sektenwesen bei der völlig mangelnden kirchlichen Versorgung blühte,als der lutherische Prinzgemahl starb. Doch die englische Königin hielt ihn in London fest.

Schon 1699 hatte Francke die Gründung einer lutherischen Kirche in Pennsylvanien im Sinn. Doch erst seinem Nachfolger Gotthilf August Francke gelang es, durch die Aussendung des lutherischen Pfarrers Heinrich Melchior Mühlenberg (1711–1787), dem noch dreizehn andere von

Halle aus folgten, diese lutherische Kirche aufzubauen. Hier hat der Hallesche Pietismus für den in der Zwangsjacke des Staatskirchentums eingeengten deutschen Protestantismus das getan, was die Kirche selbst hätte tun müssen. *Mit der Gründung eines deutschen lutherischen Kirchenkörpers in Pennsylvanien hat tatsächlich der Hallesche Pietismus dazu beigetragen, daß das Luthertum seine europäische Begrenzung überwand*[23].

Eine zweite, fast hundert Jahre hindurch währende Zusammenarbeit zwischen Halle und der Society ergab sich, als Francke den ersten beiden pietistischen Missionaren in der ostindischen dänischen Handelskolonie Trankebar, die vom dänischen König Friedrich IV. ausgesandt worden waren, seine Unterstützung zusagte.

Während Johann Heinrich Plütschau (1677–1746), Mitbegründer der Trankebar-Mission, nur fünf Jahre mitarbeitete, wurde Bartholomäus Ziegenbalg (1682–1719), der eigentliche Pioniermissionar, der »Prototyp des evangelischen Missionars«. Der Sprach- und Religionsforscher, erster deutscher Dravidologe, der eine geographisch weite Korrespondenz auch mit Europa führte, gründete unter anderen die erste Mädchenschule Indiens und versuchte, die lutherische Kirche und die theologischen Fakultäten zur Mitarbeit in der Mission zu gewinnen. Es gelang teilweise. Doch August Hermann Francke wurde Herz und Kopf dieser ersten protestantischen Heidenmission in Indien, deren vorgesetzte Konsistorialbehörde sich in Kopenhagen befand. Als diese Mission auch auf englische Gebiete in Indien übergriff, war die englische Society sofort bereit, mitzuarbeiten. *Zwischen dem dänischen Missionskollegium, der englischen Gesellschaft und Halle ergab sich eine feste Zusammenarbeit.* Die fast ausnahmslos aus Halle nachrückenden Missionare lernten auf der britischen Insel Englisch und blieben mit den Gliedern dieser Society, die zum Teil in der Regierung saßen, in laufender Verbindung.

Die Mitte des 18. Jahrhunderts in England aufbrechende Erweckungsbewegung half über ihre lebendigen Glieder, die als Kolonialbeamte und Militärpersonen nach Indien kamen, diesen Missionaren, als in Deutschland der Missionswille in den Kirchen fast völlig abgesunken war.

Durch diese von Dänemark offiziell ausgesandten Missionare ergab sich zwischen Halle und Kopenhagen eine immer engere Beziehung, vor allem zu einflußreichen erweckten Hofkreisen. Eine persönliche Freundschaft verband den Großkanzler Johann Georg von Holsten, den nächsten Mann nach dem König, mit Francke. Er wurde erster Präsident der dänischen Missionsbehörde und arbeitete mit dem Ehrenvorsitzenden der englischen Society, dem Erzbischof von Canterbury und Halle eng zusammen. Wie fast alle indischen Missionare, stellte Halle 50 Prozent der

Missionsgelder. Eine Missionskollekte in Württemberg ermöglichte den ersten Bau einer lutherischen Kirche im dänischen Trankebar für die indischen Christen.

Kopenhagen übernahm selbst viele Methoden Halles, z. B. eine Bibelanstalt, ein Waisenhaus, zwei Armenschulen, eine Apotheke, Buchladen und Buchdruckerei. So bildete sich als Mittelpunkt einer Laienaktivität innerhalb der dänischen Staatskirche ein Klein-Halle, wie auch im indischen Trankebar unter dem Missionar Bartholomäus Ziegenbalg mit seinen Schulanstalten[24].

So liegen im Westen zwei greifbare Ergebnisse der Bemühungen Franckes vor, in der Gründung zweier lutherischer Volkskirchen in Pennsylvanien und Südindien. Hier geschah zugleich eine Durchbrechung des verhängnisvollen, im deutschen Schicksal begründeten binnenländischen Provinzialgefühls. Die Mauern eines selbstzufriedenen landeskirchlichen Denkens und Genügens sind hier wenigstens teilweise durchbrochen worden.

August Hermann Francke begnügte sich mit all diesen Arbeiten nicht. Er zählt zu den typischen Vertretern der Barockzeit mit ihrer nie versagenden und verzagenden Freudigkeit an Plänen, die immer hart ans Utopische grenzten. Auch Leibniz ist von hier aus nur richtig zu würdigen. Für Francke ist Johann Valentin Andreäs »Christianopolis« von Bedeutung geworden. Andreä proklamiert eine Bildungsrepublik, um die naturwissenschaftlichen Fortschritte und Errungenschaften auch auf sozialpolitischem Gebiet für die Allgemeinheit nutzbar zu machen.

Francke hat in seinem »Großen Aufsatz«, den er erstmalig 1761 auf der Höhe seiner Wirksamkeit konzipierte und öfters später korrigierte, die Öffentlichkeit zu einer »Generalreformation der Welt« aus den Kräften eines erweckten Christentums aufgerufen. Angesichts seiner engen Verbindung mit diakonisch, erzieherisch und evangelisch arbeitenden Freunden in der evangelischen Welt von damals meinte er, daß es doch gelingen könnte, die Menschheit endlich aus »ihrer Wüstenwanderung« herauszuführen.

August Hermann Francke hat der dafür aufgeschlossenen europäischen Öffentlichkeit angeboten, in Halle ein »Seminarium rei publicae vere Christianae« und ein »Seminarium universale« für 1000 ausländische Studenten zu eröffnen, wenn ihm die nötigen Mittel zufließen. Hier sollte eine europäische Elite herangebildet werden, welche in einem neuen sozialen Pathos des »homo societatis« die Menschheitsnöte theoretisch und praktisch angehen sollte[25].

Franckes Reformpläne ließen sich in dieser Form nicht durchführen.

Seine Reformvorschläge, welche das ganze öffentliche und private Leben neu nach dem Evangelium auszurichten versuchten, sind jedoch nicht vergeblich geblieben. Der aufstrebende brandenburgisch-preußische Staat ist auf manche der Anregungen Franckes in Justiz, Medizin und im Blick auf das Militärwesen eingegangen. Der Francke-Reformwille wurde zu einem Träger des allgemeinen Fortschritts.

In der Wirtschaftsgestaltung Franckes wird das erste Modell zu einer Anstaltsdiakonie sichtbar, bei der neben dem Gabenstrom Unternehmungen aufgebaut werden, um die Arbeit wirtschaftlich zu unterfangen.

Die stärkste wirtschaftliche Stütze für seine Stiftungen wurden nicht seine Großhandelspläne, sondern die Waisenhausapotheke. Sie entstand aus einer Zwangssituation. Nachts waren die Tore der Stadt Halle geschlossen und es bestand keine Möglichkeit, in dringenden Fällen eine Apotheke zu erreichen. Die Waisenhausapotheke erbrachte große Überschüsse, obwohl den Armen die Medikamente kostenlos gereicht wurden. So wurden im ersten Jahrhundert ihres Bestehens für über 130 000 Taler Medizin verschenkt.

Francke hatte freilich Schwierigkeiten mit seinem Mitarbeiter Christian Friedrich Richter (1676–1711), dem Arzt, Apotheker und Liederdichter des Halleschen Pietismus wegen des Urheberrechtes an dem Medikament »Essentia dulcis«, der gängigsten Medizin, die überall verlangt wurde. Im Grund genommen hat Francke sein großes Werk nur durch das guteingespielte Team seiner Mitarbeiter durchführen können. Sie waren bis auf eine Ausnahme nur wenig jünger als Francke selbst, »aber von ihm geprägt und bleiben seinem Werk vorbehaltlos und lebenslänglich verbunden. In urchristlich anmutender Bedürfnislosigkeit haben sie das erste schwere Jahrzehnt gearbeitet. Als der preußische König im Jahre 1713 Franckes Anstalten besuchte, erkannte er, wohl durch den Kontrast zu den Berliner Verhältnissen, den unschätzbaren Wert solcher Mitarbeiter. Für ihn wird dadurch erklärlich, was anderen wie ein Wunder erscheinen muß.« Das gilt auch für Carl Hildebrand von Canstein (1667–1717), den Gründer der nach ihm benannten Cansteinischen Bibelanstalt innerhalb der Franckeschen Stiftungen. Er hat vor allem die Pläne der Gegner Franckes aufgefangen. In Berlin war er ihm unentbehrlich. Mit diesen Mitarbeitern, deren freie Entfaltungsmöglichkeit nie behindert wurde, ist Francke brüderlich umgegangen und hat sie nie bedrückt[26].

Mit ihnen zusammen blieb Francke bei all seinen Plänen nicht außerhalb, sondern innerhalb der barocken Welt. Daß vieles in Ordnung zu bringen war angesichts der Armut, des Kinderelendes, der Studenten- und Bildungsnot, so vieler verkrusteter Zustände in Kirche und Öffentlichkeit, wußten sie miteinander. Doch zuerst mußte für sie der Mensch i Ordnung gebracht werden durch Buße und Vergebung der Sünden, dami er nunmehr Gott als Werkzeug voll zur Verfügung stand. Das In-Ord nung-Bringen der Welt war dann Auftrag und Pflicht erweckter Christen aber nicht als bloße »Weltverbesserung«. Diesem Eifer um eine real Verbesserung der res humanae lag eine gläubige Hoffnung zugrunde.

Die Reich-Gottes-Theologie, die, seit Johannes Coccejus (1603–1669 seine heilsgeschichtliche Theologie geschrieben hatte, in wachsenden Maße die Geister bewegte, lieferte auch Francke eine Gewißheit um de Weltplan Gottes, der die Welt nicht geschaffen hat, wie sie bleiben soll Gott hat sie in Zeitläufe, Äonen, Ökonomien geteilt, die einander ablö sen. Francke hat sich nie völlig über den Chiliasmus ausgesprochen, Spe kulationen darüber lehnte er entschieden ab. Doch hinter seiner Weltver besserungslehre stand die ehrfürchtige Haltung eines Theologen, der au die Wiederkunft Christi blickte[27]. Christus sollte die Christenheit nich müßig sehen. Er hat bei den Anregungen, die er von Johann Valenti Andreä und Johann Amos Comenius übernahm, deren eschatologisch Zielrichtung nicht verkannt. Der an Francke vielfach getadelte Perfektio nismus besteht nicht, er läßt sich wenigstens nicht nachweisen.

Denn dann läge ein großer frömmigkeits- und theologiegeschichtliche Bruch im Blick auf die Reformation und Luther vor. Stellt man Francke soziale, auf reale Verbesserung der Welt gerichtete Phantasie jedoch i den Zusammenhang mit der heilsgeschichtlich akzentuierten Reich-Got tes-Theologie, so ist der Gegensatz zu Luther nicht mehr unüberbrück bar. Zudem hat Francke, dem man genug ungeschützte Aussagen in Strom des damaligen aufklärerischen Optimismus auf dem Gipfelpunk seiner Wirksamkeit nachsagen kann, gegen Ende seines Lebens und al Fazit deutlich über die harten Grenzen gesprochen, die allen Weltverbes serungsplänen auf dieser Erde gesetzt sind. Die Hände in den Schoß hat e deshalb nicht sinken lassen. Denn der Glaube läßt die Welt nicht fahre und es bleibt dabei, daß sich viel Elend und Not auf dieser Erde beseitige läßt, wenn man es nur ernstlich will. Anderseits ist unübersehbar, da Konzeptionen, selbst am Rande der Utopien, immer wieder ungeahnt Kräfte freigelegt haben. *Die Geschichtsmächtigkeit der Utopien, die er staunliche und ungeahnte geschichtliche Dynamik auslösen können, wen die Zeit dafür empfänglich ist und Menschen mitziehen, ist nicht zu überse hen.* Dagegen hat es oft schweres Unheil in den Kirchen heraufbeschwo ren, wenn man im schwächlichen Ausweichen die Neugestaltung unhalt barer Zustände sich selbst überlassen wollte.

Es ist kein Geheimnis, daß der Hallesche Pietismus in der Aufklärun im Grund so lautlos wie die Orthodoxie unterging. Lagen nicht in den theologischen wie pädagogischen Grundüberzeugungen Franckes Ansätze, die jenes schmerzliche Sterben vorbereiteten? *Offensichtlich hat Francke einer folgenschweren Systematisierung und Schematisierung einer Bekehrungspraxis nicht die nötige Aufmerksamkeit bzw. den notwendigen Widerstand entgegensetzt*[28]. Denn Franckes ganze evang. Pädagogik war auf eine Einübung im Christentum ausgerichtet. Für ihn war das Wort Gottes das entscheidende Mittel, das Menschen zur Umkehr, zum Glauben und in die Nachfolge führen kann. Dieses Wort reichlich auszuteilen, war der Sinn der zahlreichen Religionsstunden in seinem Schulwerk.

Neben Francke und nach ihm vollzogen sich Bekehrungen unter Bußkampf und Gnadendurchbrüchen, unter Tränen und Angstausbrüchen, denen Freudentränen folgten. Hier konnte sich eine treibende Form auf einen normativen und schematisierten Ablauf einspielen. Es ist nicht zu übersehen, daß sich das in einer Generation ereignete, die nur über die Privatbeichte zum Abendmahl zugelassen wurde.

Hier waren die vier Bauelemente des katholischen Bußsakramentes nicht abgebaut worden: die contritio, die Reue eines geängstigten Gewissens blieb; die confessio, das Bekenntnis: »Das alles ist mir leid. Ich bitte um Gnade«. So steht es in Luthers Kleinem Katechismus im Lehrstück vom Amt der Schlüssel und von der Beichte; die absolutio, Zuspruch der Vergebung und satisfactio: die Genugtuung. Da steht an gleicher Stelle im Katechismus das Gelöbnis: »Ich will mich bessern.«

Man wird diese Generation nicht nur damit verhaften wollen, daß in ihr viele Bekehrungen eben in den seelischen Ablaufformen des barocken Menschentums abliefen, die auf diesem Weg der Vergebung gewiß wurden. Die Halleschen Missionare in Indien, Träger einer gesegneten Arbeit im Aufbau einer lutherischen Missionskirche unter schwersten Mühen, haben die Echtheit ihres Glaubens unter Beweis gestellt, die sich als Bekehrte wußten.

Man denke nur an Christian Friedrich Schwartz (1726–1798), seit 1778 als »Königspriester von Tandschaur« zu bedeutender politischer Tätigkeit berufen. Er hat dieser Missionsarbeit den festen Halt im Inneren Indiens geschaffen und selbst eine Gemeinde von 2500 Tamulen, weitgehend aus den vornehmen Kasten gesammelt und war bei Indern und Europäern gleich hochgeachtet. In England wurde er wie ein Heiliger verehrt. Er ist in typisch Halleschem Bekehrungsrhythmus in einem Durchbruchserlebnis aus religiöser Gleichgültigkeit herausgeführt worden[29].

Damals wurde erstmalig deutlich, was später bei der Zunahme der Entkirchlichung und Entchristlichung in der Massengesellschaft nicht mehr als aufregend und aufwühlend erlebt wurde, daß schon Ungezählte als Kinder bereits die christliche Glaubenswelt nicht wirklich kennenlernten und darum praktisch wie Heiden aufwuchsen und lebten. Von da aus drängte sich Schwartz und seiner Generation die urchristliche Situation wieder mit ihrer harten Entscheidung von einst und jetzt auf. Im Neuen Testament stand am Anfang des Christenlebens der radikale Übergang vom Heidentum und Judentum zum Christentum. *Schon für Francke näherte sich im Blick auf Mittel- und Norddeutschland gesehen die volkskirchliche Situation seiner Zeit immer mehr der urchristlichen. Für ihn bestand angesichts dieser Lage kein fundamentaler Unterschied mehr zwischen der missionarischen Situation in der Urchristenheit inmitten des Heidentums und der seiner Zeit.* Ihm war das bereits in Hamburg in der Michaelisgemeinde klar geworden[30].

Von da aus fällt auch auf seine Stellung zu den Mitteldingen ein Licht. Wenn Francke auch nicht die starre und enge Haltung der nachrückenden pietistischen Generation bezog, härter und ausschließlicher als seine lutherische Kirche dachte er, die ihm freilich den Zugang zu den Menschen seiner Zeit nicht verbaute. Die große Einseitigkeit Franckes liegt auf dem Gebiet des Ersten Glaubensartikels über die Schöpfungsgaben und der natürlichen Freuden, die an sich nicht böse oder gut sind, sondern darin, wie sie gebraucht werden. Er hat freilich in seinem Leben unbefangener genossen, als seine Theorie es wahrhaben will. Auf seinen Reisen hat er sich an guten Speisen herzlich freuen können. Für die Schönheit der Natur ist er empfänglich gewesen. Ein besonders schöner Sonnentag hat ihn doch öfters mit unwiderstehlicher Gewalt aus den Mauern der Stiftungen in seinen Weinberg gelockt. Reisen sind ihm auch bei den damaligen bösen Straßenverhältnissen niemals eine Last, eher eine Lust gewesen. Der Barockmensch, auch seine pietistischen Kandidaten sind gern gereist. Es war eine Zeit, in der man erst das Reisen wirklich lernte. Francke war ein Gegner der damaligen rohen Geselligkeit in ihren zügellosen Tänzen voll heimlicher Anspielungen, mit ihrem Glücksspiel und ihrer Unmäßigkeit im Trinken gewesen. Das sittlich anstößige und damals noch entartete Komödienspiel hat ihn angewidert. Hier zeigt sich der fortwirkende Einfluß von Johann Arnds »Wahrem Christentum«. Die Seele soll nur einen Bräutigam haben, Jesus allein. Auch hier hat die nachrückende pietistische Generation jene Überspitzung akzeptiert, daß Scherz, Tanz, Spiel und Theater wie der Genuß geistiger Getränke an sich Sünde sei, als ob darin zu erkennen wäre, ob jemand bekehrt sei oder nicht.

Auch ein anderer Einfluß machte sich bei Francke geltend. Viele große und zuchtvolle Persönlichkeiten seiner Zeit waren von den altrömischen

Idealen der Stoa erfüllt. Die altrömische Härte mit ihrer Forderung nach äußerer und innerer Disziplinierung des Lebens, nach Bemeisterung ungeordneter Triebe und Leidenschaft, das Streben nach Ausgewogenheit, Gerechtigkeit, Milde und gesammelter Haltung wirkte damals auf viele Zeitgenossen faszinierend als Hilfe in den Wechselfällen des Lebens.

Francke besaß selbst die Werke von Justus Lipsius. Es müssen ihn, der in seinem Leben eine menschlich saubere Zucht der Gefühle zeigt, die Hemmungslosigkeiten seiner Zeit mit dem Vordringen der Französelei und ihrer hochgespielten Erotik abgestoßen und in seiner harten Abwehrgeste versteift haben. Beide Geistesströme, die mystischen und die altrömisch-stoizistisch-späthumanistischen wirken auf ihn und lassen seine Engigkeit begreifen. Bei bedeutenden Persönlichkeiten liegen nur zu oft Größe und Grenze dicht beieinander[31].

Er wollte vor allem die jungen Adligen in einer Zeit, in der der Adel noch tonangebend war und Kultur wie Politik im weiten Umfang bestimmte, immun gegen das Ideal des französischen Kavaliers machen, dessen laxe Lebensmanier auch auf die deutsche Adelswelt eine Faszination ausübte. Die jungen Adligen, die sein Pädagogium Regium besuchten, sollten jedoch zu zuchtvollen Persönlichkeiten heranreifen, die ihr Leben nicht verspielten, sondern als »fromme Politicos« ihre Lebensaufgabe angreifen.

Von da aus auch sind seine vielbemerkten Einseitigkeiten in der Pädagogik eher zu begreifen. Für Theaterspiele, Romanlektüre und andere »Narreteien«, »unnützen Zeitvertreib«, Verführung zur »Hoffart« u. a. war in den Franckeschen Stiftungen kein Platz. Doch schuf Francke in seinem pädagogischen Rhythmus des täglichen Lebens so viel Interessantes mitten im Gleichbleibenden, daß dadurch keine bedrückende Atmosphäre aufkommen konnte. Bei aller steten Beaufsichtigung der Heranwachsenden blieben, wie die Protokolle jener Jahre zeigen, noch Lücken genug und Möglichkeiten, sich allzustrengen Vorschriften unter leiser Zustimmung der Informatoren zu entziehen.

Nachdenklich stimmt ein Bekenntnis Franckes bei seinen Plänen: »Ich bin in allen Dingen immer passive gegangen, habe stillgesessen und nicht einen Schritt weiter getan, als ich den Finger Gottes vor mir hatte. Wenn ich sah, was der Finger Gottes vorhatte, trat ich wie ein Knecht hervor und brachte ohne Mühe und Sorge es zustande.«

Er wußte sich als ein Werkzeug Gottes, der als ein verantwortlicher Knecht alle ihm zu Gebote stehenden Kräfte und Gaben einzusetzen hatte. Es war für ihn der Dienst eines, der gestalten durfte. Der Automatismus und Determinismus Christian Wolffs fand darum seinen leidenschaftlichen Widerspruch. Darin begreift Francke das Geheimnis seine Erfolge, die ihn berühmt gemacht haben. Nach seinen eigenen Zeugnis sen fürchtete er sich vor nichts mehr als vor eigenmächtigen Unterneh mungen. Dann aber, wenn er wußte, daß er zu handeln hatte, daß der rich tige Zeitpunkt gekommen war, brach in ihm alle aufgestaute Energie her vor und alle schöpferische Phantasie wurde wach.

Das Ergreifen des rechten Momentes für das eigene Handeln ist in der ba rocken Welt, in der die Angst vor dem Unberechenbaren auf den Gemüter liegt, ein retardierendes Gegengewicht auch für ihr überschäumende Kraftgefühl. Im Pietismus ist der instinktiv entwickelte Vorsehungsglaube der äußeren Winken oft überängstlich nachhängt, auch Ausdruck der Zei Zugleich aber überwindet wie bei Francke ein starkes, genuin christliche Gottvertrauen diese Weltangst. Jedenfalls in einer Welt konfessionelle Mißtrauens ist Franckes vorsichtiges Vortasten in seinen ökumenische Bestrebungen zweckmäßig gewesen.

Francke ist berühmt geworden nicht als Professor für orientalisch Sprache, der dann in die Theologische Fakultät umwechseln konnte, son dern durch seine Stiftungen. Er hat den Lehr- und Unterrichtsbetrieb a der Theologischen Fakultät der Universität Halle völlig umgestaltet. Da hat sich als so zwingend notwendig erwiesen, daß ihm hierin allmählic alle theologischen Fakultäten in Deutschland folgten.

Francke konzentriert den ganzen Studienbetrieb für die kommende Prediger auf die Bibel und Bibelwissenschaft. Als akademischer Lehrer der wie Emanuel Hirsch eindrücklich schildert, vor der versammelte Universität die höchsten Proben seiner Wissenschaft gibt, bekennt er sic zu dieser radikalen Umstellung des theologischen Studiums auf di sprachlich begründete Bibelauslegung[32]. Innerhalb des 1. Studienjahre sollen sich die Theologiestudenten die Fähigkeit erwerben, das Neue un das Alte Testament ohne Schwierigkeiten im griechischen bzw. hebräischen Urtext zu lesen. Die Methode des Lernens zeigte er. Unablässig soll die Bibel in den alten Sprachen gelesen werden. Zunächst mit eine deutschen Übersetzung daneben. Die vorkommenden Wörter sollen eingeprägt werden. Erst in besonderen Kursen können die grammatische Regeln gepaukt werden. Für das ganze Leben möchte es zur Gewohnhei werden, täglich mit der deutschen, griechischen und hebräischen Bibe umzugehen.

Tiefgreifende sprachliche Studien auch in den orientalischen Sprache erwartete er bei den Begabtesten. Damals begann man in Holland un England die vielen alten Bibelhandschriften mit dem überlieferten Bibeltext zu vergleichen und den feinsten Abschattungen sorgfältig nachzugehen. Das Bibelwort bis zum letzten Satzzeichen ehrfürchtig zu durchforschen war Franckes Bemühen.

Vielleicht hat er etwas zu schulmeisterlich Luthers Bibelübersetzung an einzelnen Stellen getadelt, wo sie nicht den wortwörtlichen Sinn getroffen hat. Bereits im Jahre 1695 rief er die erste theologische Zeitschrift im Protestantismus, die »Observationes biblicae« (Biblische Beobachtungen) ins Leben. Sie hat nicht lange bestanden. Der wütende Angriff und zahllose Verdächtigungen von orthodox-lutherischer Seite ließen es ihm geraten erscheinen, diese Zeitschrift nicht mehr fortzusetzen. Und doch wollte Francke nur Luthers Bibelübersetzungen ergänzen.

Wie er diese Verbindung von Wissenschaft und persönlicher Aneignung der biblischen Wahrheiten verstand, zeigt sein kurzer »Einfältiger Unterricht, wie man die heilige Schrift zu seiner Erbauung lesen solle« von 1702. Sie wurde neben Luthers Vorreden zu der am häufigsten gedruckten deutschen Bibelvorrede. Vorher hatte er im Jahre 1693 eine »Handreichung zum Lesen der Hlg. Schrift«, die »Manuductio ad lectionem Scripturae« drucken lassen.

Angesichts der Behandlung des Bibelwortes als Bausteine für das dogmatische Lehrbuch und anderseits der damals beginnenden Bibelkritik, die z. T. in einen Skeptizismus ausuferte, ging es Francke in einer beginnenden Bibelnot um die rechte Bibelauslegung. Nächst der philologischen Arbeit, die sich nichts ersparen dürfe, geht es darum, nicht Fragmente aus der Schrift herauszureißen, sondern um die ganze Schrift. *Die Bibel muß als ein Ganzes, als eine »symphonische Harmonie« verstanden sein, als ein zusammenhängendes und vollständiges Gebilde, das weder unter irgendeiner Lücke noch an einer »Übertreibung« leidet*[33].

Dabei besitzt jeder Text seinen ganz spezifischen Sinn. Er weist eine ganz eindeutige Zielrichtung auf, in dem was er sagen und erreichen will. Das ist nicht nur intellektuell zu verstehen, er will den ganzen Menschen in seinen Tiefen, die Wille und Gemüt einschließen, erreichen. Francke spricht hier von »Affekten«. Doch der Hauptschlüssel zur richtigen Auslegung, die den einzelnen heute und hier treffen will, nicht isoliert sondern innerhalb der Gemeinde, liegt in der Gabe des Heiligen Geistes. Er hilft dazu, daß über den unmittelbaren klaren Inhalt eines Textes, in welcher Situation und an wen er auch einmal gerichtet ist, das Wort das eigene Leben aufschlüsselt und dorthin führt, wohin Gott will, zum Glauben und zur Liebe.

So gilt es beides festzuhalten, das Aufspüren der eigentlichen Aussagen. Dazu ist ein klares Urteilsvermögen unter Anwendung aller Hilfsmöglichkeiten nötig. Aber dann soll man nach dem wissenschaftlichen

Bemühen am Urtext das Wort ganz unmittelbar wie einen Freundesbrief annehmen.

In seiner Frühzeit als junger Professor ging er von der Unterscheidung zwischen der Schale und dem Kern aus. Später hat Francke alles viel eindeutiger zu sagen sich bemüht. Er sucht auch weiterhin den Wortsinn, den jeder zu erkennen vermag. Mit Luther will er festhalten, daß Erfahrung zum Auslegen gehört, eine Offenheit, die Gott allein zu schenken vermag Das was Gott durch das Wort heute und hier sagen will zum einzelnen wie zur Gemeinde, bedarf des Geistes Gottes. Doch auch hier hält Francke eisern fest, daß man beim Ganzen der Schrift bleiben muß und kein Einzelwort aus dem großen übergreifenden Zusammenhang der ganzen Christusbotschaft gelöst werden darf. *Der Zusammenhang mit der Orthodoxie und der heilsgeschichtlichen Theologie ist damit für ihn gewahrt. Die Einheit von Altem und Neuem Testament ist geradezu Franckes »Lieblingsthema« gewesen*[34].

Francke ist nicht entgangen, daß bei ungezählten Einzelheiten im Alten Testament eine anschauliche Einheit mit dem Neuen Testament nicht in die Augen springt. Doch bei dem festzuhaltenden und unaufgebbaren heilsgeschichtlichen Zusammenhang als übergeordnete Größe, die beide Testamente miteinander verbindet, wird diese nicht verdunkelt. Hier hilft der Geist aus. Das versucht Francke immer wieder und sehr deutlich zu sagen. Es geht ihm wie Luther um die Mitte der Schrift. Auch für den Reformator ist das Alte Testament nicht Moses Gesetz, sondern der heimlich waltende »Christus futurus« (Christus, der kommt). Wenn Francke das nur nicht überall und an allen Stellen suchen würde! Damit überlastet er das Alte Testament und kommt vom Wortsinn weg, von der klaren Einstellung, daß jedes Wort der Schrift nur einen Sinn besitzt. Nun muß er allen alttestamentlichen Aussagen einen geheimen, auf Christus hinzielenden Sinn unterschieben und exerziert das ausgerechnet oft an den ungeeignetsten Bibelstellen.

Bei Francke ist das alles gebändigt, denn er verliert nicht den Menschen aus den Augen, den er zu erreichen sucht. Doch eine Versuchung lag nahe und Francke hat sie nicht scharf genug getadelt. Der Bekehrte und Erweckte sucht oft der entsagungsvollen Arbeit, dem Suchen nach dem unmittelbaren Wortsinn zu entgehen und sucht hinter den gedruckten Buchstaben eine andere Schrift, die durchleuchtet. Sie gibt einen zweiten Sinn. Die pietistische Sprache, ohne jene innere Freiheit und Zucht, die noch Francke eignete, gefällt sich in verborgenen Anspielungen. Sie sättigt sich mit alttestamentlichen Bildern und Vorstellungen. Die Sprache Kanaans ist da. Als die Zeit der vollen Gefühlsseligkeit, der tausend Tränen, des

Sentimentalismus, gewiß als eine notwendige seelische Durchgangsstufe der europäischen Geistesgeschichte, aufzieht, schmeckt diese Sprache Kanaans süßlich[35]. So zeichnet sich beides bei dem großen Bibeltheologen Francke ab. *Er hat den Weg zu einer kritischen philologisch-historischen Bibelwissenschaft freigelegt, anderseits einem geschichtsfremden kerygmatischen Biblizismus nicht den Weg versperren können.* Beides entsprach nicht seiner tiefsten Intention. Er wollte beides als innere Einheit festhalten, philologisch-historische Arbeit und die pneumatische Exegese.

Den Respekt vor dem zuerst konkret gesprochenen Wort in seiner Geschichtlichkeit wollte er nicht verlassen. Die Bibelwissenschaft hat kritisch und horchend zu fragen. Sie soll vor allem skeptisch gegen sich selbst sein, um sich nicht in den Fesseln eines eigenen Systems zu verfangen. So meinte er.

Doch August Hermann Francke ist hier zu sorglos gewesen. Die nachfolgende pietistische Generation hat auf eine ernsthafte geistige Auseinandersetzung mit den geistigen Grundansichten der Aufklärung verzichtet. Von ihren unterchristlichen Zügen wußte Francke sich stets geschieden. Seine unglückliche und unausgewogene Rolle bei der Entfernung Christian Wolffs (1679–1754) aus Halle beleuchtet das. Weil er zutiefst Mensch seiner Zeit war, in der hier alle Übergänge noch fließend waren, drangen auf der einen Seite aufklärerische Motive in seine Theologie und Frömmigkeit ein. Andererseits hatte er in seinem Lebenseinsatz theologisch wie in seiner Frömmigkeit sich feste Positionen erkämpft von einer inneren Geschlossenheit, die ihn aber nicht hellhörig genug gegenüber den Grundströmungen der Aufklärung machten, um die nächste Generation auf diese wissenschaftlichen Aufgaben unerbittlich hinzustoßen.

Doch hier ist und bleibt vieles unwägbar. *Francke selbst erhielt innerhalb der pietistischen Bewegung, die weltweit wurde, eine einzigartige Stellung. Erst zur Zeit Franckes hat der Pietismus in fast allen evangelischen Ländern Fuß gefaßt,* nicht nur in Deutschland. Selbst die welfischen Länder haben schließlich den Pietismus in ihren Ländern nicht abwehren können. Halle war in den Mittelpunkt gerückt und seine Berühmtheit wog mehr in der Öffentlichkeit als alle verbissene Opposition. Wo man sich doch noch vor dem Pietismus verschloß, führte man Rückzugsgefechte. Nicht unwesentlich blieb dabei, daß der brandenburgisch-preußische Staat als Schutzmacht der pietistischen Bewegung auftrat.

Von Halle her hat der spätere Pietismus seine Grundaussagen und Grundanliegen gewonnen: Bekehrung, Wiedergeburt, Erneuerung, Heiligung und das Verlangen nach Vollkommenheit. Francke ist hier typenbil-

dend geworden. Ein einheitlicher pietistischer Frömmigkeits- und Lebensstil hat sich geformt, so sehr sich auch die Zeiten ändern sollten. In Einzelheiten differenzierend hat nicht Spener, sondern Francke die Haltung zu den Mitteldingen geprägt. Eine Zeugenfreudigkeit wie Opferbereitschaft ist im Pietismus nicht zu übersehen. Das Reich Gottes ist ihm eine Wirklichkeit, die nicht nur geglaubt, sondern für die ein Einsatz geleistet wird.

Die Laien treten vor und übernehmen innerkirchliche Verantwortung. *Francke hat die Bibel in den Mittelpunkt gerückt nicht nur für den Pietismus, sondern für die ganze Theologie und für die ganze Kirche.*

Franckes letzte Lebensjahre sind von manchen Sorgen überschattet gewesen. Es mangelte bei dem sich immer mehr ausdehnenden Werk an geeigneten Mitarbeitern. Undank fehlte nicht. Die unentbehrlichsten unter seinen Gehilfen sterben ihm früh weg. Die Grenzen seines gutwilligen Sohnes, der nach des Vaters Tod schnell zu hohen kirchlichen Ehren gelangte, kannte er. Er besaß keine andere Wahl, als ihn zu seinem Nachfolger zu ernennen. Zuletzt blieb ihm, der auch der medizinischen Wissenschaft manchen Dienst erwiesen hatte, ein schmerzliches, zuletzt qualvolles Kranken- und Sterbelager nicht erspart.

Es bleibt über den Pietismus hinaus der Christenheit mehr, was mit Francke verbindet, als was von ihm trennt.

Nikolaus Ludwig von Zinzendorf und die Herrnhuter Brüdergemeine

Er wurde am 26. Mai 1700 als Sohn des kursächsischen Geheimen Rates und Kabinettsministers Reichsgraf Georg Ludwig von Zinzendorf und Pottendorf (1662–1700) in Dresden geboren. Dieser einzige Sohn aus der zweiten Ehe des Vaters zählte unter seine Taufpaten die verwitweten Kurfürstinnen von Sachsen und der Pfalz[1].

Die Zinzendorfs gehörten einem uralten österreichischen Adelsgeschlecht aus der Wachau an. Ihre Stammgüter lagen nahe bei Wien. Es hätte nach der Erhebung in den Reichsgrafenstand im Jahre 1662 ungekränkt im katholischen Habsburg bleiben können. Doch der evangelisch gebliebene Teil zog es vor, nach Franken und schließlich nach Kursachsen zu übersiedeln. Der kursächsische Zweig kam schnell zu Ehren und rückte in die ersten Positionen des Kurfürstenstaates auf. Des Vaters Bruder wurde Soldat und stieg bis zum Generalfeldzeugmeister auf. Auch Georg Ludwig von Zinzendorf wurde bereits mit 25 Jahren als kurfürstlicher Geheimer Rat und Gesandter nach Wien abgeordnet. Die Zinzendorfs waren in Wien hochangesehen[2]. Nikolaus Ludwig von Zinzendorf hat sich selbst immer als Österreicher gefühlt. Sein Vater war im Gegensatz zu seiner Schwester, der erwählten Favoritin des sächsischen Kurfürsten Johann Georg III., seit der Begegnung mit Philipp Jakob Spener mit ihm innerlich verbunden und bildete mit anderen pietistisch gesonnenen Adligen an dem sittenlosen Hof mit seinen Skandalen eine Mauer der Treue, Unbestechlichkeit und Zuverlässigkeit. Nach vierzehnjähriger Ehe verlor er seine erste Frau und heiratete 1699 die vierundzwanzigjährige Freiin Charlotte Justine von Gersdorf (1675–1763) aus einer weitverzweigten und einflußreichen Oberlausitzer Familie. Wie ihre Mutter war sie hochgebildet, sprach mehrere Sprachen, konnte die Bibel in ihren Ursprachen lesen, dichtete, pflegte Musik und kannte sich in der Literatur ihrer Zeit gut aus. Darin war sie eine ebenbürtige Tochter ihrer Mutter, der Freifrau Henriette Katharina geborenen von Friesen (1648–1726). Nur war sie noch zarter, grüblerischer, ja ängstlich von Natur. Der Vater Nikolaus Ludwig von Zinzendorfs, lungenkrank, starb bereits am 9. Juli 1700 an einem Blutsturz. Den Todestag des Vaters hat der Sohn sein Leben hindurch still begangen. Er war ihm wie ein »Heerpaß«.

»Ich war ein Zinzendorf, die sind nicht lebenswert,
Wenn sie ihr Leben nicht zu rechten Sachen brauchen:
Drum hat die Sorge mich beinahe ganz verzehrt,
Zu früh, und ohne Nutz der Erden, auszuhauchen.
Nun hieß ich gar ein Christ, verdoppeltes Gesetz!
Die Christen dürfen nicht verbrennen ohne leuchten.
Der Glaube, der nichts tut, ist ein verdammt Geschwätz.«

Väterliches und mütterliches Wesen kam in Nikolaus Ludwig von Zinzendorf zusammen. »Es läßt sich vielleicht mit aller Vorsicht sagen: Der Zug ins Große, die Heiterkeit der Seele, die Kunst der Menschenführung im Umgang mit Hoch und Niedrig, das Selbstbewußtsein gekrönten Häuptern gegenüber, mit einem Wort, sein hochadliges Wesen sind österreichisch, während das mütterliche Erbe ihm den Blick in die Tiefe gegeben hat.« (Gerhard Meyer).

Seine Mutter heiratete bald wieder und zog nach Berlin. So bekam der junge Zinzendorf seine Mutter und seinen Stiefvater, den Generalfeldmarschall von Natzmer, einen aufrechten Christ und Freund August Hermann Franckes, nur selten zu sehen. In dem oberlausitzer Wasserschloß Großhennersdorf wurde der kleine »Lutz« wie man ihn nannte von seiner Großmutter, der Landvögtin Henriette Katharina von Gersdorf erzogen. Sie war eine sehr kluge und bedeutende Frau.

Die »gelehrte Friesin« bildete in der Weite der Bildung innerhalb des Friesengeschlechts keine Ausnahme. Ja sie lernte noch Chaldäisch und Syrisch. Mit Universitätsprofessoren, auch mit dem Philosophen Leibniz führte sie einen lateinischen Briefwechsel. So wurde von ihr erzählt. Dabei stand sie als Witwe ihren drei Standesherrschaften tadellos und umsichtig vor. Ihr Leben hindurch hatte sie mit quälenden Kopfschmerzen zu kämpfen. In ihrer Frömmigkeit versteifte sie sich nicht auf die pietistische Reformlinie. Wie sie sich nicht davon abhalten ließ, auch die »gefährlichen Schriften« der Schwärmer und Separatisten zu lesen, so kannte sie auch Jakob Böhme und die Mystiker wie Tauler.

Sie war ein Glied jenes selbständigen und wenn es darauf ankam, auch renitenten Adels, der sich nicht von dem abhalten ließ, was er gewissensmäßig tun und nicht lassen konnte. Der katholisch gewordene Kurfürst und »König in Polen« August der Starke verbot 1698, flüchtigen und übertrittswilligen Katholiken aus den habsburgischen Ländern in Sachsen Unterschlupf zu gewähren. Die Landgräfin richtete sich nicht danach, achtete aber darauf, daß sie bald in Brandenburg-Preußen Aufnahme fanden.

Sie sorgte auch für Kinder des schlesischen Adels, die in einer rein katholischen Umgebung besonders in Gefahr waren, gründete eine Hilfskasse, um sie auf dem »Pädagogium Regium« in Halle erziehen zu lassen. Der sorbischen Bevölkerung in der Oberlausitz verhalf sie zu dem ersten Bibeldruck in ihrer slawischen Sprache. Die ersten Schulgründungen für eine höhere Mädchenausbildung fanden ihre tatkräftige Unterstützung.

Es gelang ihr auch beim Kaiser durch ihre persönliche Vorsprache, daß den evangelischen Deffereggern die fünfzehnhundert Kinder wieder gegeben wurden, die ihnen der Erzbischof von Salzburg bei der Austreibung widerrechtlich vorenthalten hatte. Welchen Jammer konnte sie hier stillen!

Zudem war sie »eine Mittlerin zwischen den sogenannten Orthodoxen und Pietisten und wurde von beiden fast gleich admiriret«, berichtete später Zinzendorf von ihr. Dieser außerordentlichen Frau schreibt Zinzendorf alles zu, was sein eigenes Leben in den letzten Grundzügen geformt hat. »Ich habe meine Prinzipien von ihr her. Wenn sie nicht gewesen wäre, so wäre meine ganze Sache nicht zustande gekommen. Sie war eine Person, der alles in der Welt anlag, was den Heiland interessierte. Sie wußte keinen Unterschied zwischen der katholischen, lutherischen und reformierten Religion, sondern was Herz hatte und an sie kam, war ihr Nächster.«

Von ihr wurde der kleine Lutz betreut. Doch sah er diese vielbeschäftigte Großmutter selten. Er schlief in ihrem Zimmer und hörte sie beten. »Was ist ihr ganzer Lauf, ihre beste Kunst gewesen? Beten, glauben, stille sein und auf Gottes Wink weder Kreuz noch Arbeit scheuen.«

Der junge Zinzendorf wurde mit anderen heranwachsenden Enkeln und Neffen der Landvögtin gemeinsam erzogen. Der kleine Lutz war kein Wunderkind, erst recht nicht ein religiöses. Er konnte sehr wild sein, besaß freilich ein glänzendes Gedächtnis. Ungezogen, trotzig und vorlaut fand man ihn oft. Hauslehrer unterrichteten ihn mit den anderen Kindern im Haus zusammen. Eine Sonderstellung wurde ihm nie eingeräumt.

Die Grundprinzipien der Erziehung kamen von der Großmutter. Die Erziehung zur Ehrfurcht und zum unbedingten Respekt vor jeder Autorität standen voran. Wer zum Herrschen berufen war, mußte erst gehorchen lernen. Mit dem Hauslehrer mußte das Kind selbst zurechtkommen. Ein Kind sollte auf Wünsche verzichten lernen. Übung in Selbstbeherrschung und Anspruchslosigkeit hing damit zusammen. Nicht an letzter Stelle stand die Pflicht zu absoluter Aufrichtigkeit und Wahrheitsliebe. Dabei sollte sich das Kind frei entfalten können. Die religiöse Atmosphäre war gesund und nicht überhitzt. Leben und Gesinnung klafften nicht auseinander.

Zinzendorf hat später von einer schlaflosen Nacht als Achtjähriger erzählt. Die Zweifel lagen damals in der Luft, nicht zuletzt durch das Wissen um die großen Baugesetze des Weltalls erregt. War alles im Zwang der Kausalität eingespannt und wo war Gott? Zinzendorf beschloß, die Zweifel zurückzustellen, aber nicht zu verdrängen. Sie haben ihn immer neu belastet. Als Sechzehnjähriger, als Neunzehnjähriger, als Zweiundzwanzigjähriger, als Achtundzwanzigjähriger mußte er sich mit seinen Verstandeszweifeln abmühen. Der Vierundvierzigjährige erklärte: »Ich habe eine sehr schwere Last an geistlichen hohen Anfechtungen von meinem achten Jahr an bis daher getragen. Wer sie nicht kennt, dem wünsche ich Glück.«

Doch der Achtjährige wehrte sich, sein Leben nunmehr »in unfruchtbarem Grübeln« zuzubringen. Er bäumte sich dagegen auf, seinen »göttlichen« Bruder zu verlieren. Ein Treibhausklima war das nicht. Zinzendorf hat nie seinen Glaubensüberzeugungen unbeschwert leben können. Um die Vergewisserung seines Glaubens mußte er oft hart ringen.

Das ganze Feuer eines leidenschaftlichen, mit glänzenden Vorzügen ausgestatteten, aber auch vielen Gefährdungen ausgesetzten, mit wachem und kritischem Intellekt begabten Gliedes einer sehr alten Familie konzentrierte sich immer stärker auf den einen, den er erwählt hat, dem er zu dienen, zu gehorchen und ganz anzugehören suchte. Das wurde der Grundton jener verzehrenden, stürmischen, sein ganzes Genie einspannenden Passion. Alles Schöpferische, alles Revolutionäre, Vorwärtsweisende, die Schranken seiner Zeit Sprengende in seinem Wesen, auch seine Torheiten und Ungereimtheiten standen damit in unauflöslicher Verbindung. Die Richtung seines Lebens war in dem kindlich-trotzigen Entschluß des achtjährigen Knaben bereits festgelegt. *Es ist Zinzendorf tatsächlich gelungen, ohne Gewaltsamkeit sein ganzes Leben auf einen Nenner zu bringen.* Der erste Schritt wurde wohl in jenem Jahr vollzogen.

Mit zehn Jahren wurde er ziemlich unsanft und unvorbereitet vom Familienrat, wenn er auch nicht einmütig erfolgte, auf das Pädagogium Regium nach Halle geschickt. Der Generalfeldmarschall von Natzmer, die Mutter, die Großmutter waren dafür gewesen, ihn der Obhut Franckes anzuvertrauen, der Onkel und Vormund, der Generalfeldzeugmeister in Gavernitz unweit von Dresden hielt nichts davon. Von einer strengen Internatserziehung kämen nur verquerte Schüler zurück.

Zinzendorf entpuppte sich als ein komplizierter Schüler während seines sechsjährigen Aufenthaltes in Halle. Obwohl er immer eine Separatwoh nung als Glied des Hochadels besessen hatte, konnte er sich unter der bunt zusammengewürfelten Zahl junger adliger Schüler nur langsam durchsetzen. Eltern gaben oft ihre Söhne nach Halle, mit denen sie in den Flegeljahren nicht fertig wurden. Es ging manchmal wild zu besonders in den Abendstunden. Er selbst bekennt von sich, daß er »vom zwölften bis ins neunzehnte ein rechter Bengel gewesen« sei. Doch die strenge Zucht, der auch er nicht entging, hat ihn nur gestählt und alle Kräfte in ihm wachgerufen. Unmenschlich war nichts. Auch die ständige Beaufsichtigung war nicht polizeimäßig aufgezogen. Man konnte Ball spielen, in Gesprächen auf und ab gehen, wenn man nicht gar die Anstalt verlassen konnte. Manches wurde den Schülern wirklich »spielend« beigebracht. Es fehlte nicht an einer Festkultur. Jeden Montag fand im Auditorium Maximum ein Schülerkonzert statt. Dort stellten sich die jungen Herren des Pädagogium Regium in ihren bunten Röcken, ihren Schnallenschuhen und der kleinen Perücke als echte Barockmenschen gravitätisch ein, als Musikausübende oder als Konzertbesucher. Zinzendorf war hochmusikalisch und hatte eine ausgesprochen gute Singstimme. Das 18. Jahrhundert war ein Jahrhundert des Musizierens. Voller Musik ist alles, was Zinzendorf aufzog[3].

Als Reichsgraf wurde ihm der Ehrenplatz zwischen August Hermann Francke und dessen Frau, einer geborenen Adligen, bei den Mahlzeiten in dessen Haus zugewiesen. Oft unterhielt sich Francke nicht mit dem Knaben. Desto aufmerksamer beobachtete er alles, die Tischgespräche, die Tischgäste. Gesandte verschiedenster europäischer Nationen stellten sich dort ein. Umfassende Pläne wurden bei Tisch besprochen, Vertrauliches durchgegeben.

Zinzendorf hat in großer Dankbarkeit zeitlebens an August Hermann Francke gehangen und ihn tief verehrt. Im Alltagsleben des Pädagogiums sah freilich vieles anders aus. Aber er fand Freunde und mit seinem unbequemen Hofmeister kam er schließlich doch zurecht, so falsch das Spiel war, das jener mit ihm trieb.

»Meine Brüder stärkten mich.« Im stillen war ein kleiner Bibelstudienkreis mit einigen Pädagogiumsschülern gebildet worden. Zinzendorf wußte um die große englische »Society for Propagation of the Gospel in Foreign Parts«, denn die englischen Schüler in Halle waren zumeist deren Stipendiaten.

Dieses Leitbild stand Zinzendorf vor Augen, und das sein Leben hindurch. Schon der Sechzehnjährige meinte in Halle zu einer deutschen Parallelgründung Ansätze gemacht zu haben. Eine Sozietät, eine Ordensgemeinschaft aus kleinen Anfängen wollte er organisieren. »So laßt uns denn unserm lieben Herrn und Heiland mit fröhlichem Mut, weil wir unter seiner Fahne geschworen haben, folgen!«

Als August Hermann Francke von diesem Kreis wenige Wochen vor dem Abgang Zinzendorfs von Halle hörte, ließ er die Schüler zu sich rufen. »Der Herr Professor freute sich herzlich darüber und machte einen mir unvergeßlichen Bund der Liebe mit mir.«

Am 3. April 1716 hat er »das liebe Halle« verlassen. Innerlich gereift, äußerlich disziplinierter, mit einem geweiteten Blick, mit einem Bildungsgut ausgestattet, wie es damals innerhalb Deutschlands wohl nur diese modernste Schule vermitteln konnte, kehrte er über Gavernitz nach Großhennersdorf zurück. Seinen großen Lebensplan, den Ordensgedanken hatte er gefunden.

Was wollte er? Innerhalb seiner lutherischen Kirche, jedoch jeden Gewissensdruck kompromißlos ablehnend, wollte er in der Form einer Sozietät, anderen dabei den Weg öffnend, eine Generalstabsarbeit treiben, wie er sie in Halle gesehen und erlebt hatte. In charismatischen Wahlgemeinschaften angesichts des Abgleitens vieler im Banne der Aufklärung, sollten hier andere Entscheidungsmöglichkeiten und Hilfestellungen gewährt und ein Dienst im Verantwortungsbewußtsein für die ganze Christenheit gefunden werden, wie die englische Society ihn praktizierte.

Etwas anderes wird man hinter diesen Ordensplänen nicht zu suchen haben, so barock ihre spielerischen Erstformen auch erscheinen. Sonst hätte auch kaum seine nüchterne Großmutter, die immer vor den Extravaganzen ihres Enkels auf der Hut sein mußte, ihn dabei unterstützt. Sie nahm ihn hier wirklich ernst. So wie die englische Staatskirche willig und dankbar auf ihre eigene Society einging, die in London die ärgste Bildungsnot unter den ärmsten Kindern aufgriff, so erhoffte auch Zinzendorf das gleiche gute Verhältnis zu seiner eigenen Kirche, wenn es einmal so weit wäre.

Jetzt mußte er erst als Student der Rechtswissenschaft nach Wittenberg ziehen. Der vorsichtig in Gavernitz anfragende August Hermann Francke, ob nicht Zinzendorf in Halle studieren könne, hatte keinen Erfolg.

Die Instruktionen, die seine Großmutter für das Studium aufstellte, waren wohlüberlegt. Er wurde an die Kette gelegt. Theologische Vorlesungen zu besuchen wie auch Disputationen zu veranstalten, wurde ihm verwehrt. Gespräche mit den Theologieprofessoren waren freilich nicht verboten. Daran und an die Möglichkeiten, an anderen Disputationen aktiv teilzunehmen, hatte man nicht gedacht. So blieb ein Spielraum, den der junge Zinzendorf reichlich ausübte. Er war Kavalier, saß blendend zu

Pferd, nahm an Hetzjagden teil, spielte Billard, Schach, auch Karten, tanzte, aber nicht mit Damen! Noch als reifer Mann freute er sich darüber, daß er vieles in vollen Zügen ausgenützt hatte. Er suchte und fand Verkehr mit den Theologieprofessoren. Er las in den lutherischen Bekenntnisschriften und in Luthers Werken. Er wurde in der Theologie wie in der Rechtswissenschaft ziemlich sattelfest.

Der junge Zinzendorf verglich die pietistische Theologische Fakultät in Halle mit der Wittenberger lutherischen-orthodoxen. Sie waren einander verfeindet. Doch nun sah er, daß sich viele Mißverständnisse auf beiden Seiten eingeschlichen hatten und anderseits sie in wesentlichen Zentralfragen sich nahestanden. So faßte er den Plan, zu vermitteln und eine Aussprache zwischen August Hermann Francke und Professor Wernsdorf von Wittenberg herbeizuführen. Er konnte am 5. Dezember 1718 an Professor Lange in Halle die »Postulata facultatis Wittenbergiensis« weiterreichen. Da stand auf einmal die von Hofmeister Crisenius alarmierte Mutter des Grafen in Wittenberg vor ihm und bedeutete ihm eindeutig: »Ehe Du in Dein eigenes Etablissement kommst, hast Du zu parieren.«[4]

Ganz ergebnislos waren die Bemühungen Zinzendorfs nicht gewesen. Sie haben doch wohl die Bestrebungen, die bereits zwischen August Hermann Francke und Valentin Ernst Löscher angelaufen waren, ins persönliche Gespräch zu kommen, beschleunigt. Hatte Löscher vorerst versucht, »so etwas wie eine Einheitsfront gegen die Hallenser zu formieren«, was nicht zustande kam, so stimmte er jetzt einer Diskussionsrunde auf halbem Wege zwischen Dresden und Halle zu. Sie kam auch vom 10. bis 12. Mai 1719 in Merseburg zum Austrag.

Löscher hatte vorher geäußert: »Ich wünsche in Vereinigung und Gemeinschaft mit den Hrn. Hallenses zu seyn, zu dem Zweck eine unterredung vor nöthig halte.« Beide Seiten hatten sich sorgfältig darauf präpariert. Doch greifbare Ergebnisse kamen nicht zum Zug. Alles scheiterte weniger an der hartnäckigen Weigerung Löschers, das nahe Halle zu besuchen, um das Werk dort persönlich in Augenschein zu nehmen. Es sind auch nicht unverrückbare theologische Gegensätze gewesen, daß beide Parteien nicht einig werden konnten, wie wir es sehen. Es war der Sendungsanspruch Halles, wie er sich gegenüber Löscher artikulierte, der für ihn unannehmbar war. Für Halle gab es angesichts der Situation der Christenheit in einer unmittelbaren Bedrohung durch die sich ausbreitende aufklärerische Stimmung nur eine Folgerung: die unbedingte Kampfgemeinschaft unter Zurückstellung aller Polemik. Daß August Hermann Francke selbst in Dresden erschien, um Löschers bereits schwierige Stellung einzuengen, konnte auch nicht versöhnend wirken.

Ohne Zweifel wäre auch das von Zinzendorf vergeblich versuchte Gespräch zwischen Wittenberg und Halle nicht erfolgreich verlaufen, vielleicht menschlich erfreulicher und weniger spannungsgeladen. Denn Löscher hatte seit 1701 in seiner Zeitschrift »Unschuldige Nachrichten« das Sendungsbewußtsein Halles als überzogen bekämpft und damit den hartnäckigen Widerstand der Orthodoxie vor allem in Brandenburg-Preußen versteift[5].

Ohne Aufsehen zu erregen, fand man eine stichhaltige Begründung für Zinzendorfs schnellen Abtritt in Wittenberg. Sein Stiefbruder war von seiner Kavalierreise nach Frankreich zurückgekehrt, um nach den Niederlanden aufzubrechen. Der junge Zinzendorf hatte sich ihm anzuschließen.

Die beiden Brüder hatten sich nie richtig verstanden, auch nicht auf der Reise. Der Stiefbruder blieb stets in kühler Distanz. Nur auf den Familientagen sah man sich später noch.

In Utrecht beeindruckten den jungen Zinzendorf, wo er seine juristischen Studien fortsetzte, die zahllosen Begegnungen mit Holländern, vor allem bei den großen Tischgesellschaften mit reformierten wie katholischen Adligen, die ihre eigene Kirche liebten und zu ihrem Bekenntnis standen. In Rotterdam und Amsterdam nahm er an lutherischen, reformierten, anglikanischen, mennonitischen wie orthodox-armenischen Gottesdiensten teil und beobachtete das friedliche Nebeneinander der verschiedenen Konfessionen. Sie verketzerten sich nicht. Es bestand ein gutes Klima allgemeiner Duldsamkeit und Anerkennung.

Er begegnete auch dem Hugenotten Jacques Basnage, dem ehemaligen engsten Freund von Pierre Bayle (1647–1706), dessen dreibändiges Werk »Dictionnaire historique et critique« (1695–1697 entstanden) er immer neu in die Hand nahm. Er hat, wie er freimütig gestand »mit Ausnahme der Bibel in keinen Büchern lieber als in Bayles Werken« gelesen. Er verstand ihn in seinem letzten Bemühen, den Glauben aus den Fesseln des Verstandes zu lösen, um ihn von einer anderen Grundlage aus gewiß werden zu lassen, obwohl dieser ein ungeheueres Material an Zweifelsfragen anführte. Endete das 17. Jahrhundert in Respektlosigkeit, so begann das neue voller Ironie. Der Roman nahm satirische Züge an und der Spott überschwemmte alles. Aus jenen Tagen stammt Zinzendorfs Neigung, satirische Anekdoten vor der Nachtruhe zu lesen, darin auch ein echter Sohn seiner Zeit[6].

In Holland trennten sich die Brüder, die einander nicht näher gekommen waren. Der Stiefbruder kehrte heim, der junge Graf reiste nach Paris weiter. Liselotte von der Pfalz führte ihn bei Hofe ein und stellte ihn dem

Regenten Philippe III., Herzog von Orleans vor, der für den noch unmündigen Ludwig XVI. die Regentschaft führte.

Die im November 1719 in Paris grassierenden Blattern verschonten auch den jungen Zinzendorf nicht. Damals starben viele unter Vornehmen und einfachem Volk an dieser gefürchteten Krankheit. Auch er meinte Abschiedsbriefe aufsetzen zu müssen. Die Ärzte retteten ihn, indem sie ihn in die Gesichtshaut schnitten, um Blut abzuzapfen. Es half, doch zeitlebens blieben die Narben.

Der Tag hatte seine gewisse Ordnung. Den Vormittag über war er auf der Reitbahn und ritt leidenschaftlich gern die wildesten Rösser. In den Mittagsstunden studierte er die Bibel. In den französischen Salons geriet er in den Ruf, die Bibel auswendig zu können. Nachmittags absolvierte er den Privat-Tanzunterricht, aber bitte ohne Damen.

Er ließ sich auch oft in die aristokratischen Zirkel einladen. In sittlichen und religiösen Fragen kannte er keine Kompromisse. Doch gerade das machte ihn interessant. Man meinte damals bereits 60 000 erklärte Atheisten in Paris zählen zu können. In den vornehmen Salons kokettierte man bereits mit dem Atheismus, fand ihn amüsant und noch mehr Zinzendorf, als einen deutschen Reichsgrafen, der noch an Gott glaubt.

Man geht jedoch fehl, bei ihm nur jugendliches Ungestüm zu entdecken. *Zwischen dem Erzbischof von Paris, dem greisen Louis Antoine Kardinal de Noailles (1651–1729) und dem neunzehnjährigen Reichsgrafen von Zinzendorf entwickelte sich eine Freundschaft.* Sie fand in der gemeinsamen Liebe zu Christus ihren Mittelpunkt und setzte sich in einem nicht immer spannungsfreien Briefwechsel bis zum Heimgang des katholischen Kirchenfürsten fort[7]. In einem vielsagenden Satz faßte der junge Zinzendorf das Ergebnis seiner Kavalierreise zusammen: »Von der Zeit an bemühte ich mich, das Beste in allen Konfessionen zu entdecken.«

Langsam wuchs er in seine Berufung als einer der großen Wegbereiter der ökumenischen Bewegung hinein. Er wurde zugleich zu einem der entschiedenen Verfechter der von Westeuropa ausgehenden Toleranzgesinnung[8].

Er hatte entdeckt, daß hinter der theologischen Sphäre »eine sehr breite gemeinsame Schicht des Glaubens und des religiösen Lebens vorhanden ist, die quer durch alle Konfessionen hindurchgeht« (Ernst Benz). In den Erbauungs-, Gebets- und Gesangbüchern der verschiedenen Kirchen ist das greifbar. Durch den Hugenotten Samuel de Bauval ließ er eine französische Übersetzung von Johann Arnds »Vier Bücher vom wahren Christentum« herstellen mit einer Dedikation an den Kardinal. Zinzendorf wußte von dem lutherischen Ferment in diesem Werk. 1728 gab

Zinzendorf noch ein »Christkatholisches Gesang- und Gebetsbuch« i
Gedenken an diese Freundschaft und zur Stärkung des ökumenische
Gedankens heraus. Ob Zinzendorf hier nur Illusionen hegte? Daß er sic
auf so vieles in Paris einließ, ist offensichtlich aus seinem Streben mit z
erklären, daß er seinen Lebensplan noch suchte. Jedenfalls war Paris nich
wie bei anderen Kavalieren zu einem großen Grab seines Glaubens ge
worden.

Es reifte der Gedanke, daß die dunklen und schuldhaften Seiten de
Zerrissenheit im Christentum, hochgespielt durch eine abgründige kon
fessionelle Polemik, nicht das einzige Wort sein können. Er gewann alle
auch eine positive Seite ab: Die Fülle des Evangeliums bricht sich in alle
Völkern und Rassen verschieden Bahn[9]. »Es ist durch des Heiligen Ge
stes gnädige Vorsehung geschehen, daß gewisse Kirchen oder Congrega
tiones errichtet worden ... da Jesus Christus doch Basis, Grund und Eck
stein ist. – Es sind der Wege tausend ... man muß alle Wege offen lassen
dadurch Gott einem auf die, dem anderen auf jene Art zu Hilfe komme
kann ...« Einer Superkirche hat der ganze Pietismus wie auch Zinzen
dorf nur Mißtrauen entgegengesetzt. Die Verschiedenartigkeit de
Christentums gehört für ihn zur Gestalt der vergänglichen Welt.

Auf der Hinreise hatte er in Düsseldorf in der kurfürstlichen Galerie ei
im Grunde mittelmäßiges Bild des italienischen Malers Domenico Fett
mit dem Schmerzensmann in einer etwas sentimentalen Manier gesehen
Darunter stand: »Ego pro te haec passus sum; Tu vero, quid fecisti pr
me?« (Ich habe dies für Dich gelitten, was tust Du für mich?). »Mir scho
das Blut, daß ich hier auch nicht viel würde antworten können und ba
meinen Heiland, mich in die Gemeinschaft seines Leidens mit Gewalt zu
reißen, wenn mein Sinn nicht hineinwollte.« Dieses Erlebnis ist in de
Zinzendorf-Literatur oft überschätzt worden. Es bestärkte ihn, auf den
eingeschlagenen Weg weiterzugehen. Eine neue Richtung gab es seinen
Leben nicht.

Auf der Rückreise durch Süddeutschland, auf einer Verwandtenreise
verliebte er sich zweimal in junge Gräfinnen, die seine Zuneigung nich
erwiderten. Zinzendorf wurde skeptisch gegenüber der Stimme des Blutes. Er fand die richtige Lebensgefährtin in Erdmuthe Dorothea, Gräfin
von Reuß-Ebersdorf (1700–1756), die in einzigartiger Weise ihn ergänzte, seine stürmische und unausgeglichene Art milderte und ihm gleich an
innerer Größe, unentbehrlich wurde[10].

Nach seiner Heimkehr zerschlug Zinzendorfs Großmutter den Versuch
Halles, ihn als Nachfolger des eben heimgegangenen Barons von Canstein
in das große Werk August Hermann Franckes eintreten zu lassen[11]. Si

zwang ihn 1721, in Dresden die unbezahlte Stellung eines Hof- und Justizrates bei der Regierung anzutreten, um sich auf eine staatsmännische Laufbahn vorzubereiten. Schweren Herzens und erst nach einem vergeblichen Auswegversuch beugte sich der junge Graf. Stand, Herkunft und glänzende Begabung wiesen ihn dorthin, wie seine Angehörigen meinten. Nur eins behielt er sich vor, im Sommer beliebig Urlaub nehmen zu können, wovon er in den folgenden Jahren immer ausgiebiger Gebrauch machte.

So fügte er sich, leistete sehr Beachtliches im juristischen Dienst, trat mit ausgewogenen Reformvorschlägen in der korrupten Verwaltung vor und nahm sich der Straffälligen warmherzig und seelsorgerlich an. Doch sein Herz schlug nicht hier.

Er sammelte in seiner Wohnung einen Hausbibelkreis. Er mischte sich also unter die Bürger, als er diesen verwaisten Studienkreis von der nach dem Baltikum zurückkehrenden Frau von Hallart, einer Freundin der Franckeschen Arbeit in Halle, übernahm. In seinem Haussaal sammelten sich schließlich gegen hundert Personen, darunter Hofbeamte, Ärzte. Auch Kaufleute und Handwerker gehörten mit ihren Frauen zu diesem »Kreis der Freunde August Hermann Franckes«.

»Der liebe Superintendent zu Dresden, D. Löscher, hatte deswegen ein christliches Mitleiden mit meiner unterdrückten Gabe und ließ mich machen.«

Zinzendorf muß sich in diesem Kreis doch zu offen über die Unsitten am Hof und in der Stadt ausgesprochen haben. Der Superintendent mußte ihn verbieten. Nach seinem Wahlspruch: »Contra audentior ito!« (Gehe noch kühner dagegen an!) lud er die Teilnehmer gruppenweise an die gräfliche Tafel. »Die Musik ist die Hauptsache.« So unterlief er juristisch kaum anfechtbar das Verbot und bald war alles doch wie zuvor.

Noch mehr Kopfschütteln erregte der Graf, als er anläßlich des Todes einer Separatistin, die nicht mehr zum Gottesdienst kam, dagegen protestierte, daß diese auf dem Schindanger ohne Sarg verscharrt werden sollte. Hier schrieb der Graf an Löscher einen Brief, daß er im härtesten Fall entschlossen sei, den Degen an der Seite, der Leiche auf den Schindanger zu folgen und am Grab ein Vaterunser zu beten. Löscher scheint es nicht zum Äußersten getrieben zu haben, denn der Frau war sonst nichts Ehrenrühriges nachzuweisen. Akten dazu fehlen offensichtlich. Zinzendorf gewann dadurch ein Vertrauenskapital in den separatistischen Kreisen in Deutschland. Denn es sprach sich schnell dieses Ereignis herum. Es sind nicht wenige Schwärmer und Separatisten, die später seine bewährten und hervorragenden Mitarbeiter wurden.

Noch etwas setzte er in Gang, was ohne verschwiegene Helfer wohl aus diesen Kreisen nicht möglich gewesen ist. Mitte 1725 gab er wöchentlich ein mehrseitiges Flugblatt heraus: »Le Socrate de Dresde, d. i. bescheidene Gedanken eines christlichen Philosophen über allerlei Gutes und Böses in der Welt, seinen lieben Mitbürgern wöchentlich mitgeteilt.« Die zweite Ausgabe hieß dann mit den folgenden nur: »Der Dresdnische Sokrates«[12].

Darin geißelt er in dem anonymen und ohne behördliche Druckgenehmigung ausgegebenen Blatt gnadenlos eingerissene kirchliche Mißstände und suchte vor allem, seinen zweifelnden Zeitgenossen die christlichen Entscheidungsfragen in Herz und Gewissen zu schieben. Sein Geheimnis wußte der Graf gut zu wahren, der auf diesem polizeilich hart verbotenen Weg eines unzensierten Wochenblattes die Dresdner verblüffte.

In Leipzig wie in Dresden wurden diese Flugblätter von Hand zu Hand weitergegeben. Selbst auf der Regierungsbank lagen sie, von den Kanzeln wetterte man gegen den Unbekannten, den man einen Atheisten hieß.

Ob Löscher wußte, wer der Herausgeber war? Von ihm stammt das Wort: »Das Talent kann auf andere Weise wohl mehr Wucher bringen ...« Nach seiner Verheiratung am 7. 9. 1722 bezog Zinzendorf im darauffolgenden Sommer sein Berthelsdorfer Schloß und wohnte mitten unter seinen Bauern. Auch hier sammelte er religiös Suchende in einem Hausbibelkreis, der auf dem Schloßsaal wöchentlich zusammenkam. In einem Geheimartikel des Ehevertrages war die Standesherrschaft seiner Gattin übereignet. Sie war es, die im Verein mit dem Schweizer Mitarbeiter Heitz und seinem Freund aus der Pädagogiumszeit, Friedrich von Wattewille, die heruntergewirtschaftete Standesherrschaft hochbrachte.

Beim Kauf stand nicht ein Pferd im Stall. 1727 zählte man 8 bis 12 Kutschen mit den dazu gehörigen Pferden. Die Schloßwirtschaft ernährte nun fast hundert Leute, darunter zwölf Diener in Livree. Die Landvögtin war doch klug gewesen, daß sie dem nach Selbständigkeit verlangenden Enkel diese Standesherrschaft anbot, deren Gutsbezirk an Großhennersdorf angrenzte.

Aus Castell hatte Zinzendorf auf seiner Rückreise von Paris einen elternlosen Bauernburschen Tobias Friedrich, einen musikalisch hochbegabten Sangesmeister mitgebracht. Aus dem zwanglosen und improvisierten Singen im Gotteshaus entstand die berühmte Singpredigt, »da man hintereinander fortsingt und aus einer Melodie in die andere fällt« und dabei einem Leitgedanken folgt. Dem Grafen selbst strömten die Lieder oft so unmittelbar zu, daß er sie während der Predigt seines Ortspfarrers Magister Johann Andreas Rothe (1688–1758) niederschrieb[13].

Er konnte Lieder während des Singgottesdienstes improvisieren. *Im aufe seines Lebens sind über zweitausend Lieder und Gedichte entstan-en.* Manche waren Gelegenheitsäußerungen, die mit Recht vergessen orden sind. Wir finden darunter aber auch unvergängliche Schöpfungen, ie selbst Goethe bewunderte. Manche verlangten eine Überarbeitung, m zur vollen Geltung zu kommen. Aus verschiedenen Liedern sind anchmal einzelne Strophen in einem neuen Lied zusammengefügt wor-en. Dadurch haben sie nur gewonnen[14].

In Zinzendorfs Standesherrschaft klopften nach 1722 mährische Glau-ensflüchtlinge an. Der Zimmermann Christian David (1691–1751) ahnte den Weg, daß diese unterdrückten und mißhandelten deutsch-ährischen Exulanten, die sich heimlich aus ihrer Heimat wegschleichen ußten, sich innerhalb des zinzendorfischen Gutsbezirks ansiedeln konn-en[15].

Die Großmutter und Zinzendorfs Gutsverwalter, der Schweizer Jo-ann Georg Heitz, hatten diese Vorentscheidung für den in Dresden wei-enden Grafen getroffen. Sie wiesen den Glaubensflüchtlingen unweit ei-er belebten Landstraße an einer wüsten Stelle ihre ersten Wohnplätze n. Von Dorf und Schloß Berthelsdorf waren sie eine gute Wegstunde ntfernt[16].

Daß diese deutschstämmigen Mähren plötzlich kamen, hatte einen anz natürlichen Anlaß. Im Jahre 1709 konnte die Gnadenkirche in Te-chen eingeweiht werden[17]. Wien wurde nervös, als sich 60 000 Deutsche, schechen und Polen im Umkreis von Teschen als evangelisch bekannten. ie Bedeutung dieses Vorganges für den gesamten Geheimprotestantis-nus im Lande konstanter Gegenreformation war kaum abzuschätzen. an kann an den geführten Beichtregistern der katholischen Ortspriester m böhmisch-mährischen Raum ablesen, was geschah. Die Beichtszahlen anken ab. August Hermann Francke unterstützte diesen Aufbruch zu-ammen mit den mit Halle verbundenen pietistischen Reichsgrafenge-chlechtern, die in Oberschlesien Standesherrschaften besaßen. Der Je-uskirche in Teschen wurden glänzende Prediger vermittelt. Ob man in alle auf eine große Erweckung im böhmisch-mährischen Raum hoffte, er die Tolerierung ertrotzen sollte? Durch die Wiederbelebung eines ersteckten Protestantismus waren auch die deutschstämmigen Mähren, eren Vorfahren der Alten Brüder-Kirche angehörten, munter gewor-en. Sie wanderten nun in kleinen Gruppen, es waren schließlich aber icht mehr als 150 Personen, heimlich über die Grenze nach Kursachsen nd stellten sich bei Zinzendorf ein. Der Graf hätte sie am liebsten sofort eiter ins Vogtland geschickt. Im Grenzbezirk zu Böhmen-Mähren bzw.

zu Schlesien war ihr Verbleib eine gefährliche Sache. Auch im Blick a
sie und die ganze heimliche Unruhe im böhmisch-mährischen Raum be
gab sich Zinzendorf mit einem kleinen Gefolge zur Krönung des habsbu
gischen Kaisers Karl VI. (1685–1740) als böhmischer König, die a
3. September in Prag angesetzt war, auf die Reise. Da er zu spät kam, re
ste er ihm auf dessen Jagdschloß Brandeis bei Prag nach.

Karl VI. hatte die berüchtigten Religionspatente von 1721 erlasse
Durch sie wurden die harten Verfolgungen aller evangelischen Bewegun
gen im tschechischen wie mährischen Volk auch für die Zukunft fortge
schrieben. Allein in der Stadt Prag brachte eine Verhaftungswelle übe
1000 Personen in Kerkerhaft. Was diesen Inhaftierten blühte, war grau
sam: Zwangsarbeit, Deportation an die türkisch-ungarische Grenze i
menschenleere verwüstete Gebiete oder auch Galeerenstrafe. Die Todes
strafe für Ketzerei wagte Karl VI. nicht mehr anzuordnen. Der dreiund
zwanzigjährige Zinzendorf sprach vor dem mißtrauisch zuhörenden Kai
ser, der dabei die Augen schloß, von den Grenzen, die aller Unterdrük
kung gesetzt sind. Man könne den Glauben nicht kommandieren. Der To
leranzgedanke klang an. Zwangsweiser Glaube sei kein Glaube. Da vo
Zinzendorf alles sehr behutsam, aber nicht verschleiert ausgesproche
wurde, war der Monarch nicht ungnädig. Die Erneuerung eines Reichs
lehn, einer souveränen Reichsgrafschaft, die sein Großvater in Franke
verloren gehen ließ, erreichte er nicht. Man deutete ihm an, welche Chan
cen sein Übertritt zum katholischen Glauben eröffnen würde.

Eins hoffte der Graf erreicht zu haben, die Bedrücker des Geheimpro
testantismus in den habsburgischen Ländern auch von seiner Seite her un
sicher gemacht zu haben. Eine Unterredung mit dem Grafen Franz Anto
von Sporck, dem bekannten böhmischen Mäzen, der auch mit dem französischen Kardinal Noailles in Verbindung stand, war nur eine Versiche
rung der gleichen Grundüberzeugung. Dessen Lieblingsidee galt der Vereinigung der christlichen Konfessionen in einer einzigen großen brüderli
chen Gemeinschaft im Geist eines duldsamen und aktiven Christentums
ohne die bisherigen Kirchengrenzen zu verwischen[18].

Ruhige Tage bekam der Graf freilich in Dresden, wo er in der Regierung tätig war, nicht. Schon Christian David sorgte dafür, daß Unruhe
entstand. Dieser evangelisierende Zimmermann zog nicht nur durch
Mähren sondern auch durch das angrenzende Schlesien und mobilisierte
dort den schlesischen Pietismus, der in Gefahr war, durch den ständiger
gegenreformatorischen Druck zu ermüden[19].

Schlimmer stand es um den neuen Ort Herrnhut selbst. Er drohte zu einem wahren Ketzernest zu werden. Bis 1727 hatten sich zu den 150 Mäh-

en noch 150 andere eingefunden. Es waren vorwiegend Separatisten, onderlinge, Eigenbrödler, die sich aus den verschiedensten Gründen om kirchlichen Leben, oft in demonstrativer, aufreizender Form zurückezogen hatten und in ihrer alten Heimat schikaniert worden waren. Sie uchten einen Ort, wo sie unangefochten ihres Glaubens leben und Brüer finden konnten, die sie verstanden und die ihnen in Liebe begegneten. Nun aber verzankten sie sich. Drei Parteien standen einander schließlich vie Fremde gegenüber. Die eine hatte sich an den lutherischen Ortspfarer Magister Rothe in Berthelsdorf angeschlossen, das heißt die kirchliche artei. Eine andere bildete sich um Christian David (1691–1751), die ine Separation von der Kirche betrieben. Eine dritte Partei, mit der Zinendorf am wenigsten gerechnet hatte, waren Deutschmähren, die die im Dreißigjährigen Krieg in Böhmen-Mähren zugrundegegangene Alte Brüder-Unität mit ihrer Gemeindeordnung, ihren Ämtern und ihrer Kirhenzucht erneuern wollten. Was unternahm der Graf? Er bewies eine ertaunliche Toleranzbreite, eine zuwartende Geduld. Denn der alte Keterbegriff galt für ihn nicht mehr, daß irrige Lehren genügen, einem andeen den Glauben und die Liebe zu Christus abzusprechen und einen haren Trennungsstrich zu ziehen.

Doch all sein Mut zum Risiko, im Abwarten und im Ertragen hätte eine Änderung allein herbeiführen können, die am 13. August 1727 fast vie ein Wunder von den Zerstrittenen erfahren wurde. In einem Abendnahlgottesdienst einer Pfarrkommunion, zu dem Magister Johann Andeas Rothe alle Zerstrittenen eingeladen hatte, und sie auch kamen, fiel es llen wie Schuppen von den Augen. Sie lernten einander lieben. Es war ür sie ein spektakuläres Geschehen, daß verhärtete Herzen aufgebrohen wurden. Von diesem Tage an begann ein Lernprozeß. *Die Brüderemeine entstand, ein neues Modell gelebten Glaubens.*

Die Herrnhuter begruben ihre Gegensätze, gingen aufeinander zu und charten sich um den jungen Zinzendorf, der ein Bild von diesem neuen Modell aufzeigte, eine Einsicht, die damals gewiß noch nicht bis ins Letzte usformuliert war, aber die Marschrichtung für sie alle abgab.

Zinzendorf wußte sich gerufen zu einer geformten und verbindlichen Bruderschaft, die sichtbar alle Glieder umspannte. Innerhalb der vorfindichen Kirche sollte sie eine Dienstgemeinschaft sein, die nie an sich selbst genug haben kann und darf. Damit kam er dem Selbständigkeitsdrang der mährischen Glaubensflüchtlinge nach. Sie steuerten auf die Gründung der »Erneuerten Brüderunität« zu. Vieles von den alten Traditionen wurde eingebracht. Der Weg zu eigenen Verfassungsformeln, zu den Laienämtern, vorweg dem Ältestenamt, zu den Sing- und Feierstunden

gemeinsamer Erbauung in neuen originalen Formen gelang. Der Bruc
mit der Landeskirche war vermieden, der Weg zur selbständigen Eigenge
staltung als verbundene Bruderschaft frei. An krisenhaften Ereignisse
fehlte es auch später nicht.

Damit wurde der Weg des radikalen Pietismus, der sich brüsk von de Kirche schied, weil sie völlig versagt habe, abgeschnitten und die Flucht i die eigene Seele, das Ausweichen in die Mystik abgewehrt. Der Graf gab e ner neuen Sendungsgewißheit freie Bahn. In diesen geformten Bruder schaften liege ein Geheimnis verborgen. Denn der Christenheit ist in a den Jahrhunderten immer wieder durch solche in kleinen Häuflein ver bundenen Brüder geholfen worden[20].

Solchen Aufbruch zu neuen Modellen gelebten Glaubens hat die Chri stenheit immer wieder erfahren. Ob es in der Stunde der großen Völker wanderung war, in der alle Ordnungen sich aufzulösen drohten, da Schwert locker saß, da antworteten die Mönche um Benedikt von Nursi mit einem neuen Modell: Beständigkeit des Ortes, Verzicht auf da Schwert, Verwirklichung eines bruderschaftlichen Lebens. Das war da entschiedendste und nüchternste Eingehen, kein Ausweichen vor de Problemen der Stunde.

Franziskus von Assisi vermählte sich in der Stunde, da die Geldwirt schaft siegte und der Frühkapitalismus eine neue Gefährdung heraufbe schwor und das Geld eine verzaubernde Macht ausstrahlte, mit der »Fra Armut«. Bettelnd zogen seine Brüder in die aufblühenden Städte als Seel sorger der Reichen und Armen, mit ihrer eigenen nackten Armut an di Vergänglichkeit aller irdischen Götzen mahnend.

Diese Grüpplein, die zusammengeführt werden, haben ihre besonder Stunde. Sie gehören zu den unvollkommenen Sachen, aber ihre Kett reißt nicht ab. Diese Einsicht hat Zinzendorf und die Brüder vor de Überschätzung, gar vor der Verklärung solcher neuen Dienstgruppen wi vor der Angst, daß Widerspruch und Verfolgung dabei nicht ausbleiben bewahrt.

Die erste geformte Bruderschaft geschah in der Gestalt der »Banden« Es waren kleine Gebetsverbrüderungen, nach Geschlechtern und Alters gruppen getrennt. Der Zusammenschluß geschah freiwillig, wenn auc Zinzendorfs lenkende Hand nicht zu übersehen ist. Man half sich gegen seitig in allen Lebenslagen. Dreißig solcher Gruppen entstanden. Die Zu sammensetzung dieser Banden (bands) mit je 8–10 Mitgliedern wechselt oft mit Bedacht. Unbedingte Verschwiegenheit wie feiner brüderliche Takt wurden wesentlich. Denn es sollte ein Bündnis sein, wo man keines falls, wie Zinzendorf sagte, »einander zensiert oder wo man fürchten muß daß einer oder der andere verwundet wird. Denn da geht man gewiß auseinander, ohne auf etwas Solides zu kommen. Sobald der erste Stich auf jemanden gegeben wird, so ist die Bande aus.« In diesem Geist ist »aus diesen zusammenrückenden Banden die Gemeine entstanden«. Später traten die Banden zurück. Um 1731 wurden »Klassen« eingerichtet und der einzelne, je seiner bisherigen Zurüstung und christlichen Reife entsprechend, im allgemeinen Lernprozeß der Gemeine in die entsprechende Gruppe eingeteilt[21].

Für diese Zeitspanne war nicht nur Zinzendorfs Verhaftetsein an mystischem Gedankengut bemerkenswert, sondern auch seine Bindung an die hallesche Bekehrungsmethodik. Nach ihr wurde seit 1727 förmlich exerziert. Demgemäß teilte der Graf die Herrnhuter in drei Gruppen: Innerlich noch Tote, Erweckte, die im Bußkampf standen und Bekehrte, bei denen der Durchbruch geschehen war[22].

Vielleicht hat Zinzendorf selbst diese Bekehrungsmethodik erst richtig ausgebildet und nur Ansätze aus der Zeit in Halle übernommen. Doch seit 1729 stiegen ihm die ersten leisen Zweifel an dieser Methode auf. Ein Hallenser, der Theologe Mischke in Sorau, bezweifelte, ob der Graf selbst bekehrt sei. Zinzendorf bemühte sich nun um Bußkampf und Durchbruchserlebnisse vergeblich. Er wurde hellhörig und eine langsame Ablösung aus dem starren Bekehrungsschematismus setzte ein. Seitdem wurde Zinzendorf immer kritischer gegenüber mystischen Erlebnissen. Erst später schaltete er den mystischen Heilsweg, so offensichtlich er ihn damals nur und in keinem anderen Sinn als Exerzitium der geistlichen Ritterschaft hochschätzte und mit den Brüdern praktizierte, völlig ab.

Christian David beschäftigte sich in der gleichen Zeit ausführlich mit Jakob Böhme und hing dessen Spekulationen nach. In Alt-Herrnhut liebte man Johann Arnds »Wahres Christentum«, die Schriften Gottfried Arnolds (1666–1714). Die Abneigung gegenüber der damals nicht gerade attraktiven Staatskirche konnte sich in leidenschaftlichen separatistischen Aussprüchen offenkundig machen. *Erst nach 1732 wuchs allmählich die innere Geschlossenheit Alt-Herrnhuts unter der Einwirkung eines gesunden Biblizismus und durch Zinzendorfs immer entschlossenere Hinwendung zu Luther*[23]. Vorher konnte sich bei ihm und den Brüdern alles noch verbinden, die Liebe zu Luthers Kleinen Katechismus und zu den alten lutherischen Chorälen, in denen man wirklich lebte und die Einblendung mystisch-spiritualistischen Gedankengutes als Frömmigkeitsimpulse. Mit der zunehmenden Ernüchterung wurden die »Klassen« fallen gelassen. Der Graf bedauerte lebhaft, daß sie mit diesen Klassen die Banden praktisch zerstört hätten.

Es wurde dafür der Chorgedanke vorherrschend und bestimmte da
Bild der Gemeine. Hier entstanden selbständige Lebensgemeinschaften
die freilich erst nach dem Bau der verschiedenen Chorhäuser ihre richtig
Ausbildung fanden. Für die Chöre der ledigen Brüder und der lediger
Schwestern entstanden die Brüder- und Schwesternhäuser. Hier wohnte
sie zusammen, besaßen eine gemeinsame Lebenshaltung, speisten mit
einander, legten ihre Einnahmen zusammen und schliefen gemeinsam au
den großen Dachböden ihrer ansehnlichen Barockhäuser. Sie wählte
ihre eigenen Choraltesten, hielten ihre täglichen Chorandachten und ent
falteten ein starkes und frohes Eigenleben, arbeitend, feiernd und sin
gend.

In den Schwesternchorhäusern wohnten schließlich Stube an Stube ein
Gräfin und eine ehemalige Stallmagd. Ein natürlicher Takt bildete sic
heraus, der die Unterschiede im Herkommen auf einer höheren Eben
harmonisierte.

Die Verheirateten wohnten in ihren eigenen Häusern und übten dor
ihren Beruf aus, während die ledigen Brüder wie Schwestern ihre Werk
stätten in ihren Chorhäusern einrichteten. Der Chor der Verheiratete
feierte seine eigenen Chorfeste und Liebesmahle, hielt Tischgemeinschaf
ten in der ausgeprägten Festkultur Herrnhuts.

Die verwitweten Brüder und Schwestern bezogen ihre Witwer- bzw
Witwenhäuser und gestalteten ebenfalls ihr eigenes vielförmiges Chorle
ben[24].

Da jeder für den anderen im gleichen Chor mitmenschlich und das heiß
auch in den täglichen Sorgen und Fragen mitverantwortlich blieb, gab e
hier kein Proletariat oder sozial wie diakonisch Versäumte und Überse
hene. *In einem verhaltenen Enthusiasmus wurde die Bruderschaft prakti
ziert. Hier reifte, wenn auch unter manchen Schwierigkeiten, ein bishe
noch nicht in der evangelischen Christenheit deutscher Zunge gesehene
Modell gelebten Glaubens allmählich heran*[25].

Da die einzelnen Chöre nicht nur in ihren Chorstunden beisammen wa
ren, sondern auch in ihren gemeinsamen Gottesdiensten, konnte sich da
Eigenleben in den verschiedenen Chören nicht isolieren. Man sang un
betete sich täglich unter dem gemeinsam gehörten Wort zusammen. In ei
nem Regierungsentwurf für den jungen Markgrafen von Bayreuth, sei
nem Vetter, hat Zinzendorf 1727 von drei Gruppen gesprochen, mit de
nen ein Fürst zu rechnen und die er zu tolerieren habe, nämlich mit de
bestehenden Kirchengemeinschaften als die eine Gruppe, zweitens mi
den Atheisten, auch wenn sie sich faktisch nicht von der Kirche getrenn
hätten, und drittens mit einem Kreis, der inmitten eines beginnenden Ab

alls vom Christentum entschlossen zu einer Kampfgenossenschaft zu-
ammenrücke. Er bleibe innerhalb der Kirche, müsse aber die Freiheit zu
inem Eigenleben erhalten, um den Dienst dort aufzunehmen, wo die
Kirche mit ihren Kräften nicht zurecht käme.

So sollten die Brüder bloße »Societäten in der Kirche« bilden. Das hielt
Zinzendorf noch 1745 in einem Bericht an einen sächsischen Minister
est. Doch der Kampf der Theologen und Fakultäten gegen die Brüder
abe dann die Entwicklung zur Mährischen Kirche nahegelegt. »Die
Gegner haben es also provoziert, daß man mit der Kirche ins freie Feld
inaus ging. Man habe keine besondere Kirche etablieren wollen, sondern
egenüber dem schwärmerischen und deistischen Unwesen für ermüdete
eelen ein Haus bauen wollen.«

Zinzendorf hat es lange nicht wahrhaben wollen, daß seit 1727 die
Entwicklung in einer anderen Richtung immer stärker und zwangsläufig
orwärts getrieben wurde.

*Die Gemeine von Herrnhut und nach ihr die neuen Gemeinden haben
ich als eine Kirche innerhalb der vorfindlichen Kirche zusammengefunden
nd haben bald den Dienst in Mission, Diaspora und Ökumene als die ih-
en zugewiesene Aufgabe erkannt.* Alle verfügbaren und herangereiften
Kräfte setzte die Gemeine für diese brüderlichen Dienstleistungen ein. So
tand sie inmitten einer weltweiten Christenheit, beschwingt durch den
hiladelphischen Geist. Das weitete ihren Chorgeist aus. Man half sich
egenseitig aus, Brüder und Schwester wurden hin- und herversetzt bzw.
n andere Aufgaben gerufen und konnten schwerlich »introvertieren«.

Daß hier ein seit Generationen und Jahrhunderten »in Kultur eingebet-
eter Adel«, der zu Lebzeiten Zinzendorfs in Herrnhut 25 % der Gemei-
eglieder umfaßte, mit den schlichten, durch Verfolgung und Strapazen
ezeichneten Exulanten, Handwerkern und Bauern, unter ihnen anfäng-
ch noch Analphabeten, zu einer nüchternen, ganz unsentimentalen ech-
en Bruderschaft zusammenwuchs, war wohl einzigartig. Man redete sich
ur gegenseitig mit Bruder oder Schwester an und saß im »Saal« einer ne-
en dem andern.

*Hier geschah ein Überspielen der privilegierten Schichten, ein gesell-
chaftlicher Umbruch durch eine Assimilierung des beteiligten Adels, de-
nonstrativ bereits in der Ämterordnung von 1727 sichtbar.*

Die Adligen und die bürgerlichen Standes wurden als nichtwählbar
usgeschlossen. Damals wurde ein allmähliches Auflockern der bisher
tarren Ständeordnung spürbar, auch jener ausschließlichen Einordnung
n Familie, Dorfgemeinschaft, Nachbarschaft, in die Stände- und Berufs-
chichten.

In Herrnhut wurde das sichtbar. Es gab in Herrnhut von Anfang a keine Leibeigene, auch wenn sie als Leibeigene sich abgesetzt hatten. Dem einfachen Volk, dem man in diesem Jahrhundert nicht viel zutraute auch Leibniz war von diesem Vorurteil nicht ausgeschlossen, gab Zinzendorf die Würde wieder, den Schlichtesten neue Freiheitsräume.

Drückender Zwang wurde vermieden. Freiheit und Bindung sucht man gegeneinander richtig auszubalancieren. So wurden Sonderbegabungen sichtbar, Charismen entfalteten sich, Persönlichkeiten reifte heran. Glieder, die aus den untersten nicht privilegierten Schichten stammten, wurden später zu Bischöfen dieser Brüderkirche geweiht, un Missionare, nicht immer nur aus dem Theologenstand, empfingen ihr Ordination durch diese Bischöfe. Zinzendorf hat sogar Frauen ordinier zu bestimmten Aufgaben. Widerspruch verstummte bald. Während di dänisch-hallesche Mission, auf Indien beschränkt, im ganzen 18. Jahrhundert 60 Theologen als Missionare aussandte, waren bis zu Zinzendorf Tod 226 ordinierte Brüdermissionare, mit den geistlichen Rechten versehen, in alle Weltteile ausgeschwärmt. Hier brach eine Dynamik auf. Da nicht jeder für eine solche »sichtbare und geformte Bruderschaft« berufen ist, wurde Zinzendorf und seinen Brüdern mit den Jahren immer deutlicher[26].

Merkwürdigerweise waren es nicht die weichen Charaktere, die sic mühelos einfügten, sondern die starken und eigenwilligen, die Gehorsar und Freiheit vereinen konnten. Wo diese Bruderschaft damals wuchs, be stand dieser große Spielraum einer Freiheit in allen Bindungen, die ma bejahte.

Man hat später bei Aufnahmegesuchen das Los herangezogen. Nich immer ist man mit der Lospraxis schlecht gefahren. Bei den gefährliche Überfahrten nach Amerika, die risikoreich waren, hat Zinzendorf hartnäckig auf das Los gepocht. Lieber ließ er wochenlang die Geschwister au ein anderes Schiff wartend untätig herumsitzen. Merkwürdigerweise sin viele der Schiffe, die man nicht besteigen durfte, nicht an ihr Ziel gelang

Freilich nahm man dann in Kauf, daß z. B. Ludwig Carl von Schrautenbach (1724–1783), der Zinzendorf sehr nahestand und dann zum bedeutendsten Biographen des Grafen wurde, durchfiel. Das geschah auc Wolfgang von Goethe, der später die Richtigkeit, daß die Weichen so fie len, nur bewundern konnte[27].

Die Zinzendorf nicht gesucht und gerufen hatte, die Mähren und di anderen, die sich in Herrnhut einfanden, ließen sich von ihm zu eine neuen Ausformung der Bruderschaft führen, zu einem großartige »Streitergeist« entzünden.

Bünde schließen, Streiterkolonnen im Volke Gottes zu formieren, war ein Lebenselement des Grafen. Zeitlebens hat er sie unermüdlich gegründet, wo es auch war. Zahlreiche brachen wieder auseinander, andere bewährten sich, um deretwillen sich dies Mühen lohnte. Der Jenenser Bund mit Dozenten und Studenten bildete den Anfang der Herrnhutisch-Jenensischen Sozietät an der Universität, die von 1727 bis 1742 bestand. Als Bruderschaft half sie armen und erkrankten Studenten und richtete in den Vorstädten ein Armenschulwesen mit kostenlosem Unterricht für über 160 Kinder ein. Dann machte ein scharfer Befehl aus Weimar der ganzen Arbeit ein Ende. Die Ausweitung solcher Studentengemeinden auf andere Universitätsstädte gelang nicht recht. Wir hören nur von Halle und Leipzig. Viele Studenten wanderten jedoch auch späterhin nach Herrnhut. Allmählich verlor man dort das anfängliche Mißtrauen gegen die »Studierten«. Es entstand eine communio zwischen mährischen Handwerkern, Gelehrten und Adligen. 60 ehemalige Studenten von Jena sind in den Dienst der Herrnhuter Gemeine getreten, aus der kleinen Halleschen Studentengemeinde kamen 12, darunter 5 Adlige. Ohne diese Gelehrten, nur mit Handwerkern hätte Zinzendorf seine weitgehenden Pläne kaum realisieren können.

Ein wichtiges Unternehmen, das dem Grafen viele langjährige Verdächtigungen eintrug, war 1730 seine Begegnung mit über 1000 Inspirierten im Westerwald, in Frankfurt am Main und in der Wetterau, wo sie teils in festgefügten Inspirationsgemeinden, teils als lose Erbauungszirkel zu finden waren. Hier empfand Zinzendorf eine besondere Lebensaufgabe. In Dresden hatte er sich um sie bemüht, in Herrnhut unruhige Geister aufgenommen, in Jena fand er bei ihnen Gehör. 1729 war er erfolgreich für den Separatisten Tuchtfeld eingetreten, der von Friedrich Wilhelm I. in Preußen eingekerkert worden war. Er verhandelte mit dem Chemiker und Theologen Dr. Johann Konrad Dippel (1673–1734), später mit dem Propheten Johann Friedrich Rock (1687–1749), dem Sattler, zu dem sich 13 Inspirationsgemeinden in der Pfalz, in Württemberg und der Schweiz hielten. Man wollte enger zusammenrücken. Erst spät, von Rock erst 1736, trennte sich Zinzendorf. Am 1. August 1736 schrieb er an Rock:

»Ich will mit Deiner Inspiration nichts zu tun haben, bete sie weg. So Du aber fortfahren wirst, Taufe und Abendmahl zu verwerfen, so bist Du ein falscher Prophet.« Rock versuchte nun, den Grafen durch Veröffentlichung ihres »Geheimen Briefwechsels« bloßzustellen und lieferte damit den Gegnern willkommenes Material[28]. Fünf Jahre später dichtete Rock in wehmütiger Stimmung:

Die Herrnhuter werben,
Die Inspirierten sterben.
Wer ist der Nächste am Erben? –
Echo: Die recht sich selbst sterben.

1731 bot Zinzendorf seinem Vetter, dem neuen König Christian VI von Dänemark (1699–1746), seine Dienste an. Zuerst ließ sich alles gu an. Er hoffte sogar zum Großkanzler von Dänemark ernannt zu werden Der alte Großkanzler des verstorbenen Königs Friedrich IV., ein Freun August Hermann Franckes, war gestorben.

Zinzendorf wurde jedoch höflich mit dem Daneborg-Orden, der de zweithöchste war, abgespeist. Ob es daran lag, daß der Graf mit seinen Plan, eine christliche Universität mit dem Programm einer Generalreformation im Sinne von Johann Amos Comenius, einer Gesamtwissenschaf auf biblischer Grundlage, nicht durchkam? Ihm lag es am Herzen, der Flu von aufklärerischen Gedanken gegenüber einen Wall aufzurichten. Später hat er noch einmal in seinem theologischen Seminar in Marienborn be Büdingen diesen Plan in einem kleinen Maßstab aufgegriffen. Doch scheiterte er dort mangels genügend ausgebildeter Mitarbeiter.

Wahrscheinlicher ist, daß sein Vetter Christian Ernst von Stolber (1691–1771) auf Wernigerode bereits gegen ihn arbeitete. Mit Halle en verbunden, hatte er ungünstige Urteile über ihn an die Könige von Dänemark und Preußen gegeben, aufs höchste mißtrauisch geworden durc Zinzendorfs Verbindungen mit den Separatisten, die er vorher besuch hatte. Für alle Zuträgereien offen, ohne mit Zinzendorf offen zu sprechen, wurde er zu dessen unversöhnlichem Gegner. Nirgends ist Zinzendorf später so unerbittlich und zäh als von Wernigerode aus bekämpf worden. Die Quertreibereien, die im Jahre 1750 zur Ausweisung de 1000 Brüder und Schwestern aus Herrnhaag führten, was überall Aufsehen erregte, sind, wenn auch nach außen kaum wahrnehmbar, von Wernigerode aus inszeniert worden.

Es ist aktenkundig, daß dieser regierende Graf Christian Ernst vo Stolberg auf Wernigerode das Haupt der stillen Verschwörung gegen Zinzendorf wurde. In seiner Frömmigkeitsrichtung war er mehr vom milde Geist Speners als von dem des jüngeren Francke geprägt. Er hatte Sorge daß in seine endlich befriedigte und geordnete Grafschaft Unruhe un Turbulenz wieder einziehen könnte. Die Harzbevölkerung blieb auch nach der Beseitigung der letzten Reste der im Dreißigjährigen Krieg eingerissenen Verwilderung renitent und unruhig, zur mystisch-erregten Frömmigkeit bereit[29].

Zinzendorfs Wirken und Unruhestiften waren für den Grafen von Stolberg identische Begriffe geworden. Hier hat Albrecht Ritschl (1827–1889), der mit inquisitorischer Schärfe den Pietismus untersucht hat, richtig gesehen, »daß die hauptsächlichen Fehler des Grafen ihren Spielraum nicht innerhalb der Gemeinde, sondern in dem Verkehr mit seinen Gegnern gehabt haben«.

Die hallesche Partei hat die Auseinandersetzung niemals in der Öffentlichkeit geführt. Diese Gegenpartei versuchte in Kopenhagen die Missionsunternehmungen Zinzendorfs lahmzulegen. Überall wollte man der Arbeit des Grafen einen Riegel vorschieben. Gotthilf August Francke (1696–1769), sammelte in einem Zeitalter vieler Gerüchtemacherei – in einer merkwürdig naiven Menschenkenntnis – alles, was über den Grafen erzählt wurde, um es schnell nach Wernigerode und von dort an alle pietistischen Höfe weiterzugeben. Man kramte selbst in alten Schulakten nach, um über Zinzendorf als Pädagogiumsschüler in Halle Belastendes herauszuholen. Manches wurde tragikomisch.

Ja, wenn sich Zinzendorf auf die Oberlausitz beschränkt hätte, war man bereit, vieles zu übersehen. Aber nun hatte die ungeheure Expansion der Brüder eingesetzt, die überall auftauchten. Sie nahmen im Baltikum den Platz ein, den bisher Halle besessen hatte, sie kamen nach Amerika, schließlich erschienen sie in Trankebar, dem berühmten Ausgangspunkt der hallisch-dänischen Mission in Südindien. Sie respektierten keine Grenzen und Einflußsphären, für die Halle ein älteres Recht in Anspruch nahm. Das mußte naturgemäß die Besorgnis des alternden Halle vermehren. Die Tragik bestand darin, daß weder August Gotthilf Francke noch Graf Christian Ernst von Stolberg auf Wernigerode die Geduld besaßen, die angebotenen Gesprächsrunden mit Zinzendorf aufzugreifen. Es kam zu keinem Waffenstillstand, obwohl Zinzendorf seine Friedenshand unermüdlich ausstreckte: »Wir werden doch noch mit einem Munde und mit einem Herzen das Lamm predigen«, schrieb er am 17. Juli 1743 an August Gotthilf Francke, aber vergeblich!

Doch die nachrückende Grafengeneration war aufklärerisch und tolerant eingestellt und soweit sie von diesem Gegensatz noch Kenntnis nahm, imponierte ihr Zinzendorf und die Brüderkirche weit mehr als das alte Halle.

1732 ersuchte Zinzendorf um die Entlassung aus dem sächsischen Staatsdienst, dem er nur noch formell angehörte. Er tat das rechtzeitig, ehe er aus dem Land ausgewiesen werden sollte. Zuvor übertrug er nun ganz offiziell die Standesherrschaft Berthelsdorf seiner Frau und sicherte dadurch Herrnhut. Eine geharnischte Beschwerde Kaiser Karls VI. bildete den Anlaß. Er wollte sich nicht mehr damit zufriedengeben, daß immer noch leibeigene Böhmen heimlich das Land verließen und nach Herrnhut kamen. Angesichts der wenigen, um die es sich noch handelte war das eigentlich unverständlich, daß man sich in Wien so aufregte Schließlich durfte Zinzendorf noch bleiben, wenn er und die mährischen Brüder sich ruhig, d. h. unauffällig verhielten. Einen weiteren Stein des Anstoßes bildeten die aus Schlesien gewichenen Schwenckfelder, die Zinzendorf vorübergehend in Berthelsdorf aufgenommen hatte. Für sie sah der Graf Amerika als Zufluchtsland vor. Das alles reichte zu, daß auch Dresden nervös wurde.

Die Herrnhuter waren inzwischen längst dabei, in einem unstillbaren Drang als Boten und Zeugen in die Welt auszuschwärmen. Man zog dorthin, wo die Menschheit am ärgsten entwürdigt worden war. Unter den Negersklaven, unter Indianerstämmen, unter Hottentotten, unter den Eskimos, die an die Eisränder gedrängt waren, wurde ein selbstloser Missionsdienst und ganz praktische Hilfe geleistet. In Osteuropa half Zinzendorf mit seinen Brüdern kleinen Völkern wie den Esten, Letten und Wenden.

Unter den Esten und Letten brach nach einer vorbereitenden mit mancherlei Konflikten verbundenen Reise Zinzendorfs im Jahre 1736, durch die Arbeit nachrückender Brüder aus Herrnhut, von Ärzten, Lehrern und Handwerkern eine Erweckung aus. Diese Brüder teilten mit ihnen das jämmerliche Dasein der leibeigenen Bauern unter ihren deutschen Standesherren. Schließlich wurden über Hunderttausend davon erfaßt[30].

Hier wurden ungeahnte religiöse und soziale Antriebskräfte entbunden. Eine im Zustand sozialer Unfreiheit und politischer Entmündigung lebende bäuerliche und der herrschenden deutschen Oberschicht dienende Unterschicht der Esten und Letten wurde durch einen ganz persönlich erfahrenen Glauben innerlich frei und unabhängig.

Erstmalig wird in den anfänglich von Zinzendorf und den Herrnhutern erweckten und sich sammelnden Brüdergemeinschaften christliche Bruderschaft in einem dort neuen Modell gelebten Glaubens praktiziert. Sie bewährte sich unter den schwierigsten Verhältnissen, auch bei grassierenden Hungersnöten und unter den Augen einer mißtrauischen ausschließlich deutschen Pfarrerschaft. Die Esten und Letten errichteten innerhalb der weiträumigen Kirchspiele mit oft 10 000 Kirchengliedern ihre eigenen Versammlungshäuser, die bis 1500 Besucher zu fassen vermochten und im Blockhausstil erbaut wurden. Hier kamen sie nach dem sonntäglichen lutherischen Gottesdienst ihrer deutschen Oberhirten zusammen Bei allen Anfeindungen, die sich bereits unter Zinzendorf einstellten, jedoch kaum in Estland, fanden sich immer wieder vereinzelte tonangebende Adelsfamilien aus den Reihen der deutschen »Erbherren«, die sich schützend und fördernd im hart opponierenden Livland zu ihnen stellten. So kam es durch diese Massenerweckung, die immer weiter um sich griff, zu einer Neugeburt volkhafter Existenz, die als Gabe und Aufgabe Gottes ergriffen wurde. Durch die damit verbundene sittliche Erneuerung wurden tief eingewurzelte Volkssünden, Unzucht, Trunksucht, Streitsucht, Unehrlichkeit weitgehend zurückgedrängt.

Die Kirchengeschichte bietet kein Beispiel, wo nur annähernd in gleicher Dynamik ein so zahlreiches aktives Laienpriestertum hervorgetreten ist wie hier. Dabei gelangten auch Frauen zu verantwortlichen Aufgaben. Hier entstand eine »bäuerliche Elite«, die wach und bereit war auch für eine bäuerliche und das heißt auch nationale Emanzipation, und sich zugleich von allen Bauernrevolten fernhielt.

Ob der Graf in Kopenhagen ein Staatsamt zu bekleiden suchte oder später in einem bescheideneren Umfang bei dem Markgrafen von Bayreuth, es ging ihm um die Verwirklichung eines Akademieplanes.

Während wir über den ähnlich gelagerten Akademieplan für Bayreuth gut unterrichtet sind, sind über den dänischen Plan nur noch bruchstückartige, geringe Aufzeichnungen vorhanden.

Den wachsenden kirchlich-orthodoxen und staatlichen Widerstand bei seinen weltweiten Unternehmungen suchte der Graf durch Gutachten und besondere Schritte zu unterlaufen. So legte er im schwedischen Stralsund vor dem dortigen Konsistorium ein Rechtgläubigkeitsexamen mit Erfolg ab. Daß er inkognito auftrat und erst nach dem Examen sich zu erkennen gab, war für einen Adligen damals kein Sündenfall. Erst kleinbürgerliche Gegner haben das hochgespielt.

Tübingen lag Zinzendorf besonders am Herzen. Es war die Tübinger Theologische Fakultät, die ihm beisprang, als er sich vor theologischen Verdächtigungen kaum mehr zu retten wußte. Das Zeugnis dieser angesehenen Theologischen Fakultät stellte 1733 fest, daß Herrnhut in der Öffentlichkeit fälschlicherweise als ein Ketzernest beschuldigt wurde. Nach eingehender Prüfung war die Fakultät zu der Überzeugung gelangt, daß die Herrnhuter in ihrer Gemeindeverfassung und in ihrer Kirchenzucht mit vollem Recht sich des Zusammenhangs mit der ältesten romfreien Kirche Europas, der böhmisch-mährischen Brüderkirche, rühmen dürften. Und doch sprenge dies nicht den Rahmen der lutherischen Kirche, in deren Mitte sie sich befanden.

Ganz ohne Bedenken war die Fakultät bei diesem Schritt nicht geblieben. Sie rechnete auch nicht mit einer einhelligen Zustimmung an den anderen theologischen Fakultäten und unter den Kirchentheologen Deutschlands. Doch sie fühlte sich gedrungen, »auch einmal etwas für das Reich Gottes zu wagen«.

Noch ein zweites Mal zeigte sich die Tübinger Fakultät dem Reichsgrafen gegenüber in einer bewundernswerten Großherzigkeit. Als ein Jahr später 1734 Zinzendorf, der nur Jurisprudenz und nie Theologie studiert hatte, in den geistlichen Stand eintreten wollte, um auch auf Kanzeln sprechen zu können, erwies sie ihm alles erdenkliches Entgegenkommen. Die Professoren, die zur altwürttembergischen »Ehrbarkeit« gehörten und im eigenen Land kaum mit Adligen zu tun hatten, die dort auch keine Rolle spielten, besaßen hier ein gesundes unvoreingenommenes Urteil. Sie hatten den Reichsgrafen, bei dem sich ein scharfer Intellekt mit einer geistigen Wendigkeit und einem erstaunlichen Gedächtnis verband, richtig eingeschätzt. Hier war ihnen ein wirklicher Dichter, ein Künstler, ein Mann von bestrickendem Charme, aber auch ein Charakter von eisernem Willen und einer Tollkühnheit begegnet, der vieles wagte, aber doch immer sich von seinem scharfen Verstand zurückrufen ließ, ehe sich auf törichten Wegen vollends zu verirren. Zinzendorf besaß, durch und durch ein Jurist, eine gewisse Klugheit und Schläue, mit der er hier und dort den Behörden einen Streich spielen konnte, aber doch die feine Grenze wußte, die ihm gesetzt war.

Das wußten die Professoren. So wollte der Kanzler D. Pfaff dem Grafen im Namen der Fakultät die Würde eines Doktors der Theologie verleihen und das Stuttgarter Konsistorium den Titel eines Kirchenrates verleihen, um den ungewöhnlichen Schritt zu erleichtern. Denn daß ein Glied des Hochadels den Talar eines evangelischen Geistlichen anlegte, galt in der Welt der alteuropäischen Aristokratie als unstandesgemäß und taktlos. Als hohe geistliche Würdenträger innerhalb der katholischen Kirche im Zeitalter des Feudalismus wurden die Adligen akzeptiert. Doch innerhalb der evangelischen Kirchen trug ein solcher Übergang ins geistliche Amt nur Verachtung, ja einen Boykott der Standesgenossen und anderer ein.

Zinzendorf verzichtete jedoch auf die beiden angebotenen Ehrungen. Er dachte dabei an die Separatisten, die solche Titel wie die Pest verabscheuten. Wenn es ihm gelungen wäre, eine Prälatur in Altwürttemberg zu erlangen, hätte für ihn der Fall anders gelegen. Man wird von da aus, daß der Graf es seinen Standesgenossen leichter machen wollte, diesen Schritt zu verstehen, der ihn nicht aus der Welt des Hochadels herausführen sollte, das Dekorum verstehen können, wie sich dann der Eintritt in den geistlichen Stand vor der Öffentlichkeit vollzog.

Am 4. Advent 1736 predigte der Graf in der Stiftskirche in Tübingen, reilich durchdrang er mit seiner Stimme nicht den großen Kirchenraum. »Ich trug seiner Majestät Gnadenzeichen wie es in Frankreich die geistlihen Ritter tun.« Damals fand jedenfalls niemand etwas Anstößiges. Moiert darüber haben sich Stimmen aus späteren Zeiten bis zur Gegenwart. So erhielt er die geistlichen Rechte, ohne je ein kirchliches Amt antreten u wollen.

Schließlich ermöglichte Zinzendorf die Annahme der Bischofsweihe len kirchenrechtlichen Anschluß an die alte Brüder-Unität. Sie bedeuete ein reines Weiheamt, nur das Recht Prediger zu ordinieren. Der letzte Brüderbischof, der brandenburgisch-preußische Hofprediger Daniel Ernst Jablonski (1660–1741) vollzog 1737 diese Bischofsweihe, nachdem er bereits 1735 den Mähren David Nitschmann aus der Herrnhuter Geneine geweiht hatte.

Zinzendorf gelang es dann, das rückhaltlose Vertrauen des Soldatenköiigs Friedrich Wilhelm I. (1688–1740) zu gewinnen. Dieser unbestechliche Menschenkenner prüfte drei Tage hindurch den Grafen auf Herz und Nieren. Dann wußte er, daß ihn seine Umgebung über den Grafen belogen hatte. Von da an konnte Zinzendorf mit dessen unverrückten Beistand für seine Sache und die Brüder rechnen[31]. Auf dieser Linie blieb dann auch König Friedrich II. (1740–1786).

Der größte deutsche Territorialstaat öffnete sich Zinzendorf und den Brüdern. Halle war in diesem Land nicht mehr allein privilegiert. Das bedeutete einen gewaltigen Prestigegewinn, einen starken Rückhalt in allen Anfeindungen seiner Person und seines Werkes. 1738 weilte Zinzendorf fast vier Monate in Berlin. Hier sollte ihm einer seiner größten Erfolge zuteil werden. Wenn er auch nicht auf der Kanzel stand, er erreichte durch seine Versammlungen in seinen Wohnräumen und einem angemieteten benachbarten Saal Hunderte von Berlinern und die Anerkennung in weitesten Kreisen, auch bei denen, die sonst nicht gewillt waren, auf ihn zu hören. Da standen oder saßen sie dicht nebeneinander, Generäle, der Konsistorialpräsident, Minister, böhmische Exulanten, Studenten, Bürger, Handwerker, Gelehrte, Männer aus allen Kreisen.

Die Berliner Reden vor Männern und getrennt vor Frauen kamen im gleichen Jahr zum Druck. Sie haben in zahllosen Auflagen, auch in Übersetzungen, eine ungeahnte Verbreitung gefunden[32]. Vor allem in Schweden sind sie in kirchlichen Kreisen mit großer Zustimmung aufgenommen worden. Die Verbindungen mit Schweden rissen so nicht ab, wenn auch der Graf das Land nicht betreten durfte.

Für die schnelle Verbreitung und den starken Nachhall besitzen wir auch im Baltikum unverdächtige Zeugnisse wie von Propst Fr. J. Bruinigk von 1738.

Im Jahre 1736 wurde Zinzendorf endgültig aus Kursachsen verbannt. Der Graf, niemals verlegen und immer voller Pläne, begab sich mit seiner »Pilgergemeine«, seinen engsten Mitarbeitern, einem kleinen Hofstaat, wie es einem Reichsgrafen gebührte, auf Reisen. In der hessischen Wetterau vermochte er auf freiem Feld unweit von Büdingen eine völlig unabhängige neue Brüdergemeine neben Herrnhut, das bestehen bleiben konnte, zu gründen. Durch die Finanzhilfe reicher holländischer Freunde, die den verschuldeten Büdinger Reichsgrafen beisprangen, konnte sich die neue Gemeine Herrnhaag rasch entfalten.

Auf die holländischen Freunde konnte zurückgegriffen werden, denn inzwischen waren in Amsterdam, Herrendijk und später auch in Zeist Brüdergemeinen bzw. brüderische Reisestationen entstanden. In der Herrendijker Station kehrten unter einem gastlichen Dach Reformierte, Remonstranten, Mennoniten, Jansenisten und Kartäuser Mönche, besuchende Geschwister, durchreisende Missionare und für England bestimmte Mitarbeiter ein. In brüderischen Versammlungen begegneten sie einander.

Die um Herrnhaag gelegenen Gutsbezirke befanden sich durch die Verpfändung praktisch in den Händen der neuen Gemeine bzw. der holländischen Freunde. *Hier sollte Herrnhaag von vornherein ein reformiertes Gegenstück zum lutherischen Herrnhut sein.* Woher sollten die Menschen kommen, die Zinzendorf für die Gemeine benötigte? Planmäßig hat Zinzendorf die Vorstöße in die reformierten Zentren gelenkt. In die Schweiz wurde der hochbegabte reformierte Perückenmacher Friedrich Wilhelm Biefer aus Frankfurt, ein früherer Separatist, nach der Ordination als mährischer Presbyter, abgeordnet. Er kam rechtzeitig mit der Botschaft Zinzendorfs, wie sie in den Berliner Reden aufgeklungen war, um einem gesetzlichen und quälerischen Pietismus und einem verworrenen Mystizismus zu Hilfe zu kommen und die Erweckten von ihm zu befreien. In Basel erfaßte eine Erweckung über 500 Menschen. Biefer organisierte Banden – in Basel, Bern und Genf. Er wurde zum eigentlichen Begründer der schweizerischen Sozietäten der Herrnhuter. Erweckte unter den Schweizern machten sich auf nach Herrnhaag. Wir finden sie unter den ersten Bauherrn dieser brüderischen Siedlung.

In Württemberg konnte der ehemalige Schneider Johann Conrad Lange die gleichen Erfolge aufweisen. Bruderschaften entstanden, Banden und Chöre. Neben den Schweizern unternahmen auch die Schwabenbrüder ihre Wallfahrten nach der Wetterau, besonders zu Ostern und

Pfingsten. Auch Schwaben gliederten sich der Gemeine in Herrnhaag ein. Der vorgefaßte Plan eines reformierten Gegenbildes zu dem lutherischen Herrnhut blieb aber eine reine Proklamation. Die lutherische Sakramentsauffassung und die lutherische Abwehr des harten Prädestinationsdogmas des Calvinismus waren ihnen allen widerspruchslos gemeinsam, die sich Brüdergemeinen nannten. Das beste Beispiel dafür lieferte die Praxis der Säuglingstaufe.

Die Kindertaufe wurde ganz selbstverständlich geübt. Zinzendorf stand ohne Vorbehalt zur lutherischen Lehre von der Taufwiedergeburt. Martin Luther hat sogar hier revolutionäre Gedanken geäußert, die der Graf nicht nachvollzogen hat. Doch Zinzendorf weiß wie vordem Philipp Jakob Spener und August Hermann Francke, die auch zur Taufwiedergeburtslehre stehen, von der ganzen Problematik, die sich daraus ergibt, »wie es mit den Eltern bewandt ist, die dem Heiland nicht treu sind, und lassen ihre Kinder nur aus Gewohnheit taufen«[33].

Doch wie am Anfang des Christseins nicht ein Buch steht, er hat niemals wie Luther das Christentum als eine Buchreligion verstanden, sondern der Christus activus, so kann er trotzig sagen, was auch Spener und Francke auf ihre Weise gesagt haben: »Da halte ich mit D. Luthern, der sagt von der Tauffe: alle drey Personen (der Trinität) getauffet han: Gott tauft!« Zinzendorf ist der Überzeugung: Wenn Gott in Christus handelt, dann geschieht etwas, auch wenn es psychologisch nicht einsichtig sein mag. In unauslotbaren Tiefen vollzieht sich etwas. Mit leeren Worten, wie es oft Menschen tun, speist Gott, wo er spricht und handelt, nimmer und niemals ab.

Auch wenn Zinzendorf wie vordem August Hermann Francke nicht von dem ablassen, daß zum Christsein nach dem Neuen Testament ein bewußtes Glaubensleben und die Heilsgewißheit der Rechtfertigung gehören und es kein Christsein in einem Halbdunkel der Entscheidungslosigkeit gibt, so liegt der Akzent im Grunde nicht auf einer Forderung nach einer Bekehrung.

Es wird eindeutig vorangestellt, und das ist gewichtiger als die bewußte Zuwendung des Menschen zu ihm, daß von Gott aus das Entscheidende geschieht. Gott reißt den Menschen »aus den Banden des Satans«, aus der »Taubheit gegen Gott und seinem Wort«. Das wirkt sich aus. Der Christenmensch wird nun lebendig und tätig und weiß sich hineingerufen in das betende, bekennende, opfernde und auch zum Leiden bereite Volk Gottes auf Erden. Die Sammlung derer, die mit Ernst Christen sein wollen, könnte man den einen Mittelpunkt der pietistischen und des gräflichen Bemühens nennen, um aber dann zugleich sich gezwungen zu sehen, in dialektischer Spannung das andere stark auszusagen: es geht mit Luther zu sprechen, allein um Gott, »allein Gott die Ehre«, ihn anzubeten, zu loben und danken. Eine Wiedergeburtstheologie ist das nicht! Alles Mühen gilt dem »neuen Menschen«, der Vergebung, Leben und Seligkeit empfangen hat, »ohne all Verdienst und Würdigkeit«, daß er ihm diene und gehorche, der ihn gerufen und aus allen Banden befreit hat[34].

Mitten in der reformierten Wetterau, in Herrnhaag entwickelt sich erst nicht in Herrnhut im lutherischen Kursachsen, ein reiches und beispielgebendes liturgisches Leben. Man setzte auch die Mitarbeiter nach ihrer Begabung und nicht nach konfessionellen Gesichtspunkten ein. Der reformierte Biefer arbeitete später im lutherischen Baltikum. In Westdeutschland konnte das verhältnismäßig reibungslos geschehen, weil das Reformiertentum im 18. Jahrhundert weitgehend friedlich war. Zinzendorf hat auch inmitten des Reformiertentums, wenn er dort seine Zelte aufschlug, immer unbeabsichtigt lutheranisiert. Niemals wollte er trennend wirken bei aller Achtung vor konfessioneller Bestimmtheit. Brüderlich alle in dem gemeinsamen Lobpreis Jesu Christi als Weltenheiland und Erlöser zusammenzuführen und zugleich zum Missions- und Zeugendienst in der ganzen Weite der Welt zu rufen und hier schlicht voranzugehen, war sein ganzes Bemühen.

Wir werden auch hier zur Kenntnis nehmen müssen, daß er eine umfassende Abendmahlsgemeinschaft zwischen den Brüdern aus den lutherischen, den reformierten und der Brüderkirche eingeführt und festgehalten hat. Bei aller persönlichen Verwurzelung im Luthertum bedeutete das für Zinzendorf die einigende Mitte für alle, die innerhalb der evangelischen Christenheit aus der Rechtfertigung leben. Sie treten nicht nur aus philadelphischer Bruderliebe an den Tisch des Herrn. Das ist für Zinzendorf zu wenig. »Die aus einem Stamme stehen auch für einen Mann« in missionarischer und diakonischer Verantwortung. Das philadelphische Ideal einer spirituellen Bruderliebe ist bei ihm zum ökumenischen Bekenntnis geworden, zur ökumenischen Arbeitsgemeinschaft als die wesentliche Bekundung des Volkes Gottes zueinander und miteinander der verschiedenen Kirchen als neue Zielsetzung. Vielleicht schwingt hier auch ein typisch aristokratischer Zug mit, der aus dem lutherischen Ordnungsdenken sich nicht mit einer nebulosen »Sektenaufhebung« befreunden kann. Ein Exodus aus der eigenen Kirche ist für Zinzendorf berechtigt, wenn dort nur noch »faules Holz« übrig ist.

In der Wetterau, in der im Blick auf jüdische Mitbewohner am dichtesten besiedelten Landschaft, Frankfurt eingeschlossen, begann der Graf seine Gespräche mit Vertretern israelischen Glaubens. Daraus entwikkelte sich später in Holland eine judenmissionarische Arbeit mit brüderischen Judenmissionaren[35].

Ihre Vorläufer besaß sie in dem Institutum Judaicum in Halle, das der hallesche Professor Johann Heinrich Callenberg (1694–1760) 1728 dort gründete, innerlich verbunden mit den Franckeschen Stiftungen, äußerlich getrennt, das bis 1792 bestand. Callenberg hatte wie Francke das Gothaer Gymnasium besucht. Eine eigene Druckerei besorgte vor allem jüdisch-deutsche Schriften. Hallische Kandidaten der Theologie rüsteten sich hier für die Arbeit unter Juden. Die jungen Theologen haben dann vor allem in Mittel- und Mittelosteuropa in den jüdischen Gemeinden Seelsorge durch zahllose Einzelgespräche geführt[36].

Zinzendorf erhoffte sich durch Übertritte von Juden in die Brüdergemeinen die Bildung einer eigenen judenchristlichen Brüdergemeine zum Dienst an ihrem Volk. Dazu kam es nicht. Zinzendorf hat in seinen judenmissionarischen Richtlinien nicht die klare Linie gefunden, die nötig gewesen wäre. Er hat seine judenmissionarischen Mitarbeiter oft verunsichert. Das tat dem keinen Abbruch, daß er dieses Volk nie aus den Augen ließ und die Gemeinen zur Fürbitte für die Brüder Jesu verpflichtete.

Zweimal ist Zinzendorf nach Amerika gereist und hat die nicht ungefährliche und strapazenreiche Überfahrt riskiert. Auf der ersten Reise besuchte er nur die herrnhutischen Missionsboten, schlichte Laienbrüder, die unter den mißhandelten und verachteten Negersklaven auf St. Thomas und dann auch anderen Inseln innerhalb der kleinen Antillen, die dänisch waren, lebten. Er mußte sie zuerst aus dem Gefängnis befreien. Die weißen Farmer wollten keine bekehrten Negersklaven, die ja keine Seele besaßen und in den Gesetzen nicht unter der Rubrik »Menschen« registriert waren.

Vor allem die Negermädchen sollten für die Farmer Freiwild bleiben. Doch zwang Zinzendorf durch Güte wie Entschiedenheit, von einzelnen Farmern zögernd unterstützt, von den Gouverneuren respektiert, weil ihnen nichts anderes übrig blieb, die weiße Minderheit, der Missionsarbeit Raum zu gewähren.

Es war ein kühnes Unternehmen, das bisher so nicht versucht worden war, auch nicht von vereinzelten redlichen dänischen Kolonialgeistlichen, die mit wenig Erfolg Schulen für Sklavenkinder durchzuhalten suchten.

Zinzendorf, den Herder »den großen Eroberer« genannt hat, gab seinen Brüdern die Arbeitsmethode, die hier wie im Baltikum unter den leibeigenen Esten und Letten durchschlug: »Der Methodus ist: ein göttlicher Wandel in ihren Augen, bis daß sie gereizt werden zu fragen, wer solche Leute machet.« Was machte auf die Sklaven den tiefen Eindruck? Sie waren für die Brüder »unsere armen schwarzen Brüder«, »unser liebe schwarzes Volk«, die sie in ihren ärmlichen Hütten aufsuchten. Das wa noch die Zeit, da die Neger in Afrika durch die arabischen Sklavenjäge wie Tiere eingefangen und gefesselt, in Westindien wie Vieh auf den Skla venmärkten feilgeboten wurden[37].

Diese praktisch bewährte Nächstenliebe und die aus innerster Über zeugung gelebte und verkündigte Lehre von Christi Kreuzestod schluge die Bresche. Wie im Baltikum unter den Esten und Letten, in einer ähn lich harten Lage, begriff man ganz unmittelbar die in die Bildhaftigke von Blut, Wunden und Schweiß eingekleidete Predigt von Christus, s sehr sie schon damals vielen Zeitgenossen unerträglich war.

Was taten die Brüder auf den Inseln der kleinen Antillen wie in ähnli cher Weise im Baltikum? »In allen Fällen fing die Arbeit mit dem Ker Herrnhutischen Lebens an: ein Leben in einer vita communis, einer ge meinsamen Lebensart evangelischen Lebens und tüchtiger Handarbeit Um diesen Kern wurden Einzelne oder kleine Gruppen (erg. unter de Negersklaven) herangezogen, mit denen die Brüder in großer Freund schaft und Verbundenheit verkehrten.« Von solchen kleinen Zellen au entstand die Gemeindebildung mit Negersklaven, die sich taufen ließe und allen übelsten Schikanen der Sklavenhalter zu Trotz festbliebe »Stark durch diese gegenseitige Verbundenheit gruppierten sich di christlichen Negersklaven in entsprechenden Chören« mit eigenen »Hel fern« aus den Reihen der Neger und Kreolen, ganz wie in Herrnhut.

Doch wie sollte alles finanziert werden? Gehälter kannte man nicht. S gründete man eigene landwirtschaftliche wie handwerkliche Betriebe mi Missionsgaben, die dafür in der Heimat flüssig gemacht werden konnte

Woher nahm man aber die Arbeiter in diesem fürchterlich heißen un fiebergeschwängerten Inselgebiet und bei dem frühen Sterben vieler Brü der durch tropische Krankheiten? Man mietete oder kaufte von den däni schen Farmern Sklaven. Die armseligsten ersteigerte man. Einmal er standen sie acht und ein Kind. »Die ersten 3 waren imstande noch was z thun, der Rest aber nichts.« Für die Missionare »war Sklave eine belang lose Äußerlichkeit!« Dort auf ihren eigenen Plantagen bildeten die Brü der mit den Negern einen kleinen Staat im Staate. Hier vor allem lernte sie, eigene Verantwortungen in ihren »Banden« und »Chören« einzu üben.

Das war der erste indirekte Angriff auf die Sklaverei. Man muß wissen daß mindestens 15 Millionen Afrikaner als Sklaven nach Amerika ver frachtet worden sind. Für Europa bestand diese Versuchung nicht. Ma besaß hier weithin die leibeigenen Bauern, die, wenn auch nicht im Ent ferntesten den gleichen unbarmherzigen Gesetzen unterworfen, doch auch in gesetzten Grenzen, oft bis zur Entwürdigung, abhängig waren. Es sind auch hier zuerst pietistische Grafenhäuser gewesen, die neben Zinzendorf dies zu mildern und in eine brüderlich gefügte Schicksalsgemeinschaft gegenseitiger Verantwortung umzuformen suchten und doch in wirtschaftliche Zwänge eingebunden, in dieser soziologischen Form bleiben mußten. Über das alles ist in den brüderischen Kreisen viel nachgedacht worden. Zinzendorf sah die ganze Abscheulichkeit der Sklavenverhältnisse. Doch wie anders sollten sie beginnen, ohne aus diesen Missionsgebieten verjagt zu werden? Auch Spangenberg sagte 1738 nichts anderes als der Graf: »Die Sklaverei in Westindien ist ein so unmenschliches Ding, daß einem die Haare zu Berge stehen, wenn man die Sache recht einsieht.«

Nur der indirekte Weg führte zum Ziel. Viele Farmer sahen endlich ein, daß auf christliche Negersklaven mehr Verlaß war.

Die größten Sklavenhalter auf den dänischen Antillen, die zugleich als Sklavenhändler in der internationalen Spitzenklasse rangierten, waren die dänisch-holsteinischen Grafen aus dem Hause der Schimmelmanns. Sie waren die Besitzer der wertvollsten Zuckerrohrplantagen in Dänisch-Westindien mit tausend Sklaven. Doch haben sie, ehe in der Aufklärungszeit ein neuer Wind wehte und der Humanitätsgedanke auch draußen viel Unsicherheiten und Bedenklichkeiten bei den Sklavenhaltern aufkommen ließ, den Herrnhutern die Freiheit eingeräumt, auf ihren Plantagen christliche Mission unter den Negern zu treiben. Von den rund 1000 Negersklaven dort waren bis auf einen Rest alle getaufte Glieder der Brüderkirche geworden.

Das andere gilt auch: »Ehe die Emanzipation Tatsache wurde, hatten die Brüder den Sklaven, die in ihrer Gemeine wohnten und schon in ganz anderen Verhältnissen lebten, die volle Freiheit geschenkt, nachdem die Obrigkeit dies bewilligt hatte.« Es ist auch der dänische Staat der erste gewesen, der auf gesetzlichem Wege gegen den schwächer gewordenen Widerstand der Farmer in seinen Einflußgebieten im Jahre 1792 den Sklavenhandel und mit einer Auslaufzeit bis 1803 die Sklaverei selbst abschaffte. Dabei hatten auch wirtschaftliche Gründe das nahegelegt.

Ein Jahr nach Zinzendorfs Tod waren bereits 25 000 Negersklaven in die Brüdergemeinen in Jamaica, St. Thomas, St. Jan, Antigua, St. Kitts, Barbados, Tobago und Surinam eingegliedert mit einer Fülle von Verantwortlichkeiten füreinander, die ihnen übertragen worden waren. Dabei ging man vorsichtig und langsam vor und taufte nicht sofort, sondern nach einer Bewährungsfrist.

Die zweite Reise führte Zinzendorf nach Nordamerika selbst. In Penn sylvanien befanden sich zahllose deutsche Einwanderer, um die sich Hall schon vielfach bemüht hatte, ohne vor dem Eintreffen des Grafen in die ser Kolonie ihnen Geistliche schicken zu können. Es fehlte an Kirchen, a evangelischen Pfarrern. Die sonderlichsten frommen Gruppen hatten sic in diesem weiten und wilden Land unter den deutschen Siedlern gebildet Unter diesen zertrennten evangelischen Gruppen suchte Zinzendorf ei nen Kirchenbund zu improvisieren. Doch gelang es ihm nicht, die Separa tisten bei der Stange zu halten. Sie scherten wieder aus.

Durch die Bank war in Pennsylvanien zu beobachten, daß dort, wo sic Gruppen zusammenfanden, um eine christliche Gemeinde zu gründen die spiritualistische Schätzung der Einzelgemeinde vorherrschend war *Die Einzelgemeinde wurde als die Versammlng gleichberechtigter Gläubi ger und als Stätte des Heiligen Geistes empfunden. Hier ereignete sich für si die Wirklichkeit der Kirche*[38].

Damit mußte auch Zinzendorf rechnen. Er hat das nie recht bei seine Bemühungen um den Aufbau einer deutschen lutherischen Kirche i Pennsylvanien einkalkuliert.

Zinzendorf befand sich in einer schwierigen Situation. Der ganze euro päische Klatsch über ihn war bereits ins Land getragen. Zahlreich Schmähschriften waren selbst in den entlegensten Blockhäusern un Waldstationen zu finden. Man wird annehmen müssen, daß sie den halle schen Büchersendungen beigepackt worden waren. So fand er Mißtraue vor, obwohl er nichts anderes im Sinn hatte, als was auch Halle erstrebte arme Gemeinden endlich mit Predigern zu versehen und einer deutsche lutherischen Kirche aufzuhelfen.

Als er sich von einer improvisierten lutherischen Gemeinde in Phila delphia einen förmlichen Auftrag geben ließ, einen lutherischen Kirchen körper zu organisieren, der von einigen anderen lutherischen Gemeinde unterstützt wurde, übersah er, daß dieser Beschluß jederzeit zurückgezo gen werden konnte. Denn die Einzelgemeinden waren nicht wie in Eu ropa behördlich miteinander verklammert. Heinrich Melchior Mühlen berg (1711–1787) und die ihm nacheilenden hallischen Pastoren, spene risch gesonnen und zugleich entschiedene Bekenntnislutheraner, habe hier schließlich Zinzendorf, der nur ein Jahr im Lande blieb, abgelöst. *Di erste deutsche lutherische Kirche in Pennsylvanien wurde hallisch und nich zinzendörfisch*[39].

Zinzendorf hatte in dem Abendgottesdienst am 11. Dezember 1742 i der auf seine Veranlassung erbauten »Evangelischen Brüder-Kirche z Philadelphia« erklärt, ohne den Namen Mühlenberg zu nennen: »Wen

in anderer kommt und wird es besser machen als ich und der zweite noch
esser, daß zuletzt meine Arbeit gar nichts mehr heißen wird, so werde ich
nich darüber freuen.« Es war ihm genug, »wenn nur Christus verkündigt
vurde«.

Längst nach Europa zurückgekehrt, versuchte der Graf noch 1746 die
Gemeinden zu lenken, die durch sein Wirken entstanden waren. Schließ-
ch mußten ihm die Kirchenvorsteher zu Philadelphia, die ihn einst zu ih-
em Pastor und Inspektor gewählt hatten, in einem Brief vom 23. Januar
747 erklären: »Wo ihre sechs Bauern zusammentreten und einen Pfarrer
okieren, so machen sie für sich einen Corpus daraus und diese Bauern
aben mehr Recht als ein deutscher Fürst in seinem Lande. Sie können ih-
n Pfarrer absetzen, wenn sie wollen.« ... »Wir sind auch in der Tat froh,
aß Herr Mühlenberg ins Land kommen ist.« ... »Segnen Sie nun fer-
erhin unsre Arbeit mit unter den Lutheranern in Pennsylvanien, die Ih-
en so am Herzen liegen und weil die Ernte sehr groß ist, so helfen Sie uns
ı noch mehreren treuen Mitarbeitern ...«

In den offiziellen Verlautbarungen der Brüdergemeine ist jedoch nichts
avon zu finden und hätte auch kaum verschwiegen werden können, was
eschehen sein sollte: »Dort entbrannte ein heftiger Streit zwischen dem
rafen und dem jungen Abgesandten des hallischen Pietismus, Heinrich
Ielchior Mühlenberg aus Einbeck, der sich in der Weihnachts- und Neu-
hrsnacht 1742/43 bis zum erbitterten Kampf um Kirchenschlüssel und
bendmahlgeräte steigerte! ... Das Zusammentreffen der beiden Geg-
er konnte nur zur harten Auseinandersetzung führen, und es bleibt er-
aunlich, daß sich dabei der geistig unterlegene, dafür aber wirklichkeits-
ahe hallische Pietist gegen den großen Grafen mit seinen weit aus-
hauenden Ideen durchsetzen konnte.« Ist das belegbar?

Zinzendorf sah, daß man in Amerika nicht in den alten eingefahrenen
leisen der Kirchenpraxis Europas fortfahren konnte. Beim letzten Got-
sdienst in Philadelphia bekannte er im Blick auf Christus: »Du bist doch
ın zu Hause in Pennsylvanien, du bist Herr im Lande, unter Indianern
ıd Europäern, und wirst's bleiben auf Kreuzes-Weise, bis du kommen
irst.«[40]

Schon waren Brüder und Schwestern aus den deutschen Gemeinen in
ennsylvanien eingewandert. Bethlehem und Nazareth wurden die ersten
eiden Gemeinden. Die Brüder konnten es auch hier nicht lassen, in ih-
m ausgeprägten, ja hochgesteigerten Gemeindebewußtsein, wo sie auch
aren, die »Gemeindlein ohne Name«, wie sie Zinzendorf in Amerika
ınnte, in feste brüderische Formen und Ordnungen zu überführen. Bei
en lutherischen Gemeinden, die sich dieser Formung nicht unterziehen

wollten und bei denen der Wunsch nach den deutschen Gottesdienstfor men im traditionellen landeskirchlichen Rahmen, freilich ohne behördli chen Überbau, vorherrschend blieb, erfüllt Mühlenberg seinen histori schen Auftrag, der unendlich mühsam war.

Die kongregationalistisch gesonnenen pietistischen Zirkel mit ihren spiritualistischen Charakter widerstrebten ebenso den Ordnungen un der Einbindung in die Brüder-Unität.

So waren die brüderischen Gemeinden in Pennsylvanien von all diese Erwartungen unbelastet und konnten ihrer Sendung nachkommen. Si wurden das eindrücklichste Beispiel einer Gemeine, in der brüderliche Dienst an den Nahen und Fernen wie Botendienst zusammenfielen. Da war das »Lager« Bethlehem, das Zinzendorf in Pennsylvanien gründete Hier war ein Drittel der erwachsenen Glieder immer unterwegs, entwede zu verarmten deutschen Einwanderern, um die sich die Heimatkirche nicht mehr kümmerten und die Mühlenberg nicht erreichte. Oder sie gin gen zu den gejagten und vom Branntweinteufel bedrohten Indianern. Da in Bethlehem verbliebene Stammpersonal mußte für alle Brot schaffe Es gab in der ersten Pioniergeneration kein getrenntes Familienleben. Al les war gemeinsam, die Küche, die Mahlzeiten, die Kindererziehung us Und doch konnte man keine fröhlichere Gemeine finden, in der so viel ge sungen und musiziert wurde. Schon in der Kleinkinderstube fing die mu sikalische Einübung an. Orgel, Harfen, Flöten und Streichinstrument begleiteten die Gesänge der Gemeine bei all ihren Veranstaltunge Spangenberg gründete 1748 ein »collegium musicum«, doch wohl die er ste Musikschule in Amerika. Die ersten Orgelbauer Nordamerikas stam men aus der Gemeine in Bethlehem. Die Posaunenchöre haben von de Brüdergemeine aus als kirchliche Chöre ihren Weg in alle Kirchen dies seits wie jenseits des großen Meeres angetreten.

Wenn hohe Gäste wie z. B. Benjamin Franklin, den Zinzendorf noc persönlich kennengelernt hatte, in Bethlehem erschienen, veranstalte man ihnen zu Ehren Konzerte. Hier wurde barocke Musik in der Trad tion Händelscher Kompositionen gepflegt und selbst komponiert. E wurden Hirtenlieder gedichtet. Die Porträtskunst fand einen hervo ragenden Vertreter in Johann Valentin Haidt, einem Danziger, der a Wetterau 1754 nach Bethlehem kam.

Neben Musik und Poesie äußerte sich der heiter-frohe Glaube, den ih Heilandsreligion ausstrahlte, in der ganzen Gestaltung der amerikan schen Gemeinorte, sobald sie etwas Fuß gefaßt hatten. Wie in Herrnha und in Herrnhut entstanden schöne Gärten und Schmuckplätze im G schmack der Zeit, Alleen und im edlen bürgerlichen Barock gehalten buntfarbige Chor- und Gemeinhäuser mit blendend weiß abgetönten Innenräumen. Sie verrieten nicht nur den Ordnungsgeist, sondern auch den ausgeprägten Sinn für Form und stille, edle Schönheit. Was dort unter August Gottlieb Spangenberg (1704–1792) entstand, der in den Jahren 1735–1739, 1744–1749, 1751–1753 und 1754–1762 in Pennsylvanien war, ist wohl einzigartig zu nennen [41]. In jedem Jahr entstanden neue Bauten, der Landbesitz nahm zu, die Zahl der festen Predigtstationen wuchs, neue Versammlungs- und Schulhäuser wurden hin und her im Lande errichtet, die Indianermission wurde durchgehalten, die Missionsarbeit in Westindien, in Surinam und Berbice fand hier ihren Halt. Und das alles ohne große Schulden im Lande, ohne Zuschuß aus Europa, freilich nur unter dem außerordentlichen, freiwillig übernommenen »Gemeinekommunismus« jener ersten Pioniergeneration. Als Zinzendorf starb und Spangenberg sein Nachfolger wurde, waren bereits 12 Brüdergemeinen in Pennsylvanien entstanden. Die lutherische Kirche Mühlenbergs umfaßte gegen 70 Gemeinden mit 25 Geistlichen unter der Masse der deutschen Einwanderer.

Zinzendorf hat drei Reisen zu Indianerstämmen tief im Landesinneren unternommen. Zu ihnen gelangte er mit einem Dolmetscher und wenigen Begleitern zu Fuß, dann zu Pferd oder im Kanu. Doch die Missionsarbeit unter den Indianern litt unter der ganzen Turbulenz der Kolonisation Nordamerikas. Vor Vertreibung, Enteignung und Ausrottung waren sie nicht mehr zu retten. Nur wenige getaufte Indianer vermochten sich zu den Herrnhutern zu flüchten. Die kleinen Indianer-Gemeinden gingen in den erbarmungslosen Kämpfen zwischen den Kolonisten und den Indianern zugrunde. Die vorrückenden Kolonisten machten wiederum keinen Unterschied zwischen getauften und heidnischen Indianern. Die Indianer brannten eine Brüdersiedlung »Gnadenhut« nieder und töteten die Einwohner. Selbst die Hauptniederlassung in Bethlehem mußte sich auf einen Belagerungszustand vorbereiten.

Doch ungeachtet dieser Bedrängnisse blieb alles wie am Anfang. In seinem Buch »Bethlehem, Pa.« (1929) hat Helmuth Erbe das Ergebnis der Amerikaarbeit der Brüder in folgenden Sätzen zusammengefaßt: »Und dieses, förmlich über Nacht entstandene, maßlos arbeitende, wirtschaftende, singende, musizierende Gemeinwesen mit seiner peinlichen Wirtschaftlichkeit und mit seinem überströmenden Frohsinn, mit seinen Manufakturen und seinen Liebesmählern, mit seinen wogenden Kornfeldern, seinen stolzen Viehherden, mit seinem aufblühenden Handel, wie mit seinen Chorhäusern und Kinderanstalten, seinen Schulen und Missionsunternehmungen: das ist Bethlehem, das ist Spangenbergs Werk!

Doch auch er ist nicht eigentlich der Schöpfer, sondern nur Träger, Gestalter einer der Gemeine Bethlehem von Zinzendorf eingeflößten Grundvorstellung: wir haben den Beruf, des Heilands Sache in Amerika zu befördern.«

Grund und Ermöglichung dieser fast franziskanisch anmutenden Gelöstheit und Anspruchslosigkeit, ohne je ärmlich zu werden, blieb die Heilandsreligion Zinzendorfs, die überquellende Dankbarkeit für alle Geborgenheit des Glaubens[42]. Sie verstanden zu arbeiten, zu opfern, zu singen, froh zu sein und zu leiden. Das Antlitz dieser Männer und Frauen um Zinzendorf trägt unverkennbar die Spuren großer Strapazen. Ohne Pathos, von innen her durchleuchtet, haben sie so unmittelbar gewirkt. Diese ersten brüderischen Gemeinen in Pennsylvanien setzten sich zusammen aus den eingewanderten Brüdern wie aus ehemaligen Separatisten aller Schattierungen und der in Pennsylvanien verachteten lutherischen wie reformierten deutschsprachigen Einwanderer. Nach seiner Rückkehr aus Amerika hatte Zinzendorf das Gefühl, »daß er zum Dirigieren alle Gabe verloren habe«. Das erleichterte ihm den Entschluß, vom 1. Januar 1749 mit einer einjährigen Unterbrechung bis zum Frühjahr 1755, also über fünf Jahre in London zu leben.

Es waren drei Länder, in denen sich der Graf am wohlsten gefühlt hat. Gern reiste er in die Schweiz. Auch in Holland hielt sich Zinzendorf gern auf. Dort war die Brüderkirche inzwischen fest eingewurzelt. In Zeist bei Utrecht wurde das in der Ausgestaltung der Gemeine sichtbar. Eine großzügige Schloßanlage mit der typisch barocken Schloßanfahrt entstand in dem alten Herrenhausgelände. Die Brüdersiedlung selbst wurde in der Gestalt von Kavalierhäusern im Viereck um einen großen Platz vorgebaut. Durch die Mitte des Platzes führte die Auffahrt zum Schloß, links und rechts von je drei Baumalleen eingerahmt.

Jederzeit konnte hier der Graf Hof halten. Wo er sich länger aufhielt, standen immer Herrenhäuser zur Verfügung. Auch in London war Zinzendorf erst zufrieden, als er in Chelsea an der Themse ein Herrenhaus, Lindseyhouse genannt, am 15. Juni 1750 durch einen Strohmann ankaufen konnte. Wie in Zeist sollte das ganze Gelände ausgebaut werden. Zinzendorf wollte Raum haben zur Aufnahme von 400 englischen Adligen wie 300 englischen Studenten. Zum Themseufer entstand eine weite Terrasse. Man stieg aus den Booten unmittelbar zum großzügig erweiterten Lindseyhouse empor. Sein Sozietätsplan erwachte neu, realisiert wurde er auch hier nicht. Eine Brüderkirche hatte sich in England gebildet. Durch einen Parlamentsbeschluß vom 6. Juni 1749, dem die königliche Bestätigung auf dem Fuß folgte, wurde diese Kirche offiziell anerkannt.

In der Brüderkirche waren von Anfang an fast nur Engländer. Das Verhältnis zur Kirche von England und zu dem Erzbischof von Canterbury blieb von Anfang an freundschaftlich.

Der Graf, jetzt der englischen Sprache vollkommen mächtig, fand eine Kanzel in der Fetter-Lane-Kapelle und sammelte ein Predigtpublikum aus der ganzen Stadt London um sich[43].

Durch einundachzig gedruckt vorliegende »Londoner Predigten« des Grafen sind wir über diese öffentliche Wirksamkeit recht gut unterrichtet[44]. Er hat sich hier vorbehaltlos in die großen geistigen Auseinandersetzungen der englischen Bibelwissenschaft mit dem Deismus und seinen bibelkritischen Anfragen eingeschaltet. Darauf war er gut vorbereitet. Sein erstes Unternehmen war die Herausgabe der sogenannten »Ebersdorfer Bibel«, die er 1724 zuerst ohne Druckerlaubnis in Berthelsdorf drucken ließ und als das ruchbar wurde, die ganze Druckerei eiligst in seines Schwagers Land, in die Reichsgrafschaft Reuß-Ebersdorf, verlagern ließ. Man blieb beim revidierten Luthertext, den man vorlegte. In einem Anhang lieferte Zinzendorf selbst eine neue Übersetzung zu über 3000 Stellen des Alten und Neuen Testamentes, »welche in den Grundsprachen einen mehrern Nachdruck haben«. Hier halfen ihm der Görlitzer Stadtpfarrer Magister Scheffer, sein Berthelsdorfer Ortspfarrer Magister Rothe und sein Jugendfreund, der Schweizer Friedrich von Wattewille mit. Das galt vor allem für die Summarien, den kurzen Kapitelzusammenfassungen, bei denen man auch auf ältere Vorlagen zurückgriff.

Zinzendorf hat hier als 23jähriger schon etwas gewagt, vor dem selbst August Hermann Francke zurückgeschreckt war. Es wurden sechstausend Exemplare abgesetzt. Der Beschlagnahme fielen nur die letzten dreihundert Stück zum Opfer. Bezeichnend war die Vorrede zur Ebersdorfer Bibel mit den herausfordernden Worten des Grafen: »Da habt ihr das gewaltige Buch!« Freimütig bekannte er, daß bei manchen Aussagen dieses Buches »seine ganze Kritik rege wurde, daß sie sich diesem und jenem entgegenstemmte ... endlich aber von einer unsichtbaren Kraft übermeistert wurde ... ich lernte glauben ... Ich wollte, daß mir viele kluge und vernünftige Leute nachfolgen wollten«. Mit den Klugen und Vernünftigen apostrophierte er in der Sprache und mit den Schlagwörtern der Aufklärung bibelkritisch Eingestellte. Auch hier ging Zinzendorf einen Schritt weiter als August Hermann Francke, der das so deutlich nicht zu verstehen gab[45].

Noch ein Stück weiter vor schritt Zinzendorf mit seinem sogenannten »Probetestament«, dem »Abermaligen Versuch zur Übersetzung der Historischen Bücher Neuen Testaments . . .aus dem Original« von 1744[46].

Er wagte hier den »heiligen Text« der Lutherbibel in die damalige Gegenwartssprache zu übersetzen, ohne auf die »majestätischen Kernsprüche« im Luthertum zu verzichten. Man sollte ruhig seinen Text neben die aufgeschlagene Lutherbibel legen. Neue Einsicht und neue Gewißheit spricht sich hier aus. Er legt Johann Albrecht Bengels neue Edition des griechischen Neuen Testamentes zugrunde. Dabei gründet sich der Graf weitgehend auf Luthers Schriftverständnis, über das er sich weitaus besser auskennt als die lutherische Orthodoxie. Mit dem Reformator weiß er sich darum eins, daß wer unter den Schriftstellern des Neuen Testamentes das Zeugnis von Jesus Christus am höchsten treibt, der ist der erste unter den Aposteln. Er kennt wie Luther eine dreifache Abstufung im NT, die er in seinem Probetestament durchführt, die protokanonische, deutero- und tritokanonische. Die paulinischen Briefe ordnet er nach der historischen Entstehungszeit. *Wie Luther hielt Zinzendorf an der spannungsvollen Einheit einer Bindung an das Wort der Schrift als christozentrisches Zeugnis und einer Freiheit gegenüber den Wörtern fest.*[47].

Die Verbalinspirationslehre griff der Graf nicht direkt an, verteidigte sie auch nicht. Nicht überall folgt er Luther. Jakobus, Judas und die Offenbarung Johannes bewertet er anders, positiver. »Die historische Wahrheit, soviel deren zu haben ist, muß respektiert werden.« Er besitzt einen unbestechlichen Sinn für Individualisierungsprozesse, die er nur selbst im Neuen Testament aufspürt. Das Johannesevangelium steht an der Spitze mit seinem vollen Christuszeugnis, wenn es auch historisch am Schluß rangiert. Das vollgültige Zeugnis von Jesus Christus ist erst allmählich in der Apostelzeit ans Licht getreten. Bei Johannes ist es in diesem Prozeß am Ende der Apostelzeit voll ausgebildet. »Wir können die Bibel nur halb brauchen, so lange sie nicht recht rangiert ist.« Der totalen Ablehnung durch die lutherische Orthodoxie begegnet Zinzendorf mit einem Hinweis auf seine Gespräche in London mit vielen »Deisten, Socianern, Religionsspöttern, Bibliomastigen und Indifferentisten«. Freimütig ging er auf die bereits aufstehenden bibelkritischen Fragen ein. Er habe so manchen Zweifler auf diese Weise »zu einer zärtlichen und ungeheuchelten Veneration der heiligen Schrift gebracht«. Dem stehe der krasse Mißerfolg der Verteidiger der Verbalinspiration gegenüber, die mit ihren »pompösen und insoutenablen Definitionen binnen dreißig Jahren Religions-Spötter, Indifferentisten, Socianer und Deisten« gemacht haben.

Zinzendorf hat hier büßen müssen. Keiner stand ihm bei. Die im Grunde gleichen Sinnes waren, schwiegen aus lauter Vorsicht. Doch die Brüderkirche, die erschrocken Zinzendorf folgte, ist in der Aufklärung die einzige Kirche gewesen, die bibelfest und bibelgläubig im Fegefeuer der Bibelkritik geblieben ist.

Wenn man Zinzendorf den Vorwurf nicht erspart hat, durch seine Losungen mit dem täglichen Losungswort und Lehrtext habe er die Bibel atomisiert, so übersieht man eins. Der Graf hat nie den isolierten Leser der Losungen vor sich, sondern Brüder, die die Bibel selbständig lasen, ihren Katechismus kannten, die Choräle sangen und in der Wortverkündigung in die Weite der biblischen Aussagen fast tagtäglich hineingeführt wurden. Wie genial der Gedanke des Losungsbüchleins, das Zinzendorf ganz persönlich bis 1760 zusammenstellte, gewesen ist, beweist seine Verbreitung bis zur Gegenwart, dem hier einfach nichts zur Seite gestellt werden kann in Ursprünglichkeit und Unmittelbarkeit.

Für Zinzendorf war Christus in die Vieldeutigkeit der Geschichte eingegangen. Er ist geboren und gestorben wie jeder Mensch. Freimütig konnte er von der beschränkten Sicht der Apostel in manchen Fragen sprechen und beugte sich zugleich in tiefer Ehrfurcht und radikaler Aufgeschlossenheit vor dem »gewaltigen Buch« der Bibel«[48].

Der Graf ist dabei keinen Schritt gewichen von dem, was er in der Vorrede zur »Ebersdorfer Bibel« als Vierundzwanzigjähriger geschrieben hatte. Daß die lutherische Orthodoxie bei manchen Flüchtigkeiten Zinzendorfs in seinem »Probetestament« sich festhakte und das eigentliche Anliegen völlig beiseite ließ und nicht bereit war, mit offenem Visier den kritischen Fragern entgegenzutreten, hat ihren schmerzlosen Niedergang beschleunigt.

Weder Spener noch August Hermann Francke, die die anstehenden bibelkritischen Fragen durchaus kannten, sind hier Zinzendorf vorangeschritten. Die Zeit war dafür noch nicht reif. Andererseits ist es ihr Verdienst, die ganze Bibel in die Mitte gerückt und die Bibelwissenschaft fest im theologischen Studienbetrieb verankert zu haben. Denn dadurch haben die Anfragen der Skeptiker erst das volle Gewicht erhalten. Zinzendorf ist dann den nächsten bereits vorbereiteten Schritt weitergegangen.

Ihm standen stets die großen Paradoxien in den Aussagen über Christus lebendig vor Augen. Er denkt in ihnen, sie sind ihm immer gegenwärtig, er erlebt sie in der ganzen Intensität des großen Liebenden, in der Tiefe seines Gemütes. Daß eben Christus wahrhaftiger Gott und wahrhaftiger Mensch ist, muß immer in einem Atemzug zugleich ausgesagt werden. »Es ist ein Hauptstück, daß man den Heiland nicht nur göttlich vorstellt, sondern recht menschlich, wenn man von seiner Geburt und Wandel auf Erden sprechen will[49].«

Weil er beides mit seinem heißen Willen und doch im klaren Nachdenken und Nachsinnen festhalten will, leuchtet bei ihm die Gestalt Christi so klar auf. Mit Luther, den er in seinen reifen Jahren sehr viel in den Mund nimmt, bekennt er: »Den aller Erdkreis nie beschloß, der liegt nun in Mariens Schoß. Er ist auf Erden worden arm, daß er sich unser aller erbarm.«

Darum läuft Zinzendorf gegen die Meinung Sturm, daß der Vater mehr sei als der Sohn. Daß Jesus Christus, der vor allen Zeiten war, durch den die Schöpfung wurde, als Mensch auf diese Erde herabstieg, um im schweren Kampf die Menschheit zu erlösen, ist die Mitte der Frömmigkeit und Theologie Zinzendorfs.

Da mag in seine Frömmigkeitssprache manches noch eingeflossen sein, was aus mystisch-spiritualistischen Schriften auf ihn zukam. Das wurde nur in der Richtung, die Christusverbundenheit mit ihren Impulsen zu verstärken, akzeptiert. Er war ein eigenwilliger aber in der Grundposition seiner ganzen Theologie und Frömmigkeit getreuer Schüler des Reformators, ein bewußter Lutheraner[50].

Ohne Christus wäre er ein Atheist. So muß er ihn loben und voller Dankbarkeit wird für ihn Christus zum Schöpfergott. Aus seinem Einfall ging die Schöpfung hervor. Er ist für ihn der Gott des Alten Testamentes und des Neuen Testamentes. Denn Gott ist unsichtbar und unerreichbar für alle Kreaturen. Und dieser Christus ergreift, wenn die letzten Stürme über die Menschheit verbraust sind, das Zepter über alle Welten am jüngsten Tag. Er kann so wagen, zu sagen, daß das Vaterunser eigentlich zu Christus hin gebetet werden könnte.

Eine Betonung chiliastischer Erwartungen findet man bei Zinzendorf nicht. Doch im Blick auf die in erschreckender Weise verstummende Kreuzespredigt zeigt sich beim Grafen doch eine gesteigerte Erwartung einer nicht zu fernen Parusie des Herrn. So vermag Zinzendorf in einer Ansprache am Beginn des Jahres 1750, in einer Zeit, in der die Aufklärung schon das große Wort führt, im Blick auf die folgenden fünfzig Jahre davon zu sprechen, daß innerhalb dieses Zeitraumes wohl die meisten seiner Zuhörer heimgehen werden, wenn dieses Heimgehen nicht der Heiland »durch seine Ankunft« unterbricht.

Andererseits hat er durchaus nicht Speners »Hoffnung künftiger besserer Zeiten« negativ kommentiert, sondern als Impuls für ein rastloses missionarisches, diakonisches und ökumenisches Arbeiten angenommen.

So gründlich er auch Gottfried Arnolds Kirchen- und Ketzerhistorie studiert hat, schließt er sich doch nicht dem Hauptgedanken an, daß die Kirchengeschichte eine permanente Geschichte des Abfalls darstelle. Er weiß um die Unermüdlichkeit des menschensuchenden Gottes. »Es werden sich viele Tore noch auftun ... es kann am Ende dahin kommen, daß gar keine Tür zu ist. Wir werden aber doch keinen Tag haben über den Horizont, bis es Tag wird.«

Doch stärker ist der Gedanke des Provisorischen, der das Lebensgefühl Zinzendorfs bestimmt. Die Herrnhuter Gemeine hat sich im Provisorium, an der Pforte der Ewigkeit gewußt, unter dem Vorzeichen einer aktualisierten Eschatologie. Die obere Welt ist ihm die eigentliche, die irdische nur ein Abbild, das auf das zukünftige verweist. Die Gemeine lebt in enger Verbindung mit der oberen Gemeine, sie ist mit ihr eine Gemeine.

Das prägt selbst die brüderischen Versammlungssäle. Die auf der Chorempore sich versammelnden Chöre sind Abbild des Chores der Vollendeten. Das Sterben ist ein Gehen durch einen Vorhang zur oberen Gemeine. Darum ist Ostern als Auferstehungsfest die Nahtstelle zwischen beiden Formationen auf Erden und droben. Kein christliches Fest ist seitdem so liturgisch eindrücklich mit dem Gang auf den Gottesacker im Morgengrauen gestaltet worden, als Ostern in den Brüdergemeinen, wo beim Aufgang der Sonne die Auferstehungslieder angestimmt werden.

Im Blick auf den, der unsere eigene Gerechtigkeit ruiniert und die Heiligkeit der begnadeten Sünder etabliert hat, im Blick auf die einmal vollendete Schöpfung vermag dann der Graf Worte von unvergleichlicher Schönheit zu finden.

»Nun kommt zu ihm, es ist alles um seinetwillen. Wenn wir eine Meile gegangen sind in der Zeit, so gehen wir auf ihn zu, wenn wir hundert Meilen gegangen sind, so gehen wir auf ihn zu; wenn wir tausend Jahre gegangen sind, so gehen wir auf ihn zu ...«

Doch kaum hat Zinzendorf von diesem auf Christus-Zugehen gesprochen, reißt er wieder Antinomien auf. Christus kommt zuerst uns entgegen. So übernimmt er jenes im Pietismus unermüdlich angewandte Wort aus Johannes 7,17, auf das er sich übrigens oft bezieht: »So jemand will des Willen thun/ ... der wird inne werden etc. Wer nur will, wer nur mag, der soll gleich bekehrt werden, dem will ich gleich entgegen gehen, dem will ich mich in meiner blutigen Gestalt zeigen, dem will ich ein Bild ins Hertz mahlen, das ihm kein Teufel wieder soll herausbringen[51].«

So sehr ihn der mystische Aufstieg der Seele zu Gott als Frömmigkeitsimpuls fesselt, so leidenschaftlich lehnt er einen Prozeß der stufenweisen Vervollkomnung, die sich im Jenseitigen vollendet, ab. Mit diesem mystisch-spiritualistischen Wiedergeburtsgedanken will er nichts zu tun haben.

Für Zinzendorf gibt es an Christus vorbei keinen Weg zu Gott. Alles Reden von Gott ohne Jesus Christus ist für ihn nur verkappte Gottlosigkeit, Atheismus. Am Leiden und Sterben Jesu vorbei gibt es kein

Christentum. Unerbittlich ist Zinzendorf seinen Zeitgenossen in den Weg getreten, wenn sie versuchten, sich von Christus durch einen unverbindlichen und unbestimmbaren Gottesgedanken abzusetzen.

In die gleiche Richtung zielt auch ein Ausspruch Zinzendorfs, der immer wieder falsch verstanden wird und der noch auf seinem Sterbebett anklingt und den er übrigens oft angewendet hat, wenn ein deutlicher Abschnitt sich auf seinem Lebensweg abzeichnet: »Der Heyland ist mit mir auch zufrieden, und zwar aus dem Grunde, weil er mein Hertz kennet; und er hat mir nicht mehr aufgelegt, als er gewußt, daß ich ausrichten kann.« Der eigentliche Sinn wird bereits im nächsten Satz paradoxal kommentiert: »Ich weiß eine Sache, darinnen er mit mir nicht zufrieden seyn kan, nemlich, daß ich noch viel zu gemächlich, zu träge, und zu langsam bin; daß ich viele Dinge nicht ausstehen kan, die andre ausstehen können ... Das sind so Dinge, darinnen der Heyland unzufrieden mit mir seyn könnte ... Wenn man weiß, daß der Heyland nicht mit einem zufrieden ist, so ruhet man nicht, bis man des Heylands seinen Sinn weiß, und worinnen man gefehlt habe. Und dann ist Vergebung, Gnade und Bewahrung gleich wieder beysammen; so daß ein jedes Kind Gottes seliger und begnadigter aus jedem Fehler heraus kommen, als es vorhin war.« Und er schließt den Gedankengang mit »dem Heyland, der so treu und gantz ist.«

Das ist seine Zufriedenheit, seine Geborgenheit, in der er dann auch stirbt: Christus hat die eigene Gerechtigkeit ruiniert und die Unantastbarkeit des begnadigten Sünders etabliert[52].

In diesem Sinn komponiert er die ganze christliche Ethik, selbst die Gestalt der irdischen Ehe, die zu den vergänglichen Sachen gehört, die eine Interimssache ist. Es ist durchaus richtig gesehen, daß man bei der Ehe-Religion des Grafen an einem Zentralpunkt seiner Theologie und Frömmigkeit steht und alles darauf ankommt, ihn hier richtig zu interpretieren. Christus geht voran, er wirbt um die Menschheit und erwartet, ja weckt die Gegenliebe bräutlicher Herzen, die sich ihm in Treue verbinden. Jeder weichliche Ton fehlt hier. Es geht um Mannestreue, um Gefolgschaftstreue. Aus dieser Haltung sind Zinzendorfs »Streiterlieder« entstanden. Alles Weichliche, Süßlich-Erotische fehlt. *Die Auslegung des Hohenliedes wird zum Passionsbuch und die Braut- und Bräutigamsvorstellungen empfangen jenen harten, herben Klang letzter Hingabe*[53].

Und doch wird der Akzent sofort auf Christus gelegt: »Warum sind doch die Leute so fröhlich? Antwort: Es geht ihnen so wohl, es fehlt ihnen an nichts von Gewissensangst und Anfechtungen. Und das ist kein Wunder, der Bräutigam ist bei ihnen ...«

Das wirkt sich bei ihm bis in die Umgestaltung der herkömmlichen Ehepraxis aus. Die Geschlechtlichkeit ist keine böse Lust und der Sinn der Ehe liegt nicht in der Zeugung der Kinder allein. Das Bild der Ehe-Religion transponiert Zinzendorf in die Wirklichkeit der irdischen Ehe hinein, die eine abbildliche Funktion empfängt, die irdische Ehe als eine gottesdienstliche Aufgabe. Daß es auch hier im gräflichen Theologisieren wilde Seitentriebe gegeben hat, ist unbestritten. Für das, was er im trotzigen Aufbegehren gegen bissige Gegner einmal aussprach, hat er genug büßen müssen: »Wir haben es in Europa so weit gebracht, daß wir eine ganz neue Sprache haben.« In ihr fehlen die fremden Akzente nicht. Doch sie reichen nicht in die Wurzeln seiner Theologie. Zinzendorf ist bei der Reformation geblieben und nicht von ihrem Grundanliegen, der theologia crucis, der Theologie des Kreuzes abgewichen, so oft er auch querfeldein gelaufen ist.

Spangenberg hat einmal ihm entgegnet: »Sie sind eben ein Adler, den keine Landstraße hält, sondern Sie schwingen Ihre Flügel, und es geht über Berg und Tal, über Land und See. Wer Ihnen nachkommen will, muß wie ein Zaunkönig auf Ihrem Rücken sitzen, sonst verliert er Bahn und Weg.«

Das sollte sich in der sogenannten »Sichtungszeit« in der Wetterau erweisen, als man in der Gefahr stand, Bahn und Weg zu verlieren. Eine Unruhe trieb Zinzendorf, die sich auf die ganze Generation um ihn übertrug. Und doch lag zugleich in Zinzendorfs Theologie, die von seinem Christozentrismus geprägt war, etwas Prophetisches. Er sieht, was andere, vor allem seine Kritiker nicht sehen, wohin seine Zeit und die Kirche abgetrieben wird. »Man fängt schon wirklich an, Leute so zu unterrichten und zu erziehen: die Tugend, die Gottesfurcht, der Respekt vor dem oberen Wesen wird peu à peu so artig, so unanstößig für die Vernunft vorgetragen, daß man endlich für die kleinen Kinder ihrer Vernunft befürchten muß, wenn man sie mit der Lehre vom Kreuz choquiere ... Das ist die große Stunde der Versuchung, wenn einmal die Zeit sein wird, da man sich in den Religionen (= Kirchen) durchgängig schämen wird, vom Heilande zu reden, und dazu läßt sich's gar ordentlich an.« Von da aus ist zu verstehen, warum Zinzendorf mit anderen Männern aus dem deutschen Adel wie Friedrich und Johannes von Wattewille, Reichsgraf Heinrich XXVIII. von Reuß-Ebersdorf, Friedrich von Marschall, Renatus von Laer, von Lüdecke, selbst Nikolaus von Wattewille neben Akademikern wie Spangenberg und Peter Böhler als Erweckungsprediger nicht nur in der Hauptstadt London sondern auch draußen auf dem Lande wirkten. Neben ihnen standen dann Männer wie Henry Cosart aus einer alten Hugenottenfamilie und David Taylor, der aus dem schlichten Volk kam, und John Cennick, einer der großen Evangelisten des Jahrhunderts, böhmischer Abstammung, aber in England geboren, der die Erweckung als erster nach Irland trug.

An Peter Böhler, den einstigen Jenenser Student aus Zinzendorfs Studentengemeinde, schloß sich John Wesley (1703–1791) an, der spätere Gründer der weltweiten Methodistenkirche, der dann mit seinen Brüdern in die beginnende englische Erweckung eintrat und sie übernahm. Später schied sich Wesley von den Brüdern, von denen er viele charakteristische Einrichtungen in seinen eigenen Methodismus einbrachte. Es kam zu harten Auseinandersetzungen zwischen ihm und Zinzendorf in der Frage nach einer sündlosen letzten Stufe der Vollkommenheit, zu der ein Christ gelangen könne. Wesley kam von diesem Thema nie recht los. Zinzendorf lehnte dieses ganze Thema als unevangelisch ab. *Wesley wäre nicht das geworden, was er für die ganze Kirchengeschichte – nicht nur in der angelsächsischen Welt – bedeutete, ohne die Begegnung mit Zinzendorf und dem Brüdertum.* Wesley bewunderte heimlich Zinzendorf, auch als er in der sogenannten »Sichtungszeit«, deren Frömmigkeitsrausch auch nach England hinübergriff, ungeprüfte Redereien weitergab. Das ist mit Recht vergessen worden.

Herrnhaag lenkte inzwischen die Aufmerksamkeit der Öffentlichkeit auf sich. Hier wollte man dem gesetzlich gewordenen Halleschen Pietismus das Gegenteil einer im Glauben an Christus froh und fröhlich gewordenen Schar vorexerzieren. Auch der langweilig gewordenen Aufklärung mit ihrem trocknen und eintrocknenden Moralismus wollte man zeigen, was es heißt, ein Christ zu sein, der aus der Gewißheit der Vergebung der Sünden frei und gelöst lebt, spontan und lebendig. Man wird dabei nicht übersehen dürfen, daß in Herrnhaag unter den 1000 Brüdern und Schwestern allein 500 ledige Brüder waren, eine junge Mannschaft, zu der sich noch die Studenten des nahen theologischen Seminars der Brüderkirche in Lindheim gesellten. Es war die junge, nachwachsende Generation unter der Führung von Christian von Zinzendorf (1727–1752), des Grafen einzigen Sohnes[54].

Mit ihnen allen sympathisierte der Graf, in dem ein neues Sehnsuchtsbild seit seiner Amerikareise aufgebrochen war. Es war nicht nur des Reformators Einfluß, der Zinzendorf zu einer Christentumsauffassung geführt hatte, die dem Spontanen und Unmittelbaren einen weiten Raum im eigenen Leben einräumte. Es war bereits ein vorromantisches Seelentum. Man sollte es an den Festen und an dem Feuerwerk, das bei ihnen in Herrnhaag abgefeuert wurde, merken, daß der Nachfolge Christi Freudencharakter eignet. Denn Jesus Christus war unter die Menschen getreten, sie aus aller Knechtschaft und Furcht in die herrliche Freiheit der Kinder Gottes zu führen!

Man fand jedoch in einem Jahrhundert, das nach Natürlichkeit suchte und im Rokoko nach Heiterkeit sich sehnte, das Naive liebte, nicht das rechte Maß. Ganz einseitig wurde ein Blut- und Wundenkult mit der Seitenwunde Jesu getrieben. An dieser grotesk übersteigerten Konzentration, der eine rokokohafte tänzelnde Dichtung mit merkwürdigen Stilblüten zur Seite ging, an einer Sprache, die förmlich im Blute Jesu schwamm und an schwärmerisch-ekstatischen Vorgängen, die sich dabei einschlichen, mußte alles zwangsläufig scheitern.

Zinzendorf, der während dieser Jahre in London war, riß noch zur rechten Stunde das Steuer herum und beendete hart das Spielerische an dieser »Nachfolge des Lämmleins«. Daß die Gemeinde im Grunde gesund und kernhaft geblieben war, bewiesen die ununterbrochenen Aussendungen aus ihren Reihen in die Heidenwelt auf schwerste Posten und der unvermindert freudige Opfergeist.

1750 führte ein Zerwürfnis mit dem neuen Grafen von Ysenburg-Büdingen zur Auflösung der Wetterauer Gemeine[55]. In kurzen Abständen packten bald tausend Menschen ihre Bündel und zogen aus dem schön aufgebauten Herrnhaag in andere Gemeinen, auf Missionsstationen, nach Amerika. Herrnhaag zerfiel allmählich, auch der Gottesacker, auf dem 429 Mitglieder der Brüdergemeine zu Herrnhaag in den Jahren 1736–1772 begraben wurden. Die rechtlich gesicherten Pachtverhältnisse in Herrnhaag und in Marienborn wurden nach einer Übergangszeit aufgelöst. Stehengeblieben bis in die Jetztzeit sind das Herrnhaager Herrenhaus, die »Lichtenburg« mit ihrem durch zwei Stockwerke reichenden Kirchensaal, der tausend Gottesdienstbesucher fassen konnte, und das große Schwesternchorhaus. Der letzte Rest von mährischen Brüdern wanderte im Jahre 1843 aus dem Büdinger Land von der Ronneburg her nach Nordamerika aus und bildete neue blühende Gemeinden, deren erste Generation wie einst im pennsylvanischen Bethlehem einen »Liebeskommunismus« praktizierte, um Grund zu legen für die nächsten Geschlechter.

Neue Gemeinen waren seit 1742 inzwischen in Schlesien entstanden. Friedrich II. von Preußen hatte auf Ersuchen der »Ältestenkonferenz« der Brüdergemeinen eine Generalkonzession für ihre Ansiedlung in Schlesien und ganz Brandenburg-Preußen erteilt. Zinzendorf, von Amerika kommend, hat sich dieser Entwicklung einer innerkirchlichen Erneuerungsbewegung in eine Sonderkirche in die Brüderkirche mit Leidenschaft entgegengestemmt. Schließlich hat er sich damit abgefunder Bald bereiste er die schlesischen Gemeinen und fühlte sich in ihnen woh Er sorgte dafür, daß diese Gemeinen klein blieben. Denn auch hier wie i der Wetterau oder in Pennsylvanien hätten sich Tausende der Brüderkir che angeschlossen.

Die schlesischen Gemeinen wurden neben der Muttergemeine Herrnhu das Reservoir für jene lange und ununterbrochene Reihe von Boten un Zeugen, die nach wie vor ihre Straßen zu den Heiden und als Diasporaar beiter weit in den Osten hinein zogen. Die schlesischen Schulanstalten de Brüder wurden für Schlesien und darüber hinaus für Brandenburg-Preu ßen bei der Heranbildung von Offizieren und Beamten in späteren Füh rungspositionen von einer nicht zu übersehenden Bedeutung[56].

In Pennsylvanien half man sich damit, daß man Siedlungsgrund fü diese »Dörfer des Heilandes« suchte. So kauften sie 1753, als in Pennsyl vanien kein Land mehr zu bekommen war, in Nordkarolina einen Land strich von nahezu 40 000 Hektar und errichteten dort »Dörfer des Hei landes«, die man »Wachovia« nannte im Gedenken an den Grafen, des sen Familie in dieser bekannten österreichischen Donaulandschaft einma daheim war.

Es wird nicht zu übersehen sein, daß die Brüdergemeinen überall ge schlossene Ortsgemeinden bildeten, in denen nur Gemeineglieder ei Wohnrecht besaßen. Über ein Jahrhundert lang blieben sie eine völlig auto nome, gegenüber ihrer Umwelt klar abgegrenzte Einwohnerschar, in di praktisch nur Glieder, die aus anderen Gemeinorten kamen, Eingang fan den. Nur wer sich in die geistliche und bürgerliche Lebensordnung einfüg te, konnte evtl. auch als Nichtmitglied, wenn auch nicht ohne weiteres, i diese enge Gemeinschaft aufgenommen werden.

Das ist der ersten und auch den späteren brüderischen Generatione immer deutlich geblieben, »daß Herrnhut (erg. auch die andere Gemeinorte) nie geworden sein würde, was es ist, wenn es nicht auf herr schaftlichem Rittergutsgrund und -boden stünde und durch die Vorzüg und Freiheiten, welche dergleichen Rittergutsgrund und -boden eige sind, auch durch die herrschaftliche Jurisdiktion und Kirchen-Collatur Rechte hätte gedeckt und geschützt werden können. Die Rechte des herr schaftlichen Eigentums sind hier zu Lande (gemeint Deutschland) dafü vorzüglich und zum Schutze einer Brüdergemeine, wenn sie der Gefah nicht ausgesetzt werden soll, wesentlich notwendig.« Auch in den andere Ländern und Erdteilen, wo Brüdergemeinen entstanden, haben sie ihr »Dörfer des Heilandes« auf eigenem Grund und Boden erbaut.

Im letzten Lebensjahrzehnt des Grafen Zinzendorf wandelten sich Arbeitsweise und Lebensstil bei ihm sichtlich. Die äußere Leitung der inzwischen auch 1748 in Kursachsen rechtlich gesicherten Brüderkirche überließ er den anderen. Sein einziger Sohn Christian Renatus starb am 28. Mai 1752 im Alter von 25 Jahren in London an Lungenschwindsucht, am 19. Juni 1756 nach langem Siechtum in Herrnhut seine Lebensgefährtin. Schwere finanzielle Sorgen der Brüderkirche, verschärft durch einen betrügerischen Konkurs eines Bankiers in London, wurden gemeinsam gemeistert. Ein Direktorial-Kollegium und die regelmäßigen Synoden der Brüderkirche übernahmen allseitig die Verantwortung für die Brüderkirche.

Fast ein Jahr lang suchte Zinzendorf sich stille Winkel aus, in einer abgelegenen Stube in Herrnhut, im Katharinenhof in Großhennersdorf, im Schloß Berthelsdorf, in Barby, Niesky und den anderen schlesischen Gemeinorten. Dann tat der einsame Mann wohl die größte Wunderlichkeit seines Lebens. Gegen den Rat seiner Mitarbeiter vermählte er sich heimlich am 27. Juni 1757 auf dem Berthelsdorfer Schloß mit Anna Nitschmann, die seit seiner Amerikareise neben seiner eigenen Tochter Benigna mit ihren Mitarbeiterinnen zu seinem unentbehrlichen Gefolge zählte. Diese »Amtsehe« schloß er mit ihr in Rücksicht auf seine seelsorgerlichen Dienste unter den ledigen Schwestern, um kein Gerede aufkommen zu lassen. Offiziell bekannt gemacht wurde diese 2. Ehe Zinzendorfs innerhalb der Brüderkirche erst im November 1758. Vielleicht hoffte der Graf, daß inzwischen der Widerspruch unter seinen engsten Mitarbeitern verstummt war.

Diese zweite Ehe des Grafen blieb kinderlos, Anna Nitschmann wurde siech. Zinzendorf konnte es nicht verstehen, daß seine einst so rüstige, unermüdliche Mitarbeiterin, die sich auf alle seine Gedanken und Pläne, so blitzschnell er sie änderte, rasch umstellen konnte, jetzt starr und unfähig wurde, die alte Arbeitslast zu meistern, die sie seit ihrem 14. Lebensjahr, als sie zur Schwesternältesten gewählt wurde, offensichtlich mit Charme und Geist getragen hatte. Sie hatte ihn einst wie die ganze junge nachwachsende Generation umschwärmt, so geflissentlich der Graf den Abstand wahrte.

Am 9. Mai 1760 hauchte dieser »Fürst Gottes«, wie sie ihn damals ehrfürchtig nannten, seinen Geist aus. Seinem Schwiegersohn hatte er in seiner letzten Nacht mit seiner verbrauchten Stimme zugeflüstert: »Mein guter Johannes, ich bin fertig, ich bin in den Willen meines Herrn ganz ergeben, und er ist mit mir ganz zufrieden. Will er mich hier nicht länger brauchen, so bin ich ganz fertig, zu ihm zu gehen, denn mir ist nichts mehr im Wege.« [57]

Tausende aus der Brüderkirche, auch aus der weiten Welt und Tausende aus der Oberlausitz gaben ihm das letzte Geleit.

August Gottlieb Spangenberg, der entschieden die Wetterauer Richtung der Brüder abgelehnt hatte, der dann gleichwohl der literarische Apologet Zinzendorfs wurde, der das unumstrittene Haupt der kollegialen Behörde der Brüderkirche wurde, der in seiner milden Ausgeglichenheit das Werk Zinzendorfs verkirchlicht und gefestigt hat und sein Biograph wurde, wußte um den tiefen Zusammenhang seiner Größe und Grenze: »Er war ein Original und von Gott so gemacht, wie die Männer sein müssen, durch deren Dienst etwas Besonderes nach dem Willen Gottes geschehen soll ... So paradox es klingt, wenn man sagt, daß große Männer große Fehler haben müssen, so bestätigt es doch die Erfahrung. Und das ist auch gewiß; wer wollte aber dabei stehenbleiben und deswegen das Gute, das Gott durch sie getan, wegwerfen? Der Graf von Zinzendorf war doch ein trefflicher Mann.« Seine Wirkungsgeschichte ist noch nicht zu Ende.

Durch ihn entstand die erste Freikirche auf europäischem und amerikanischem Boden, die eindeutig missionarisch und diakonisch wie im ökumenischen Geist tätig war und dies nicht kleinen Elitegruppen überließ. In ihr gab es keine Verlassenen und Verratenen, keine Vereinsamten und Übersehenen. Hier hat man in Zinzendorfs Tagen in verhaltenem Enthusiasmus eine Bruderschaft praktiziert, die alle umspannte, die Weißen, die Schwarzen und die Rothäute, die sich in der Brüderkirche zusammenfanden oder von ihr erreicht wurden. Die Jungen und die Alten gehörten dazu, die einen, die in die Welt als Boten hinauszogen, und die anderen, die müde heimkehrten.

Diese neue Form gelebten Glaubens, die durchaus nicht anderen Gemeinden einfach übergestülpt werden kann, verstand sich als ein Appell zur Brüderlichkeit in allen Kirchen, zu einer brüderlich gelebten Glaubensgemeinschaft, war etwas, in dem eine bleibende Mahnung steckt. Der Pietismus, die Erweckungsbewegung und der Neupietismus haben dies als einen ihrer geschichtlichen Aufträge übernommen. *Zur Sendung des Pietismus gehört, daß er in immer neuen Anläufen die Bruderschaft der Christen auf neue Weisen zu praktizieren sucht bis hin in verpflichtende Formen.* Das sollte ohne Milieuverengung geschehen, ohne die kleinen und opferwilligen Bruderschaften zu überbewerten und zu vergessen, daß der Raum der Kirche des 3. Glaubensartikels unendlich weiter reicht. Bruderschaften um das Wort bleiben immer ein Wagnis fehlsamer Menschen und sind nicht leichthin zu organisieren, sondern letzthin ein Widerfahrnis, nach dem man sich verlangend ausstrecken muß.

Sein Ruf: »Ich statuiere kein Christentum ohne Gemeinschaft« und »der Christ geht in Kompanie« ist unvergessen geblieben. Man wird auch die vorbildliche Erziehungsarbeit unter der Jugend nicht übersehen. In schöner Freiheit konnten die Heranwachsenden unter den wegweisenden pädagogischen Gesichtspunkten des Grafen sich entfalten und ungezwungen heranreifen. Zinzendorf zählt unter die Befreier der Jugend von tötendem Drill. Erziehung unter dem leitenden Grundsatz des Vertrauens, das auch in Zweifelsfällen zuerst rangiert, hat im brüderischen Erziehungswesen Jugend geformt[58].

Die innerkirchlichen Erneuerungsbewegungungen fanden in den Diasporaboten der Herrnhuter Brüder Helfer, die diese Arbeit nach den gräflichen Richtlinien als einen stillen Hilfsdienst in den verschiedenen Landeskirchen und vor allem an vergessenen protestantischen Gruppen gestalteten. Wieviel Glaubensleben wurde hier in der dürren Aufklärungszeit von herrnhutischen Diasporaarbeitern gehütet[59]!

Heute wird kaum jemand im Ernst bezweifeln wollen, daß Zinzendorf zu einem der bedeutendsten Wegbereiter der alle Erdteile umspannenden christlichen Weltmission und eines ökumenischen Zeitalters der Kirchen gehört. War es vielleicht nicht doch höchste Zeit, daß nicht ein Gerufener, jedoch einer aus uraltem, geschichtsgesättigtem Geschlecht, im Protestantismus mitten unter den eifrigen Hütern der Theologie und den geistlichen Amtsträgern unkonventionell gedacht, geplant und gehandelt hat? Frömmigkeit und Theologie, die oft auseinanderklaffen, bei ihm bildeten sie eine großartige Einheit bei allem Menschlichen und Allzumenschlichen, das sich hier einfärbte. Er ist weit über den Rahmen der pietistischen Bewegung vorgestoßen, gehörte in sie hinein und doch wiederum nicht: ja selbst in Welten, in denen die Romantik sich ankündigte und die Sturm- und Geniezeit ihre Wurzeln senkte[60]. Man hat ihm auch dort, wo man immer wieder einen betonten Abstand zu ihm einhält, zugestanden, daß er im 18. Jahrhundert der größte religiöse Genius war, der auch gefährliche Seiten im Pietismus abgebogen und in gesunde Bahnen führte, der sich Philipp Jakob Spener und August Hermann Francke zeitlebens verpflichtet fühlte.

Johann Albrecht Bengel, der württembergische Pietismus und Friedrich Christoph Oetinger

Auf Bengel wie Oetinger kann man nicht zugehen, ohne einen Abschnitt der altwürttembergischen Geschichte heranzuziehen. Sie gehörte
ja der zweiten pietistischen Generation in ihrem Lande an.

Vorher war schon viel geschehen. *Wie kein anderes Land hat sich Alt*
württemberg schon früh, ohne daß es durch schwere Erschütterungen un
Kämpfe ging, dem Pietismus geöffnet. Spener baute bei seinen Plänen, di
er in seiner »Pia desideria« der Öffentlichkeit vorlegte, zuerst auf süd
deutsche Städte. Auf sie hoffte er, um einen Durchbruch seiner Reform
gedanken in den verschiedenen Landeskirchentümern einzuleiten. Da
war auf den ersten Anhieb nicht gelungen.

Doch in Württemberg öffneten sich für ihn schnell die Türen. Seit der
Jahre 1662, als er sich sechs Monate dort aufhielt, zuerst in Stuttgart un
dann in Tübingen, hatte er gute Freunde gefunden, mit denen die Verbin
dung nicht abriß[1].

Doch auch das hätte nicht genügt, wenn nicht andere Konstellatione
günstig gewesen wären. Das Land befand sich in einer Dauerkrise. I
Württemberg war das Elend, das durch die französischen Raubkriege un
durch den spanischen Erbfolgekrieg hereinbrach, wohl noch schlimme
als in den Zeiten des »Dreißigjährigen Krieges«. Viele Städte und Dörfe
sanken wieder in Schutt und Asche. Die Soldateska raubte und kannt
wenig Schonung. Die Männer, die für den württembergischen Pietismu
von entscheidender Bedeutung wurden, hatten ohne Ausnahme das alle
miterlebt und miterlitten[2].

Dazu trat etwas anderes. Der 1693 mündig gesprochene Herzog Eber
hard Ludwig entfaltete einen nach Frankreich ausgerichteten Lebensst
und ließ noch dazu seit 1706 durch seine Maitresse, ein Fräulein vo
Grävenitz, durch 25 Jahre hindurch das Land aussaugen.

Die Stimmen waren nicht zu überhören, die die Schrecken und di
Verwüstungen des Landes durch den Krieg als ein Strafgericht Gottes ar
sahen. Das schwäbische Volk wäre unbußfertig und immer noch nicht be
reit, mit Ernst die eingerissenen und laut beklagten Mißstände im kirchl
chen und sittlichen Leben aufzuräumen. So klang es von manchen Kar
zeln. Waren die Strafgerichte nicht gleichfalls eine deutliche Antwort au

das Treiben am Hofe in Stuttgart? Einen so unchristlichen Lebensstil vor aller Öffentlichkeit hatten die württembergischen Herzöge vordem nicht zu führen gewagt.

Bedroht fühlte sich auch die »Ehrbarkeit«, die obere bürgerliche Schicht, in die die Theologenschaft hineinragte. Bisher hatte sie das politische und gesellschaftliche Leben im Herzogtum weithin geprägt. Nun wurde sie von den Herzögen in einem erbitterten Kleinkrieg mit Schachzügen hin und her zurückgedrängt. Schließlich standen sie, die »Ehrbarkeit«, und die »Verderber am Hof« wie zwei Parteien einander fremd gegenüber und mußten doch miteinander auszukommen suchen. Die gehobene Bürgerschicht kultivierte in einer Trotzhaltung erst recht ihren eigenen altwürttembergischen Lebensstil, der sich klar genug von dem höfischen abhob. So ging es in dem zähen Ringen zwischen herzoglicher Macht und den alten ständischen Rechten nicht ohne tiefgreifende Erregung ab.

Das alles bahnte einer Bundesgenossenschaft mit dem spenerischen Pietismus den Weg. *Im Grunde genommen verknüpften sich hier rasch und fast bruchlos schon vorhandene Bestrebungen, die in die gleiche Richtung zielten, mit dem, was Spener wollte.* Man suchte eine christliche Erneuerung des gesamten Kirchenvolkes wie des einzelnen Christen. Das alles hatte sich in Johann Arnds »Wahrem Christentum« und in den Anstrengungen Johann Valentin Andreäs um eine Reformierung der württembergischen Kirche vorbereitet. Ihre stille, aber stete Nachwirkung durch das ganze 17. Jahrhundert öffnete die Türen für die bereitwillige Aufnahme des Pietismus vorerst spenerischer Prägung.

Bevor 1693 Herzog Eberhard Ludwig das Herzogtum übernahm und ein Bruch mit den bisherigen altwürttembergischen Traditionen eintrat, waren landeskirchliche Pietisten darangegangen, dem Pietismus den Vorrang einzuräumen. Sie gruppierten sich um die Herzogswitwe Magdalena Sybille. Hier sind vor allem Johann Andreas Hochstetter (1637–1717), der Landschaftskonsulent Dr. Johann Heinrich Sturm und später dann auch Johann Heinrich Hedinger (1664–1702) zu nennen. Sie trugen für die Landespolitik und eine christliche Reformpolitik die Verantwortung. Ihnen lag alles daran, die kirchliche und sittliche Erneuerung im Lande nicht nur durch Bußrufe in Gang zu setzen. Das von Philipp Jakob Spener in seiner »Pia desideria« vorgelegte Programm kam ihnen wie gerufen zur rechten Stunde zur Hilfe.

Diese württembergischen Pietisten konnten also 1693 eine fast ungehinderte Tätigkeit im Kirchenregiment und in der Landespolitik entfalten. Hedinger trat freilich erst später zu ihnen. Ihre Stütze blieb Magdalena Sybille, die im Jahre 1688, als die französischen Truppen Stuttgart besetzten und der größte Teil der Regierung und der Herzog in wilder Flucht das Land verlassen hatten, das Zepter in die Hand nahm. Sie konnte das größte Unheil abwenden.

Doch diese Schrecken hatten anderen Strömungen Tür und Angel geöffnet, mit denen sich der frühe Pietismus überall in Deutschland auseindersetzen mußte und die ihm unaufhörlich auf den Fersen blieben. Davon wurde auch Württemberg nicht verschont. Es waren die kirchen- und sozialkritischen Stimmen, die plötzlich munter wurden. Was bisher im verborgenen geblieben war, drang nun an die Oberfläche.

In der ersten Phase des altwürttembergischen Pietismus entstanden ungefähr seit 1681 separatistische Konventikel. Ohne daß wir uns zu sehr in die württembergische Landeskirchengeschichte verlieren können, bereitete sich eine Entwicklung vor, daß Württemberg zum Land der »Stundenleute« wurde.

Was las man dort? Vor allem sind es zuerst Schriften der französischen Mystikerin Antoinette de Bourignon (1616–1680) gewesen, die sie auf den Jahrmärkten hin und her verbreiten ließ. Auch die Schriften ihres Hauptanhängers, des holländischen Mystikers Pierre Poiret (1646–1719), fanden großes Interesse. Daneben müssen Gottfried Arnolds »Geheimnis der göttlichen Sophia« und nach 1700 Johann Wilhelm Petersens »Ewiges Evangelium der allgemeinen Wiederbringung aller Creaturen« viel beachtet worden sein. Auf die Stimmen der romanischen Mystik, auch der spätmittelalterlichen wurde gehört. Hier wendete man sich besonders den Schriften von Johannes Tauler und Thomas a Kempis zu. Man las auch in Schriften Speners und bevorzugt von Jakob Böhme. Was fehlte eigentlich noch von den Veröffentlichungen der Seitenströmungen des Pietismus? Nach 1690 tauchten die Schriften von Jean de Labadie und der Engländerin Jane Leade auf. Schließlich kamen noch Johann Tennhardt und Johann Konrad Dippel an die Reihe.

Nur die puritanischen Erbauungsschriften, die im mittel- und norddeutschen Raum einen Widerhall fanden, wurden wenig herangezogen. Ihr puritanischer Eifer und aktivistischer Drang lagen dem mehr spekulativ und nach innen gerichteten Geist dieser Altwürttemberger nicht. Was gern studiert wurde und Eingang fand, waren im Grunde quietistische Stimmen.

Diese ganze Lektüre, die in den Konventikeln von Hand zu Hand wanderte und von einer Gruppe zur anderen, verstärkte die Überzeugung daß das persönliche Heil nicht in der Amtskirche, sondern in jenen Zirkeln zu suchen sei, die eindeutig dem Glauben und der Inspiration den

Vorrang gaben und sich unbefleckt vom weltlichen Treiben fernhielten. Dadurch verschärfte sich ein Mißtrauen der Kirche gegenüber, in der in den wilden Zeiten so vieles brüchig geworden war. Die Sittenzucht durch die Kirchenkonvente, eine spezielle württembergische Einrichtung, war lässig geworden. Die Prüfung der Abendmahlsgäste vor ihrer Teilnahme in einem sogenannten Beichtgespräch war weithin zu einer formelhaften Angelegenheit verkümmert.

Es gab freilich ein deutliches Auf und Ab bei den separatistischen Neigungen. In Kriegszeiten, die 1688, 1692/93, später 1703 und 1705 das Land quälten, flackerten sie auf, um in den ruhigeren Zeiten deutlich abzusinken.

Daß sie nicht die Breite des Volkes erreichten, lag an der Reaktion der verantwortlichen Männer der Kirchenleitung um Johann Andreas Hochstetter, den man den württembergischen Spener geheißen hat. Vorweg genommen, sie gossen kein Öl ins brennende Feuer[3].

Hochstetter ist erstaunlich rasch in Führungsposten gelangt, 35jährig Dekan in Böblingen, mit 40 Jahren ordentlicher Professor der griechischen Sprache und Stiftsephorus in Tübingen, mit 43 Jahren ordentlicher Professor der Theologie und Pfarrer daselbst, ein Jahr darauf Prälat von Maulbronn und mit 54 Jahren Prälat von Bebenhausen. Seine Kindheit fällt in den Dreißigjährigen Krieg und seine Mannesjahre in die Zeit der nachfolgenden französischen Raubkriege.

Während sonst die altwürttembergischen Prälaturen »zumeist Ruheposten für verdiente, aber alte und abgelegte Geistliche, ja auch Schulmänner waren, auf denen sie in Ehren sterben konnten«, wurde schon der 44jährige Hochstetter zu einem, bald zu dem führenden Kirchenmann Württembergs.

Er hat von Spener die katechetische Begeisterung übernommen, und so wenig er selbst ein begnadeter Erzieher war, hat er hier neue Wege beschritten. Den Brenzischen Katechismus hat er durch Luthers Erklärungen in den Hauptstücken, zum Glaubensbekenntnis, zum Vaterunser und den 10 Geboten ergänzt. Er erhoffte sich die Einführung der in den reformierten Kirchen praktizierten Hausvisitationen. Dort begab sich der Pfarrer zu den einzelnen Familien, um über ihren Glaubensstand mit ihnen zu diskutieren. Auch die Mängel im Beichtwesen bedrückten ihn. Hochstetter hat mehr Reformgedanken ausgesprochen, als er durchzuführen verstand. Doch das, was er im Edikt von 1694 »betreffend die Pietisterey« erließ, ist von entscheidender Bedeutung geworden. Von dieser Linie ließ sich die Kirchenleitung auch in den späteren Zeiten nicht mehr abdrängen.

Man wollte vor allem ein Übergreifen pietistischer Streitigkeiten, wie sie andere Landeskirchen erschütterten, verhindern. Vor diesen Zänkereien müsse das eigene Land verschont bleiben, Spaltungen und Irrtümer müsse man auf die rechte Art und Weise zu verhindern suchen. Man könne doch manches gewähren lassen, wenn es nicht die Fundamentalwahrheiten, mit der die Kirche stehe und falle, antaste.

Das im Konsistorium entworfene Edikt kam dem spenerischen Pietismus weit entgegen. Keine gegenseitigen Verketzerungen. Beim Thema Chiliasmus könne man für verschiedene Meinungen offen bleiben. Die Hoffnung einer »merklichen Verbesserung der Kirche Gottes« vor dem jüngsten Tag müsse nicht als ungeheuerliche Ketzerei verschrieen werden. Daß Prophezeiungen in letzbetrübten Zeiten vorausgesagt sind, ja die Möglichkeit neuer Prophetie dürfe man zugeben. Doch »in Sachen den Glauben und das Leben der Christen belangend« gilt nur die Schrift.

Im Blick auf die Theologieprofessoren wünsche man, daß sie nicht nur gelehrte, sondern vornehmlich fromme Geistliche heranziehen sollten. Sogar die Streitfrage über die Gebote Gottes, ob man sie vollkommen erfüllen könne, überging man nicht. Es sei nicht möglich, sie vollkommen zu erfüllen, doch sie zu halten, d. h. »genau und sorgfältig zu beobachten«. Das war ganz im Sinne Speners gesagt, der diese Kampfthese zuerst aufgestellt hatte.

Wer auf Heiligung, auf einen gelebten Glauben drängt, ist kein Ketzer. Auch künftig sollte sich die Verkündigung darauf mit konzentrieren. So werden alle neu aufgekommenen Fragen durchgenommen. Das abfällige Wort vom »Enthusiasmus« möge man nicht mehr in den Mund nehmen. Der »Theologia mystica«, Tauler, der Theologia deutsch, könne man unter Berufung auf Luther ein Heimatrecht in der evangelischen Kirche nicht verweigern, denn in den wichtigsten Artikeln stimmen sie mit der evangelischen Theologie überein. Also Vorsicht ist doch geboten. Bei den weiteren Ausführungen ist die Stellung zu den viel in Württemberg gelesenen Schriften Jakob Böhmes von Interesse. Abqualifizieren möchte man sie nicht. Vieles in ihnen ist dunkel und unverständlich. Manches klingt fast gotteslästerlich. Doch das Urteil über Böhme stehe allein dem Gericht Gottes anheim, dem man nicht vorzugreifen habe. Den Studenten jedenfalls rate man, diese Bücher überhaupt nicht in die Hand zu nehmen. Auch hier bleibt man auf der Linie Speners.

Zum Schluß wird herausgestrichen, daß man sich bei all dem in ungebrochener Übereinstimmung mit den symbolischen Büchern, mit den lutherischen Bekenntnis-Schriften befände und sich nicht außerhalb der altwürttembergischen Traditionen bewege.

Damit war dem Pietismus in Württemberg ein Heimatrecht erteilt und dem Separatismus Duldung.

Das Edikt von 1694 galt übrigens auch der Theologischen Fakultät wie dem Tübinger Stift. Noch deutlicher, ja fast wortwörtlich lehnt sich eine umfangreiche Studienordnung für das Tübinger Stift von 1688 an Speners »Pia desideria« an. Ihre Reformvorschläge galten ja weithin unmittelbar dem geistlichen Stand. Die praktische Ausbildung der künftigen Amtsträger wird danach ausgerichtet. Das Bibelstudium wird in die Mitte des Stiftsunterrichtes gestellt. Die biblische Exegese rangiert bei den theologischen Studien voran. An die Stelle der Disputationen, die theologische Differenzen zum Inhalt haben und in die polemischen Auseinandersetzungen einüben sollen, hat ein »Collegium-Biblicum-Theoretico-Practicum« zu treten. Hier habe die ganze Schrift in all ihren Teilen im Vordergrund zu stehen. Nicht zuletzt wird Wert auf ein persönliches Bibelstudium im erbaulichen Sinn gelegt. Die Orthodoxie hatte die Schrift vor allem als dogmatische Quelle ausgebeutet und darauf zu wenig geachtet.

Das alles, was hier ausgeführt worden war, konnte kaum bedrückend wirken. Es herrschte ein Geist der Milde und guten Willens zum Ausgleich. Das galt an der Universität, die die theologische Ausbildung besorgte und im Stift, wo man den künftigen Geistlichen und Seelsorger vor sich sah. Man ging immer wieder aufeinander zu, auch wo man hart auf einer anderen Position beharrte. So bejahte bereits 1677 die Tübinger Fakultät Speners Vorschlag, für Studenten »Collegia pietatis« zuzulassen. Daß die Theologie als »habitus practicus« auf die Verbindung von Theologie und Frömmigkeit, auf gelebten Glauben zugeschnitten sein sollte, wurde nicht geleugnet. Die Kirchengeschichte wurde in den Vorlesungsbetrieb aufgenommen und exegetische Fächer erhielten einen Vorrang. In den Collegs wies man auf die Erbauungsliteratur von Luther über Arnd bis Spener hin. Dabei scheint man nirgends in den neuen Richtlinien etwas Hemmendes empfunden zu haben. Unter den Stiftlern wie den Theologiestudenten ermunterten sie eher, zur Erweiterung ihres Blickfeldes die persönlichen Studien nach Begabung und Neigung auszurichten. Das widersprach nicht der bisherigen Tradition, da man bereits in den Klosterschulen, die auf die Aufnahme im Tübinger Stift vorbereiteten, einen besonderen Wert auf die sog. »studia privata« legte, um die Schüler zu selbständigem Arbeiten und Denken anzuregen. Im Stift und an der Universität wurde noch mehr Freiheit eingeräumt. Es gab nur sehr wenige Pflichtfächer[4].

Durch die Anpassung an die vorgefundenen Zustände blieb die humanistisch-wissenschaftliche Bildung erhalten. Die theologische Wissenschaft erfuhr durch die neu belebten historischen Fächer eine beträchtli che Erweiterung. Im Blick auf die Klosterschüler und Stiftler vermocht der neue Geist eines milden lutherischen Pietismus auch eingerissen Mißstände im sittlichen Verhalten zu beseitigen. Jugendliche Torheite und Bubenübermut konnte man nicht immer dämpfen. Auch in den Hal leschen Stiftungen sah man immer wieder geflissentlich darüber hinweg Beanstandet wurden die zu bunte Kleidung der Stipendiaten, die gepu derten Perücken und aufgeschlagene Hüte. Daß von Blaubeuren (den niederen Kloster) meistens »lauter Höllenkinder nach Bebenhausen (in höhere Kloster) gekommen seien«, meinte einmal Hochstetter. Er hat da vielleicht bewußt so scharf gesagt, um einer eingerissenen laxen Haltung entgegenzuwirken.

Die Bemühungen um den geistlichen Stand standen im Vordergrund Das war nicht zufällig. denn von den Pfarrhäusern gingen alle Verbesse- rungen des kirchlichen Lebens aus. Sie waren nur über die Geistlichen zu erreichen. Bisher war die württembergische Klausur des Stiftes und die Tübinger Theologische Fakultät ins Pfarramt geschleust worden. Dami war eine gewisse innere Einheitlichkeit des ganzen Standes gewährleistet Die Nachteile einer solchen Abgeschlossenheit waren auf die Dauer je- doch nicht zu übersehen.

Es blieb freilich dabei, daß jeder Theologiestudent beim Eintritt in das Tübinger Stift einen Revers unterschreiben mußte, wo es unter anderem hieß, sich »auch keineswegs ohne ihr Vorwissen und Erlauben aus dem Kloster anderstwohin oder zu andern Universitäten« zu begeben. Diese Verpflichtung mußte sich auch Johann Albrecht Bengel unterwerfen, als er die Pforte des Stiftes durchschritt[5].

Denn es waren nur ganz vereinzelte Fälle, wo einem Studenten erlaubt wurde, sich in der Welt und anderen Universitäten umzusehen. Im Okto- ber 1687 wandte sich Konsistorialvizedirektor Johann Georg von Kulpis an den mit ihm befreundeten Spener und bat ihn schriftlich um dessen Meinung zu einer geplanten Lockerung der bisher geschlossenen Ausbil- dung im eigenen Lande. Spener zögerte nicht, einer gewissen Freigabe des akademischen Studiums durch akademische Reisen zuzustimmen. Doch sollten dann Exegese, Homiletik und evtl. Kirchengeschichte, bisher ver- nachlässigte Fächer, »Schwerpunkte« bilden.

Diese Lockerung kam sofort Johann Reinhard Hedinger (1664 – 1702), der als tapferer Hofprediger unvergessen geblieben ist, zugute.[6] Seine Reise zwischen 1687 und 1688 als Sekretär und Reiseprediger des jungen Prinzen Johann Friedrich durch die Schweiz und Frankreich wäre auch nach der alten Ordnung nicht zu verhindern gewesen. Doch dem reiselustigen hochbegabten Hedinger wurde 1689 durch ein Stipendium aus dem »Kirchenkasten« eine große Studienreise ermöglicht. Sie führte ihn nach Leipzig und Hamburg und Holland. Einen württembergischen Prinzen konnte er anschließend nach England, nach Dänemark und Schweden und zurück über Berlin in die Heimat begleiten. 1691 zurückgekehrt, begleitete er als Feldprediger den Herzog Friedrich Karl auf den Feldzügen der Jahre 1692 – 94. Der Herzog vermittelte ihm anschließend eine Professur des Natur- und Völkerrechts in Gießen. Er muß diese Berufung bereits als überzeugter Vertreter des Pietismus angetreten haben. Hier opponierte er so heftig gegen die »Chiliasten« unter den Gießener Theologen, daß er sich in unerquicklichen Streitigkeiten verfing. Er konnte froh sein, daß er mit heiler Haut einem Hausarrest entging, als er sich auch noch mit Dippel, Petersen und Gottfried Arnold einließ. Er gab etwas nach, was er später bereute.

Der Herzog von Württemberg befreite ihn von weiteren Kalamitäten und machte ihn zu seinem Hofprediger. So glänzend wie leichtsinnig der Stuttgarter Hof war, suchte man doch mit Vorliebe ausgesprochene Pietisten wie jetzt 1698 Hedinger als Hofprediger. Hedinger wurde zugleich Konsistorialrat. Ihm folgten nach Zwischenpausen erst wieder 1711 Ludwig Hochstetters Sohn Andreas Adam als Oberhofprediger und Konsistorialrat und später Samuel Urlsperger (1685 – 1772) nach. Sie haben sich alle tapfer gezeigt. Hedinger, der sich viel herausnahm, blieb trotz seines Freimuts unangefochten. Mit Hochstetter jun. und mit Urlsperger hatte der Herzog keine Gelduld mehr.

Diese drei Hofprediger, die wir anführten, kannten und liebten Halle, Hedinger wie Urlsperger waren ausgesprochene Vertreter einer Bekehrungspredigt. Am Krankenlager wie auch bei Sterbenden habe man auf eine kategorische Erklärung zu dringen, ob sie sich für bekehrt oder nichtbekehrt halten. Der Pfarrer solle auch nicht so schnell mit dem Trost bei der Hand sein.

Selbst Christoph Matthäus Pfaff (1686–1760), der Kanzler der Tübinger Universität, akzeptierte in seinem »Kurtzen Abriß des wahren Christentums« (1720) die hallesche Bekehrungstheorie mit dem Bußkampf in Angst und Schmerzen, den die lutherische Gesetzespredigt bewirke, »ehe man an Geist, Seele und Leib durch und durch geheiligt werde«.

Auch an den Klosterschulen drang ein neuer Geist ein. Unter ihren Klosterpräzeptoren vertrat Philipp Heinrich Weißmann, ein Freund Bengels, die zupackende hallesche Art. Er konnte dem einzelnen Schüler recht unbequem werden, wenn er ihn nach dem täglichen öffentlichen

Abendgebet peinlich genau nach seiner vorher angestellten Gewissensprüfung und ihren Inhalten ausfragte. Dieser neue Hallesche Geist hatte in der zweiten pietistischen Generation sich recht deutlich von der dogmatischen und seelsorgerlichen Behutsamkeit Speners auch in Altwürttemberg gelöst.

Die kirchlich-theologische Position Hedingers wurde voll deutlich, al 1702 seine Glossen und Nutzanwendungen zu seiner Ausgabe des Neuen Testamentes bekannt wurden. Leise wagt sich eine Bibelkritik vor. So gib er Matthäus den Vorzug, der Lukas entgegen die Teilnahme des Judas an letzten Mahl kennt.

Er wagt sich zugleich an Verbesserungen des Luthertextes heran wie vor ihm Francke. Kecke Sätze kommen aus seinem Mund: »Ich kann doch auch nicht sagen, wenn es Mitternacht oder finster ist, daß die Sonne scheint.« Oder ein anderes Mal: Es gebe »viel tausend eingekrochene eingeheiratete, eingebettelte, eingedrungene ... Bauch-, Schein- und Maulpfaffen« als Bemerkung zu Joh. 10,5.8. Wiederum zu Apostelgeschichte 20,39: »Ein Wolf sei, wer um Lohn gerne tröste und nur Frieden predige.« Auffälliger ist seine Zurückhaltung bei der Offenbarung Johannes, die er nicht glossiert. Er habe sich »in dies Meer vieler Dunkelheiten nicht hineingewagt«.

Er erweckt fast den Eindruck, als habe er sich in seinen beiden letzten Lebensjahren, er starb 1704, zum »Anwalt eines separatistischen und stark spiritualistischen Pietismus in Württemberg« gemacht. Er läßt keinen guten Faden am herkömmlichen starren Staatskirchentum. Vor allem betonte er eine Achtung allen gegenüber, die an Christus glauben, so unterschiedlich sie in den einzelnen Lehrpunkten voneinander abweichen. Wenn Christus der »Hauptgrund« sei, habe auch kein Wiedergeborener über den anderen ein Urteil zu sprechen, sich noch weniger zum Herrn und Richter seines Glaubens zu machen. Es ist dann in der gleichen Generation Georg Konrad Rieger (1687–1743) gewesen, der wohl hervorragendste Prediger in Württemberg zwischen Brenz und Hofacker, der wie Hedinger auch kritische Worte über den Pietismus aussprach[7]. Er sah in August Hermann Francke »seinen geistlichen Vater«, obwohl er nie nach Halle gekommen war. Seit 1742 wirkte er als Dekan und Prediger an der Hospitalkirche in Stuttgart und entfaltete eine weite Wirksamkeit. Es liegen viele Predigtbände von ihm gedruckt vor. Er liebte Luther, Johann Arnd, auch die englischen Erbauungsschriftsteller und Spener. Für Reinheit und Klarheit der Kirchenlehre trat er unermüdlich ein. *Für ihn war das Christentum »keine dumme Einfalt und Unwissenheit, sondern eine Erkenntnis«*. Die Lehre von der Rechtfertigung ist ihm das Kleinod. »Die

Sonne der Gnade scheint auf mich, wenn ich mich nicht in dem Keller verkrieche. Wer selig werden will, muß nehmen, nicht geben. Es ist verkehrt, erst fromm, dann selig werden zu wollen.«

Lebhaft beklagt er unter den Pietisten, daß Anfänger so leicht zu schwatzen anfangen von Gott und göttlichen Dingen und den Menschen damit auf die Nerven fallen und sich zu unzeitiger Bekehrungssucht hinreißen lassen. Den Reiferen rechnet er nach, daß sie so leicht nach hohen und außerordentlichen, nach unmittelbaren Offenbarungen trachten, die, wenn sie echt sein wollen, allein zu Christus weisen müssen. Wie viele »zuckerne Näschereien« finde er in manchen pietistischen Kreisen mit ihren eschatologischen Spezialitäten.

Gewiß fange das Christentum mit der Buße und dem Bußkampf an und es sei dazu nie zu spät. Aber letztlich ist es Gott, der mit der Sündenvergebung die Neuschöpfung vollzieht.

In der zweiten pietistischen Generation machte sich tatsächlich viel Überschwang auch in Württemberg breit. So hörte Rieger lieber »einen demütigen Christen, der ein Gebetbuch benütze als einen geschwätzigen Pharisäer, der an allen Ecken beten könne«.

Rieger kannte die Schwächen der Volkskirche und nicht minder die seiner pietistischen Freunde. Es ließe sich leicht aus den verstreuten Auslassungen in den Predigten Riegers wie Johann Albrecht Bengels und später Ludwig Hofackers ein ganzer Katalog immer wiederkehrender pietistischer Untugenden zusammenstellen, ohne dabei zu vergessen, welch gleichbleibender Opfer- und Zeugensinn sich dort kundtut. Man wird sich dem Urteil von Friedrich Fritz anschließen können und es gilt nicht nur für Rieger, sondern auch für die anderen pietistischen Gestalten, die wir anführten: Sie sind in einer »von pietistischen Einflüssen vornehmlich Hallescher Art erfüllten Zeit aufgewachsen. Der Zeitströmung konnten sie sich nicht entziehen«. Zu bedingungslosen Parteigängern sind sie nicht geworden. Sie lebten in der Frömmigkeit ihrer Kirche mit ihren pietistischen Anliegen, die sie nicht preisgeben konnten. Die Kirche ihrer Zeit war in vielem ein brüchig gewordenes Gebilde geworden. Das konnten und wollten sie nicht übersehen. Die Zeit der Orthodoxie war an ihr Ende gekommen, wie sie 120 Jahre bestanden hatte. Mit ganzem Herzen blieben sie im Dienst dieser Kirche. In diesem Sinn waren sie »landeskirchliche Pietisten« ohne inneren Widerstreit zwischen ihrer Liebe zu ihren »Stundenleuten« wie zu der großen gottesdienstlichen Gemeinde. In beiden wußten sie »Schafe und Böcke«, einen »gemischten Haufen« beisammen.

Ein Wandel hatte sich vollzogen. 1710 war in Stuttgart ein Waisenhaus gegründet worden. Fünf Jahre später wurde eine Landeskollekte für die hallesch-dänische Mission veranstaltet. Ihr Ertrag ermöglichte den Bau der ersten lutherischen Kirche Indiens am Hauptort dieser Mission in Trankebar, den Bartholomäus Ziegenbalg durchführte. Diese »Jerusalemkirche« steht heute noch. Diese Kollekte bewirkte eine bleibende Verwurzelung dieser hallesch-dänischen-englischen Mission im schwäbischen Raum. Man kann das vor allem an dem Bezug der kontinuierlichen Halleschen Missionsnachrichten verfolgen. Von allen deutschen lutherischen Landeskirchen hat nur noch eine kleine thüringische Kirche ebenfalls eine Landeskollekte für diese Missionsarbeit durchgeführt[8]. *Württemberg hatte sich für die verschiedenen Ströme des Pietismus geöffnet. Zu den halleschen kamen später herrnhutische.* Die Begegnung mit Zinzendorf kulminierte in seiner Auseinandersetzung mit Johann Albrecht Bengel. Die ins Land einströmenden Anstöße und Anregungen haben einen freien Entfaltungsraum für eine Fülle altwürttembergisch-pietistischer Originalgestalten ermöglicht.

Dabei blieb doch der altwürttembergische Pfarrerbestand erstaunlich einheitlich. Man zählte nicht nur entschiedene Pietisten. Doch sie prägten das Land und den eigenen Stand. Das neue pietistische Pfarrerideal, wie es sich in den Geistlichenstand einzeichnete und das altgläubige ablöste, läßt sich in Württemberg besonders deutlich verfolgen. Das »Decorum pastorale« setzte sich schrittweise durch. Alte Lebensgewohnheiten wurden abgelöst wie der Weinausschank im Pfarrhaus, der 1722 endgültig unterbunden wurde. Wechselbriefe auszustellen wurde seit 1759 verboten[9].

Man duldete keinen Pferde- und Viehhandel durch den Pfarrer. Die »verächtliche Bauernarbeit« wurde den Geistlichen untersagt. Ihre Pfarrfelder haben sie durch Knechte zu bestellen. Wirtshausbesuch und öffentliche Tanzveranstaltungen waren verpönt. Das Konsistorium, welches diese Leitlinien herausgab, drang auf die schwarze Kleidung und schwarze Mäntel bei den Amtsträgern. Die bunten Röcke sollen abgelegt werden. Auch der Putzsucht der Pfarrfrauen trat man entgegen. In Stuttgart haben die Geistlichen in einer besonderen geistlichen Herberge abzusteigen usf.

Um diese Umformung des Pfarrerstandes waren Konsistorium wie Synodus während des 18. Jahrhunderts unablässig bemüht. Vieles war hier auch im Reformationsjahrhundert günstiger gestaltet worden als in anderen Landeskirchen. Das Konsistorium verfügte allein über die Besetzung der anfallenden Pfarrstellen. Im Normalfall widersprach die Regierung, der Geheime Rat wie der Herzog kaum dabei. Patronatsverhältnisse kannte das ganze Land nicht. Der Adel spielte keine Rolle. Man bedenke dagegen die oft unwürdigen Abhängigkeiten der Geistlichen von ihren Patronatsherren in mittel- und norddeutschen Landeskirchen.

In Württemberg wurden die Visitationen durch die Dekane intensiv betrieben. Der Synodus hat die vorliegenden Berichte aus den Visitationen ausgiebig in einer ausgedehnten Sitzungsperiode studiert. So trafen Mahnungen ins Schwarze, z. B. wenn man den Geistlichen empfahl, »die Schulmeister nicht so sclavisch zu tractieren«. Was die Pfarrer auf dem Gebiet des Volksschulwesens geleistet haben, wurde dabei nicht übersehen. Seit 1649 bestand im Land eine allgemeine Schulpflicht. Man spürt immer wieder das unermüdliche Bemühen der Behörde, die spenerischen Reformvorschläge, auf das eigene Kirchentum zugeschnitten und in Wahrung der lutherischen Traditionen, zu realisieren.

Diese Zielsetzung beleuchtet jene Bitte an die Dekane, die Amtsbrüder »dahin anzuhalten, daß sie die Grundwahrheiten fleißiger treiben, auf die Wiedergeburt beweglicher dringen, die errores practicos ernstlicher straffen, keine curiosa allotria und qodlibetica (was es auch immer sei) auf die Canzel bringen, die Seelen gegen den Abfall fester verwahren!« Sie selbst sollen »nicht so weltförmig seyn, sonderlich bessere Hauszucht bewahren, ihre weib und kinder die Kleiderpracht nicht gestatten ... Hauskirche mit den ihrigen halten, das Decorum Pastorale in acht nehmen usw.« Das mußte seine Früchte bringen und hat sie gezeitigt in einem Lande, das sich im Pfarrerstand und in den Gemeinden so weitgehend dem Pietismus geöffnet hatte.

Wesentlicher war die innere Wandlung, die sich durchsetzte. Es zahlte sich aus, daß das Konsistorium ein »Regiment der Mäßigung und Nüchternheit« blieb. Nicht zuletzt rührte daher das hohe Ansehen. Bei aller Strenge kam die Milde nie zu kurz. Daß der Pietismus innerhalb der Kirche einen Platz erhielt, verdankt man dem bedeutsamen und verständigen Vorgehen dieser Männer. Diese Haltung prägte schließlich auch den altwürttembergischen Pfarrerstand. Die Gemeinden erwiesen ihren Geistlichen den Respekt als Amtspersonen. Die innere Autorität war gewachsen. Auch die Pfarrherren, die sich dem Pietismus nicht öffneten, suchten mit aller Treue dem Wohl der Gemeinde zu dienen, sei es als gestrenge Sittenwächter in kirchenzuchtlichen Maßnahmen, sei es als Seelsorger und Lehrmeister. Die Pfarrhäuser mußten haushalten. Es ging bescheiden, aber nicht ärmlich zu. Für die Ausbildung der Söhne und für eine entsprechende Aussteuer der Pfarrerstöchter nahm man alle Einschränkungen bereitwillig auf sich. Nicht wenige, man spricht sogar von einem Drittel der genialen Deutschen, sind aus evangelischen Pfarrhäusern hervorgegangen.

Selbst eine sehr kritische Untersuchung, die von einer dadurch vollz
genen »Entweltlichung« und verhängnisvollen Isolierung des Pfarre
standes spricht, weiß auch um das positive Ergebnis dieser Umformun
des Pfarrerbildes.[10] »Altwürttemberg ragte in der zweiten Hälfte des 1
Jahrhunderts wie eine Insel aus den allgemeinen aufklärerischen prot
stantischen Ländern heraus. Das Herzogtum galt als überaus orthodo
Dies lag nicht nur an der scharfen Beobachtung der reinen Lehre und d
Zensur, sondern vor allem an der Wirkungskraft und Eigenständigke
des theologischen Denkens der Geistlichkeit.« Und dies ist nicht gewo
den ohne den Einfluß des pietistischen Berufsbildes.

Wie ein Kommentar dazu könnte man den 1744 gedruckten Beric
über den Vater von Johann Albrecht Bengel lesen: »Diaconus Mag. A
brecht Bengel (von anno 1681 – 1693) war ein frommer und gelehrte
dabei in allen Stücken seines Amtes fleißiger und pünktlicher Mann, de
sen Andenken bei noch vielen Alten in der Gemeinde unvergessen ist, d
mir deren verschiedene zu meiner eigenen Erweckung, wo es beim Kra
kenbett oder sonstigen Gelegenheiten gegeben, erzählt haben, daß sie d
und jenes Gute von dem sel. Herrn Helfer (Diakonus) in ihrer Jugend g
hört und bisher behalten haben. Ist jemalen ein frühzeitiger Tod ein
treuen Lehrers allhier beklagt gewesen, so war es gewiß der frühe und u
vermutete Abschied dieses lieben Mannes ...« Nicht anders klang auc
der Visitationsbericht ein Jahr vor dessen frühem Tod.[11] Die Vermutun
ist nicht ganz abwegig, daß er in die frühe Reihe der vom spenerische
Pietismus angeregten württembergischen Theologen gehörte. Denn au
gerechnet dem gewiß tüchtigen Pädagogen Spindler, dem Pietiste
wurde der Sohn zur Erziehung übergeben.

In diesem eigengeprägten altwürttembergischen Kirchentum sind
Johann Albrecht Bengel (1687 – 1752) und Friedrich Christoph Oeting
(1702 – 1782) gewesen, diese »Urschwaben«, deren literarisches We
über das nachfolgende Jahrhundert hinaus zu einem nicht geringen Te
wirksam geblieben ist. Nicht nur die württembergische Geistesgeschich
ist ohne ihren mitgestaltenden Beitrag zu verstehen. Auch in der gesam
deutschen Philosophiegeschichte nimmt vor allem Oetinger eine unve
wechselbare Stellung ein. Was beide als Theologen gedacht, gelehrt u
geschrieben haben, ist im württembergischen Pietismus durch ihre Sch
ler in einer Breitenwirkung sichtbar geworden, daß man sagen kan
Durch sie hat der württembergische Pietismus bei aller Aufnahme spener
scher und hallescher Anregungen seine ureigenste Gestalt gewonnen.

Johann Albrecht Bengel wurde am 24. Juni 1687 als Pfarrerssohn
Winnenden bei Stuttgart geboren. Sein Vater starb bereits 6 Jahre späte

Die Erinnerungen an ihn sind dem Sohn zeitlebens gegenwärtig geblieben. Der vaterlose Sechsjährige wurde für die nächsten zehn Jahre bis zum Eintritt in das Tübinger Stift dem Magister David Wendelin Spindler (geb. 1650) als »Pflegevater« übergeben. Spindler muß ein hervorragender Lehrer gewesen sein, denn bereits 1699 wurde der 49jährige Pädagoge an das Stuttgarter »Gymnasium Illustre«, die ohne Konkurrenz besten Schule des Landes, ohne sein Zutun berufen. Der junge Bengel folgte ihm als Schüler über Marbach und Schorndorf als Zwischenstationen dorthin. Als reifer Mann sprach Bengel von ihm »als seinem väterlichen Freund«, der ihn »mit ausnehmender Freundlichkeit umgab«. Sein Pflegevater spielte unter den Pietisten des Landes eine bedeutende Rolle. In Stuttgart war sein Haus der Treffpunkt aller durchreisenden Pietisten, auch der radikalen Vertreter unter ihnen. Enge Verbindung hielt Spindler mit hallesch gesonnenen jungen Theologen im Lande. Den jungen Bengel hat er nicht nur zum eifrigen Bibelstudium angehalten. Auch auf die Literatur, die dessen Lieblingslektüre in jenen Jahren wurde, hat ihn Spindler wohl hingewiesen. Bengel las mit Vorliebe in Johann Arnds »Wahrem Christentum« und im »Paradiesgärtlein«. Zusammen mit »Sontheims gulden Kleinod, Gerhardi Meditationes, Franckes und Schadens Anleitungen zur Lesung der Heiligen Schrift usw.« bildete das eine kleine pietistische Handbibliothek.

Bengel, der sich selbst als einen ausgesprochenen Einzelgänger ansah, er war von Natur »einspännig«, ist von seinem Pflegevater offensichtlich nie beengt worden. Unter seinen Mitschülern war er immer gut gelitten.

Spindler geriet freilich, ein Jahr bevor Bengel sein Haus verließ, in einen Konflikt mit dem Konsistorium. Er sollte seine Stellung zu Gottfried Arnold, Jakob Böhme und zum Chiliasmus präzisieren. Dabei kam heraus, daß Spindler »keinen anderen Chiliasmus kenne, als was apokalypsis (Johannesoffenbarung) zeige so auf determinationem temporum (Berechnung der Zeiten) gehe«. Das war an sich keine ungewöhnliche Lieblingsbeschäftigung durch das ganze 17. Jahrhundert innerhalb der lutherischen Orthodoxie gewesen. Offensichtlich im Blick auf eine zunehmende Erregung im Land angesichts eines neuerlichen Anschwellens separatistischer Kreise, deren Hauptthema mit hier lag, fiel die Ermahnung des Konsistoriums aus. Man gab ihm anheim, lieber die »Apostel und Evangelisten« statt der Offenbarung zu lesen. Nicht viele Jahre später hat Spindler seinen Übergang zum radikalen Separatismus vollzogen und mußte das Land verlassen. Seine Spuren haben sich verloren.

Auch der Konsistorialrat und Hofprediger Hedinger, der 1704 starb, hat in seinen letzten Lebensjahren deutliche Neigungen zum Separatismus und seinen Vorwürfen gegenüber der Kirche gezeigt. Tatsächlich nahmen um diese Zeit um und nach 1702/3 die Konventikel wieder stark zu und das Konsistorium mußte sie gegen tumultarische Übergriffe in Schutz nehmen. Dazu war es in verschiedenen Gemeinden gekommen, die den öffentlichen Frieden empfindlich zu stören begannen. Man warf den Pietisten die Fenster ein und setzte zum Sturm auf ihre Versammlungsstätten an. Diese unliebsamen Zwischenfälle schob man teilweise »unzeitig eifernden Pfarrern« in die Schuhe, die »ihre Gemeinden zur Verfolgung solcher Verirrer vielleicht nur darum verleiten, weil sie die Schandflecken des geistlichen Amtes entdeckten«. Es muß sich also um separatistisch gestimmte Zirkel gehandelt haben.

Doch das waren Randerscheinungen, die das Gesamtbild nicht trüben konnten. Im Jahre 1703 wurde der 16jährige junge Bengel in das Tübinger Stift aufgenommen. Gleichzeitig besuchte er, wie es vorgeschrieben war, neben den Übungen im Stift, die Vorlesungen an der Universität, zuerst wie üblich die der Philosophischen Fakultät. Nach einem Jahr bereits legte er glanzvoll als erster unter den 29 Kandidaten seine Magisterprüfung ab. Seine Begeisterung für Mathematik und Astronomie, über die er bei dem einzigen Nichttheologen, bei Professor Johann Konrad Creiling hörte, ließ ihn zeitlebens nicht mehr los. Auch mit Leibniz hat sich Johann Albrecht Bengel intensiv beschäftigt. Dessen Monadologie im Zusammenhang mit der »Prästabilisierten Harmonie« hat ihn auch persönlich angesprochen. »Ich bin wie ein Ort=Laiblein, das nirgends angeschlossen ist; eine eccelesia mondadica (vereinzelte Kirche), dringe mich niemand zum Muster auf, und nehme niemand zum Muster an ...«

Persönlich am nächsten stand ihm Andreas Adam Hochstetter, mit dem er nach Beendigung seines Studiums in brieflicher Verbindung blieb. Den ausgesprochenen pietistischen Bibeltheologen Christoph Reuchlin (1660 – 1707), der bereits 1707 starb und die hallesche Frömmigkeit vertrat, hat er gern gehört. Seit 1703 hielt er in seiner Gelehrtenstube Konventikel, wo sie Kopf an Kopf standen. »Den Spiritualismus, der auf unmittelbare Offenbarung wartet, die Lehre Jakob Böhmes, die Ehe sei ein an sich selbst unheiliger Stand und die Wiederbringungslehre Petersens lehnte er entschieden ab«. Bengel »habe sich ihn zu Nutzen gemacht, wo er nur habe zukommen können«. Wenn man Bengels »Gnomon« liest, sind seine kurzen Erläuterungen wie Gebetsseufzer, wie ein Nachhall dessen, was ihm von Reuchlin her unvergeßlich geblieben ist[12].

Bengel hat dann vor allem Johann Wolfgang Jäger (1647 – 1720) gehört, der die reformierte Bundestheologie (Föderaltheologie) in seine lutherische Lehrüberzeugung einbaute.

Dessen 1701 entworfenes Kompendium der Theologie, als er noch Stuttgarter Stiftsprediger und Konsistorialrat war, begleitete »nun den (württembergischen) Theologen von der Klosterschule an durchs ganze Leben: Kompendium im Kloster, Kompendium im Stipendium, Kompendium in den Lektionen, Kompendium in den Disputationen«. Diesen »Methodus foederalis« paukte der spätere Repetent Bengel im Stift mit den anderen. Jägers Vorlesungen boten ihm darum keine Überraschungen. Diesen Gedanken war er bei seinem Pflegevater Spindler begegnet. Denn dort war man bereits durch die Schriften von Petersen und Poiret vertraut.

Daß Jäger dem Pietismus distanziert gegenüberstand, jedoch Spener seine Achtung nicht vorenthielt, störte kaum. Seinen Föderalismus verstand er »stark juristisch und scholastisch, weniger heilsgeschichtlich«. Wenn er die Bibel wie Coccejus als eine Folge von Bundesschlüssen Gottes mit dem Menschen verstand, so doch als juristische Festlegungen. Den Begriff »Bund« hat Bengel wahrscheinlich von Anfang an nicht akzeptiert. Denn ohne Schwanken stellte er dagegen den Begriff »Ökonomie Gottes«, »Veranstaltung Gottes«. Darin sah er Grund, Maß und Ziel dessen, was der Begriff »Bund« zu wenig zum Ausdruck zu bringen vermag.

Ein anderes Thema, das Bengel bis an die Schwelle des 40. Lebensjahres beschäftigte, suchte er bereits während seines Theologiestudiums zu bewältigen. In einer gemeinsam mit seinem Studienkollegen Wilhelm Ludwig Mohl bei Professor Jäger erarbeiteten Dissertation unternahm er den Versuch, die Mystik in ihrer Gesamterscheinung zu beschreiben. Im Rahmen der lutherischen Auffassung, von Luthers Stellung zur Mystik ausgehend, wird zwischen »wahrer« und »falscher« Mystik unterschieden. Die Mystik als Verschmelzungsmystik, als ein Heilsweg von unten nach oben, steht nicht zur Debatte. Jedoch ihr Beitrag nach einer rechten Ordnung des geistlichen Lebens wird ausdrücklich vermerkt. Die recht verstandene Mystik, die nicht auf die Abwege einer Identitätsmystik gerät, könne wesentliche Aspekte zur Verinnerlichung und Verpersönlichung durch ihre Gebetstheologie beitragen. Als Vorbereitung zur Aufnahme von Wort und Gebot und zur Einübung der »Gelassenheit« im evangelischen Sinn solle man sie nicht geringschätzen. »Sie ist aus dem göttlichen Wort geschöpft ... und auf göttlichen Befehl in die Schrift eingetragen. Sie zieht den Saft aller Frömmigkeit und Andacht von dort her ...«

Das Thema läßt auch Bengel später nicht los. 1717, schon in Denkendorf, versucht Bengel, sich in die mystische Frömmigkeit neu einzulesen. Er sitzt über den Schriften der Mystikerin Bourignon. Ein Jahr darauf arbeitet er an einer deutschen Ausgabe des Makarios. Selbst 1721, al 34jähriger, verfaßt er Lieder »nach dem Französischen der Madame Gu yon«. Was fasziniert hier Bengel bei den Vertretern einer quietistische Mystik, wenn er dann auch noch aus dem Lateinischen ein Lied Poirets in Deutsche umprägt: »Du Wort des Vaters, rede du.« Dort heißt es ur sprünglich: »Du bist mein Bürg und Bräutigam«[13].

Das neue Ideal ist das wortlose Gebet, in dem nur der Gedanke der Ge genwart Gottes lebt, das Gebet der Beschauung, des Stillewerdens, de Passivwerdens, eines Hineingenommenseins in die »uninteressierte Lie be«, in der man für sich selbst nichts begehrt. Die eigenen Anliegen trete zurück in einem »Sich-selbst-Loslassen«. Irgendwie entsprach das, was i der französischen quietistischen Mystik aufbrach, dem Zeitgefühl im 18 Jahrhundert. Lieferte doch vor allem Mme. de Guyon, welche die klassi schen Formeln des passiven Quietismus prägte, weitgehende Impulse zu Entstehung des Sentimentalismus, der Kultur der Empfindsamkeit in de französischen und deutschen Literatur des 18. Jahrhunderts. Hier werde auch Anregungen zur Erfassung psychologischer Tiefenerkenntnisse de Seelenlebens bis zur Psychologie des Unbewußten freigesetzt.

Das deutsche Luthertum lieferte einen Sonderfall latenter quietisti scher Gefahren. Die geschichtliche Not nach dem Dreißigjährigen Krieg die erschreckende Mittelmäßigkeit fast aller lutherischer Fürsten nach de Reformation, das Ausbleiben der Jugend des Adels und der führende Stände im Pfarrernachwuchs, haben einer quietistischen Neigung de Luthertums nicht nur im staatlichen und sozialen Leben Vorschub gelei stet.

Unverkennbar wurden hier Leerräume für den Säkularismus freige macht. Auch das unterschied das deutsche Luthertum vom skandinavi schen, das die revolutionären Gedanken Luthers nicht überhörte. Da z. B. Berufung nicht eine starre Platzanweisung für alle Zeiten bedeute kann, ist dort nicht vergessen worden. Gott jagt auch Menschen aus ihre Umgebung heraus dorthin, wo er sie haben will. Im Luthertum hieß es i Deutschland: Bleibe im Lande und nähre dich redlich[14].

Entsprach nicht auch diese quietistische Mystik einem charakteristi schen Zug in Bengels Persönlichkeitsstruktur? Die Neigung zum Abwar ten, zu einer bestimmten Passivität ist bei Bengel nicht zu übersehen Zweimal hat er Professuren, an der Universität Tübingen das eine Ma das andere Mal in Gießen, durch seine Unentschlossenheit im Zuwarte sich entgehen lassen. Er wurde nicht aktiv, wollte sich nicht dazu verste hen, eine Bewerbung abzugeben, um ein berufliches Fortkommen zu er streben.

»Der Stand der Passivität, davon Taulerus und Andere (reden) ist Vielen, die sich selbst und andere mit sich gar zu sehr treiben, gar zu unbekannt. Da geht oft in einem Augenblick mehr in einer Seele vor, als sonst in ganzen Monaten. Da kann uns hernach das Göttliche von dem eigenen Wirken und Gewirkten eher und merklicher unterscheiden. Hingegen wenn man sich selbst so aufreibt, hat's eben keinen Bestand.«

Wenn jedoch Bengel seine Platzanweisung empfing, dann wurden in ihm Energien freigesetzt, eine Akribie im wissenschaftlichen Forschen ermöglicht und eine Lebensleistung vorgelegt, die noch heute erstaunen läßt. Mystik und Tat sind keine Gegensätze gewesen. Wenn einmal eine Aufgabe erkannt worden ist, wird kein Hindernis gescheut.

Eine Variierung dieser Grundhaltung bahnt sich jedoch 1732 bei dem jetzt 45jährigen Bengel an. Je dringlicher ihm die Fragen der Eschatologie, der heilsgeschichtlichen Akzentuierung der Offenbarung Johannes werden, je mehr erkennt er die Schranken der Mystik. Sie »haben sich nur in einem gar engen Bezirk in sich selbst aufgehalten und nicht auch in die ganze Wahrheit und Ökonomie Gottes geschaut«. Noch treffsicherer ist jene andere Bemerkung: »Sie gingen immer in sich, in societatem taten sie nichts.« So konnte er jetzt den 30jährigen Oetinger warnen, »er müsse vom Mystizieren herunter«.

So kam man nur sehr bedingt von einer quietistischen Grundstimmung bei Bengel sprechen. Er hat sich nirgends geschont, wo er gewissensmäßig gefordert wurde. Was er von einer quietistischen Gebetstheologie gelernt hat, für die Führung Gottes im eigenen Leben bereit und wach zu bleiben, hat er festgehalten[15].

In der halleschen Weise vom Bußkampf unterschiedlos zu predigen, ist er in Denkendorf doch abgekommen. Welche Gefahr in der steten Selbstbeobachtung liegen kann, spricht er aus: »Wer ... meistens nur auf sich selber sieht, kann nicht recht froh werden. Wir können also nichts Besseres tun, als daß wir unsere Zuflucht immer zu der unendlichen, unerschöpflichen, unermüdeten Liebe nehmen, deren uns der himmlische Vater durch seinen Geist so hoch und so ernstlich versichert, und dieselbe uns durch Betrachtung der Heiligen Schrift, durch Beten und Singen, durch gutes Gespräch ... geflissentlich eindrücken.«

Was er selbst »in societatem« geleistet hat, wird uns noch zu beschäftigen haben.

In quälende Unruhe stieß ihn eine andere Fragestellung, die sich ihm in seinem theologischen Studium nicht löste. Er entdeckte in seinem griechischen Neuen Testament verschiedene Lesarten bei manchen dogmatischen Belegstellen. Noch wußte er nicht, daß ihm hier in textkritischen

Untersuchungen eine seiner Lebensaufgaben zuwachsen sollte. Notwen digkeit und Problematik der neutestamentlichen Textkritik sind später fü ihn unausweichliche Themen geworden.

Nach seinem theologischen Abschlußexamen, das in den Dezembe 1706 fiel, hat Bengel noch mehr als sechs Jahre im Tübinger Stift ver bracht, davon über vier Jahre als Repetent. Es folgte eine kurze Vikariats zeit in Tübingen und Stuttgart, die im Februar 1713 zu Ende ging. Mit de Bestallungsurkunde als Kloster-Präzeptor an der Klosterschule in Den kendorf bei Esslingen (dem niederen evangelisch-theologischen Semina für die Unterstufe) in der Tasche, konnte er noch vor dem Antritt in die sem ersten Amt im März 1713 eine Studienreise unternehmen. Inzwi schen wurde das bisher aufgelassene Kloster Denkendorf renoviert.

Viele Bildungsstätten in Deutschland besuchte Bengel, ins Auslan kam er nicht. Sein besonderes Interesse galt schon hier alten Bibelhand schriften. Im Grunde war seine Studienreise »eine Pilgerfahrt ins Hall August Hermann Franckes«. Was dort sehenswert war, hat Bengel be sichtigen und sich dabei gründlich umsehen können. August Herman Francke selbst war zu sehr beschäftigt, um dem jungen Württemberge viel Zeit widmen zu können. Auch auf der großen Reise Franckes in Reich im Jahre 1717 ging es Bengel bei dessen Besuch in Denkendor nicht anders. Im Grunde galt der Besuch des Hallenser der Klosterschul und nicht Bengel.

Alles beeindruckte Bengel aufs tiefste, was er hörte und sah. Die Einig keit der Professoren untereinander, ihre Frömmigkeit, ihr väterliche Umgang mit den Studenten, ihre Vorlesungen lieferten das beste Vorbil für die künftigen Amtsträger. »Durch vereinigte Fürbitte, durch ernst Mahnungen, durch unermüdlichen Fleiß, durch eine Arbeitsteilung, di eines jeden Begabung sich anpaßt, durch gegenseitigen Austausch ihre Gedanken fördern sie (die Professoren) die Jugend.« Daß ihm Johan Heinrich Michaelis (1668–1738), Professor der orientalischen Sprachen in seine Vorarbeiten zu einer kritischen Ausgabe des hebräischen Alte Testamentes Einblick gewährte, wurde für seine eigenen späteren neute stamentlichen Arbeiten richtunggebend. Er nahm von Halle dankbar Ab schied und seine Schilderungen von dort waren von einer echten Begeiste rung erfüllt[16].

Am 21. November 1713 fanden sich die Schüler in der neuerrichtete Denkendorfer Klosterschule ein. Propst Johann Friedrich Hochstette (1640–1720), der als Vierundsiebzigjähriger dieses Amt antrat, hatte nu den dogmatischen Unterricht an Hand von J. W. Jägers theologischen Kompendium zu geben und beschränkte sich sonst auf repräsentativ

Pflichten als halber Ruheständler. Den eigentlichen Schulbetrieb besorgten Bengel und der mit ihm befreundete Andreas Christoph Zeller (1684–1743). Es war nach allen Seiten eine harmonische Zusammenarbeit, die wesentlich mit zu den Erziehungserfolgen beitrug[17].

Mit den Schülern erlebte man manches Unangenehme. Bengel war nachsichtig, denn »er mache sich nicht viel aus den so vorkommenden Bübereien und Jugendleichtsinnigkeiten«. Ein Klosterschüler, der 1717 angeblich eine mystische Ekstase erlebte und ein Jahr später wegen starker Betrunkenheit bestraft werden mußte, wurde nicht relegiert. Er kam offensichtlich wieder ins Gleichgewicht. Pessimistische Stimmungen fehlen nicht, wenn er 1723 schreibt, daß aus jeder Promotion ein Drittel ausfällt. Die einen sterben früh, die andern müssen weggeschickt werden. Ein Jahr darauf klagt er, daß die Jugend in den Klosterschulen »immer mehr herunter komme«[18].

Unter diesen Buben hat Bengel 28 Jahre in größter Treue gearbeitet. Er hat 12 Promotionen (Abschlußprüfungen), deren Zahl in der Regel 25 war, mit durchgeführt. Es sind gegen 300 Schüler. Eine nicht unbeträchtliche Zahl bildete später eine »Bengelschule« und nicht wenige wurden in führende Stellungen in Kirche und Wissenschaft gerufen. Unter ihnen war auch Ernst Gottlieb Ziegenbalg, einer der beiden Söhne des ersten lutherischen Pioniermissionars in Trankebar, der später Professor für Mathematik in Kopenhagen wurde, da seine Mutter ja eine Dänin war[19].

Mitten im stillen Ablauf der Denkendorfer Jahre begann Bengel eine umfassende Gelehrtenarbeit. Seine ersten Veröffentlichungen waren Schulbücher, die fehlten. Die Lektüre der Cicerobriefe war als Pflichtlektüre im Lateinunterricht vorgeschrieben. Von 1715–1719 bearbeitete er die »Briefe Ciceros an seine Freunde« für eine Neuausgabe. Sie war textkritisch zuverlässig, verlangte jedoch von dem Schüler zu viel und war für den Forscher zu knapp angelegt. Als Erstlingswerk hat es sich nicht durchgesetzt. 10 Jahre hindurch von 1715 an arbeitete Bengel an der Herausgabe der Schrift von Johannes Chrysostomus: De Sacerdotio (Vom Priesteramt). Dem griechischen Text fügte er eine eigene lateinische Übersetzung bei und versah beides mit Anmerkungen und einem Register. Dieses Schulbuch wurde in der Öffentlichkeit anerkannt. Es erregte die Aufmerksamkeit vor allem durch die beigefügte Bitte im »prodromus« an die Gelehrtenwelt, bei einer von ihm geplanten Ausgabe des griechischen Neuen Testamentes ihm durch vorhandene Drucke und Handschriften beizustehen. Zwischendurch hatte er die Schrift von Gregor Thaumatusgus: »Panegyricus ad Originem« (Gregor des Wundertäters Dankrede an seinen Lehrer Origenes) 1722 herausgebracht.

Schon vorher im Jahre 1715 entstand bei Bengel ein Plan zu einer Neuherausgabe des griechischen Neuen Testamentes unter umfassender Heranziehung der bekannten und erreichbaren Textvarianten. Es war ein mühsames Werk, die verschiedenen Ausgaben bei der Abgelegenheit von Denkendorf herbeizuschaffen. Bewundernswert ist der Erfolg. Halle enttäuschte ihn. Der jüngere Francke half nicht. Im Gegenteil, er gab Bengel zu bedenken, daß es ein großer Zeitverderb sei, »sich in crisi NT. noch weiter aufzuhalten«. Zinzendorf im Gegenteil hat seinen Plan aufs wärmste begrüßt, ermuntert und ihm Hilfestellung geboten.

Bengel mußte mit jedem »Kurs« innerhalb der zwei Jahre den gesamten Text des griechischen NT lesen. Seine Anmerkungen zu den einzelnen Teilen des NT sammelte Bengel. Er hatte auch Hedingers Bibelausgabe genau durchstudiert und so auch »Critica« nicht nur dort, sondern auch beim eigenen Textstudium gefunden. Das alles drängte ihn zu einer Revision des griechischen NT, wie es damals vorlag.

Die quälenden Zweifel der Studentenzeit beunruhigten ihn nicht mehr. Ihm stand ein besonderes Ziel vor Augen und aus diesem Grund scheute er keine Mühe. *Er suchte die Urschrift des NT und er hegte die Zuversicht, daß sie eines Tages entdeckt würde.* Doch zögerte er nicht, in der angeblichen Zwischenzeit »ein Original ohne Fehl und Tadel« durch sorgfältigste textkritische Arbeit vorlegen zu können. Er müsse sich jedoch nicht übereilen, weil nur zweitrangige Textvarianten vorlägen.

Zinzendorf hat in seiner genialen Unbekümmertheit, und doch hier als getreuer Schüler Luthers, dazu bemerkt: Auch dann haben wir kein fehlerfreies NT, in dem alles spannungsfrei ineinanderliege. Mit Luther vermag er zu sagen, daß z. B. die Passions- und Ostergeschichte bei den Evangelisten »konfuse durcheinander« wären. Das Vertrauen zur Schrift blieb dabei ungebrochen. In den Wörtern das Wort zu suchen, führe zu seiner Mitte: Jesus Christus. Die Schrift habe teil an der Niedrigkeit Christi. Das ließe sich nicht vertuschen[20].

Für Bengel bleibt ungeachtet aller bibelkritischen Anfragen die Schrift bis in alle Einzelheiten der Formulierung von Gott inspiriert. Bengel macht dabei Abstufungen. Markus und Lukas rechnet er wie Luther zu den deuterokanonischen Schriften (einer zweiten Klasse), die nicht »dieselbe Pünktlichkeit haben wie die anderen«. Und doch konnte er im Jahre 1736 »Die richtige Harmonie der vier Evangelisten« herausbringen. Sie sind miteinander wie ein lebendiger Organismus zu verstehen, in dem sich alles harmonisch einander fügt, um »den Wandel des Sohnes Gottes auf Erden« einhellig zu bezeugen. Es handelt sich doch hier um »die wichtigste Geschichte unter der Sonnen von allen Zeiten her ...«

Jeder von den vier Evangelisten hat seine Aufgabe erfüllt: »Matthäus beweist, JEsus von Nazareth sey der wahre Meßias, an welchem die Weissagungen Alten Testaments erfüllet worden seyn. Marcus beschreibet den Anfang, Fortgang und Ausbreitung der Predigt des Evangelii von JEsu Christo. Lukas erzehlet den völligen Lauf der Geschichten. Johannes hat seine gantze Beschreibung ... dahin gerichtet, damit wir glauben, JEsus seye Christus, der Sohn GOttes.«

Alle diese Erzählungen richtig ineinander gefügt ergeben einen »vollständigen ordentlichen Begriff von dem Wandel des Sohnes Gottes auf Erden.« In dieser Absicht, unbelastet von der historisch–kritischen neutestamentlichen Forschung, die damals noch nicht sichtbar war, hat Bengel sich wieder dicht zu Luther gestellt. Luther gab die Bibel verdeutscht in die Hand der Laien und das ohne Bedenken. Die neutestamentliche Forschung in ihrer gewiß produktiven Vielwisserei hat es später nicht immer verstanden, die Tatsache, daß die Bibel, so wie sie vorfindlich war ohne kritischen Apparat, eine ungeheuere geschichtliche Wirkung im gesamtmenschlichen Rahmen ausgeübt hat, zu würdigen. *Die Bibel steht auch ohne Kommentare an der Spitze der Weltliteratur und ihre Dynamik, so wie sie ihre Anliegen ausspricht, ist ungebrochen geblieben.* Wir meinen, daß diese Tatsache Bengel dazu getrieben hat, nicht nur seinen lateinisch geschriebenen »Gnomon Novi Testamenti« im Jahre 1742 herauszubringen, sondern vorher bereits diese »Richtige Harmonie der vier Evangeliien«.

Das hat der württembergische Pietismus verstanden und Bengel zu seiner großen führenden Gestalt gemacht. Seine Bibelerklärungen haben über die Erweckungsbewegung und den Neupietismus hinaus bis in die Gegenwart gewirkt.

Die Abstufungen, die Bengel gemacht hat, sind unwichtig geworden. Er meinte: »Den Propheten wurden alle Worte genau vorgeschrieben, die sie reden und schreiben sollten; die Apostel hatten eine mehrere Freiheit. Aber doch sind auch ihre Schriften Gottes Wort. Wenn einer in der Meditation ist, so fallen ihm mit den Gedanken auch die tauglichen Worte ein; da nun Gott den Aposteln die Ideen gegeben, hat ER ihnen zugleich auch die Worte gegeben, wie würden sie sonst, als gemeine Leute, so schöne und passende Worte und so angemessene Ausdrücke haben bekommen können? Wenn ein Herr zwey Secretäre hat, davon der Eine nur ein Kanzellist ist und nöthig hat, daß man ihm alle Worte vorschreibe, der Andere aber den Sinn seines Herrn so wohl weiß, und so geschickt ist, daß er ihn von selbst genau mit Worten ausdrücken kann, so ist auch das Concept des letzteren des Herrn Wille.«

Haben Markus und Lukas einen »geringeren Grad der Theopneusti
nicht diejenige Präcision und Pünktlichkeit wie Matthäus und Johannes
so hat Johannes die Offenbarung »Wort für Wort nach dem Diktat Chris
geschrieben«. So spricht Bengel von der »Offenbarung Johannis od
vielmehr Jesu Christi«. 1727 nennt Bengel »die Offenbarung des Herr
Jesu Leibbuch«. Es kümmert ihn nicht, daß Luther in seiner jüngere
Vorrede zur Apokalypse aus dem Jahre 1534 die Frage aufwirft, ob de
Apostel Johannes die Offenbarung geschrieben habe. In den Luthe
bibeln bis in die Zeit Bengels wird mit den drei vorangehenden Schrifte
die Offenbarung praktisch als Anhang ohne Nummer geführt.

Wie kam Bengel dazu? Denn die Arbeit an der Fertigstellung eine
zahlreiche Textvarianten einbeziehenden Ausgabe des griechischen N
lief ununterbrochen neben seinen Bibelauslegungen weiter. *1734 konn
Bengel, inzwischen 47jährig, die große Ausgabe und eine Handausgabe de
griechischen NT vorlegen.* Weitere Ausgaben erfolgten in erweiterte
Form nach seinem Tod 1753 und 1763. Daß er den »Textus receptus« vo
Erasmus zugrunde legte und die Varianten in den Anmerkungsappara
stellte, verteidigte Bengel, um von dem traditionellen Text auszugehen
Daß Erasmus dort, wo er keine griechischen Handschriften besaß, au
dem Lateinischen ins Griechische rückübersetzt hat, wog nicht so schwe

Auf seine Verteidigungsschriften für diese Ausgabe können wir hie
nicht eingehen. Sie wurden zu einem reinen Fachgespräch. Sie änderte
nicht seine Grundeinstellung. Er wog die Textvarianten nicht quantitati
sondern qualitativ, wie er seinen Kritikern zu verstehen gab. Eingestreu
findet man seine Verteidigung auch im »Gnomon«.

Sensationell wirkte seine Ausgabe des griechischen NT nicht. Das andere, was dazwischen kam und von dem Bengel wohl kaum ahnte, welch
Dynamik es ausübte, war seine 1740 veröffentlichte »Erklärte Offenbarung Johannes«, der im nachfolgenden Jahr als Ergänzung die lateinisc
geschriebene »Zeitenordnung« folgt. Das Aufregende lag in seiner au
Grund vieler gelehrter Untersuchungen und umständlicher mathemati-
scher Berechnungen für den 18. 6. 1836 angekündigten Wiederkunf
Christi auf Erden. Er hat hier etwas unternommen, worauf weder Philip
Jakob Spener, noch weniger August Hermann Francke, auch nicht Zinzendorf, selbst nicht die radikalen Pietisten, die immerfort von dem Her
einbruch des Tausendjährigen Reiches redeten, gekommen wären, ge-
schweige an eine Fixierung gedacht hätten.

Das war so konkret zugespitzt, daß Georg Bernhard Bilfinger (1693 -
1750), Philosoph und Staatsmann, später als Konsistorialpräsident i
Stuttgart über Bengels Chiliasmus entsetzt ausrief: »Welch ein Phantast!

Im Gegensatz zu Gottfried Arnold, der die abendländische Kirchengeschichte als einen Prozeß des Abfalls und der Intoleranz gegenüber den wahren Gläubigen ansah, baute Bengel ein Gegenbild auf. Stufenweise und von Gottes Willen gelenkt schreitet die ganze Menschheitsgeschichte über ein »Tausendjähriges Reich« in das endgültige Heil. Bengel belegt alles aus der Offenbarung Johannes. Das dort genannte »Tier aus dem Abgrunde« ist nicht, wie Luther es mehr beiläufig fragend zu deuten suchte, der »Türke«, der das christliche Europa fast in den Abgrund drängte. Für ihn ist es das übermächtige, mit weltlichen Mitteln kämpfende und die »wahre Kirche« bedrohende Papsttum, das endgültig 1836 zerbricht. Der erste Engel der Apokalypse, der der »wahren Kirche« half, war für Bengel Johann Arnd, nicht wie in der Orthodoxie Martin Luther. Weiter führte der zweite Engel, Philipp Jakob Spener. Noch nicht erschienen ist der dritte Engel, der kurz vor dem Anbruch des »Tausendjährigen Reiches« im Endkampf zwischen Licht und Finsternis auftaucht. Für diese schwere Zeit der Anfechtung, verdüstert durch einen rapiden Abfall vom wahren Glauben zu einer Allerweltsreligion unter gleichzeitiger Zunahme der Christenverfolgungen, prophezeite Bengel weltgeschichtliche Umbrüche. Das abendländische Kaisertum endet um 1800, ein französisches Kaisertum drängt vor, verbündet mit der Papstmacht.

Als eine aufhaltende und bewahrende Macht für die bedrängten wahren Christen wird Rußland vortreten. Von 1832 bis 1836 wütet dann fast ungehemmt der Antichrist, dem Christus 1836 Einhalt gebietet. Dem großen Frieden des »Tausendjährigen Reiches« folgt im Jahre 2836 ein letzter Endkampf zwischen Satan und Christus. Im Jahre 2947 wird der große Versucher endlich besiegt, Christus wird noch einmal in einem zweiten sogenannten »Millenium« mit den Seinen auf Erden regieren. Im Jahre 3836 findet die Weltgeschichte ihr Ende, der jüngste Tag bricht herein, die Auferstehung aller Toten geht der totalen Neuschöpfung von Himmel und Erde voraus.

Daß Bengels ganz korrekt gemeinte Voraussagungen über die Ereignisse, die das Ende des 18. Jahrhunderts und den Anfang des 19. Jahrhunderts bestimmen sollten, sich erfüllten, hat seine Autorität gesteigert. Sie wuchs über seine Lebenszeit hinaus auch bei denen, die ihm zuerst nur zögernd Glauben schenkten, da ihnen über diesem Kolossalgemälde eines Weltendramas der Atem stockte.

Daß Bengel ganz und gar ein Realist war, der alle Zeitereignisse kritisch prüfte und einen unbestechlichen Blick besaß, ist bei seinen Prophezeiungen nicht zu übersehen. Auch anderen Einsichtigen konnten sich ähnliche Gedanken angesichts der sich anbahnenden Umwälzungen in Alteuropa aufdrängen. Nur werden sie hier, eingespannt in heilsgeschichtliche Vorgänge, in ein grelles Licht getaucht [21].

Bengel besprach übrigens vieles, was sich im politischen Raum durchsetzte, mit seinen Klosterschülern im Unterricht. Sie waren über den Aufriß seines Chiliasmus orientiert und lernten von ihm, auf die Zeichen der Zeit achten. Die Schüler Bengels, die zu Amt und Würden kamen und sich ihm innerlich verbunden wußten, haben geübt, die Zeichen der Zeit, das was sich an geschichtlichen Veränderungen vollzog, zu deuten. Hier läuft dann bis tief ins 19. und durch das 20. Jahrhundert hindurch ein pietistisches Bemühen, in der Erweckungsbewegung wie im Neupietismus, die Vorgänge der eigenen Gegenwart unter einem doppelten Aspekt zu sehen. Die übermächtige Neigung ließ oft die bedrohlichen Schatten kräftiger malen als das, was licht war im Blick auf die ganze Christenheit auf Erden. *Daß hier auch nicht wirklich durchreflektierte Sehnsüchte nach der baldigen Wiederkehr Christi zu drängerischen Prognosen verleiteten, wurde dann oft nicht gesehen.*

Wir werden uns im Hinblick auf die Wirkungsgeschichte dieser eschatologischen Perspektiven zwei Fragen zu stellen haben. Woher nahm Johann Albrecht Bengel dazu den Mut, der doch mit einer Akribie seine Textarbeit getrieben hat, die einfach vorbildlich war? Die große Wendung hat er selbst geschildert. Ursprünglich habe er wie Hedinger bei seiner Bearbeitung der Offenbarung für die Ausgabe des griechischen Neuen Testamentes nichts anderes tun wollen, als die verschiedenen Lesarten zusammenzustellen und zu untersuchen. Dann geschah es. »Fast ungern, ... ohne Absicht, Bemühung und Hoffnung, etwas Sonderliches zu finden«, habe er sich der Offenbarung zugewendet. So sei es ihm im Jahr 1724 ergangen. Gewiß hatte er bereits Fragen, wenn er an die Zahlenangaben in der Offenbarung dachte. Sie haben ihn doch beschäftigt. Als er sich auf die Predigt für den 2. Advent 1724 vorbereitete, ließ ihm »der Herr ein Licht auf einmal aufgehen«. Ob Bengel damit sein Erlebnis in die Nähe von Luthers Turmerlebnis stellen wollte? Dort ging es auch nicht um eine Sonderoffenbarung, sondern um eine exegetische und dabei umwälzende Entdeckung[22].

Was war Bengel bei der Offenbarung aufgegangen? Die Zahl des Tieres war gefunden. »Ihm war die Pforte zu dem göttlichen Bau der Offenbarung aufgegangen.« Leidenschaftlich wehrt er sich dagegen, ihn hier mit einer mystischen Offenbarung in Verbindung zu bringen. Vielmehr habe er durch den heiligen Geist erleuchtet nüchterne exegetische Erkenntnisse gewonnen. Das habe sich bei ihm als ein starkes Gegengewicht gegenüber seiner Neigung zur Mystik ausgewirkt.

Mit unsäglicher Mühe habe er doch alles berechnet: »die Zeit, Zahl des Tieres, Viereinhalb Zeiten, eintausend Jahre, die ganze Weltdauer usf.« Bereits im Mai 1725 weiß er voll Dankbarkeit zu berichten, daß sich alles Tag zu Tag besser in seiner Erklärung der Apokalypse zusammenfüge. Hier kommt ihm zugute, daß er bei seinem Schriftverständnis der festen Gewißheit war, daß auch die Zahlen im AT und NT kein absichtsloses Spiel bedeuten können. »Auch Zahlen und Merkmale der Zeiten seien gewiß nicht dazu in die Heilige Schrift aufgenommen, daß sie bis ans Ende verborgen bleiben sollen.« Doch hält er ein: »Wir sollen uns in der Forschung nicht weiterwagen, als geschrieben stehe, aber auch nicht diesseits dieser Grenzen sitzen bleiben.«

So formt sich der Chiliasmus. Stein auf Stein fügt Bengel zusammen. Seine Klosterschüler läßt er, wie weit wissen wir nicht, an diesem erregenden Prozeß teilnehmen.

»Nächst denen Lehren, welche den Grund des Glaubens und des Heils umreißen, ist keine dem Zweck der ganze heiligen Schrift mehr zuwider als der Antichiliasmus. Durch die Zeitlinie von der Schöpfung bis an das Ende der Welt wird die Heilige Schrift Alten und Neuen Testaments als ein einiges Corpus zusammengehalten, wie der menschliche Leib durch den Rückgrat ...« Durch die göttliche Ökonomie (den Zeitplan) wird »so viel zu Gottes Lob und zu der Glaubensweide und Freude der Heiligen« beigetragen. Im Jahre 1727 prophezeit er, daß dieses »Leibbuch des Herrn Jesu«, die Offenbarung »in kurzer Zeit den Chiliasmus zu einem rechten Glaubensartikel« mache.

Daß alles anders lief und seine Schüler in der zweiten Hälfte des 18. Jahrhunderts die »Präzision« in den Bengelschen Chiliasmus zurückschoben, hat die Wirkungskraft der Bengelschen Aussagen nicht im Nerv getroffen. Das ist die zweite Frage, die sich hier stellt und die bisher noch zu wenig in der wissenschaftlichen Arbeit zum Ausdruck gekommen ist.

Es sind in Bengels Chiliasmus viele positive biblische Züge eingetragen, die hier wie nie zuvor aussagekräftig im Pietismus zum Vorschein gekommen sind. Sie erklären zum Teil, daß Bengel mit an die Führungsspitze der altwürttembergischen Kirche gerufen werden konnte. Als Prälat wurde er Mitglied des Großen, des Engeren Landschaftsausschusses und des Stuttgarter Konsistoriums.

Unter der erregenden Verhüllung seines Chiliasmus sind biblische Grundstrukturen sichtbar, die darin nicht nivelliert werden konnten. Das Achten auf die »Umstände« fußt auf Jesu Worte im NT. Der heilige Gott hat seinen Plan mit dieser Welt und wird jedes Widerspruches Herr. Gott ist ein Gott der Ordnung auch mitten im Mummenschanz, den die Weltgeschichte, in der Gott sich hinter Masken verhüllen kann, vorweist. Es gib eine »Kontinuität der Treue Gottes, die sich im Wirken seines Heilige Geistes zeigt und Geborgenheit inmitten der Unruhe der Zeit verleiht Diese Kontinuität hat ihr Gefälle auf das ewige Reich hin, auch wenn di Endgeschichte selbst verborgen durch einen Spiegel in Verhüllung ge schieht«[23].

Das Thema »Verheißung und Erfüllung« galt als ein unentbehrliche Wegweiser durch die ganze Schrift. Es wurde so oft angeschlagen. Ers recht war der »Chiliasmus« als Streitgegenstand der Zeit nicht fremd. Di darauf zulaufenden heilsgeschichtlichen Perspektiven wurden immer ne debattiert. Kein Theologe Altwürttembergs konnte in seinem Studien gang an Jägers Kompendium der Theologie mit seinem heilsgeschichtli chen Abriß vorbeikommen.

Die Zweiteilung von »theologia« und »oikonomia« (Haushaltung a Haushaltplanung, nach der Gott die Menschheit zum Ziel bringt) bei de Auslegung der Bibel war seit Augustin richtunggebend. Von dieser Do pelung aus entfaltete sich in immer neuen Ansätzen die heilsgeschicht che Ausrichtung der Dogmatik. Der neue Akzent bei Bengel lag in d Ausbildung eines stufenmäßigen Ablaufes, den er im wesentlichen vo Vitringa (1659 – 1722) übernahm, um ihm doch in seinem Aufbau ei ganz eigene Note zu verleihen. Es war also kein fremdes Gelände, das hi Bengel betrat.

Wie konnte jedoch die zentrale Bedeutung und plötzliche Wendung d ganzen Heilsgeschichte in Jesus Christus bei diesem unaufhaltsam abro lenden Fortgang von der Schöpfung bis zur Vollendung festgehalten we den? Kam es hier nicht zu einer rationalen Verplanung der ganz Menschheitsgeschichte, die dadurch in den groben Zügen erkenntlich g worden sei? Wo bleibt dann Gottes souveränes und geheimes Walten der Geschichte, das sich des Menschen Einsicht im Leben des einzeln wie der Völker immer wieder entzieht? Fragen über Fragen! Wurden hi nicht Prozesse angeführt, bei denen man versucht war, sie wie Naturpr zesse anzusehen? Und das in Nachbarschaft zu den kausal gesteuert Abläufen in der Natur? Die Hauptfrage bleibt: Ist dann noch Jesus Ch stus das im NT bezeugte Heilsdatum der ganzen Menschheitsgeschich das mehr ist als ein Faktum in dem historisierten Prozeßgang? Ben weiß um diese Gefährdung. *In seiner »Bluttheologie«, die »tief verwurz ist im lutherischen Gedanken der Realpräsenz des Heils«, soll die Unüb bietbarkeit des Sterbens Jesu, seines vergossenen Blutes klar herausgest werden.* Die Seinen wissen sich durch das immerwährende und ste neue, fürbittende Eintreten des Erhöhten für sie vor seinem himmlisch

Vater geschützt. »Christi Blut und Gerechtigkeit, das ist mein Schmuck und Ehrenkleid«[24].

Mitten im heilsgeschichtlichen Prozeß halte alle Welt den Atem an angesichts des Blutes Christi, das er in seinem Leiden und Sterben vergoß. Dieses Blutvergießen setzt sich fort »durch die stetig neue Darbietung seines Blutes gegenüber dem Vater!« Diese Vorstellungen Bengels fallen nicht aus denen der Schrift heraus. Gegen eine allzu dingliche, »kapernaitische« Auffassung wehrt sich dabei Bengel.

Hier wird eine Traditionskette aufgedeckt. Hedinger hat bereits in seinem im Jahr 1700 veröffentlichten Gesangbuch »Andächtiger Hertzensklang« vorpietistische Liederdichtung des 17. Jahrhunderts aufgegriffen. Lieder, die die einzelnen Leiden Christi ausmalen, Lieder von der Zuflucht in der Seitenwunde Christi, wie sie Ludämilie von Schwarzburg und andere dichteten, fehlen nicht. Hier führt ein unmittelbarer Weg nicht nur zur Ausgestaltung der Blut- und Wundentheologie Zinzendorfs[25]. Auch Johann Albrecht Bengel hat sich der Blutsprache bedient: »Durch eine geheimnisvolle Weise wird dem Glaubenden bei der Rechtfertigung (der Einigung mit Christus) sein Blut mitgeteilt.« Christi Blut bedeckt die Sünden. »Das Blut Christi erweist sich als mächtiger als Abels Blut.«

Die Blutsprache ist zu Beginn des 19. Jahrhunderts in die Sprache eines mit christlichen Vokabeln belehnten neu aufflammenden Patriotismus aufgenommen worden. Man sprach hier vom Heldenblut der Gefallenen, die mit ihrem Blut das Vaterland erlösen. Das Wort von der »Blutfahne« lag dann nicht fern[26].

Auf der anderen Seite ist Bengels »Bluttheologie« eingegangen in die Erbauungslieder und Erbauungssprache des Pietismus bis in die Gegenwart. »Das Blut Christi macht uns rein von allen Sünden.«

Was jedoch war zeitbedingt in Bengels Chiliasmus und der dahineingebauten Bluttheologie? Denn der durch Christi Blut Erlöste wird hineingenommen in die Heilsgeschichte. Der Begriff des Organismus taucht im Paulinismus auf, jedoch nicht im Bezug auf die Heilsgeschichte. Daß Gott stufenweise im Kundtun der Mysterien seiner Königsherrschaft vorwärts schreitet, was die Fakten und was die Zeiten betrifft, war Luther fremd. Die Verbindung der Begriffe »Harmonie« und »Organismus«, die das Aufeinandergestimmtsein aller biblischen Aussagen aufweisen soll, gerät in nächste Nähe zu Grundgedanken der damaligen Philosophie. Mit der Monadologie und der prästabilisierten Harmonie bei Leibniz besteht eine Nachbarschaft. Der Gedanke der »geheimnisvollen Harmonisierung, mit der Gottes Ökonomie vergeht und keine Sprünge macht, sondern sich an bestimmte Stunden und Zeiten hält«, erinnert an Aspekte der Physik theologie damaliger Zeit.

Das alles, was in seiner Schriftbetrachtung als fremde Entlehnung a klingt, ist später bei seinen Schülern und im Biblizismus, der sich i schwäbischen volkstümlichen Pietismus im 19. Jahrhundert voll ausbild te, zurückgefallen. Das Vertrauen zu der Schriftgebundenheit des U schwaben Bengel ist im Pietismus nicht erschüttert worden. Seine Schri erklärung ist nach seinem Tode durch viele Neuauflagen seiner Schrift im In- und Ausland bis zur Gegenwart lebendig geblieben.

Am 10. Oktober 1743 wurde das Generalreskript über die Privat-Ve sammlungen der Pietisten veröffentlicht. Verfaßt hatte es der 1739 zu Präsidenten des Stuttgarter Konsistoriums berufene Professor Geo Bernhard Bilfinger. 1731 hatte man ihn aus seiner Tätigkeit als Profess an der Petersburger Akademie der Wissenschaft nach Tübingen zurüc geholt. Was Bilfinger in die Hand nahm, zeichnete sich durch Sorgfalt u Umsicht aus. Religiöser und gesellschaftlicher Toleranz und aufkläre schen Gedanken den Weg zu öffnen, ohne die allgemeine Frömmigkeit gefährden, galten seine Bemühungen. Was sich an sozialen Formen üb holt hatte, sollte besseren rationalen Neugestaltungen weichen. So wol er auch die Stellung der pietistischen Konventikel, die bisher nur du ein Gewohnheitsrecht gesichert erschienen, im allgemeinen Landre verankern[27].

Es gelang ihm in diesem Edikt, die Konventikel fest in die besteher politische, kirchliche und soziale Ordnung des Landes einzufügen. I Pietisten zeichneten sich ja durch eine »Treue im Kleinen« aus. Im I rufsleben bewährten sie sich durch Sorgfalt, Pünktlichkeit und Ehrli keit. Unruhestifter waren sie wirklich nicht. Johann Albrecht Bengel, die Pietisten zu dieser Haltung unermüdlich gemahnt hatte, begrüßte c Erlaß. »Warum sollte denn Jeder für sich bleiben und fromm seyn?« S seiner Berufung in die Prälatur von Herbrechtingen im Jahre 1740 hiel dort selbst »Stunden«, die er auch nach seiner Übersiedlung nach St gart fortsetzte.

Unverkennbar wurden in dem Edikt die »Stunden« kanalisiert du sehr genaue Vorschriften. Sie wurden eng mit dem Ortspfarrer verkl mert. Er müsse laufend über sie informiert werden. Sie sollten selbst ständlich nicht zur Zeit des Gottesdienstes angesetzt werden, auch n zur nächtlichen Stunde, d. h. nach Anbruch der Dunkelheit. Aber d dürften sie nicht die Ausübung der »Amts-, Hauß- und Feldgeschä beeinträchtigen. Man habe auch nicht über »andere Neben-Mensc sonderlich über die Obrigkeit, und über das Predigt-Amt« zu reden. N hatte bisher sehr sorgfältig alles Material über die »Stundenleute« gesammelt, man vergaß auch nicht zu sagen, daß Versammlungen nicht an versteckten und einsamen Orten stattfinden sollten. Vor allem wollte man eine Uneinigkeit in den Familien verhindern. Die Ehegatten dürfen nur im gegenseitigen Einverständnis an diesen Veranstaltungen allein oder gemeinsam teilnehmen.

Nach Bilfingers Sinn war es nicht, daß dieser Erlaß eine Fußangel aufwies. Den Herrnhutern war er nicht ungünstig gestimmt. Nun aber hieß es: Ortsfremde, zumal solche, die dem Ortspfarrer nicht bekannt waren, durften nicht an den »Stunden« teilnehmen. Frei zu beten und die Bibel auszulegen sei ohne Beisein des Pfarrers nicht erlaubt. »Dunkle, mystische, ungeprüfte und verdächtige Lehren, Meinungen der Religions-Sonderlinge, Reden über die Kirchen-Gebrechen und unnöthiges Grübeln nach fremder Lehre« haben zu unterbleiben.

Am Schluß des Ediktes stand die Mahnung, daß sich ohne Ausnahme alle Teilnehmer an »Stunden« strikt an die Verordnung zu halten haben. Den Geistlichen wurde eingeschärft, in ihrer Aufsichtpflicht nicht nachzulassen. Die Institutionalisierung der Konventikel der »landeskirchlichen Pietisten« Bengelscher Prägung sollte sie deutlich gegenüber schwärmerisch-separatistischen Gruppen abgrenzen, die von der Anerkennung ausgeschlossen waren. Dieses Edikt richtete sich noch stärker gegen die Herrnhuter und ihre Gruppierungen im Lande. Diese Sonderbildungen mit ihren »Liebesmahlen« sollten verschwinden. Gerade die Veranstaltungen in dieser liturgischen Form wurden ausdrücklich verboten. Bengel und seine Freunde begrüßten das Edikt.

Bengel war inzwischen zum entschiedenen Gegner Zinzendorfs geworden. In dieser Haltung bestärkte ihn auch ein neuerliches Gutachten der Tübinger Theologischen Fakultät aus dem Jahre 1741. Dort hieß es, es habe sich inzwischen sehr viel zu Ungunsten der Herrnhuter seit dem günstigen Votum von 1733 geändert. Man denke nur an Herrnhut selbst, an Zinzendorf als Bischof und seine Schriften und an ihre Emissäre, welche nur »Unordnung und Verwirrung« anrichten. Die herzogliche Regierung tue also das Richtige, »die besonderen Unternehmungen, die sich bisher hin und wider gezeiget, und wider die Ordnung und Verfassungen unserer Kirche streiten, nicht zu gestatten . . . sonderlich aber Fremden Einhalt zu thun, daß sie nicht eigenmächtig solche Dinge unterfangen, dazu sie weder wahren Beruff noch Tüchtigkeit haben«[28].

Bei Bengel tritt die entschlossene Abwehr der Herrnhuter zur gleichen Zeit ein. Im Jahre 1745 begann er planmäßig eine umfangreiche Materialsammlung über Zinzendorf und die Herrnhuter anzulegen. Seine Gutach-

ten, nicht nur privater Art, sondern auch offizielle für das Stuttgarte
Konsistorium über Zinzendorf, sind in ihrer Schärfe der Ablehnung kaum
zu übertreffen. Sein »Abriß der so genannten Brüdergemeine« von 1751
war maßvoller gehalten. Faktisch stützte er sich nur auf Schriften Zinzendorfs und der Brüdergemeine. Aus ihnen kann man »viel mehr als aus ir
gend einer neuern Erklärung, die ad hominem gestellt würde, gewiß, völ
lig und leicht erkennen, was seine und seiner Mitarbeiter Lehre und Lehr
art sei«. Zinzendorf polemisierte dagegen und wohl mit Recht als ein z
billiges Verfahren. Eine noch völlig sich im Fluß befindliche Bewegung
die vorstürmt, ist so nicht faßbar. Man wird bei Bengel doch beachte
müssen, daß er nicht pauschal vorging. Er war eine viel zu nüchterne un
exakt vorgehende Gelehrtennatur. So hat er gerechterweise die Ernüch
terungsphase, die nach der Sichtungszeit in der Brüdergemeine einsetzte
sofort erkannt, wenn er sie auch nicht in ihrer vollen Auswirkung erken
nen konnte.

Dieser Abriß ist Bengels letztes literarisches Zeugnis in seinem reiche
Schaffen[29].

Welche Motive bewegten Bengel, sich durch fast zwei Jahrzehnte so in
tensiv mit Zinzendorf und der Brüdergemeine zu beschäftigen? I
Grunde genommen ist der Abriß keine Generalabrechnung mit der Brü
dergemeine, sondern mit Zinzendorf selbst. Ob mit Recht oder Unrech
erblickte er in ihr nur ein Spiegelbild des Grafen. Zur Debatte steht d
»geistliche Gestalt« des Grafen. Ihn trieb die Sorge, daß sich seine schw
bische Heimatkirche schon viel zu sehr mit Zinzendorf und den Brüde
eingelassen habe.

Was stand blockierend zwischen Bengel und Zinzendorf? Gewiß b
gegneten sich, als Zinzendorf 1733 Bengel in Denkendorf gemeinsam m
Friedrich Christoph Oetinger besuchte, völlig verschiedene Persönlic
keiten. Der Reichsgraf, ein Glied des Hochadels und die aus kleinbürge
lichen Verhältnissen stammende Gelehrtennatur waren wie durch Welt
getrennt. Und doch wäre ein Brückenschlag schon rein menschlich mö
lich gewesen. Weder der Graf noch Bengel waren kontaktarm und fand
den Weg selbst zu Menschen, die ihnen wesensfremd waren. Die geme
same Liebe zu Christus hätte sie zusammenführen können.

Was zwischen ihnen stand, lag in theologischen Grundüberzeugunge
Bengel trug damals engagiert seine heilsgeschichtliche Theologie vor.
beruhte auf der These, daß die Heilsgeschichte nach einem bestimmt
von Gott vorgelegten Plan bis ans Ende aller Zeiten verläuft. In der A
sprache mit Zinzendorf legte dabei Bengel den Hauptnachdruck auf F
gendes: Dem Menschen sei dadurch die Möglichkeit gegeben, die

planmäßige Heilshandeln Gottes, die »oeconomia divina«, zu erkennen. Man habe sich nur intensiv mit der Schrift zu beschäftigen und die Weltgeschichte und die Natur beobachtend hineinzuziehen. Gott fordere also den Menschen auf, die »oeconomia individualis et universa« zu erkennen und mit seinem Handeln sich einzupassen.

Alles dreht sich bei Bengel darum, eben das zu verstehen, was Gott mit der Welt und einem jeden einzelnen Menschen vorhabe und sich dann in Gott geborgen zu wissen. Nichts lag ihm auch gefühlsmäßig ferner, als ein eigenwilliges Erobern von Positionen, in die man nicht gerufen worden ist. Er war sich sicher, daß er hier einen besonderen Auftrag erhalten habe, auf Grund seiner »Erleuchtung« der Generation seiner Zeit zu sagen, was Gott mit ihr vorhabe: »Wir nahen jetzt wieder einer Gränz-Zeit.« Bestehen vermag nur, wer darum weiß und ihr gerüstet entgegenschreitet.

Hier stand im Grund ein Sendungsbewußtsein dem anderen gegenüber. Zinzendorf wußte sich gerufen, missionarisch und ökumenisch zu wirken. Das mußte für Bengel wie ein rotes Tuch wirken. Die hallesch-dänisch-englische Mission war begonnen worden, ehe Bengel das ganze heilsgeschichtliche Drama in einer gewaltigen Gesamtschau entdeckte und die Bibel ihm zu einem abgerundeten, in sich zusammenhängenden Ganzen wurde. Was jedoch Zinzendorf schon 1733 in der einzigen persönlichen Begegnung mit Bengel bestimmte, war sein elementares Mißtrauen gegen jedes auf das christliche Kerygma aufgepflanzte Systemdenken. Durch sein unablässiges Studium der kritischen Schriften des genialen Franzosen Pierre Bayle war seine antirationale Haltung, die allen Systemzwängen feind war, zur Reife gebracht worden.

Bengel erkannte, daß ihre letzten Gegensätze sich an einem verschiedenen Schriftverständnis entzündeten. Nicht darin liegt der Unterschied zwischen Bengel und Zinzendorf, daß sie nicht die Grundwahrheiten der Schrift, mit der Theologie und Kirche stehen oder fallen, gemeinsam anrkennen könnten. Was sie trennt, ist einfach Zinzendorfs energische Abage an alles Systemdenken, an der die altlutherische Orthodoxie in seiner Zeit zerbrach. Nun versuchte Bengel diesen Weg auf andere Weise erneut inzuschlagen. Die ganze Theologie Bengels mit ihren logischen Schlüsen ist nur möglich, wenn man glaubt, aus den beiderseits vorbehaltlos anrkannten Grundwahrheiten bündige, d. h. logische Schlüsse ziehen zu önnen. Nur so ist es möglich, zu der Überzeugung zu gelangen, »wie chön alles zusammenstimme«.

Eins ist deutlich. Die Bibelnot jener Zeit, die Herausforderung durch ie deistische Bibelkritik, die nicht nur eine starre Verbalinspirations-

lehre innerhalb der Orthodoxie schachmatt setzte, sondern ihrer ganze
wissenschaftlichen Schriftmethode vor einem europäischen Forum ein
Niederlage nach der anderen zufügte, hat Bengel nicht beunruhigt. An
ders war es bei Zinzendorf. Für ihn ist ein dogmatisch verdinglichtes Ver
ständnis der Schrift verfehlt. Man bemüht sich dann vergeblich, »ihr
Göttlichkeit an ganz unrechten Ecken zu zeigen, als ob die widerspre
chenden Passagen in genealogicis, chronologicis, Mathesi und dergleiche
die Puncte wären, worauf es ankäme.« Den gewaltsamen Schritt bei Ben
gel, die von ihm auch als weiter zurückreichend anerkannte ägyptisch
Zeitrechnung gegenüber der alttestamentlichen einfach auszuschalten
weil sie nicht in sein System passe, hätte Zinzendorf nie mitvollziehe
können. Im NT erkennt Zinzendorf eine Lehrentwicklung, was Bengel s
scharf nicht sehen will. Erst von diesen gegensätzlichen Grundvorausset
zungen ist das hartnäckige Nein bei Bengel und Zinzendorf verständlich

An die Adresse Bengels gerichtet spricht Zinzendorf: »Das ist euer am
nicht, die zeiten und stunden zu wissen, die der Vater in seiner eigene
Hand behält: aber ihr werdet die kraft des Heiligen Geistes empfahen, de
über euch kommen wird, und werdet meine Zeugen seyn.« Noch schärfe
setzte er sich gegen Bengel ab: »Es ist also eine mit von den pflichten eine
Gemeinde Jesu, daß sie sich mit aller macht gegen das prophezeien setz
und daß sie's unter die zeichen-deuterey rechnet.« Das, was Bengel in sei
ner heilsgeschichtlichen Theologie aussagte, »setzet sie ganz außer Stand
etwas hauptsächliches zu unserer Reformation beyzutragen.« Die sozia
len und missionarischen Impulse der Brüdergemeinde konnten sich i
Württemberg nicht entfalten.

Still sitzen bleiben, sich nicht in große Unternehmungen verstricken z
lassen, bevor sie Gott nicht hineingestoßen hat, in einzelnen Gruppen sic
in brüderlicher Liebe zusammenzufinden und auf die Wiederkunft de
Herrn zu rüsten und vor allem dort die Aufgaben zu erfüllen, wo Gott ih
nen den Platz angewiesen hat, ist die Losung Bengels für die Pietisten se
ner Zeit, ja bis zum Stichjahr 1836 geblieben. Von da aus begreift ma
Bengels Widerstand gegen Zinzendorf und die Herrnhuter. Sie sind ihr
die »großen Unruhestifter«, der Graf allen voran. Darum bemüht er sic
mit Erfolg, Friedrich Christoph Oetinger und Friedrich Christoph Stein
hofer von Herrnhut weg in den württembergischen Kirchendienst zurück
zuholen.

Zinzendorf bemüht sich in Gegenwehr vergeblich nach 1737, eine im
mer größere Zahl von Diasporaarbeitern nach Württemberg zu sender
Es ist nicht reine Opposition gegen Bengel. Er möchte die Württember
ger, die er liebt, in seine weltweite Arbeit mit hineinziehen und ihnen da

ür den Blick weiten. Das hatte Johann Jakob Moser (1701 – 1785) bereits 1733 mit dem ersten periodischen Organ der Pietisten in Württemberg »Altes und Neues aus dem Reiche Gottes« versucht[30]. Er hatte 1734 die Spalten seiner Zeitschrift für Bengels Zeitrechnung in dem »Grund-Riß einer ungezwungenen Erklärung der Offenbarung Jesu Christi« geöffnet. Doch lag seine Intention eindeutig auf einer Berichterstattung, die in den weltweiten Kampf für das Reich Gottes führte. So erzählte Moser von der Arbeit der Herrnhuter in der weiten Welt und der Heidenmission. Nach kaum 2 Jahren gab Moser diese Zeitschrift wieder auf. Einen Nachfolger hat er für seine Zeitschrift wohl nicht gesucht, wahrscheinlich auch bei der sich anbahnenden völlig anderen Bewußtseinslage in der Richtung eines Quietismus kaum gefunden.

Nun suchte Zinzendorf dafür eine Lanze zu brechen, freilich ohne Erfolg. Denn die in Württemberg gesammelten herrnhutischen Konventikel mit den Ordnungen, die für die Brüdergemeinde grundlegend waren, zerbröckelten, nachdem auch Herrnhaag sich 1750 langsam auflöste und die Wallfahrten aus Württemberg in die Wetterau aufhörten[31]. Das andere besorgte Bengel und das Pietistenreskript von 1743, um die herrnhutischen Konventikel abzuschnüren.

Ein beiderseitiger Lernprozeß zwischen Bengel und Zinzendorf fand nicht statt. Bengel hat wohl zu wenig erkannt, wie tief Zinzendorf in seiner »theologia crucis« lebte, daß ihm nicht alles so herrlich in der Schrift aufging. In der Ausgewogenheit der »Zentralschau« bei Bengel und später bei Oetinger erblickte er eine Gefährdung der reformatorischen Kreuzestheologie. Die Zentralschau verwirft Zinzendorf nicht total. Er aber muß um so lauter und ungeschützter von Christus allein sprechen.

Die Wirkung der großen Absage Bengels an Zinzendorf und die Brüdergemeine ist bisher überschätzt worden. Fehlte in Bengels Darstellung der Herrnhuter in seinem »Abriß« durchaus nicht das Positive über die Herrnhuter Gemeine, so haben die Schüler Bengels später hier angeknüpft. So konnte Prälat Magnus Friedrich Roos (1727–1803) in einer Zirkularkorrespondenz von 1781 schreiben, er meine »Bengel, dieser theure Mann Gottes, würde manche dieser Judicia jezo zurücknehmen oder mildern, wenn er lebte. Er schrieb zu einer Zeit, da es mit jener Gemeinde mißlich aussah«. Er gehörte zu den nüchternen und gemäßigten Anhängern Bengels, die sich von Oetingers Richtung trennten. Dem Nachfolger Zinzendorfs, Bischof Spangenberg stand er durch einen jahrelangen Briefwechsel nahe[32].

Am Anfang des 19. Jahrhunderts leistete Herrnhut in der Gestalt des Diasporahelfers Johann Conrad Weiz (1780–1857) einen Beitrag zum württembergischen Pietismus. Er war Freund und Seelsorger der Herzogin Henriette von Württemberg und ihrer Familie, auch der Herzogin Palatina Maria von Österreich, der Schwägerin Kaiser Franz Josephs. De Brüdern Hofacker und ihren pietistischen Kreisen war er ein unermüdlicher Helfer in der Fürbitte, im Aufrichten, Ermahnen und manchen anderen Diensten[33]. So schloß sich wieder ein Bund zwischen Herrnhut un den schwäbischen Pietisten. Auf damals württembergischem Boden entstand 1806 die geschlossene herrnhutische Kolonie »Königsfeld«. Vo dort aus haben auch andere herrnhutische Diasporaarbeiter wesentlic zur inneren Vertiefung und äußeren Festigung der einzelnen pietistische Gruppen im Lande beigetragen. Der einflußreiche Pfarrer und machtvolle Kanzelredner Christian Adam Dann (1758–1837) wurde der Leite der Herrnhuter Predigerkonferenz in Württemberg, zu der sich zahlreich Geistliche hielten.

Daß durch das Pietistenedikt von 1743 »der theologische und geistig Pluralismus innerhalb der Landeskirche fixiert wurde«, war nicht meh aufzuhalten. Die größere Differenzierung in Gruppen, die sich jedoch i Theologie und Lebensform nicht diametral auseinander entwickelten machte die Landeskirche beweglicher, neuen Herausforderungen de Zeit zu begegnen[34]. Die eigentliche Zeit des volkstümlichen Pietismu begann im Übergang zur Erweckungsbewegung. So gehören der Bengelschüler Magnus Friedrich Roos und Philipp David Burk (1714–1770) Bengels »anderes Ich« schon voll in die Erweckungszeit. In sie brachte sie eine ununterbrochene Tradition des schwäbischen pietistisch gefärbten Biblizismus ein. Auch das »mechanische Genie«, der schwäbisch Pfarrer Philipp Matthäus Hahn (1739–1790), der als einer der tiefsinnigsten unter den »schwäbischen Vätern« zwischen dem Apokalyptiker un Biblizisten Johann Albrecht Bengel und dem Theosophen Friedrich Christoph Oetinger einzuordnen ist, gehört in diese Übergangszeit zu der beginnenden Erweckungszeit[35]. Er ist es gewesen, der in seinen Landsleute die schlummernde mechanische Begabung weckte und zugleich ein bedeutender Erweckungsprediger, Schriftsteller und Seelsorger war. In de von ihm befruchteten Kreisen entstand ein »biblischer Realismus«. I alttestamentlichen Geschichtsbild erkannte man eine vorbildliche Weissagung auf das, was durch Christi Erlösungswerk aus dieser Schöpfun werden soll. Ihr praktischer Mittelpunkt war ein Chiliasmus, die Hoffnung auf ein 1000jähriges Friedensreich Jesu auf Erden. Der »apokalyptische Wandertrieb« der Schwaben, die nach Amerika, nach Südrußlan und noch Mitte des 19. Jahrhunderts nach Palästina aufbrachen, stan damit in unmittelbarer Verbindung. In diesen Zusammenhang gehör auch ein Hinweis auf die Stundistenbewegung in der Ukraine. Hier gingen starke Anstöße von den eingewanderten Württemberger pietistischen Bauern wie von den Mennoniten aus. Sie haben in mehreren Wellen Ende des 18. und in der ersten Hälfte des 19. Jahrhunderts deutsche Bauernsiedlungen von Bessarabien bis zum Kaukasus aufgebaut.

Von diesen »Stunden« der pietistischen Siedlergemeinden strahlte ein so nachhaltiger Einfluß auf die Ukrainer aus, daß unter ihnen die Stundistenbewegung entstand. Sie war der Anfang für die einzige große protestantische Bewegung unter den Russen in einem unmittelbaren Zusammenhang mit den Ausläufern einer bis in die Erweckungszeit sich erstrekkenden Nachwirkung des Chiliasmus bei Bengel[36].

Zurück zu Johann Albrecht Bengel. Mit seiner Berufung als Prälat von Herbrechtingen im Februar 1741 trat er in seine letzte Lebensphase ein. Das bedeutete an sich noch keinen jähen Szenenwechsel. Eher war es eine Versetzung in einen stillen Winkel. Der Amtspflichten waren wenige. Doch auch die nächsten sechs Jahre waren erfüllt von reicher Arbeit. 1742 veröffentlichte er hier sein »Gnomon Novi Testamenti, in quo ex nativa verborum vi simplicitas, profunditas, concinnitas, salubritas sensuum coelestium indicatur« = »Fingerzeig für das Neue Testament, worin aus der ursprünglichen Bedeutung der Worte Einfalt, Tiefe, Übereinstimmung und Heilsamkeit der himmlischen Gedanken aufgezeigt wird.« Eine Zweitausgabe erfolgte erst 1815 und eine deutsche Übersetzung von Karl Friedrich Werner in 2 Bänden auch erst 1853/54. Diese Übersetzung, von der eine 8. Auflage 1970 herauskam, hat also erst in der zweiten Hälfte des 19. Jahrhunderts unter den Laien ihre Wirkung ausüben können. Man wird dabei nicht vergessen dürfen, »daß in den von Bauern, Handwerkern und Weingärtnern geführten Konventikeln der 2. Hälfte des 18. Jahrhunderts Bengel gelesen und als unbedingte Autorität verehrt wurde ...« Bengel hatte einen engen Kontakt zu diesen Stundenleuten. Auch seine Schüler bewirkten eine Popularisierung seiner Gedanken. Sie waren also in dieser Zeitspanne schon »so tief ins Volk und ins allgemeine Bildungsbewußtsein eingedrungen, daß ihre Weiterwirkung außer Frage stand ...«.

Auch hier zeigt sich, daß der Pietismus seit Spener wesentlich eine Predigtbewegung gewesen ist, die sich persönlich und mündlich aussprach und erst in zweiter Linie als eine literarische[37]. Aus Vorträgen und Predigten entstanden die Erbauungsschriften bzw. Predigtbände. Auch Bengel erklärte zuerst in seinen Erbauungsstunden in Herbrechtingen »die Apocalypsin populariter«, ehe sie dann aus Nachschriften im Druck erschien als »60 Reden über die Offenbarung Johannis«.

Ein anderes Manuskript aus der Herbrechtinger Zeit ist sein »Cyclus«. Für Bengel verstand man die Bibel erst dann richtig, wenn man ihre Aussagen über den kosmologischen Bereich nicht ausklammere. Die Schrift ist universal und umspannt alles, was Gott geschaffen hat. Sie gibt Auskunft, »was in den unsichtbaren Dingen, in dem Reich des Lichts und in dem Reich der Finsternis, mit Lebendigen und Todten, mit Seligen und Verlorenen, mit Engeln und Menschen, in Summa, mit dem Universo (Psalm VII, 7) geschehen soll ... Deswegen kommen ... Mond, Sterne, Himmel, Creatur, die Zahlen, tausend, zehntausend; die Zunamen, viel, groß, stark, wundersam, ganz, alle so ungemein vor ...«

So wagt sich Bengel auf einmal auf ein ihm fremdes Gebiet. Aus den in der Offenbarung von ihm ermittelten Zeiteinheiten will er die Umlaufzeiten der Gestirne berechnen. Das konnte nicht gutgehen, wenn er dabei meinte, daß die Schrift »den Sternkundigen die allergenaueste Wissenschaft der himmlischen Bewegungen« schenke[38]. Ganz im Sinn der Physikotheologie führt Bengel dabei aus: »Der Tempel der göttlichen Haushaltung, der die Welt und Kirche regiert, ist majestätisch. Er hat seinen Stundenzeiger. Dieß Uhrwerk ist die Bewegung der Himmelskörper in der Natur. Das prophetische Wort aber schließet diese Bewegung auf.« Den fertigen »Cyclus« hat Bengel seinem alten Lehrer aus der Tübinger Zeit Creiling zugestellt. Eine Antwort erfolgte nicht. Die Ablehnung war deutlich genug.

Diese Arbeit hat Bengel dennoch, freilich in der Freien Reichsstadt Ulm 1745 veröffentlicht. Sie erschien unter dem Buchtitel: Jo. Alberti Bengelii Cyclus sive de anno mango solis, lunae, stellarum, cosideratio ad incrementum doctrinae propheticae atque astronomicae accomodata, in einem Umfang von 116 Seiten. Bengels Schrift muß aufmerksam auch nach seinem Tod gelesen worden sein, denn 1773 erschien in Leipzig in deutscher Übersetzung »Johann Albrecht Bengels Cyclus oder sonderbare Betrachtung über das große Weltjahr, zum Wachsthume prophetischer und astronomischer Kenntnisse. Aus dem Lateinischen übersetzt und durchgängig mit Anmerkungen erläutert. Nebst einer vorläufigen Abhandlung von der Göttlichkeit der Offenbarung Johannis, von Johann Gotthold Böhmern. Archidiakonus bey der Hauptkirche zu St. Petri in Budißin«, erweitert auf 234 Seiten[39].

Es war doch gut, daß Bengel aus dem abgelegenen Herbrechtingen 1747 durch eine Berufung in die Prälatur von Alpirsbach und als Konsistorialrat im Stuttgarter Konsistorium herausgelöst wurde. Er trat verantwortlich in die Kirchen- und Landespolitik ein.

Man bedurfte offensichtlich einer starken Persönlichkeit wie Johann Al-

brecht Bengels inmitten des zähen Stellungskrieges zwischen der herzoglichen Regierung und den Landständen. Ermüdungserscheinungen auf beiden Seiten blieben nicht aus. Bengel wurde zuerst in den Äußeren und bald in den Inneren landschaftlichen Ausschuß berufen und mußte deshalb nach Stuttgart übersiedeln.

Seine eigene Aufgabe hat er klar umrissen. Einspruch gegen ungerechte Entscheidungen der herzoglichen Regierung haben die Ausschüsse wie das Konsistorium zu erheben, nicht einzelne Pfarrer. Mit aggressiven Prophezeiungen und Zeitpredigten ist nichts getan. Man sollte auch nicht vergessen, welche Wohltat jede Obrigkeit als Ordnungsmacht im Blick auf das tägliche Leben des einzelnen wie der Gemeinschaft bedeute.

Der Prälat und Konsistorialrat Bengel hat viele gut durchdachte Vorschläge in den Gremien vorgetragen, denen er angehörte. Sie sind oft nur schwachherzig unterstützt oder überhaupt nicht angenommen worden. Man darf bei seiner Haltung nicht die Zweireiche-Lehre des Luthertums übersehen. Sie war frei von revolutionären und umstürzlerischen Widerstandsparolen. Doch unterband sie nicht Proteste. Durch die nachreformatorischen Jahrhunderte zeigte sich eine bald stärkere, bald schwächere Opposition, die ganz verschiedene Formen annehmen konnte. Wir erinnern an den eindrücklich protestierenden Lebensstil der Pietisten und vor allem der »Ehrbarkeit« in Württemberg im 18. Jahrhundert, der schwerlich zu übersehen war. So konnten die Herzöge im Land ihre willkürlichen Maßnahmen nicht überdehnen. Auf die Dauer gegen das Volk zu regieren, bekam keiner herzoglichen Regierung gut. Die Affaire Süß-Oppenheimer bewies das schlagend. Alle Bindung an das Herzogtum geschah niemals ohne Vorbehalt, Schmerz und Enttäuschung. Die sich hier aussprechende innere Distanz ist nicht zu übersehen.

Von einem politischen Quietismus in Nachbarschaft zu einem chiliastischen Quietismus bei Bengel zu sprechen, bereitet Mühe. Wenn Bengel oft nur protestieren konnte, so wartete er auf eine Zeit, in der eine wirksame, aktive und feste Haltung Erfolg versprach. Bengel hat dem landesherrlichen Summepiskopat des Herzogs, auch wenn er seine Rechte auf den Geheimen Rat übertrug, mit starken Vorbehalten gegenübergestanden. Er kannte eine bessere Lösung, eben das Schwergewicht von der »Staatskirchenhierarchie« abzulösen und auf eine niedere Ebene zu verlegen.

Er war grundsätzlich viel oppositioneller eingestellt, als es vielleicht in den Akten nachzulesen ist. Seine abwartende Geduld in vielen Dingen, die übel waren, dabei in Verbindung mit seinen eschatologischen Erwartungen zu sehen, ist nicht abwegig[40].

Hat er jedoch die »Stundenleute«, die Pietisten im Land zu einem poli-

tischen Quietismus geführt? Man wird auch diese Frage nur in größere
Zusammenhängen sehen können. Sie wurden dazu erzogen, alles an de
Schrift zu kontrollieren, »ob sichs also verhielte«. Durch die fortwirkend
pietistische Tradition »eines unermüdlichen Nachdenkens« entstand ei
Potential an strebsamen und selbstbewußten Bürgern aus kleinbürger
lich-handwerklichen wie bäuerlichen Schichten. So kam es zur Heranbil
dung und Emanzipation von neuen Eliten aus diesen Gemeinschaften, ei
ner starken pietistischen Laienbewegung. Hier wurde ein starker Mittel
stand an Facharbeiter-Bauern geschaffen, der bei der im 19. Jahrhunder
einsetzenden Industrialisierung im schwäbischen Raum, mit anderen gün
stigen Faktoren zusammengesehen, zweifelsohne eine Proletarisierun
verhinderte. Vieles ist wie hier in Altwürttemberg auch ähnlich im Sieger
land durch seine starken pietistischen Gruppen verlaufen.

Ein Jahr vor seinem Tode, im Jahre 1751, ehrte ihn noch die Theologi
sche Fakultät der Universität Tübingen mit der Verleihung der theologi
schen Doktorwürde ehrenhalber.

*In seinem letzten Lebensjahr war Bengel nur repräsentativen Aufgaben
nachgekommen, soweit sie nicht zu umgehen waren.* Der zeitlebens Krän
kelnde war erschöpft. Ein ausgedehnter Briefwechsel amtlichen Charak
ters mit Pfarrern und auch seelsorgerlicher Art belastete ihn noch stark. J
mehr seine Kräfte nachließen, je stiller wurde er. Am 2. November 175
starb er. Oetinger berichtete von diesem Heimgang: »Bengel starb nach
seiner Idee, nämlich als der, der nichts von der Sterbekunst statuiert, son
dern der mit dem Correcturbogen (für das »Neue Testement mit dienli
chen Anmerkungen« und Burks »Gnomon«) als seinem Geschäft, sich
bey'm Sterben so gut occupirt (befaßt) als zuvor. Er wollte nicht geist
lich-pompös sterben, sondern gemein, wie wenn man unter dem Ge
schäfte zur Thüre hinaus gefordert wird. Also ist auch nichts Besondere
von ihm zu schreiben. Das H. Abendmahl empfing er mit seinem Hause
machte nicht viel Wesens, weder mit Frau noch mit den Kindern. Sprach
Er werde eine Weile vergessen werden, aber wieder in's Gedächtni
kommen. Ja wohl! Seinesgleichen ist nicht in Württemberg, aber freilich
in seiner Art. Der HErr kennt alle die Seinen. Seine Heiligen rangirt Er
nicht wir.«[41]

Eine große Lücke wurde sichtbar. Und doch hatte ein anderer unte
den »Urschwaben« Bengels Vermächtnis in origineller und eigenwüchsi
ger Weise aufgenommen, um damit zu wuchern. Es war sein um 15 Jahre
jüngerer Freund Friedrich Christoph Oetinger (1702–1782). Er ist ohne
Zweifel der genialste unter den Pietisten des 18. Jahrhunderts. Verschie
dene Anregungen Bengels, die bei diesem nicht zum Zug gekommen sind

hat er in sein Lebenswerk eingebracht. In ihm brach die spekulativ-theosophische Richtung, an altwürttembergische Tradition anknüpfend, neu auf und prägte den Pietismus auf seine Weise mit. Man wird den württembergischen Pietismus mit seinem geistigen Auswirken auch auf die allgemeine Geistes- und Philosophiegeschichte im 19. Jahrhundert an ihm vorbei nicht darstellen können. Vor allem gehört er zu den konsequentesten Durchdenkern der Aufklärung und zu den Bestreitern ihrer wesentlichen Grundtendenzen.

Er wurde am 6. Mai 1702 in Göppingen als Sohn des dortigen Amts- und Stadtschreibers geboren[42]. Dessen lebendige Bibelfrömmigkeit wirkte sich nachhaltig auf seinen Sohn aus. Sie beteten auf den Knien und das Nachschreiben aller gehörten Predigten zählte zu den Pflichten des jungen Friedrich Christoph. Seine Mutter hätte ihn gern als Juristen gesehen. Doch nach dem Besuch der Klosterschulen Blaubeuren und Bebenhausen bei Tübingen schloß sich das Studium der Philosophie und der Theologie als Stiftler an. Hatte er vorher geschwankt, ob er Theologie studieren sollte, so ergriff er, nachdem bei ihm die Entscheidung gefallen war, dieses Studium mit Einsatz aller seiner Kräfte. Er wollte sich Gott ganz ausliefern.

Durch seinen Lehrer Georg Bernhard Bilfinger (1693–1750) wurde er mit der Leibnizischen Philosophie wie mit der sich daran anschließenden von Christian Wolff (1679–1754) konfrontiert. Doch aus dem trockenen, unlebendigen, mechanistischen Schema des Leibniz-Wolffischen Systems muß er ausbrechen. Die dort entwickelte verallgemeinernde Begrifflichkeit spitzte sich in letzten Aussagen über die Bausteine des Weltalls zu, welche die in der Bibel heimischen Begriffe und Aussagen über Gott, Welt und Natur stillschweigend beiseite schoben.

Entscheidend wurde für den jungen Oetinger weniger die wiederentstandene »Stunde« im Tübinger Stift, so viele bleibende Freunde er hier auch gewann. »Kein anderes Ereignis seines Lebens hat auf die geistige Haltung Oetingers mehr eingewirkt als jener Nachmittag, da ihm der sonderbare ›Pulvermüller‹ den Böhme aus dem Versteck holte. Nun kam er für sein ganzes langes Leben nicht mehr von dem ›deutschen Philosophen‹ los; in der Jugend und im höchsten Greisenalter ist er gleichermaßen zur Auseinandersetzung mit ihm genötigt.«

Bei Böhme entdeckte Oetinger bereits als Student, was er suchte, »ein System, das nicht Gott aus der Welt, sondern die Welt aus Gott begriff«. Von der Grundposition eines »realen Biblizismus« seines späteren Freundes Johann Albrecht Bengel ausgehend hat er dann das entfaltet, was er bei Böhme laufend studierte. Die »philosophia sacra«, eine Pansophie, deren

Begriffe in innerer Wahlverwandtschaft zur biblischen Welt bleiben und eine »weit bessere Art von Philosophie und Naturwissenschaft« erarbeiten, ist von nun an sein Lebensziel[43].

Von 1722 bis 1727 studierte er, von 1729–1730 und schließlich noch von 1737–1738 war er Repetent am Tübinger Stift. Oetinger blieb so durch 15 Jahre hindurch, wenn auch mit längeren Unterbrechungen durch zwei akademische Reisen, mit der Universität Tübingen und ihrem Lehrbetrieb verbunden.

Seine erste akademische Reise beginnt der 25jährige im Jahre 1727 auf Anraten von Johann Albrecht Bengel, mit dem er in engem brieflichen Kontakt steht. Laufend hat Oetinger ihm von der Universität und vom Stift berichtet. Den äußeren Anstoß lieferte Bilfinger, der von Petersburg zurückgekommen war und Oetinger aufforderte, mathematische Übungen zu halten. Das lag durchaus nicht im Sinne seines Magisters. So reiste Oetinger ab. Als glühender Verehrer des heilsgeschichtlichen Systems Bengels trat er dann überall auf. 1727 war die erste Schrift Bengels über dieses Thema, wenn auch nicht als selbständige Veröffentlichung, erschienen. Wenn auch mit Unterbrechungen, erschienen dann in zweijährigem Rhythmus neue Veröffentlichungen Bengels über das gleiche Thema. Sie müssen von Anfang an »Erfolgsschriften« gewesen sein.

Oetinger hat Bengel in dieser Frage unentwegt die Treue gehalten. Noch als 69jähriger ficht Oetinger für die Thesen seines Meisters. So begab sich Oetinger auf die erste akademische Reise. Sie führte ihn zuerst nach Frankfurt am Main.

In Frankfurt am Main ging Oetinger zu jüdischen Rabbinern. »Ein anderes Hilfsmittel, welches ich gebraucht habe, die Theologie ab ovo zu studieren, waren die Rabbinen und die Philosophie, so sie aus der Heiligen Schrift selbst gezogen ...« Bei der ihm eigenen Gründlichkeit stieß er schnell bei dem Studium der Rabbinen auf die Kabbala. Wie bei Jakob Böhme interessierten ihn zwei ihrer Hauptthesen. Sie beschäftigten sich mit den Anfängen der Welt und mit dem Ziel Gottes mit seiner Schöpfung. Was die Kabbala hier über die Entfaltung und Ausstrahlung Gottes im Universum äußerte, faszinierte ihn. Als er dann noch den damals gelehrtesten Kabbalisten Cappel Hecht in Frankfurt kennenlernte, war er völlig überrascht, in ihm einen hervorragenden Kenner von Böhmes Werken und Theosophie zu entdecken[43a].

Dabei vermag Oetinger das alles mit den großen Fragen seines eigenen Gottesverständnisses zu verbinden. Er ist erfüllt von dem Bewußtsein der Allmacht und Alleinwirksamkeit Gottes. Dieser lebendige, gewaltig anstürmende, nicht zu fassende und unergründliche Gott und die ganze

Wirklichkeit der Welt stehen in unmittelbarer Beziehung zueinander. Bis in die Tiefen seines Wesens bestimmte den Urschwaben eine unmittelbare und nicht absinkende Ergriffenheit vor der Überweltlichkeit, Erhabenheit und Heiligkeit Gottes. Sie läßt ihn immer neu erschauern und treibt ihn in ungestillter Sehnsucht zu ihm hin.

Unter dem gewaltigen Ansturm der göttlichen Macht steht alles. So wirkt er in der ganzen Natur, im Sittlichen und Außersittlichen. Wie bei Luther ist die liebende Herunterlassung Gottes zu seiner Welt Urtatsache und Urgeheimnis zugleich für die ganze Wirklichkeit. Dem geht er in einer Schrift, die er als 33jähriger schreibt unter dem Titel »Die unerforschlichen Wege der Herunterlassung Gottes« nach, wenn auch ganz andere Gedanken mit anklingen, die wir hier aussparen müssen. Jedenfalls will er zugleich vor »Bekehrsucht« und »Kreuzflucht« warnen. Denn auf seiner ersten akademischen Reise hatte er Berleburg, ein Zentrum mystisch-spiritualistischer Kreise aufgesucht. Dort lernte er durch den Mystiker Charles Hector von Marsay (1688–1753) die Gedankenwelt der französischen Mystikerinnen, besonders der Frau von Guyon kennen[44]. Ihre Bibelerklärungen sind in die Berleburger Bibel eingegangen. Das weltabgewandte beschauliche Leben, das dort praktiziert wurde, war gewiß nicht ohne Anfechtungen. Und doch war es in Oetingers Augen eine »Kreuzflucht« aus einer beschwerlichen Mitverantwortung angesichts der Aufklärung. Es ging hier um eine Gesamtbedrohung des biblisch-reformatorischen Christentums.

Von Berleburg zog Oetinger nach Jena, wo er eine pietistische Studentensozietät und den späteren Herrnhuter Bischof Spangenberg besuchte. Anschließend ging er nach Halle. In der Schulstadt unterrichtete er ein halbes Jahr. Dann machte er sich selbständig und hielt an der Universität auf eigenen Antrag eine Vorlesung über Logik und leitete einen kursorischen Bibelkurs. Die Richtung auf das heilsgeschichtliche System Bengels wurde Richtpunkt bei seinem Dozieren. Im Mai 1730 traf Oetinger in Herrnhut ein.

Was ihn an alle Stätten des Pietismus trieb, war sein elementares Unbehagen an der landeskirchlichen Frömmigkeit. Sie »erscheint ihm zu durchschnittlich, zu bürgerlich wohltemperiert, zu wenig hingegeben an die Christusnachfolge«.

In der Begegnung mit Zinzendorf wird er von dessen Persönlichkeit ungemein angezogen, daß er schreibt: »Ich bin ein dürres Holz gegen einen grünen Weidenbaum, er ist ein Gesegneter Gottes!« Es hätte nicht viel gefehlt und Oetinger hätte sich zu den bedrängten Reformierten in den französischen Cevennen aussenden lassen. Ihm wäre das gleiche Schicksal

bereitet worden wie den anderen, die vor ihm dorthin gingen, um im mör-
derischen Kampf zu sterben oder auf einer Galeere jämmerlich zugrunde-
zugehen. Doch der württembergische Herzog, der die letzte Entscheidung
zu fällen hatte, verbot das kurzerhand. Über die »Stiftler« hatte er zu ver-
fügen[45].

Die zweite akademische Reise unternahm Oetinger von 1733 bis in den
Sommer 1737. Viele Einzelheiten von dieser lang ausgedehnten Reise
sind nicht überliefert. Die Reiseroute läßt sich nur mühsam rekonstru-
ieren.[46] 1733 hatte Zinzendorf in Tübingen seinen Eintritt in den geistlichen Stand vollzogen. Oetinger wurde sein Reisebegleiter bei der trium-
phalen Fahrt des Grafen durch Württemberg. Er wollte die Schwaben für
die Herrnhuter Sache gewinnen. Dann trennte sich Oetinger wieder von
ihm. Doch finden wir ihn später in Herrnhut. Hier übernimmt er die Aufgabe, den Grafen in Griechisch und Hebräisch zu unterrichten. Von Juni
1733 bis Juli 1734 dauert der erste Aufenthalt in Herrnhut. Ein »Collegium biblicum« wurde gegründet.[47] Es war eine Arbeitsgemeinschaft mit
dem Grafen und anderen Theologen. Doch kam sie nicht zu einem Ab-
schluß und Zinzendorf hat die bereits begonnene Übersetzung des Neuen
Testamentes in die deutsche Sprache später allein fortgesetzt. Hier ist es
zu Spannungen gekommen, denn Oetinger kam mit seinem heilsgeschichtlichen System Bengels nicht an bei dem Grafen.

Es folgt bei Oetinger ein unruhiges Hin und Her. Wir finden ihn in Berlin, dann in Magdeburg bei Johann Adam Steinmetz (1689–1762), seit
1732 General-Superintendent des Herzogtums Magdeburg und Abt des
Klosters Bergen.[48] Dort leitete Steinmetz zugleich die von Breithaupt ge-
gründete Klosterschule. In seinen ersten Amtsjahren hatte Steinmetz an
der Gnadenkirche in Teschen in Schlesien gewirkt. Er war der Seelsorger
der mährischen Brüder und ihres Führers Christian David gewesen. Die
Jesuiten und die lutherisch-orthodoxen Geistlichen vertrieben auch
Steinmetz aus Teschen. Über eine Superintendentur in Neustadt (Aisch)
durch Zinzendorfs Vermittlung gelangte er dann in seine Führungsposi-
tion in Magdeburg.

In das Schlepptau der Wernigeroder antizinzendorfischen Partei mit ihren Intrigen ließ sich Steinmetz nicht hineinziehen.[49] Er stand gewiß Halle
näher als Herrnhut. Seine Polemik gegen den Grafen blieb maßvoll. Er
brach nicht alle Brücken ab. Steinmetz hätte Oetinger gern als Klosterleh-
rer an seinem Gymnasium festgehalten.

Wir finden Oetinger dann wieder in Halle und in Leipzig, um Medizin
zu studieren und das fast 9 Monate hindurch. Er taucht in Tübingen auf
und begibt sich wieder auf Reisen. Leipzig, Halle werden aufgesucht.

chließlich besucht er den aus Kursachsen verbannten Zinzendorf auf der Ronneburg.[50] Auch auf seiner Rückreise von Holland, wo Oetinger in Nimwegen, Leiden und Amsterdam weilt, finden wir ihn erneut auf der Ronneburg bei Zinzendorf. Doch die Entscheidung ist gefallen. Oetinger ermag den Revers nicht zu unterschreiben, um ganz in Herrnhuts Dien-te einzutreten.[51] Es wäre eine Absage an die Grundpositionen seiner Philosophia sacra« gewesen. Sein System ließ sich nicht mit der Lospra-is in Herrnhut verkoppeln. Denn dort wurde die Schrift nicht als ein Ganzes behandelt, als eine in sich geschlossene Einheit. Man zog die Kernsprüche heraus und verzichtete darauf, die einzelnen Schriftaussa-en zu einem System zusammenzufügen. Es war genug, zu den Grund-wahrheiten des lutherischen Kleinen Katechismus zu stehen. Die Ent-cheidung war durch Zinzendorfs Schriftverständnis gefallen. Für ihn war ie Bibel kein kunstvoller Bau, sondern sie war mit manchen Menschlich-eiten belastet, die auszuhalten waren, wenn man nur die Mitte der chrift, das volle Christuszeugnis festhielt. In welcher inneren Verfassung Oetinger die Herrnhuter verließ, zeigt sein Briefwechsel aus dieser Zeit wie auch eine Auslassung in einer Passionspredigt über Jesus in Gethse-mane: »O liebe Seelen, hievon habe ich auch etwas erfahren. Bald hätte ch mir das Leben genommen in Ebersdorf, als ich mich dem Grafen Zin-endorf widersetzte.«[52]

Die Stimmung schwankt bei Oetinger. Er kann ganz bestimmt sagen, Zinzendorfs Weg ist nicht mein Weg![53] An Bengel schreibt er am 11. Fe-ruar 1737 von der Ronneburg: »Mein Herz ist immer mit Ihnen. Je mehr ch sehe, daß der Respekt gegen alle Pünktchen der Schrift und gegen dem Ganzen der Schrift hie und da fehlt, je mehr erneuert sich meine Liebe ge-en Sie.« Dann wieder in einem undatierten Brief an Bengel schreibt Oe-inger, daß es »für seine Freiheitsliebe just der bitterste Tod gewesen wäre, wenn er sich durch das Loos an eine bestimmte Aufgabe im Dienst er Herrnhuter hätte binden lassen.«[54]

Mitten in dieser Unruhe, die ihn hin- und hertrieb, vollendete Oetinger 735 ein bereits 1725 durchmeditiertes Thema und veröffentlichte es in iner Schrift, die im gleichen Jahr in Leipzig und Frankfurt erschien: »Ab-iß der evangelischen Ordnung zur Wiedergeburt, worinnen die schrift-emäße Einsicht und Ausübung der wahren evangelischen Mystik, oder es Geheimnisses des Evangelii, nach den vier Stufen der Wiedergeburt ezeigt wird, vorgelegt von einem ermüdeten Weltweisen, der auf die Wiedergeburt wartet.«

Oetinger bezeichnete sich als einen Weltweisen. Er hatte das Medizin-tudium begonnen und wollte in die »medizinische Praxis einsehen«.

Auch meinte er, mit medizinischen Augen doch manches in der Schri
neu entdecken zu können. »Ich mußte drei Säulen haben, auf welche
mein Gebäude ruhen konnte, nämlich 1. die Grundweisheit, welche ic
aus der Societät und aus der Natur nahm, 2. den Sinn und Geist der heil
gen Schrift, 3. die Führungen Gottes, mit mir nach diesem Grund. Ich bi
diesen Forderungen auszuweichen, oft gereizt worden: bald wäre ich zu
viel auf die Grundweisheit der Natur gefallen . . ., bald wäre ich, um de
Sinnes der heiligen Schrift willen . . . Professor zu werden, und damit den
Predigtamt auszuweichen, tentiert worden, welches zu erreichen, ich wol
Mittel und Wege hätte finden mögen.«[55]

Die Entscheidung fiel nicht in einem »Entweder-oder«, sondern in ei
nem »Sowohl-als auch«. Es ist die Idee der Ganzheit, das Ganze der heili
gen Schrift umspannen, die Ganzheit der Schöpfung in ihrer unlösliche
Ganzheit des Leiblichen und Geistigen, die Ganzheit der Geschichte, di
von ihrem gesetzten Ziel aus etwas Ganzes darstellt und die Ganzheit, z
der der Christ unter der Führung Gottes heranwachsen soll. Wie dre
Ringe liegt das bei Oetinger schließlich ineinander. Er wurde ein Univer
salgelehrter. Mit Recht konnte der schwäbische Dichter Schubart an sei
nem Grabe ausrufen: Mit diesem Leben ist »eine ganze Akademie de
Wissenschaft« von uns gegangen, eine Persönlichkeit, die die Kraft zu
Zusammenschau besaß.

Oetinger wurde fruchtbar in seinem unablässigen Bemühen, die Ganz heit der heiligen Schrift im Sinne Bengels zu erweitern und abzurunden Das geschah im Begriff des Lebens. Darin faßte er die Zeit von der Er
schaffung der Menschen über Christus bis zum 1000jährigen Reich al
Ganzheit. Den Zwischenzustand nach dem Tod bis zur Auferstehung alle
und schließlich der Allversöhnung rundet sie schließlich in einem quas
neuplatonischen System ab. Es ist jener gewaltige Gott-Welt-Gott-Pro
zeß, Gott ist Anfang, er setzt die Schöpfung und holt sie zu sich zurück
Doch auch die Neuschöpfung des gerechtfertigten Sünders steht unte
diesem dynamischen Begriff der Ganzheit, einer Umwandlung in das Bil
Christi von einer Stufe zur anderen, abgeschlossen in der Ewigkeit. Di
lutherische These »gerecht und Sünder zugleich« wird nicht angetastet
Doch sie soll aus aller Statik herausgenommen werden, um sie nicht quie
tistisch zu verharmlosen. Als Beschreibung der unaufhebbaren Situatio
vor Gott muß sie ihr Gewicht behalten. Sie verwehrt alle Schwärmere
Doch sie umgreift nicht das neutestamentliche Anliegen einer Neuschöp
fung: »Das Alte ist vergangen, siehe es ist alles neu geworden.«

In der schon erwähnten Schrift über die Wiedergeburt greift Oetinge
diese letzte Frage auf.

Es ist eine Erstlingsschrift dazu. Vieles wollte er später anders ausfor-
nulieren, aber nicht in der Sache selbst. Dieses Werk nimmt er immer
vieder bis ins Alter sinnend in die Hand[56].

Hier sucht er die Leser, wie er sie für seine ganzen Veröffentlichungen
ich vorgestellt hat. Durch Johann Arnds »Wahres Christentum« und an-
lere ähnliche Erbauungschriften geübt im meditativen Lesen, wo man
icht in einem Zuge alles durchgeht, sondern Satz für Satz, Blatt für Blatt
us dem Buch sinnend überdenkt. Er wünscht sich Leser, die von vorn-
erein den Griffel spitzen, prüfen, akzeptieren oder wegstreichen von
lem, was sie lesen. Oetinger besitzt ein elementares Freiheitsgefühl, das
llen gemeinsam ist!

Er wagt deshalb ungeschützt zu sprechen. In dieser Erstlingsschrift
ermeidet er die theologische Begriffssprache. Sein eigenes Denken und
chreiben verläuft spiralförmig. Jedes einzelne Thema umkreist er uner-
nüdlich, bis er zum zweiten übergeht. So vollzieht sich alles in vier Stufen.
Er nimmt die Formulierungen auf, die damals sofort Interesse wecken.
Von evangelischer Mystik, von der Glückseligkeit, von der Anziehung der
öttlichen Natur, von dem letzten Grad der mystischen Vereinigung, vom
Zentralbegriff will er sprechen. Ganze Passagen, nicht nur einzelne Sätze
immt er aus den Briefen der Frau de Guyon in sein Buch hinein.

Eine ganze Kette von Mißverständnissen nimmt er in Kauf, wenn man
icht sehr genau liest. Er bleibt, wenn auch in einer anderen Diktion, bei
en Grundwahrheiten des lutherischen Bekenntnisses.

Auch wenn er sagt, daß Gott Vollkommenheit als Ziel aufgestellt hat,
neint er nicht einen erreichbaren Zustand, für ihn ist es unter Berufung
uf paulinische und johanneische Aussagen ein dynamischer Prozeß. Die
age sind nicht nur ein Stehen, Fallen und Wiederaufstehen, sondern ein
Vorwärtsschreiten »durch verborgene Kräfte, die freimachen«. Es ist der
schöne Kampf des Glaubens gemeint, dem die Krone des Lebens ver-
eißen ist«. Ein Leben voller Bewegung, weil Gott selbst voller Bewegung
t, Gott nicht aufhört zu schaffen und zu wirken. Er kann zur gleichen
eit tausend Dinge, auch ganz konträrer Natur auslösen[57].

*Hier bringt er Erfahrungen von Berleburg, Halle und Herrnhut mit ein,
ine zu polemisieren.* Von der Selbstsucht werden wir erst frei, wenn sie
ott von uns in der Ewigkeit abfallen läßt und wir in unserer Einmaligkeit
anz das werden, was wir sein sollen. Andererseits besteht »diese Voll-
ommenheit darin, daß man alle Wahrheiten in Verbindung mit dem Ho-
epriestertum und Königreich Jesu in sich habe«. Die Blut-Theologie
engels ist bei ihm voll aufgenommen. Auf Karfreitag und Ostern beruht
les Heil.

Es gibt keine Schablonen. »Gott sei ein jeder Creatur ihr besondere
Gott. Gott habe neben seiner weitaussehenden Ordnung, nach welcher e
die Menschen insgemein regiert, noch unendlich viel besondere Wege, di
mit in die Ordnung des Ganzen hinein verwebt seien; und eben diese geh
auf einzelne Individuen hier und dort, wo es nöthig sei.«[58]

Hier taucht der Begriff der Einmaligkeit auf, der sich im Werden des historischen Bewußtseins im 18. Jahrhundert vollzieht. Ganzheit und Einmaligkeit werden nicht als Gegensätze begriffen. Sie spiegeln gemeinsam die Wirklichkeit wider. Bei einer rechten Ordnung kann keine Schwärmerei aufkommen, weil diese »Erneuerung nach den Stufen unseres Glaubens« unlöslich an ein immerwährendes Forschen in der heiligen Schrif verbunden ist. Oetinger weist auf zweierlei Wahrheiten hin, die Wahrheiten außer uns »von der Haushaltung und Regierung Gottes ... z. E. vo dem Zustand nach dem Tode. Von der Stadt Gottes, von der ganzen Administration des hohepriesterlichen Geschäfts Christi in dem Himmel, wi auch von dem Blute Christi; Wahrheiten in uns, von der Sünde, von de Gnadenwirkung, von dem Zeugnis des Geistes, von der mystischen Vereinigung. Diese letzteren schmeckt und empfindet man. Wenn man di letzteren Wahrheiten bloß glauben will, so hindert man sich selbst. E muß beides zusammengeordnet werden, daß auch die Ökonomische (heilsgeschichtlichen) Wahrheiten beitragen, daß das Herz fest, voll Zuversicht und Liebe werde.«[59]

Die mystische Vereinigung will nur als volle Umschreibung des reformatorischen Rechtfertigungsglaubens verstanden werden. Bei Luther ist di Lehre von der »unio mystica« in der Konzentration auf das Verhältnis de Liebesgemeinschaft »der Schlüssel zur Lösung des Problems, das hier zunächst mißtrauisch macht. Die Liebe Gottes wird empfangen, wie alles was von Gott kommt, im Glauben empfangen wird. Insofern gibt es hie kein Überschreiten der Rechtfertigungslehre. Aber die Liebe Gottes wir als solche nun nicht nur als Spruch Gottes vernommen. Sie ruft das Her des Glaubenden in ihre Gemeinschaft.« Das Herz, der ganze Mensch i seinen letzten Tiefen ist angesprochen. Und der Glaubende antworte Dabei bleibt Gott der Andere. »Er bleibt immer das Du, sonst könnte e kein Verhältnis der Liebe sein.« Das Du Gottes und das Ich des Glaubenden sind durch Liebe verbunden. Luther sagt: Gott habe »Christum seynen lieben son ausschüttet uber uns und sich ynn (in) uns geust und un ynn sich zeucht, das er gantz und gar vermenschet wird und wyr gantz un gar vergottet werden ... und alles mit eynander eyn ding ist, Gott, Christus und du.« Dabei ist Luther zeitlebens stehen geblieben.

Von Johann Albrecht Bengel wissen wir, daß er als Student die »The ogia positiva acroamatica synoptice tractate« von 1664 durchgearbeitet und auch später zur Hand gehabt hat. Sie stammt von Johann Friedrich König (1619–1664), dem lutherischen Professor in Rostock. Dieser Vertreter der lutherischen Hochorthodoxie hat der Lehre von der »unio mystica« in engster Einheit mit der Rechtfertigungslehre eine von der Hochburg des Luthertums in Wittenberg anerkannte Ausformung gegeben, die getreu Luthers Position aufgenommen hat. Dieses Kompendium von König ist zahllos aufgelegt worden, 1711 in der 13. Auflage. Oetinger hat weifelsohne hier mit Bengel zusammengestimmt. Denn altlutherische Orthodoxie und die pietistischen Anliegen bei beiden waren keine feindichen Kontrahenten in dieser Frage der »unio mystica«. Sie bewegten ich hier voll auf der Linie der lutherischen Rechtgläubigkeit.

So soll der Wiedergeburtsbegriff die Verheißungen des Neuen Testamens zum Leuchten bringen. Unabdingbar ist für Oetinger dabei die »Ochenarbeit«, jene unermüdliche Lernbereitschaft, bei der »das Suchen in er Schrift als Hauptwerk« betrieben werden soll. Das erinnert an Johann Valentin Andreä's Wiedergeburtsbegriff, der die denkerische Bemühung m Gottes Wort und das Ringen um eine Gesamtschau, die vom Glauben er denkt, zusammennimmt mit dem gelebten Glauben, der Vergebung nd Neuschöpfung beinhaltet.

Nach der Loslösung von Zinzendorf im Jahre 1737 war Oetinger bereit, ine Pfarrstelle anzunehmen. Der Stuttgarter Oberkirchenrat war offenchtlich nicht sehr gnädig gestimmt, als sich ihm Oetinger, inzwischen 4 Jahre alt geworden, vorstellte. Er überließ seiner vorgesetzten Behörde zu entscheiden, ob sie ihn weiter Medizin in Tübingen studieren lasen oder ihm eine Pfarrstelle verleihen wollte. Das letztere war ihm inzwihen wichtiger geworden. Man erwog freilich, ob man Oetinger den Weg einer dritten akademischen Reise freigeben sollte.

Er erhielt die kleine Pfarrgemeinde in Hirsau, so wie er es sich ewünscht hatte. Im Jahre 1743 wechselte Oetinger für drei Jahre nach chnaitheim bei Heidenheim über, um ganz in die Nähe Bengels zu komen. Er besuchte den Prälaten Bengel nun öfters als es diesem lieb war. ls Bengel nach Alpirsbach gerufen wurde, amtierte Oetinger inzwischen Walddorf bei Tübingen, wo er bis 1752 blieb. Es war eine glückhafte eit im Pfarramt zu Walddorf. Diese Lebensjahre zwischen dem 44. und). gehörten zu seiner schöpferischsten Zeit. Er lebte »im tiefen Frieden it seiner Gemeinde in Walddorf«. Mit seinen Kollegen in der Freien eichsstadt Reutlingen, deren Pfarrerkollegium er sich anschließen durf-, war er brüderlich verbunden. Zahlreiche Theologiestudenten sind daals vom nahen Tübingen zu ihm hinausgewandert, hörten seine Predigten, und waren unermüdlich im Gespräch mit ihm. Ob er sie an seinen chemischen Versuchen teilnehmen ließ? Die Besoldung in Walddor reichte »zur Chemie aus«. Man wird festhalten können, daß die chemischen Versuche in Walddorf ihn in grundlegenden Einsichten bestärk haben. »Chemie und Theologie sind bei mir nicht zwei, sondern ein Ding.« »Ich nehme meine einzige Zuflucht zu der heiligen Schrift und Natur. Denn die Werke Gottes, wenn man sie betrachtet, helfen zum Verstand heiliger Schrift und die heilige Schrift zum Verstand der Natur.«

Oetinger nahm eine harte Frontstellung gegenüber der damals vorherrschenden kausalen Naturbetrachtung ein. Sie besaß ihre Berechtigung Doch sie zum ausschließlichen Gesichtspunkt hochzusteigern war für ih ein falscher Schluß. *Die Schöpfungswelt ist auf eine weitere dynamisch Entfaltung angelegt.* Sie befindet sich im Vorfeld der neuen Schöpfung auf die sie unaufhaltsam nach Gottes Heilshandeln zusteuert. Das läß sich aus der Welt von heute bereits herauslesen. Es kommt alles auf ei grundsätzlich neues Besinnen an.

»Die Erde ist nur eine anfängliche Präparation, . . . ein bloßer Entwur worin viel Irreguläres liegt, um etwas vollkommen Reguläres in künftige Zeit herauszubilden. So viel Regularität ist auf der Erde, als zu den Ab sichten Gottes gehört.«[60]

Das wird alles in einen großen Zusammenhang und in eine Gesamtschau hineingezogen. Ein Unterschied zu Luther wird dabei deutlich Wenn der Reformator den Gedanken wagt, daß das Wirken Gottes soga als ein Vorwärtsstürmen ohne Ziel und Richtung verstanden werde kann, so zögert Oetinger hier. Während Luther sich nicht für die Gesetzmäßigkeiten in der Natur interessiert, ja sein »dynamischer Naturalismus« bis in die dämonischen Tiefen der Natur eindringt, ist es Oetinge Leidenschaft, auch hinter den berechenbaren Gesetzen der Natur Gotte treibende Gewalt, seinen dynamischen Impuls zu erkennen. Doch will e wie Luther nie vergessen, daß der Gott, der allen irdischen Grenzen un Maßstäben spottet, keinem Zwang folgt.

Von da aus umkreist Oetingers unermüdliches Forschen, Experimentieren und Nachsinnen die Fragen, wie Gott und Welt zusammenhänge bis in die Naturvorgänge hinein. Er will wissen, was Gott mit dieser We vorhabe, die er so gewaltig und tief in all ihren Erscheinungen und Wirkungsfeldern durchwaltet. Was aus Gott hervorgeht, ist voller Lebe Sein Schöpfen schafft nie Totes, Unlebendiges. Die ganze Wirklichke dieser Welt in all ihren Bereichen, in Physik, Chemie, Medizin, Biolog wie Astronomie ist für Oetinger nur vom Lebensprinzip her verständlic *Die All-Lebendigkeit der Schöpfungswelt wird von ihm proklamiert.* D mit steht er zugleich in einer deutschen Denkertradition, einer Naturphilosophie, die von Cusanus über Paracelsus und Kepler, wie auch über Jakob Böhme, die Kabbala und schließlich bei ihm und über ihn zu Hamann, Herder, Goethe und die Romantiker und von dort aus inspirierend bis in die Theologie und Philosophie der Gegenwart reicht. Für Oetinger vollzieht sich damit zugleich ein Anschluß an die »Philosophie der Alten, der Denker der Antike, der großen Griechen«.

So erfährt auch das Verhältnis von Leben und Materie, von Geist, Seele und Leiblichkeit eine völlig andere Interpretation. »Von Anfang an der Welt ist der Materie ein lebendiges Lebenselement beigegeben, in der der Grund aller zukünftigen natürlichen Gestaltungen liegt . .«. Und: »Jeder Atomus hat wieder alles in sich, nämlich ein Unleibliches und Leibliches«. »Alle körperlichen Wesen haben geistige Kräfte in sich, welche erregt werden können, daß sie von ihnen ausfließen.«[61]

Gott hat uns nicht aus einem toten Lehmkloß geschaffen, dem er nachträglich das Leben einhauchte. »Der erste Mensch war aus Staub, aber ihm war gleichwohl die natürlich verborgene Seele schon eigen in dem Staub.« Das Ergebnis steht für Oetinger fest: »Daß ein unleibliches Wesen in uns sei, zeigen die Einwirkungen der Seele. Aber daß das allein das Denken verrichte, widerspricht der Erfahrung . . . Also ist das Denken eine vermischte Operation und es ist falsch, daß ein Geist für sich allein ein denkendes Wesen sei.«

Damit versucht Oetinger der mechanistischen bzw. materialistischen oder mit mathematischen Begriffen jonglierenden Philosophie der Aufklärungszeit das Wasser abzugraben. »Das Wort Leben ist das unerklärlichste!« Oetinger greift das auf, was auch für das moderne Denken ein Urrätsel geblieben ist, das Ineins-Wirken der Trias Leib-Seele und Geist. Das ganze Problem läßt sich am Menschen am schärfsten aufzeigen. So trotzt Oetinger der zeitgenössischen Philosophie, die von Descartes, Leibniz und Wolff beherrscht war und ihm in seinem Lehrer Bilfinger entgegengetreten war. Deren streng dualistische Unterscheidung von Natur und Geist, von Sinnlichkeit und Vernunft, von Physik und Ethik ist ihnen gemeinsam.

Gegen diese unzulässige Spaltung der Wirklichkeit protestiert Oetinger. Gott kann man nicht allein mit den geistigen Größen und sittlichen Werten in Verbindung bringen. Darum wirft sich Oetinger in zahllose naturwissenschaftliche Versuche, um das deutlich und beweisbar zu machen, wie fließend die Übergänge zwischen Materie und Geist sind. Seine Freunde haben ihm dabei großzügig geholfen und die Experimente ermöglicht. Sie haben ihm die neuesten naturwissenschaftlichen wie philosophischen Werke verschafft. Oetinger war wie wenige über alle Fortschritte in der Wissenschaft auf dem Laufenden.

Diese Untersuchungen fallen in die Walddorfer Zeit. Doch pfarramtliches Wirken und wissenschaftlicher Forschungsdrang fallen nicht auseinander. Sorge bereitet ihm die große Bewußtseinskrise, die in Europa eingesetzt hat. Die Aufklärung drang auch in bisher behütete Gebiete ein. »Der Mensch, bis dahin ein sorgsam geführtes und behütetes Geschöpf, wurde Beweger der Welt. Doch unweigerlich erhob sich die Frage nach dem Recht und vor allem nach der Möglichkeit neuer sittlicher Bindung.« *Der Katechismus allein genügte nicht mehr.* Man sehnte sich nach ganz konkreter Lebenshilfe, die vertrauenserweckend war, und die jenen Tendenzen der Zeit nach Individualisierung entsprach. Man suchte nach Weisheit. Das wurde das neue Schlagwort. Weisheit als die große Freiheit, in der wir immer wieder den Ausweg auch aus allen Lebenskonflikten und Engpässen finden.[62]

Diese Sehnsucht greift Oetinger auf. In der Walddorfer Zeit beschäftigt er sich mit den Weisheitsbüchern des Alten Testamentes und bereitet eine neue Veröffentlichungsreihe mit erklärenden Kommentaren vor. Er denkt dabei an die Hausväter, um ihnen zur Belebung der Hausandachten zu helfen.

Oetinger weiß, daß in der Welt des schlichten Kirchenvolkes alles noch relativ stabil ist. Die sittliche Auffassung der Sprüche Salomonis deckte sich noch weiterhin mit dem abendländischen Sittlichkeitsempfinden. So steht für ihn die Weisheit des Alten Testamentes ganz dicht bei dem, was als gesunder, unverdorbener Menschenverstand dem Einzelnen ganz elementar eignet. *Das Thema des »sensus communis« hat ihn unablässig beschäftigt.* In seinen Predigten auf der Kanzel zu Weinsberg habe er es so oft angebracht, daß darüber die Gemeinde unwillig geworden sei. Für ihn bringt Salomo »die Weisheit, welche alle Menschen auf allen Gassen, an allen Toren ohne Worte und mit Worten anredet«.

Daß man auch hier nicht ohne Christus und seine Vergebung, ohne das Leben, das er schenkt, auskommt, macht er dabei unermüdlich deutlich. Mit einer erstaunlichen Unverdrossenheit hat Oetinger von seinem 34. Lebensjahr an bis ins 75., also 41 Jahre hindurch, jede Gelegenheit ergriffen, bei Predigten, im Unterricht, bei Trauansprachen, den Psalter und die Sprüche Salomonis unter das Volk zu bringen[63].

In einer Welt, in der vieles von dem fremd zu werden drohte, was christliche Existenz bedeutete, boten sich hier Wegweisungen an, die ganz konkret und unmittelbar in kleiner Münze ins Leben umzusetzen waren. Hier wurde nicht pausenlos auf den Menschen eingeredet, um ihn zu höchsten sittlichen Einsätzen und Opfern aufzufordern. Hier ging es viel schlichter und menschlicher zu. Der Mensch wird zugleich vor Illusionen über sich selbst bewahrt. Er darf wissen, wo und wie er sich bewähren soll und daß er nicht fallengelassen wird. Ihm wird Lebenshilfe im Geist des Evangeliums, das hindurchschimmert, angeboten. »Im Sittlichen ist der Arm, durch den Gott nach uns greift und mit dem er uns in seiner Gemeinschaft festhält.« Für Oetinger ist es eine manifestatio Dei in conscientia (nach Römer 2 Eine Kundgebung Gottes im Gewissen)[64].

Jedem Menschen ist vor und außerhalb des Evangeliums das Gewissen und ein »sensus communis« im Sinne eines allgemeinen Wahrheitsgefühls eingestiftet. So sind alle Menschen vom Evangelium her unmittelbar ansprechbar. Jesus Christus tritt hervor, der die Vollmacht besitzt, von sich zu sagen: »Hier ist mehr denn Salomo.«

Es ist nicht von der Hand zu weisen, daß durch diese Bemühungen und den Appell an ein Urempfinden für Recht und Gerechtigkeit im schwäbischen Volk und Land ein »starkes Gesamtempfinden für das Ehrliche, Ordentliche und Gediegene« erhalten blieb[65].

Noch etwas anderes wird bereits in Walddorf sichtbar . . . Gott hat ein Offenbarungshandeln in einem Volk mit bestimmter Sprache und entsprechenden Sprachleib, in denen seine Denkformen zum Ausdruck kommen, geschehen lassen. Wie Johann Albrecht Bengel seine Lebensaufgabe darin erblickte, das Neue Testament und dort vor allem die Offenbarung Johannes in der griechischen Sprache wieder zum Sprechen zu bringen, so Oetinger das Alte Testament in seiner hebräischen Sprache.

Die Wucht und die Eindrücklichkeit, mit der sich Bengel auf seine Aufgabe konzentrierte, hat Oetinger dabei nicht besessen. Sein universaler Geist mußte in immer neue Bereiche eindringen. Doch möchte er gewichtige Hinweise und Anstöße liefern. Die alttestamentlichen Worte sollen in ihrem besonderen Klang vernehmlich werden. Die Aussagekraft der hebräischen Sprache lag für ihn in der blutvollen Unmittelbarkeit, in ihren ganz konkreten Vorstellungen, die nie zu leeren Begriffen erstarrt sind. Überall erscheint in den hebräischen Worten ein ganz unmittelbarer Bezug auf den Alltag »mit seinen Löchern und Tiefen, mit allen Lebensgelegenheiten und Verlegenheiten«. »Die Worte der Schrift sind prägnant, d. i. vielbegreifende Worte, wie die hebräische Sprache.«[66]

Was ihm die hebräische Sprache bedeutete, zeigt sich in einer anderen Schrift. Er war inzwischen 1752 zum Dekan in Weinsberg und 1759 zum Dekan in Herrenberg ernannt. Durch seine theologischen, philosophischen und naturwissenschaftlichen Studien hatte er sich als ein Universalgelehrter ausgewiesen. Er war unermüdlich, alle Bereiche von der Schöpfung bis zum Ende zu durchforschen und die Voraussagungen Bengels weiter zu entwickeln.

Merkwürdigerweise setzte er dort an, wo er hätte aufhören müssen. *1759 veröffentlichte er die religiös-politische, utopische Schrift »Die güldene Zeit oder Sammlung wichtiger Beobachtungen, von etlichen Gelehrten zur Ermunterung in diesen bedenklichen Zeiten zusammengetragen«.* Vielleicht sollte dieses Buch gerade in diesem Jahr des Höhepunktes im württembergischen Verfassungskampf sein Wort dazu sein[67].

Das Thema ist das »Tausendjährige Reich«. Oetinger spricht von ihm als einer »güldenen Zeit«, die nicht mehr fern liegt. Darum sollten alle, denen es ernst darum ist, auf die Zeichen der Zeit achten, damit Gott nicht die Sprache des Gerichtes sprechen müsse.

»Alle und jede werden ermuntert, das Bild der allertrefflichsten Republik, der allerbesten Regierung, der allerleichtesten und zugleich allergründlichsten Weisheit aus dem alten und neuen Testament ins Gesicht zu fassen, so daß Könige ihre Regierungsveranstaltungen, und Lehrer ihre Methoden zu unterweisen, und ein jeder sein Herz verändern, und nach dem schönsten Modell der güldenen Zeit verbessern möge.«[68] Das erinnert an die »Christianopolis« von Johann Valentin Andreä. Der Unterschied bleibt erhalten. Andreä hat humanistische Züge eingetragen und eine Bildungsrepublik gezeichnet. Er malt nicht das »Tausendjährige Reich«. Doch auch bei Andreä ist alles in einer merkwürdigen Verhaltenheit. Die Transzendierung ist unverkennbar. Es soll zugleich auch als ein Appell an alle, an die Regierungen, an die Kirchenleitungen, an jeden Christen verstanden werden, an alle Zeitgenossen! Oetinger spricht von der Königsherrschaft im Tausendjährigen Reich. Überall herrscht Freude und Glückseligkeit.

Er malt mit den Farben des Alten Testamentes mit seinen prophetischen Verheißungen für die messianische Endzeit. Mit der Wiederkunft Christi verschwinden alle Nöte.

Die Bibelstellen, die dabei Oetinger anführt, stammen vor allem aus dem Alten Testament wie 4. Mos. 14,21; Psalm 72,3; Joel 3,18; Amos 9,13; Jes. 62,4 usf. Dann werden alle Menschen hebräisch reden. Das ist für Oetinger besonders wichtig und sollte nicht übersehen werden.

Noch drei außergewöhnliche Schriften schreibt Oetinger zwischen 1763 und 1765, also noch in Herrenberg. Ihr innerer Zusammenhang ist unübersehbar. Zuerst gab er das »Öffentliche Denkmal der Lehrtafel der weil. Wirttembergischen Prinzessin Antonia« heraus.[69] Dicht darauf folgte seine »Theologia ex Idea vitae deducta« und schließlich kam »Swedenborgs und Anderer irdische und himmlische Philosophie« auf den Büchermarkt[70].

In der ersten Schrift suchte er eine Auslegung der Bildtafeln zu geben, die einst die Prinzessin Antonia (1613–1679) in der Kirche von Bad Teinach aufstellen ließ. Diese Tafel war sakrosankt, denn unter ihr hatte sie nach ihrem Tode ihr Herz in einer Kapsel unterbringen lassen. Diese Lehrtafel benutzte Oetinger, um sie nach den Erkenntnissen der Kabbala auszudeuten. Dabei ergab sich die gute Gelegenheit, seine eigene Anschauung von der Leiblichkeit alles Geistlichen und Geistigen hineinzunehmen. In einer Auseinandersetzung mit den Philosophen und Naturforschern seiner Zeit wie Malebranche, Newton, Wolff, Ploucquet und der »Philosophie von Sanssouci« suchte er seine Position zu entfalten. Sein letztes Ziel trat zu Tage, nämlich eine Apologie der immer noch verdächtigen Theosophie Jakob Böhmes vorzulegen. Er verglich sie mit der Kabbala und den verschiedenen Philosophemen seiner Zeit. Damit könne er die »Grundbegriffe Jesu Christi nicht nur ex fide (aus Glauben), sondern auch ex rationem (aus Vernunftsgründen) für raisonable halten«.

Das war wie ein Vorspann für seine andere Arbeit, für die »Theologia ex Idea vitae deducta«[71]. In diesem Kompendium nahm er den Begriff des Lebens zum Zentralpunkt. Wer das andere Buch über die Lehrtafel gelesen habe, habe praktisch zu diesem Thema bereits eine Einleitung gelesen! Viele Vorfragen in der Auseinandersetzung mit der zeitgenössischen Philosophie seien dann schon beantwortet worden.

Nun heißt es: Gott ist die Quelle des Lebens, der Mensch steht unter der Ordnung des Lebens, die Sünde ist die Entfremdung vom Leben Gottes, die Gnade die Mitteilung des neuen Lebens, die Kirche ist die Sozietät, in der der Geist des Lebens wirkt. Angehängt an diese systematisch straff durchgehaltene Leitlinie sind die sogenannten »letzten Dinge« über das Ende und den Ausgang des Lebens in der Ewigkeit.

Schließlich wird alles zugespitzt auf das Leben des einzelnen Christen. Die durch Jesus selbst angebotene Lebensprobe nach Johannes 7,17 verhilft zur Glaubensgewißheit. Gott schenkt das Leben, das erst verdient, Leben zu heißen und hilft zu einem Leben, das von Gott angenommen wird. Bereits für Oetingers Lehrer Bilfinger und seinen Freund Johann Albrecht Bengel war diese Bezugnahme auf die Stelle im Johannesevangelium eine grundlegende Regel wie einst für Spener, August Hermann Francke, Zinzendorf.

Die Schwerpunktverlagerung auf die dynamische Kategorie der Erlösung und nicht auf die juristische Kategorie der Versöhnung, der forensischen Rechtfertigung, die vorausgenommen wird, ist unübersehbar. Christus wird vor allem zum Bringer und Träger neuen göttlichen Lebens. Hier treten die johanneisch geprägten Begriffe gegenüber den paulinischen ungleich stärker hervor. Ausgespart sind sie nicht[72].

Das Johannesevangelium ist für Luther das wahre Hauptevangelium. Die reformatorische Position ist nicht einseitig paulinisch begründet. Johann Albrecht Bengel liebte das Johannesevangelium und bei aller Ehrfurcht vor Gott, die bei ihm stark ausgebildet ist, kennzeichnet seine Theologie und Frömmigkeit nichts so deutlich als sein Bekenntnis: »ich suche meinen Gott im Licht« mit dem johanneischen Begriff. Oetinger liebte das Johannesevangelium, wo das alles steht: »Das Leben ist erschienen, in ihm war das Leben; ich bin der Weg, die Wahrheit und das Leben«. In seiner Theologia ex Idea vitae deducta wird die Kirche als die societas interpretiert, in der »der Geist des Lebens aus Gott wirksam werden möchte schon jetzt inmitten der Welt des Todes«. Doch noch fehlt ein Schlußstein, damit sein spekulativ-theosophisches System die großartige Geschlossenheit findet.

Johann Albrecht Bengel hat bei seiner Darstellung des »Tausendjährigen Reiches« eine erste Auferstehung der Toten als nicht der Schrift gemäß abgelehnt. Der dritte Band über Swedenborgs und Anderer irdische und himmlische Philosophie, der diese Frage aufnimmt, steht in enger Verbindung mit Ereignissen im Leben Oetingers. »Ich befand mich am Rande des Todes. Alle Arznei war umsonst. Nachts um 11 Uhr ging immer die Fieberhitze an, bis ich endlich eine Tafel ins Bett nahm und schrieb. Ich schrieb den zweiten Teil der ‚irdischen und himmlischen Philosophie‘ vor den Toren der Ewigkeit, in gewisser Überzeugung des mir bevorstehenden Todes. Es sollte mein Testament sein und ich fand dabei Ruhe.«[73]

Das was für manche Schriften Oetingers typisch ist, erscheint auch hier. Gejagt von einer Fülle von Intentionen erscheint im Text manches sprunghaft, doch genial. Da steht man plötzlich vor Erörterungen von bezwingender Tiefe der Einsichten. Geniales und wenig Geordnetes, wie es scheint, wechselt miteinander ab.

Die geheime Grundfrage, die Oetinger von Kindheit an bewegt hat, lautete für ihn: Wie steht es mit dem dunklen Bereich des Totenreiches. Sie behielt in seinen Forschungen einen festen Platz. Die Überzeugung, daß die Väter, die vor dem »Tausendjährigen Reich« sterben, nicht sogleich in den Stand der höchsten Seligkeit kommen, sondern in den Ort, der ein Land der Stille genannt wird, verdichtete sich bei ihm. So sprach er von »wartenden Seelen«[74].

All die Erzählungen von Geistern sind ihm ein Fingerzeig, daß Gott die

Nachricht vom Zustand nach dem Tode nicht untergehen lassen will. Auch das gehört zu dem Begriff des allgemeinen Wahrheitsgefühles, eines Gesamtempfindens nicht allein für das Ehrliche, Ordentliche und Gediegene. Er meint damit jene natürliche Aufgeschlossenheit des schlichten und unverbildeten Menschen für die Wirklichkeit hinter aller Wirklichkeit[75].

Eine Analyse der Schriften Swedenborgs haben wir hier nicht vorzunehmen. Sie beschränken sich auf dessen umfangreichen Bibelkommentar »Arcana coelestia«, einer Auslegung der ersten beiden Bücher Mose und auf Auszüge aus Swedenborgs früherem naturwissenschaftlichen Hauptwerk »Prinzipia rerum naturalium«. In dem hervorragenden Bergbaufachmamm, dem Erfinder, Mathematiker, Philosophen und vielseitigen Naturforscher Emanuel Swedenborg (1688–1772) hat er einen Bundesgenossen entdeckt. Dessen »weit ausholende anatomisch-physiologischen Studien führten zu vielen Entdeckungen (z. B. Lokalisation der Gehirnfunktionen), aber nicht zur erstrebten Lösung des Leib-Seele-Problems«. Swedenborg erkennt, daß keine wissenschaftliche Methodik die ganze Wirklichkeit aufschlüsselt. Der Deist wird Christ und Visionär. Er wurde ein Theosoph und durch seine Visionen über das Zwischenreich der Toten zu einer europäischen Berühmtheit.

Oetinger hat Swedenborg erst richtig in Deutschland bekannt gemacht. Zu einer erstrebten persönlichen Begegnung kommt es nicht mehr. Die Furcht und der Schauer vor der Möglichkeit eines Umgangs mit den Toten ist trotz der einebenden Einflüsse der Aufklärung noch im Volk lebendig. Für das seelsorgerliche Bemühen Oetingers ist der geniale Naturwissenschaftler Swedenborg, der seiner Zeit weit vorauseilte, und der Visionär der anderen jenseitigen Welt ein Mitstreiter auf dem Weg wider die sich in leeren Abstraktionen verirrende Aufklärungsphilosophie.

Oetinger will herausfordern, erschrecken, zum Nachdenken reizen. *Die jenseitige Welt ist voller Realitäten, kein Schattenreich, keine luftleere Vergeistigung, die man sich nicht mehr vorstellen kann.* Die Entwicklung des Menschen ist nach dem Tod nicht abgeschlossen. Es gibt keine Nacht des Todes von unbegrenzter Dauer, dafür aber ein sofortiges Überwechseln in eine andere geistigere Form der Leiblichkeit. Alles bleibt geist-leiblich. Die Kontinuität zwischen dem irdischen Leben und dem jenseitigen nach dem Tode ist somit voll gewahrt.

Dort vollzieht sich unerbittlich eine Enthüllung. Die Grundrichtung, das Grundgefüge – der Charakter – und die Spannweite des Lebens schrumpfen nicht, sondern bestimmen das weitere Geschick. Es gibt keine Wahlfreiheit. Es beginnt ein Prozeß der Abstreifungen, seliger für den

Glaubenden, schmerzlicher für die anderen. Doch nach schmerzvollen Wandlungen wird der Hartnäckigste Gottes Erbarmen erlangen. Gott wird einmal alles in allem sein.

Oetinger tritt voll für die Allversöhnungslehre ein[76]. Er bringt sie aber wie Bengel nicht auf die Kanzel. Diese Überzeugungen, verbunden mit der Erwartung des »Tausendjährigen Reiches« sind in den schwäbischen Pietismus eingegangen.

Es ist ein allgemeiner Vorgang. Bei Bengel ist es eine esoterische Einsicht, die sich bei Oetinger mit theosophischen Motiven verbindet. Jane Leade und Petersen haben sie aus spekulativem Interesse vertreten. Die Frage nach dem »Geisterreiche« ist wach geworden. Bereits 1769 gab Johann Caspar Lavater seine drei Bände »Aussichten in die Ewigkeit« heraus, die dem gleichen Thema galten und schnell eine Zweitausgabe erforderlich machten. Oetinger begrüßte diese Erscheinung auf dem Büchermarkt.

Selbst Erweckungskreise, die einer Theosophie zögernd gegenüberstanden, wenden sich am Anfang des neuen Jahrhunderts der Frage nach dem Geisterreiche zu. Gottfried Menken (1768–1831), Jung-Stilling (1740–1817) wie Johann Friedrich Oberlin (1740–1826) treten in den Vordergrund. »Im Glauben an das Geisterreich begegnete sich damals Idealismus und die Erweckungsbewegung.« In Württemberg erstand Oetinger in dem Bauern Michael Hahn (1758–1819) ein tiefsinniger Interpret von originaler Eigenwüchsigkeit und starker Überzeugungskraft. Er übernimmt nicht nur Oetingers Vorstellungen von einem dynamisch bewegten Zwischenzustand nach dem Tod sondern auch die individuelle und universale Eschatologie und die Allversöhnungslehre. Vieles bei Michael Hahn erinnert darüber hinaus an Jakob Böhme[77].

Die Frage nach einem Zwischenreich der Läuterung, die Oetinger aufgeworfen hat, bewegt auch andere. Goethe wie der jüngere Schleiermacher sind hier zu nennen, vor allem auch der jüngere Fichte. Schelling »läßt in den theosophischen Spekulationen seines Spätwerkes die gottentfremdeten Seelen emporgeläutert werden zum Eingang in die Geisterwelt«. Für G. Th. Fechner ist auf der Basis seiner romantischen organischen Naturphilosophie der Tod der Durchbruch aus einer engeren Lebenssphäre in die höhere einer erweiterten Leiblichkeit. In Gemeinschaft der Einzelnen in einem allbeseelten Kosmos miteinander verwirklicht sich die Unsterblichkeit.

Noch etwas anderes ist zu beobachten. Durch die weithin im Protestantismus offen oder stillschweigend akzeptierte Allversöhnungslehre treten die bisher beherrschenden Vorstellungen von Himmel und Hölle zurück

Die Aufklärung tut das ihre bei der Auflösung der Himmel-Hölle-Perspektive. Der letzte, der innerhalb der Erweckungsbewegung mit einer schockierenden Wucht die Hölle in seine Verkündigung einbaut, ist John Wesley, der Gründer des Methodismus. *In einem unaufhaltsamen Prozeß tritt die drohende Vorstellung der Hölle in der Christenheit zurück und verliert ihre Eindringlichkeit.* Es ist schon zu verstehen, daß damals das Stuttgarter Konsistorium über Oetingers Buch in Aufregung geriet. Ein Prälat wirft diese Fragen auf. So hat das Konsistorium den Restbestand dieses schnell abgesetzten Werkes über »Swedenborgs Irdische und Himmlische Philosophie« beschlagnahmen lassen. Oetinger erhält ein generelles Schreibverbot[78].

Oetinger war inzwischen auf seiner Endstation im geistlichen Amt angelangt. 1738–1743 war er Pfarrer in Hirsau, 1743–1746 in Schnaitheim, 1746–1752 in Walddorf, 1752–1759 Dekan in Weinsberg, 1759–1766 Dekan in Herrenberg und nun von 1766–1782 Prälat in Murrhardt.

Es war kein Geheimnis mehr, daß sich die Theologen im Konsistorium stärker der Aufklärung zuneigten. Man verbot auch anderen Theologen das Schreiben. So erging es Roos 1771 mit seiner Schrift über den »Zustand frommer Seelen nach dem Tode«. Philipp Matthäus Hahn mußte eine Rüge einstecken, weil er seine Werke vorsorglich außerhalb Altwürttembergs drucken ließ, Oetinger hatte sich des Schutzes seines Herzogs versichert, der ihm zugetan blieb und seine Zusage hielt. Man konnte ihm kaum etwas antun.

1772 nimmt Oetinger mit einem Bergrat Riedel aus Sachsen ein Bergwerk in Murrhardt in Betrieb und organisiert alles. Alchimistische Interessen verbinden sich bei Oetinger mit theologischen. »Die Betrachtung des Bergwerks ist ein würdiges Objekt der Theologie. Es sieht in unserem Herzen zuerst aus wie in einem Bergwerk. Da ist alles durcheinander: Sinter, Bergschwaden und Berg-Gur. Das muß erst durch eines Scheiders Hand auseinander gesetzt werden, wie in der heiligen Schrift vielmal angeregt wird.«

»Oetingers letzte literarische Arbeiten galten einem biblischen Lexicon wider Tellers Wörterbuch und dem Versuch einer Auflösung der 177 Fragen aus Jakob Böhme«.

Das »Biblische und Emblematische Wörterbuch, dem Tellerischen Wörterbuch und Anderer falschen Schrifterklärungen entgegengesetzt«, erschien 1776[79].

Wie sehr dieses Buch beachtet worden ist, erweist sich aus einer bereits 10 Jahre später erfolgten russischen Übersetzung. Es ist in Nordamerika gelesen worden wie in der ganzen deutschsprachigen Welt. Hier wird noch einmal eindrücklich eine Front gegenüber der Aufklärung bezogen. »Teller meint es gut, er will ... das Evangelium leicht und praktikabel machen; er will die Geheimnisse, die man nicht erklären kann, weglassen; er will nach dem Wörterbuch die Prediger dahin bringen, von dem Glück eines aufrichtigen Christenthums zu reden; ... aber dadurch gerät er in eine falsche Übersinnlichkeit. Die ganze Schrift ist voll sinnlicher (durch die Sinne wahrnehmbarer) Vorstellungen, und diese machen das Meiste im neuen Testament aus.« An anderer Stelle: »Werke und Worte Gottes müssen zusammen genommen werden zur Erklärung der heiligen Schrift: ... Denn man muß alles zusammen nehmen, was zur ganzen Analogie der Werke und Worte Gottes gehört.« Der Druckort und der Verlag war nicht angegeben.

Eine »Philosophie der Schrift«, welche Oetinger noch angekündigt hatte, kam nicht mehr zustande. Sein »Versuch einer Auflösung der 177 Fragen aus Jakob Böhme« war wie ein letzter Dank dem gegenüber, der innerhalb der Geschichte des Protestantismus weitaus die stärksten Anstöße zu einem christlich-theosophischen Gesamtverständnis von Gott, Welt und Mensch, Leben und Tod, Zeit und Ewigkeit gegeben hat. Er stand ja am Beginn der ganzen Lebensarbeit Oetingers und von ihm aus, nicht in knechtischer Abhängigkeit, aber in freier Begegnung entfaltete er seine eigene »Philosophia sacra«[80].

Bis zu seinem 76. Lebensjahr stand Oetinger fast jeden Sonntag auf der Kanzel. Er bestieg sie am 1. Osterfeiertag, den 19. April 1778 zum letzten Mal. Er sprach nicht mehr viel, später verstummte er ganz. Daß er Prälat gewesen, wußte er nicht mehr. Er setzte sich am liebsten unter die Kinder, spielte mit ihnen und jubelte mit ihnen, wenn sie im nahen Wald über die Blumen und Erdbeeren, die sie fanden, jauchzten. Oft fand man ihn vor seiner Bibel liegen und beten oder mit den Kindern zusammen beten. Am 10. Februar 1782, fast 80 Jahre alt, starb er.

In Johann Albrecht Bengel und Friedrich Christoph Oetinger ist die dritte Generation neben Zinzendorf innerhalb der pietistischen Bewegung zu Wort gekommen. Die ihnen nachrückende pietistische Generation, deren Reihen sich stark lichten, fügt sich ohne tiefgreifende Übergangsschwierigkeiten in die beginnende Erweckungsbewegung ein. Das läßt sich gut in Württemberg studieren.

Bengel und Oetinger, die beiden prägenden Gestalten im schwäbischen Pietismus, haben ohne Zweifel das zur Reife gebracht, was den Intentionen des Pietismus als Gesamterscheinung entsprach. Ihre Wirkung erstreckt sich bis in die Gegenwart.[81]

1. Bengels Schriften, die im 19. Jahrhundert oft aufgelegt wurden, ha-

ben zu einem intensiven Bibelstudium angeregt. *Schriftgetreu und Wort um Wort sich in die Schrift zu vertiefen und das Ganze der Schrift dabei einzubeziehen, hat man bei Bengel lernen können.* Die Mitte der systematisch betriebenen Bibelarbeit bleibt das Christusereignis und die Christusbotschaft. Eindrucksam verkörpert sich dieses Bemühen im schwäbischen Biblizismus. So entstehen Bibellesepläne, auf Jahre hinaus angelegt. In der theologischen Wissenschaft bilden die sogenannten historischen Fächer, das Alte Testament, das Neue Testament und die Kirchengeschichte die feste Ausgangsbasis und die Mitte der Forschung. Unausgeglichen bleibt das Verhältnis des Pietismus zu diesen wissenschaftlichen Arbeiten. Hier haben weder Bengel noch Oetinger eine rechte Hilfe geleistet. Zinzendorfs Schriftverständnis setzte sich nicht durch. Unberührt bleibt dabei das Recht des Pietismus, von seiner Seite wiederum kritische Fragen an die Bibelwissenschaft zu stellen und sie zum Wesentlichen zu mahnen[82].

2. *Der Pietismus ist durch die beiden Urschwaben, Bengel voran, in den weiten Raum der heilsgeschichtlichen Theologie hineingenommen worden.* Der Aufbruch zu neuem eschatologischen Denken hat den schwach entwickelten Sinn des Pietismus für die Geschichte geweckt. Die Christusoffenbarung wird als entscheidender Wendepunkt in eine progressive, stufen- und staffelweise Heilsentwicklung nach dem Plan Gottes hineingezogen. Belastet wird die prophetische Geschichtsschau bei Bengel durch die problemlose Einspannung der Offenbarung Johannes. Aus ihr errechnet sich ein Fahrplan mit einer Fixierung eines Heildatums auf das Jahr 1836. Daß das Tausendjährige Reich nicht 1836 anbrach, hat nur eine vorübergehende Verwirrung angerichtet.

Sein heilsgeschichtliches System hat Bengel in die Offenbarung Johannes eingetragen. Doch damit wollte er nicht von einem Hören auf die ganze Schrift ablenken.

Die eschatologische Zukunftshoffnung begründet sich bei ihm auf die Christusoffenbarung und bleibt damit im Rahmen von Verheißung und Erfüllung. Sein »Hoffnungssystem« mit dem Blick auf das Zukünftige behält sein ganzes Gewicht auch ohne Zeitpläne, die bei Bengel eine Nähe zu den fortschrittsgeschichtlichen Zukunftsvisionen der Aufklärung aufweisen. Gewiß sind das nur auffallende Parallelen. Das Ziel des Christusereignisses »für die Völker, für die Leiblichkeit, für die Natur und für Israel« ist vollinhaltlich auch ohne heilsgeschichtliche Stufenpläne aussagbar. Ein Fragen »nach den Zeichen der Zeit« wird im neuen Testament von den Christen erwartet. Damit verbindet sich ein Vorbehalt. Gottes Walten in der Geschichte ist nicht aufrechenbar und weder in seinem Gerichtswalten noch im gnädigen Bewahren auseinanderzunehmen. Niemand solle unberufen unter die Propheten gehen.

Die profane Geschichtswissenschaft hat das nur bestätigt. Denn si vermag keinen Gesamtsinn aus der menschlichen Geschichte herauszule sen, wenn sie auf dem Boden der Wirklichkeit bleiben will. Sonst verir sie sich im Spekulativen und in einer unzeitigen Prophetie für die Zukunf *Ein Endziel der Geschichte aus ihrem bisherigen Gang ist nicht aufweisba* Georg Friedrich Wilhelm Hegel (1770–1831), der große Historiker, de in der inneren Geschlossenheit und der Eindringlichkeit seiner Interpre tationen nie wieder erreicht worden ist, hält in seiner weltgeschichtliche Schau unmittelbar in seiner eigenen Lebenspanne an. Er geht kein einz ges Jahr darüber hinaus. Bekanntlich besitzt er in Johann Albrecht Beng einen seiner schwäbischen Geistesahnen. So kann man eine Linie von Jo hann Albrecht Bengel über Hegel in die Vorstellungen eines »Tausend jährigen Reiches« in der Umdeutung durch Engels und Karl Marx ziehen Daß Hegel diese Spekulationen eines irdischen und säkularen Vollen dungszustandes nicht veranlaßt hat, ist deutlich. Nur das stufenweis Fortschreiten der Geschichte ist bei Hegel in seine großartige historisch Schau hineingenommen[83].

3. Hier zeigt sich, daß der menschliche Geist darauf angelegt ist, nich an der Schwelle der Zukunft stehen zu bleiben. *Er möchte das Ganze de Wirklichkeit einheitlich verstehen.* Oetinger will nicht das Denken den an deren überlassen, bei denen der christliche Glaube dabei ausfällt. Ei Denken vom Glauben aus muß darum ringen, ein Weltbild des Glauben zu schaffen, das von der Christusoffenbarung her Mensch und Erde, Na tur und Geschichte deutet. Oetinger hat das in seinem theosophischen Sy stem gewagt. Wie Swedenborg war er in manchen naturwissenschaft lichen Einsichten seiner Zeit weit voraus. Er wußte, daß jeder Versuch ei ner Selbstinterpretation der Welt abseits des christlichen Glaubens frühe oder später scheitert und ruhelos durch andere Versuche verdrängt wird Philosophie und Naturwissenschaft bedürfen um ihrer selbst willen in ih ren Grundvoraussetzungen immer neu einer Infragestellung durch ei christliches Weltbild. Dieses hilft der Philosophie und der Naturwissen schaft nur, wenn es sich um ihre Fragestellungen bemüht und sie ohne Ab zug voll ernst nimmt. So ist es ein Geben und Nehmen hier und dort[84]

Gottfried Arnold und der schwärmerische Pietismus

Weder Gottfried Arnold in seiner mystisch-schwärmerischen Periode noch der radikal-schwärmerische Pietismus als Gesamterscheinung sind ohne die Renaissance der christlichen Mystik im 17. Jahrhundert zu verstehen. *In welchem Umfang mystische Strömungen im 17. wie 18. Jahrhundert in den lutherischen wie reformierten Kirchen aufbrachen, ist heute schwer vorstellbar*[1].

Man wird Johann Arnds »Bücher vom Wahren Christentum« als einen der Wegbereiter ansehen können, obwohl das Einfluten mystischer Stimmungen viel weiter zurück in das Reformationsjahrhundert verfolgt werden kann. Philipp Nicolai und Jakob Böhme, auch Johann Gerhard sind dabei nicht zu vergessen, so wenig sie einander gleichen[2].

Doch eine umfassende Durchforschung des Gesamtbereiches der mystischen Überlieferung der christlichen Kirche setzte erst im Pietismus ein. Unermüdlich wurden die Zeugen mystischer Erfahrungen aus allen kirchlichen Epochen gesammelt. Waren diese Mystiker nicht in deutschen Ausgaben bereits greifbar, wurden sie übersetzt. So groß war die Leserschar nicht nur in den pietistischen Kreisen, daß diese Neuausgaben den Druckern förmlich aus den Händen gerissen wurden. Konfessionsgrenzen spielten keine Rolle mehr. Man nahm die Schriften der Mystiker und studierte sie. Die »Theologia deutsch« gab Philipp Jakob Spener neu heraus. Taulers Predigten finden wir in zahlreichen neuhochdeutschen Bearbeitungen. Die großen Gestalten der niederländischen Mystik wie Ruysbroek fehlten nicht. Thomas a Kempis »Nachfolge Christi« hat Gottfried Arnold neu aufgelegt.

Man griff nicht nur auf die mittelalterliche Mystik zurück. Das mystische Schriftgut von Makarios dem Ägypter (um 400) trat einen förmlichen Siegeszug im Pietismus an. Der Eremit der nitrischen Wüste übte seine Faszination aus. Man kann von einer ausgesprochenen Makarios-Renaissance sprechen. In den schwärmerischen Kreisen war er vor allem noch verehrt. Und selbst der kirchliche Pietismus hat sich, wenn auch nicht unkritisch, in Makarios intensiv eingelesen. Pritius, ein Schüler Speners hat eine sorgfältige Neuausgabe des griechischen Textes vorgelegt. Gottfried Arnold stieß sofort nach. Mit Hilfe dieses nun allgemein zugänglichen Originaltextes fertigte er eine sorgfältig korrigierte Zweitausgabe von Makarios in Deutsch an.

Was fesselte an Makarios? Es war die glühende Beschreibung des unvergleichlich hohen Standes des erlösten Christen. Für Makarios geht es bei der Erlösung nicht um eine Wiederherstellung der verlorenen Gottesebenbildlichkeit. Denn was sollte es, »Scherben eines zerstörten Gottesbildes mühsam zusammenflicken zu wollen«. Nicht das ursprüngliche Bild Adams vor dem Sündenfall ist Zielpunkt. Der erlöste Christ wird vielmehr Schritt für Schritt in das Bild Christi verwandelt. Er nimmt teil an der göttlichen Natur. John Wesley (1703–1791) ist in seiner Vollkommenheitslehre deutlich von Makarios beeinflußt worden. So weit reichte damals die Ausstrahlung des nitrischen Mönches[3].

Doch ungemein stärker drangen die Gedanken der romanischen Mystik von Frankreich und Holland aus in breite Kreise des Pietismus. Den Weg bahnte die spanische Mystik der Theresa von Avila und des mit ihr befreundeten Johannes vom Kreuz. Nicht daß diese spanische Mystik unmittelbar wirkte. Sie durchtränkte jedoch die ganze romanische Mystik des 17. Jahrhunderts, die sich quietistisch ausformte. Die Schriften der französischen Mystikerinnen, der Mme. de Guyon und der Antoinette Bourignon wie die jener niederländischen Vertreter Pierre Poiret und Jean de Labadie wurden in die deutsche Sprache übertragen. Der »Guida spirituale« des spanischen quietistischen Mystikers Molinos (1628–1697) fand in Gottfried Arnold einen deutschen Übersetzer. Von ihm stammt auch eine Übersetzung der »Pilgerreise« von Bunyan (1628–1688)[4].

Die quietistische Mystik hat ohne Zweifel im kirchlichen wie außerkirchlichen Pietismus am tiefsten gewirkt. Die mittelalterliche deutsche Mystik war nur ein schmaler Nebenfluß.

Wie konnte sich der Pietismus nur so vehement der Mystik öffnen? Mit vielen anderen litt man unter der toten Buchstabenfrömmigkeit und an den Streitigkeiten wie der Selbstgefälligkeit innerhalb der Kirchen. Die Mystik bot unaufdringlich an, was man an Frömmigkeitskräften suchte[5].

Noch etwas anderes machte der Mystik Bahn. Das alte geozentrische Weltbild war zerbrochen. Konnte man dann noch festhalten, daß der Mensch das »Lieblingsgeschöpf Gottes« sein sollte? Er sollte wirklich eine »Hauptbeschäftigung Gottes« sein und dies angesichts der Unendlichkeit der Welten und Sonnensysteme, die dieser Gott aufgetürmt hatte? Die Erdkugel war doch nun nicht mehr als ein Staubkorn mitten in einer unermeßlichen Schöpfung.

Das waren neue schockartige Erkenntnisse. Was geriet nicht alles in Wanken! Doch auch die kirchliche Zeitrechnung, die den Anfang de

Schöpfung mit der Erde als Mittelpunkt auf das Jahr 5509 vor Christi errechnet hatte. Für den jüngsten Tag lag nach dem kirchlichen Kalender als spätester Termin das 7. Jahrtausend nach der Erschaffung der Welt fest. Das rutschte doch alles. Endlosigkeiten am Anfang und in der Zukunft!

Durch die Begegnung mit der »kopernikanischen Lehre« ist bei vielen Zeitgenossen, und durch das ganze 17. Jahrhundert hindurch, ein Entsetzen vor dem Abgrund, vor dem Rätselhaften und Wilden aufgerissen worden. Das einsam gewordene Ich in einer grenzenlos gewordenen Welt sah schreckhaft die »große Tiefe dieser Welt«[6].

Entwich nicht Gott in den dunklen Mittelpunkt eines undurchschaubaren Universums von schrecklichen Ausmaßen und entglitt dem Menschen? Fragen über Fragen wachten auf.

So wird man die elementare Hinwendung zur Mystik im Pietismus auf diesem Hintergrund einer Fluchtbewegung durch den »kopernikanischen Schock« mit verstehen müssen. Mit aller Leidenschaftlichkeit umklammerte man den, in dem der abgründige Gott faßbar und allein nahe war, Christus. Gott war der Ungrund, der Abgrund, der Unbegreifliche, der sich allem Begreifen entzieht. Um so »überraschender und überwältigender erscheint das in Christus aufflammende Zeichen der göttlichen Liebe«. Das Thema, das in der neuen Christusmystik angeschlagen wurde, war tiefgründiger als nur ein protziges Vorspielen einer Darstellung des verchristeten, vergotteten Menschen und seiner Einformung in Christus. Überschwengliche Christushymnen voll Dank und Anbetung brechen aus den mannigfaltigen Christusmeditationen hervor. Wir finden sie bei Johann Arnd, entdecken sie bei Zinzendorf in seinem Christuszentrismus wie auch bei den Vertretern des schwärmerischen Pietismus[7].

Nicht die Vergottung stellt das Hauptthema auch bei den schwärmerischen Pietisten, von jenen Vereinzelten abgesehen, die daran strauchelten wie die Buttlarsche Rotte. Das Geschenk des Geistes steht über dem Gedanken einer teilhabenden göttlichen Natur. Geistesbesitz und persönliche Gemeinschaft mit Christus wird nicht ontologisch, naturhaft verstanden, sondern als wirkliche reale Begegnung. Die ganze Sehnsucht zielt auf die Erfahrung jener innersten Begegnung mit Christus, die den Menschen in seinen Tiefen berührt.

Gefahren tauchen auf. Sie hängen mit den Bildkreisen zusammen, die sich mit der Mystik vordrängen und doch bis ins Neue Testament zurückreichen. Man sucht das Unbegreifliche begreiflich zu machen in dem mystischen Bild der Geburt des Sohnes Gottes im Herzen des Gläubigen. Vor allem für die Vertreter der Mystik im schwärmerischen Pietismus wird die Wiedergeburt in ihrer letzten Konsequenz nicht anders gesehen.

Doch die sprachliche Einkleidung der mystischen Erfahrungen im Bildbereich einer geistlichen Hochzeit ist beherrschend geworden. Braut und Bräutigam treten dabei in den Mittelpunkt. »Die Braut ist meine Seele, der Bräutigam ist Gottes Sohn.« Der Faden wird weitergesponnen vom Hohelied Salomos aus. Erotische Klänge tauchen auf. Man versteht diese erotische Sprache der Mystik völlig falsch, wenn man übersieht, daß sie zu einer sakralen Sprache verdichtet ist. Sie hat gewiß sich nie von der Verbundenheit mit der Alltagssprache befreien können und ist doch eine Sprachform, die andere innerste Bereiche erreicht.

Es ist schwerlich zu übersehen, daß »die Gläubigen in primitiven wie in hochentwickelten Kulturen normalerweise fähig sind, die zwei verschiedenen Redeformen zu unterscheiden«. Die Bekundung der Anwesenheit Christi hält fest, was eigentlich unerklärbar, aber nicht widersinnig ist.

Zum mystischen Bild von Braut und Bräutigam führte auch ein anderer Ausgangspunkt. *Jakob Böhme hat eine Sophienspekulation entwickelt, die in diesen Bildkreis einmündet.* Sie hängt aufs engste mit seiner ganzen Theosophie zusammen. Für ihn war der Mensch ursprünglich als androgynes Wesen von Gott geschaffen worden. Männliches und Weibliches war in ihm harmonisch verbunden. Doch der Mensch »verpfuschte« sich selbst, indem er eine Gehilfin begehrte. Dadurch wurde er tierisch-sinnlich[8].

Doch blieb eine Möglichkeit, sich dem Früheren wieder zu nähern. Der Weg ist nicht völlig versperrt. »Böhme gebraucht sehr viel das Wörtlein Sophia (Weisheit), welche er Adams Gehülfin nennet, dabey ist zu merken, daß er mit Sophia eben auf Jesum unsere himmlische Braut ziele, und damit die Liebe meinet.«[9]

Das ist die Aufgabe, die dem Christen gegeben ist, um die »Liebe der Himmelsbraut willentlich zu buhlen, und zwar mit großer Begierde«. Hier ist Christus auf einmal nicht der Bräutigam, sondern die Braut, mit der die Seele zu spielen beginnt. Denn der Mensch muß sich darum bemühen, um all die Verheißungen, Tröstungen und Weisungen zu empfangen.

Dieser Sophienkult führte zu einer Abwertung der »irdischen Ehe«. Hauptverantwortlich für den Sündenfall und damit in der Schuldfrage ist plötzlich die Eva. Die Frau wird zur Sündeneva. Die Geschlechtlichkeit wird verfemt. Das Weibliche kettet und versucht das Männliche. Der Rückweg ist nicht versperrt zur Ehe mit Christus. Das eigentliche Hemmnis bildet die Sinnlichkeit, die mit elementarer Kraft den Menschen zurückzuhalten sucht. Die Abstreifung ist möglich. Denn wenn die ledigen Männer Christus »an ihre Seele« anziehen, wird er ihre Jungfrau und der ledigen Frauen ein keuscher Mann. Diese Schilderungen werden in der ganzen Mystik, die sich an dem Sophienkult orientiert, zu einem verliebten Spiel voll erotischer Bilder. Warum ist das möglich geworden?

Das alles kann wuchern, weil die Reformation, »die den Menschen wieder völlig neu allein unter die Gnade Gottes stellte, die Geschlechtlichkeit und die Ehe des Menschen nicht entscheidend genug in die Gnade miteinbezogen hat. Beides blieb zu sehr auch bei Luther dem Sündigen verhaftet. Der alte Adam ist hier noch am wenigsten eine neue Kreatur geworden.«[10]

Doch das, was sich hier als Wildwuchs in die mystische Bildvorstellung von der »mystischen Ehe« hineindrängte, führte auch zur erneuten Besinnung. Zinzendorf hat die ganze Verfemung des Natürlichen in seiner »Ehe-Religion« und zugleich in einer damals revolutionären Sexual- und Ehepädagogik zur Seite geschoben. Daß ihm das nur in Verquickung mit der mystischen Ehe mit Christus möglich war, versperrte einen ganzen Durchbruch, bedeutete aber einen entscheidenden Schritt vorwärts.

Ein anderer Motivkreis, der der Alchemie entstammt, tritt dafür stärker zurück. Ein geistliches Goldmachen, die Reinigung, Läuterung, Verwandlung und Umschmelzung, Bilder aus der alchemistischen Küche, werden zum Bild dessen, was Christus mit dem Menschen vorhat, »Sobald durch Gottes Feuer ich muß geschmelzet sein. So drückt mir Gott alsbald sein eigen Wesen ein.«[11].

Vor dem allen schreckt der kirchliche Pietismus zurück. Und doch gehen viele dieser Klänge in die gesamtpietistische Frömmigkeit ein. Im Jahre 1700 erscheint in Leipzig ein Buch: »Das Geheimnis Der Göttlichen SOPHIA oder Weißheit Beschrieben und Besungen von Gottfried Arnold.« Es wird vor allem von einer religiös bewegten Jugend verschlungen. Der erste deutsche Missionar, der von Halle aus nach Südindien ging, um dort eine lutherische Kirche zu gründen, Bartholomäus Ziegenbalg (1682–1719), hat zeitlebens eine eigentümliche Vorliebe für diese Gedanken gehabt, die Gottfried Arnold über das Geheimnis der göttlichen Weisheit als Führerin und Erzieherin der Menschen zu Gott hin ausgesprochen hat. Ziegenbalg blieb ein unermüdlicher Verkünder des seligen Geheimnisses des neuen lebendig strömenden Lebens. Seine einzige theologische Schrift, die fast den gleichen Titel führt, erscheint in Leipzig und passiert die strenge Zensur der lutherischen Fakultät ohne Beanstandung[12]. Für Ziegenbalg wird das ein Hang zur Stille und Einsamkeit. Es bereitet ihm in Indien später keine Not, monatelang von Missionsfeinden in Einzelhaft gehalten zu werden. Verstandesschärfe und Gefühlsstärke schließen sich in seinem Seelentum nicht aus.

Die Grenzen sind und bleiben fließend. Aufs Große und Ganze gesehen folgt dem Überschwang eine Unsicherheit, die in Ernüchterung übergeht und sich in die Grenzmarkierungen zurückbegibt, die in der lutherischen Lehre von der »Unio mystica« gezogen sind. Das gilt auch für Bartholomäus Ziegenbalg und die anderen, die sich innerhalb des kirchlichen Pietismus bewegen oder sich dorthin zurückfinden.

Noch anderes siedelt sich unmittelbar bei und in der pietistischen Mystik an. Es ist z. B. die Apokalyptik, die glühende Erwartung der »güldenen Zeit« des Tausendjährigen Reiches. *Weil Ungezählte die gleichen mystischen Erfahrungen bekunden, kann die Wiederkehr Christi nicht mehr fern sein.*

Vielen der schwärmerischen Pietisten wird es zu einem unwiderstehlichen Drang, die eingeschlafene Christenheit rechtzeitig durch Bußrufe wachzurütteln[13].

Ruhelos ziehen sie mit dieser Alarmbotschaft umher, werden von einer Stadt zur anderen weitergejagt, eingesperrt und dann wieder laufengelassen. Ernst Christoph Hochmann von Hochenau (1670–1721) wanderte unverdrossen durch die deutschen Landschaften. Er rief zum Auszug aus »Babel«, also den öffentlichen Gottesdienst zu meiden, und verkündigte den baldigen Ausbruch des Tausendjährigen Reiches. Dreißigmal läßt er sich geduldig einsperren und in Berleburg halbtot schlagen. Er gibt das nicht auf. Feste Gemeinden will er nicht gründen. Seine Losung blieb: »Ich finde es am besten, alle Secten zu verlassen und Jesu allein anhangen.«[14] Die Vertreter einer Geistfrömmigkeit und Enderwartung sind zahllos zu finden[15].

Mit der Verkündigung der Lehre vom Tausendjährigen Reich verbindet sich oft die Allversöhnungslehre. Johann Wilhelm Petersen (1649–1727) und seine visionär veranlagte Frau Johanna Eleonora geb. von Merlau (1644 – 1724) haben beides unermüdlich durch Wort und Schrift vertreten. Petersen verliert darüber sein Superintendentenamt in Lüneburg und zieht sich auf seine Güter bei Magdeburg zurück. Aber er bleibt bei dem, was für ihn hier feststeht. Das Ehepaar Petersen bestreitet zugleich die Einmaligkeit der Offenbarung, wie sie im Alten und Neuen Testament eingegrenzt wird. Sie lehren die fortlaufenden Offenbarungen Gottes, die nie abgeschlossen sind und sich in inneren Kundgebungen und Gesichten bezeugen[16]. Die Christus-Visionen der Rosamunde Juliane von Asseburg (1672 – 1708?), die seit 1690 mit dem Ehepaar befreundet ist, geben sie in ihren Schriften weiter. Sie stellen eine Verquickung von chiliastischer Apokalyptik und erotischer Jesus-Minne dar. Das alles wird vor allem in pietistischen Adelskreisen in Mittel- und Norddeutschland, die dem Separatismus nahestehen, begierig aufgenommen. Hier bilden sich die Freundeskreise um Petersen. *Es sind aufrichtige und herzensgute Menschen, die in stillen Welten leben möchten ohne Streit mit der Kirche, nur abseits und unbelästigt.* Und wenn Rosamunde Juliane von Asseburg von den orthodoxen Kirchenlehrern wie von Valentin Ernst Löscher und Johann Friedrich Mayer als Schwärmerin verworfen wird, so ist Speners Urteil über sie verhalten und Leibniz sprach für sie[17].

Einen Schritt weiter als Petersen geht dann Johann Konrad Dippel (1673 – 1734). Dieser Theologe und Chemiker, zeitweilig mit Versuchen der Goldgewinnung und mit Farbexperimenten beschäftigt, führt ein unstetiges Leben, bald an Pietistenhöfen, dann als Arzt in Amsterdam, dann in dänischen und schwedischen Diensten und ist zuletzt Einsiedler in Berleburg. Ihm ist das nicht genug, daß ewige Höllenstrafen nicht das letzte Wort Gottes bleiben.

Die hier aufgeworfene Frage nach Gottes Zorn, der die Gottlosen straft aber doch letztlich nicht ewig zürnt, ergreift er neu. Und er weiß es, daß Gott jetzt »einem seiner gegenwärtigen Kinder neue und wahre Erleuchtung« schenkt. Böhmes Aussage, daß Gottes Herz nichts als Liebe ist, vermag er nun wirklich anschaulicher und klarer auszusprechen. »Der Zorn Gottes ist nichts als ein Mittel in der Hand seiner Liebe, besser: eine Art vorläufiger Verhüllung der im Grunde wesenden und sich des Menschen annehmenden göttlichen Liebe«. In Jesu Kreuz und Auferstehung tut sich Gottes reine ewige Liebe kund. Alle theologischen Aussagen von Erlösung und Versöhnung, vom Strafleiden Christi tragen nur fremde oder widersprechende Züge in das Gottesbild hinein. Sie sind widerchristlich, denn Gott ist nichts als Liebe und Gott wandelt sich nicht, er bleibt von Ewigkeit zu Ewigkeit der gleiche, unveränderliche. So kann dann auch die Schrift nicht mehr als nur eine Hilfe und Wegweisung für neue und weiterführende Erleuchtungen sein[18].

Dippels Frömmigkeit ist gemeinschaftslos. Unter dem Namen »Christianus Democritus« schreibt der Pfarrersohn seine bissigen Schriften gegen das »protestantische Papsttum der Orthodoxie«. Ein glänzender Schriftsteller, aber gehässig und polemisch-satirisch, ja zänkisch wird er zu einem der meistgelesenen Autoren seines Jahrhunderts. Doch im Grunde wirkt er abstoßend. Der kirchliche wie der schwärmerische Pietismus und die Philosophie seiner Zeit finden bei ihm keine Gnade mehr. Den Ausgang des radikalen Pietismus, soweit es die Einzelgänger betrifft, bildet Johann Christian Edelmann (1698 – 1767). Durch zehn Jahre währt seine »Irrfahrt als individualistischer Wahrheitssucher«. Er erregt mit seiner Absage an den gesamten Bibelglauben seit 1740 ganz Deutschland. Über 160 Gegenschriften erschienen gegen den »Religionsspötter schlechthin«. Seine zornigen Bücher werden mancherorts durch den Henker verbrannt. Der freigeistige König Friedrich II. von Preußen, der Edelmann für einen Narren hielt und das Bücherschreiben untersagte, gewährte ihm schließlich einen Unterschlupf. Edelmann willigte ein und verhielt sich bis zu seinem Tod 18 Jahre hindurch still. Unverändert bleibt seine Gelassenheit und die Heiterkeit des Gemüts[19].

In Edelmann findet sich der Abgesang eines schwärmerischen Pietismus. Er ging aus, Gott zu finden in glühender Sehnsucht. Doch die eigenen Geistesoffenbarungen wurden ihm zu dem Licht der Vernunft und zur neuen Führerin zur Wahrheit und Wahrhaftigkeit.

Der schwärmerische Pietismus hat zweimal versucht, zu einer übergreifenden Gemeinsamkeit aller kirchenkritischer Geister zu gelangen[20]. Man suchte vertrauliche Kreise. Die eigenen Visionen und die eigene mystische Begabung hatte sie alle zu Einzelgängern und zu Sonderlingen in ihrer bisherigen Umgebung gemacht. Man jagte sie fort. Je härter man sie bedrängte, je gellender klang ihr Grablied auf Babel, auf das Kirchentum, das gegenüber der Urkirche so völlig versagt und bei ihnen die Flucht in die eigene Seele bewirkt hat. Darunter mischten sich kritische Töne gegenüber der unchristlichen Obrigkeit und ihrem unerträglichen Mißbrauch von Gewalt im Sinne eines Cäsaropapismus. Da kannte man Speners Vorwürfe in seiner Pia desideria gut genug, um damit immer wieder neu zu beginnen.

Als sich die überraschende Möglichkeit ergab, in Berleburg eine Zufluchtsstätte zu finden, strömten viele dieser radikalen Pietisten dort zusammen. Der philadelphische Gedanke zündete unter ihnen bereits vor 1700. Superintendent Petersen und seine Frau haben ihn wohl zuerst mit propagiert. Daneben ist der zweite Hofprediger Sprögel in Quedlinburg, der spätere Schwiegervater Gottfried Arnolds, nicht zu übersehen. Um 1700 entstehen in Deutschland, in der Schweiz und in Holland philadelphische Zirkel. Man schwärmt bereits von der Errichtung philadelphischer Sozietäten in der ganzen Welt[21].

»Die Zeit ist jetzt erwacht«, schreibt Petersen, »wo ein Neues soll gebaut werden, und wo das neue philadelphische Jerusalem in einem völligen Grade hervorgrünen soll. Dies soll aber niemand so verstehen, als sollte eine neue Sekte aufgerichtet werden ... Es ist vielmehr nur so gemeint, daß man im Geist und in der Wahrheit an allen Orten und zu allen Zeiten wandeln und das neue Wesen des Geistes besitzen soll. Das neue Jerusalem ist kein Menschenwerk ...« Petersen warnt davor: »Es soll kein Knecht Gottes vor der Zeit ohne des Herrn Willen und Befehl nach igenem Gutdünken das alte sardische Jerusalem einreißen und das neue philadelphische Jerusalem errichten.«[22]

Diese letzte Mahnung wurde unter den Separatisten überhört. Der Gedanke begeisterte, daß die wahren Christen sich sammeln sollten. Satzungen und Statuten erübrigen sich, wenn das Gemeinsame so klar vor ihnen steht. Paragraphen engen nur ein, daß der Geist nicht walten und die Bruderliebe nicht entstehen kann.

Es sprach sich schnell herum, daß es keinen Zufluchtsort gab. Man konnte ins Wittgensteiner Land kommen. Hier am nördlichen Rand der Vetterau, zwischen Main, Sieg, Rhein und Fulda hatten die beiden regierenden Reichsgrafengeschlechter der Wittgensteiner Linie Sayn-Wittgenstein-Berleburg und Sayn-Wittgenstein-Hohenstein, die verwandtschaftliche Beziehungen zu den Hugenotten besaßen, für diese unruhigen Geister eine Freistatt eröffnet. Hervor trat hier die verwitwete Gräfin Hedwig-Sophia (1669 – 1738), die bis zur Mündigkeitserklärung ihres Sohnes Casimir (1687 – 1749) die eine der beiden Grafschaften mit Berleburg als Hauptsitz regierte. Sie stand in enger Verbindung mit Hochmann von Hochenau. Sie duldete nicht nur die Separatisten. Sie beherbergte sie auf ihren Herrensitzen und bewirtete sie. Ihre Kinder ließ sie von ihnen unterrichten und ihren Versammlungen wohnte sie bei. Gebetsgemeinschaften entstanden. Täglich kam man in der Stadt Berleburg und zweimal wöchentlich auf dem Schloß zusammen. Die reformierten Gottesdienste liefen weiter. Es waren über 300, die in Berleburg und Schwarzenau außerhalb der landeskirchlichen Gottesdienste zusammenkamen. Die Bevölkerung dieser ärmlichen Landschaft ging weithin mit. Schließlich wurden den Separatisten selbst Kanzeln hin und her eingeräumt[23].

Die Begeisterung ging hoch, wenn Hochmann von Hochenau sprach. *Verzückungen und Visionen, Ekstasen und Offenbarungen blieben nicht aus.* Die Gräfin Hedwig-Sophia wurde in einer Versammlung, die König leitete, einer der Führer der philadelphischen Sozietät, so entflammt, daß sie drei Tage »nichts weiter tun konnte als lachen«[24]. Doch in der Berleburger Grafschaft folgte bereits 1700 ein Kehraus durch Graf Rudolf von Lippe-Brake, Hedwig-Sophias Bruder und als Mitvormund Casimirs zu Eingriffen berechtigt.

Plötzlich hatten sich auch Wiedertäufer bemerkbar gemacht und in Schwarzenau in Gruppen angesiedelt. Sie kamen aus lautlosen Zirkeln, untergetauchten Taufgesinnten. Diese Wiedertäufer konnten sich bis 1720 in Schwarzenau halten, ehe sie nach Pennsylvanien auswanderten. Sie verwerfen die Kirche, die Taufe und die heiligen Sakramente, halten

Liebesmahle und simulieren göttliche Prüfungen.« Doch sie haben »sich ganz still und fromm gehalten und von keinem Menschen ist über sie Klage geführt worden«[25].

Eine Emanzipation der Laien vom kirchlichen Amt war unübersehbar und eine Verunsicherung der Amtskirche mußte die Folge sein. *Zu den Separatisten aus Deutschland und der Schweiz gesellten sich auch noch Gruppen von französischen Emigranten*[26]. Graf Gustav von Sayn-Wittgenstein-Hohenstein erhoffte sich von diesen aus Frankreich geflüchteten Reformierten eine kulturelle Hebung seines kleinen Landes. Die Wollweberei, die sie einführten, versprach einen wirtschaftlichen Aufschwung. Daß sich unter diesen Zuwanderern auch Vertreter einer mystischen Richtung befanden, störte den Grafen nicht. Warum sollten sie nicht die mystischen Schriften von Pierre Poiret, Mme. de Guyon und Mme. de Bourignon lesen? Graf Gustav von Sayn-Wittgenstein-Hohenstein stand dieser Frömmigkeitsbewegung aufgeschlossen, fast kritiklos gegenüber.

Dieses kleine Territorium, Sayn-Wittgenstein-Hohenstein, wurde zu einem Eldorado für pietistische Einsiedler. Der Graf erlaubte jedem Zugewanderten, sich als Einsiedler irgendwo im Wald oder in der Nähe eines Dorfes eine Hütte oder selbst Höhlen als Einsiedeleien auszubauen.

Vor allem im Hüttental unweit Schwarzenau fand man diese Einsiedler. Wenn sie nicht von mitgebrachten Geldern leben konnten, mußten sie sich mühselig durchschlagen. So strickte die Gräfin Luise Philippine von Sayn-Wittgenstein in ihrer Eremitage, dem Luisenhof, Strümpfe, »worin ich« – wie sie schreibt – »bald eine Meisterin werde abgeben können«[27].

Auch einige andere Gräfinnen aus reformierten Häusern hatten sich gemeinsam zu einem asketisch-ehelosen Leben zurückgezogen, um in einer »geistlichen Ehe« bei Christus zu sein. Denn die Lebenszeit ist nur kurz bemessen und man muß Zeit haben für Christus! Es war damals in zahllosen pietistischen Kreisen ein elementarer Drang nach Einsamkeit, Stille und Einsiedeltum entstanden, wie wir schon vermerkten.

Es geschah manches, was in der Öffentlichkeit Aufsehen erregte. So heiratete ein früherer Barbier und Feldscher Castell aus Genf, der als gräflicher Bediensteter nach Wittgenstein gekommen war, die 36jährige Gräfin Sophie von Wittgenstein. Beide hatten sich den Separatisten angeschlossen. Sie lebten ganz still und zurückgezogen mit ihren beiden Kindern in Schwarzenau. Es wurde als selbstverständlich angesehen, daß hier konventionelle Standesunterschiede wesenlos wurden. Diese Ehe war doch ein Bündnis geistlich Wiedergeborener, die miteinander Christus dienen wollten.

Mochten gewisse konservative Kreise dabei ein Unbehagen spüren, die eparatisten waren und blieben gehorsame Untertanen der Obrigkeit in llen bürgerlichen Dingen[28].

Sensationell über die Grenzen der Wittgensteiner Grafschaft hinaus virkte ein anderes Ereignis. Verschiedene Einsiedlergruppen siedelten ich hier an. Charles Hector de St. George, Marquis de Marsay reiste mit wei alten Kampfgefährten im Militärdienst in Schwarzenau ein. Sie beannen bei diesem Ort ihr ersehntes gemeinsames Einsiedlerdasein. Sie asteten viel, begnügten sich mit den geringsten Speisen. Geredet wurde ur, was nicht zu umgehen war. Stillschweigen herrschte auch bei der geneinsamen Feldarbeit. Es gab keine gemeinsamen Betstunden. Jeder lieb auch hier für sich.

Cordier, der Zweite in dieser Dreiergruppe, trennte sich, er suchte die otale Einsamkeit. Doch er hielt es dabei nicht aus. Schließlich heiratete r, traf aber keine glückliche Wahl. Er endete in der Freigeisterei. Wie ach ihm Johann Konrad Dippel (1673 – 1734), Johann Christian Edelnann (1698 – 1767) und Carl Friedrich Bahrdt (1741 – 1792) geriet er us der radikalen Mystik in die Aufklärung.

Marquis de Marsay heiratete 1712. Sein bisheriger Miteremit, der hemalige Feldgeistliche Baratier, der 1750 als reformierter Hofprediger n Halle starb, assistierte bei der Hochzeit im großen Rokokosaal des gräfchen Schlosses zu Berleburg. Im betont nichtkirchlichen Rahmen fanden ich Marsay und das 13 Jahre ältere Edelfräulein Clara Elisabeth von Calenberg zu einer geistlichen Ehe wie Bruder und Schwester zusammen. Diese geistliche und in unverletzlicher Enthaltsamkeit geführte Ehe ing gut. Baratier blieb vorläufig allein in der alten Einsiedelei wohnen. Er war der gute Geist, der das Ehepaar Marsay in den nächsten Jahren vor nerkwürdigen Übersteigerungen ihres gemeinsamen asketischen Lebens ewahrte. So wollten diese plötzlich nach Pennsylvanien ausreisen, in das elobte Land der pietistischen Einsiedler. Dort konnte man in den unendchen Wäldern ungestört ein Leben mystischer Versenkung und radikaler skese leben. Dieses Reiseziel wurde dem Ehepaar glücklich ausgeredet.

Dann wieder wollte das Ehepaar »in einem armen und verächtlichen ufzuge wie die Apostel, durch die Welt gehen, um das Evangelium zu redigen und auch andere Leute der ihm von Gott verliehenen Gnaden eilhaftig zu machen«. Der Freund Baratier konnte sie davon abhalten, enn dieser Plan sei doch eine Versuchung des Satans zum geistlichen Iochmut. Im Jahre 1730 wurde den beiden Marsay eine letzte Versuhung zuteil. Zinzendorf stellte Hector von Marsay das Ansinnen, mit Christian David als »Prediger des Evangelii unter die heimlichen Protestanten in Frankreich« zu gehen. Doch Marsay schreckte davor zurück »obschon ihm seine Unlust als Scheu vor dem ihm drohenden Tod ode Gefängnis auf den Galeeren verdächtig vorkam«. Einen Traum nahm e als einen Wink, »sein ruhiges und eingezogenes Leben nicht dem unruhi gen Missionsberuf aufzuopfern«. Seine Frau stimmte ihm zu.

Marsay erlernte nun doch noch den irdischen Beruf eines Uhrmacher Dem Graf Casimir von Sayn-Wittgenstein war das sehr recht, daß er nu die Uhren zur Ausbesserung nicht nach Frankfurt schicken mußte.

Man wird freilich Marsay nicht gerecht, wenn man ihn nur einen Son derling nennen wollte. Er gehörte zum engeren Kreis um Graf Casimi und war wie der Graf ein glühender Anhänger der Mme. de Guyon. *Ma wird in dem Marquis de Marsay den letzten der bedeutenden französische Quietisten zu sehen haben.* Seine französischen Schriften sind von seiner Gönner Herrn von Fleischbein, auf dessen Schloß Haynchen Marsay nac dem Tode seiner Frau von 1735 – 1741 lebte, ins Deutsche übersetzt un zumeist anonym herausgegeben worden. Marsay ist auch von der Theo sophie Böhmes wie von Gottfried Arnold beeinflußt und keineswegs nu ein Vermittler der französischen quietistischen Mystik gewesen.

Seine Selbstbiographie, die zu den interessantesten Zeugnissen für da Wesen der quietistischen Mystik zählt, erschöpft sich darin nicht. Ehrlich wenn auch nicht ganz frei von Eitelkeit, hat er hier unter anderem von a seinen Wandlungen, seinen geistlichen Experimenten, ihren Erfolgen un Irrtümern berichtet[29].

Die Bedeutung des Quietismus für die Psychologie als eine ihrer vorbe reitenden Stufen ist offenkundig. Bei den quietistischen Mystikern spie die peinliche Gewissenserforschung eine ausschlaggebende Rolle. Da Herz wird als ein komplexes Gebilde entdeckt. Der Mensch muß bei sei nen Herzensregungen wie auf einen Dieb achten. So listig ist das Herz! I ihm versteckt sich der alte Adam. Vieles ist dabei so unberechenbar un so unfaßbar. Die im Unbewußten schlummernden potentiellen Kräft werden analysiert. Eine weitgehende Nuancierung und Psychologisierun wird in diesen Seelenanalysen der quietistischen Mystik erreicht. Sie is nicht allein der Verfeinerung der französischen Sprache zugute gekom men, sondern auch der deutschen. Die quietistische Mystikerin Mme. d Guyon hat es verstanden, mit großartiger Subtilität und einer mit sprach licher Perfektion beherrschten Fähigkeit die bis in die feinsten Veräste lungen erfaßten Regungen des Seelenlebens sprachlich nuanciert darzu stellen. Es entwickelte sich eine durch ständige Selbstbeobachtung ge wonnene analytische Innenpsychologie als etwas vollkommen Neues![30]

Hier liegen mit die Wurzeln beim Aufkommen der Autobiographie un zu den Nachbargattungen: Tagebuch, Memoiren, Abenteuerroman. Zugleich treten die Grundvoraussetzungen für die Entwicklung des modernen Persönlichkeitsbewußtseins zutage. Die klassische deutsche Literatur, die deutsche Romantik, die Philosophie des deutschen Idealismus stehen in einem Zusammenhang mit allgemeinen pietistischen Wurzeln und der quietistischen Mystik. Die einsame Konfrontation mit Gott, das Training des einsamen Lauschens auf die innere Erfahrung, die planmäßig strengen Übungen der Selbstbeobachtung vor Gott waren notwendige Vorbereitungsstufen.

Der Quietismus hat die spätere Entfaltung der »Seelensprache« des Irrationalismus und bei der »Sprache des Herzens« in Sturm und Drang mitvorbereitet[31]. Der Beitrag, den dazu auch der kirchliche Pietismus geleistet hat, ist darüber nicht zu übersehen.

Berleburg war ein Vorort quietistischen Geistes in Deutschland! Hier ist Graf Casimir die bedeutendste Gestalt neben dem Marquis de Marsay. Zu den Lieblingsautoren des Grafen gehörten neben Tauler, Scriver, Arnd und Gottfried Arnold vor allem die französischen Quietisten: Fénélon, Poiret, Bourignon und vor allem Mme. de Guyon. Casimir übersetzte erstmalig die von Poiret in Amsterdam edierten französischen Bibelerklärungen der Mme. de Guyon ins Deutsche. Die sprachliche und geistige Einfühlung in die Eigenart der Bibelerklärung der Mme. de Guyon ist dem Grafen hervorragend gelungen. Hier hat sicher der Einfluß seines französisch sprechenden Vaters, des Grafen Ludwig Franz nachgewirkt. Dessen französische Mutter hat die frankophile Begeisterung als neue Familientradition in das reformierte Grafenhaus eingebracht[32].

In diesen beiden reformierten Grafschaften von Wittgenstein-Berleburg und Wittgenstein-Hohenstein kann man in jener Zeit geradezu von einer »genialischen Sturm- und Drangperiode des radikalen Pietismus« sprechen. Es ist ein buntes Wechselspiel »all dieser ungebundenen, spekulierenden, mystischen Geister, die sich hier ein Stelldichein geben.« So fehlt auch nicht Ernst Christoph Hochmann von Hochenau, der sich im Jahre 1703 wieder einstellt, nachdem er drei Jahre zuvor aus Berleburg weggejagt worden war. Er gründete in Schwarzenau eine Hausgemeinschaft der »Christus-Geweihten« im sogenannten »Laboratorium«. Von alchimistischen Versuchen, die auch in separatistischen Kreisen betrieben wurden und auf die der Name »Laboratorium« hinzuweisen schien, wollte Hochmann von Hochenau bei seiner Zweitgründung, die von 1711 – 1721 währte, nichts wissen.

Es war jetzt die »Friedensburg« im Schwarzenauer Hüttental, in der er wie ein Einsiedler lebte, des öfteren auch mit einem oder zwei geistlichen

Brüdern. Das Goldwerk heißt jetzt: »Der Allmächtige wird dein Gold sein. Hiob 22, 25.« Graf Zinzendorf, der oft in seinem Leben die Stille, die Einsamkeit suchte und das einsame Wandern über Tage und Wochen durchführte, hat für das Eremitenleben Hochmanns von Hochenau ein besonderes Verständnis, ja eine starke Sympathie gehegt. Nach dessen Tod 1722 in Schwarzenau verfaßte er ein Gedicht »Auf den sonderbaren, aber redlichen Mann, Ernst Christoph Hochmann von Hochenau, ein Anachoreten des vorigen seculi«. Darin heißt es u. a.

»HERR JESU, diesen treuen Zeugen,
Sein seligs Reden, weises Schweigen,
Und seiner Liebe Gnaden-Schein,
Präg unserm Angedenken ein.

Und wekke unsre trägen Sinnen
Es eben also zu beginnen,
Ach mache uns so eingekehrt,
So klein, so arm, so liebens-werth.«[33]

Doch was war nicht alles in diesem Wittgensteiner Land möglich! *Es kam zum Auftreten der Buttlarschen Rotte im Jahre 1702 in Schwarzenau, nachdem sie von Allendorf, Frankfurt und Usingen vertrieben worden war.* Von 1704 bis 1711 konnte sie in dem von ihr gepachteten herrschaftlichen Hof in Saßmannshausen bei Berleburg, d. h. in der Grafschaft Wittgenstein-Hohenstein offensichtlich fast bis zuletzt ungestört ihr Wesen treiben.

In ihrer philadelphischen Gemeinschaft zählte man neben Eva von Buttlar und ihrer hochadligen Mutter noch fünf adlige Mädchen, insgesamt 70 Personen. Kirche, Gottesdienst und Sakramente wurden schroff verworfen. »Ihre Anhänger sollten durch leiblichen Eingang in Eva von Buttlar, dem »Teich Bethesda« die unio personalis mit Jesus Christus vollziehen und die Entsündigung an dem Organ des allgemeinen Sündenfalls erfahren.« Abtreibungen wurden nicht nur durch Berufung auf das Hohelied gerechtfertigt, sondern in sadistischer Form betrieben. Eva von Buttlar selbst bezeichnete sich außerdem als himmlische Sophia und heiligen Geist. Mit zwei jungen Männern, dem Mediziner Georg Appenfeller, den Eva von Buttlar später heiratete und dem Theologen Gottfried Winter, der die Abtreibungen vornahm, wollte sie die Trinität darstellen.

Das war zu arg, so daß man einen freilich sehr langsamen gerichtlichen Prozeß einleitete. Der Vollstreckung des Urteils wegen Gotteslästerung entzog sich die Rotte durch die gemeinsame Flucht, um sich zu zerstreuen[34].

Gewiß haben Gichtel und nach ihm Gottfried Arnold in Deutschland wie Pordage und Jane Leade in England die Sophienspekulation Böhmes aufgegriffen und in ihren Schriften abgehandelt. Wenn Böhme von einer geistlichen Verbindung mit Christus auf Erden als von einem Verlöbnis gesprochen hatte, dem erst im Himmel die Hochzeit folgen kann, so sprach Gichtel bereits von einer geistlichen Ehe mit Christus im irdischen Leben. Gottfried Arnolds Schrift »Das Geheimnis der göttlichen Sophia« von 1701 war zurückhaltender, doch ist sie ebenso auf fruchtbaren Boden vor allem im schwärmerischen Pietismus gefallen. Kolportiert wurden auch Labadies Vorstellungen vom entsündigten, lustfreien Sexualakt der Gläubigen zur Erzeugung heiliger Kinder bei angeblich schmerzlosen Geburten.

Der Evschen Gesellschaft ähnliche gab es damals nicht nur in der Wetterau. Sie waren jedoch verborgener und heimlicher. Jedenfalls stellte Zinzendorf noch nach 1730 ähnliche irrlichtene Vorstellungen in der Wetterau fest. In Ronsdorf finden wir zur gleichen Zeit der Buttlarschen Exzesse die Ellersche Rotte[35].

Das wollten die Verkündiger der Sophienlehre keinesfalls und waren über diese Pervertierung zutiefst erschrocken. Was im Geist begonnen, kann im Fleisch enden, in jener Verfilzung ungehemmt vorbrechender erotischer Gier mit frömmelnden Begründungen, wenn die Emotionen aus dem religiösen Raum ins Sinnliche umschlagen. An mahnenden Beispielen in allen Jahrhunderten mangelt es nicht.

Nachdem der erste Anlauf, philadelphische Gemeinden zu gründen, ein jähes Ende in Berleburg gefunden hatte, kam es 1715 zur Entstehung einer Inspirationsgemeinschaft in Schwarzenau. Unter dem Eindruck der ekstatisch erregten Camisarden waren zuerst Inspirationsgemeinden in Halle und Berlin entstanden, die sich dort nicht halten konnten. Nun suchten und fanden sie hier eine bleibende Duldung. Offensichtlich von Schwarzenau als Zentralort vermochte man noch 12 andere Gebetsgemeinschaften gleicher Art in der Pfalz, in Württemberg und in der Schweiz ins Leben zu rufen. Dabei polemisierten sie heftig gegen die »falschen Inspirierten«, die sich ihnen nicht anschließen wollten. In der Wittgensteiner Bevölkerung müssen sie rasch Anklang gefunden haben. Die sich ihnen nicht anschlossen, haben sie mehr erstaunt als ablehnend geduldet. Vorübergehend haben auch vereinzelte reformierte Prediger des Landes mit ihnen sympathisiert.

Der ehemalige württembergische Pfarrer Eberhard Ludwig Gruber (1665–1728) und der Pfarrerssohn und Sattler J. Fr. Rock (1678–1749) sowie sechs andere »Werkzeuge« verkündigten in den Versammlungen

nach Suggestivgebet, Gesang und Schriftbetrachtung unter heftigen Kon-
vulsionen als Zungenreden, Gliederverrenkungen, Kreischen, Wälzen
»Mundschlappern« im Ich-Stil Wort und Willen des sich neben dem
Schriftzeugnis neu offenbarenden Gottes in einer Art Trance.

Als Gruber 1728 gestorben war, übernahm Rock die Leitung. Rock is
viel unterwegs gewesen und hat 94 Reisen nicht nur zu Gesinnungsfreun
den unternommen. Fast jeden Tag sprach er an einem anderen Ort und
zwar überall, wo der Geist über ihn kam, in Dachstuben, im Wirtshaus, in
Pfarrhäusern oder als Angeklagter im Gerichtsgebäude. Er wurde dort of
ausgelacht oder bestraft. Als Gottes Gnadengeschenk ertrug er Gefan
genschaft und Landesverweisungen. Um 1730 begann ein langsam sich
anbahnender Niedergang der Inspirationsgemeinden im Isenburgischen
Es gab leidenschaftliche Auseinandersetzungen mit Dippel, später mi
Edelmann[36].

Edelmann hatte sich während seines fünfjährigen Aufenthaltes in Ber
leburg zu den Inspirierten gehalten. Er war zuerst von den Ansprachen
Rocks sichtlich ergriffen gewesen. Doch später wurde er mißtrauisch, ob
nicht das von allen Mitgliedern geforderte öffentliche Beten nur dazu dienen sollte, durch Kenntnis des Seelenzustandes die einzelnen fester unte
die Gewalt des Vorstehers zu zwingen. Edelmann verweigerte das freie
Gebet. Rock selbst erschien am 17. März 1738, um diesen Konflikt persönlich, freilich ergebnislos zu schlichten. Edelmann hat vieles später sati
risch, ja sarkastisch entstellt, was er dort erlebt hatte.

*Den »Todesstoß« erhielten die Inspirationsgemeinden im Isenburgi-
schen durch die Herrnhuter*. Doch zogen sich die Auseinandersetzungen
zwischen Zinzendorf und Rock, manchmal fast herzlich, dann scharf und
schartig geführt, zwischen 1730–1740 hin. Am 23. August 1740 schrieb
Zinzendorf den Abschiedsbrief. Der Sattler hing wirklich an dem Grafen
Doch immer mehr Inspirierte wechselten in das Lager der Herrnhuter in
der Wetterau über[37].

In Gelnhausen starb schließlich Rock, 71 Jahre alt 1749 und wurde au
dem Armenbegräbnisplatz begraben. Doch konnte er immer noch in seinem Abschiedsgruß die Inspirierten in Schwarzenau, Berleburg, Hom
burghausen, Homburg, Birstein, Hanau, Göttingen, Neuwied, im Isen
burgischen, im Zweibrücker Land und in der Schweiz grüßen. Es blieben
hier und dort kleine Gruppen. Sie hielten sich bis in die Erweckungszeit
in der sie neuen Auftrieb bekamen. Zum Teil wohnten sie in dem von
den Herrnhutern aufgegebenen Herrnhaag. Als die hessische Regierung
sie in ihrer bisherigen Bewegungsfreiheit einzuschränken suchte, wanderten 1843 kurz entschlossen gegen tausend Inspirierte nach Nord

merika aus. Sie gründeten dort die Kolonien Ober-, Mittel- und Unter-
:benezer.

Anders verlief die weitere Geschichte der philadelphischen Bewegung n Wittgensteinschen Lande. In Berleburg hatte Graf Casimir 1712 die Regierung übernommen. Die reformierte Kirche blieb die Staatsreligion. :r sorgte für gute, d. h. pietistisch gesonnene Geistliche, die bereit waren, er philadelphischen Bewegung freien Spielraum zu belassen. Die refor- ierten Gottesdienste besuchte Casimir regelmäßig. Der Sonntagvormit- ag blieb für sie reserviert. Schroffe Separatisten, die lauthals gegen die andeskirche agitierten, schaffte er außer Landes.

Casimir bewährte sich als ein guter und gewissenhafter Landesvater nd suchte christliche Beamte um sich zu scharen. Eine gewisse Pracht- ebe war ihm dabei nicht abzusprechen. Den schönen Künsten war er zu- etan. Wohlstand und Ruhe herrschte in seiner Grafschaft. So ließ er den attlichen Mittelbau des Berleburger Schlosses errichten, in den er mit oben und Danken fröhlich einzog. Aller übertriebenen Repräsentation ar er abhold[38].

Für die philadelphische Idee war Casimir begeistert und blieb ihr in ak- ver Mitarbeit bis an sein Lebensende ohne Schwanken treu. Nach einem tillstand von einem Vierteljahrhundert erwachte also im Jahre 1726 die hiladelphische Begeisterung erneut in Berleburg. In seinem neuen Leib- rzt Dr. Johann Samuel Carl (1676–1757), der in Halle Medizin studiert atte, glaubte er den richtigen Mann gefunden zu haben. Dr. Carl hatte orher einer Inspirationsgemeinde in Württemberg angehört. Er konnte ch dort nicht halten.

Dr. Carl erließ 1726 einen Aufruf zu einer neuen philadelphischen ereinigung in Berleburg. Diese muß ein starkes Echo gefunden haben lbst unter den Einsiedlern ringsum. Hochmann von Hochenau war frei- ch schon 1724 gestorben. Der Marquis de Marsay war nach ersten Be- enken nicht gegen diese neue Gemeinschaft. Über die Einzelheiten sind ir nicht mehr ausreichend unterrichtet.

Was entstand, waren freie Versammlungen hin und her in verschiede- en Häusern und vor allem auf dem Schloß. Daß Casimir sich so stark für ese Sache einsetzte, war wohl ihre stärkste Anziehungskraft. Man führte eine Anwesenheitslisten. Wer kam, war willkommen. Jeder durfte das 'ort ergreifen und auch »mündlich beten«[39].

Fremde wie Einheimische schlossen sich an, auch zahllose Gebildete. och gab es viel Wechsel. Auch die beiden Stadtgeistlichen, Konsistorial- t Scheffer und Pfarrer Alfred Abresch beteiligten sich. Der Graf selbst elt eine Ansprache, wenn die Reihe an ihm war.

Seine Einstellung war deutlich: »Der fleißige Umgang mit Gotteskin dern, da man unterrichtet und sich unterrichten läßt, auch im Gebet mi ihnen vereinigt, kann ein Großes zum Wachstum in der Gnade beitragen Wollte Gott mir doch eine herzliche Zuneigung und Liebe zu denselbe geben, gleich der Liebe, die zwischen David und Jonathan gewesen.« S fehlten dann auch nicht die mystischen Einsiedler.

Nach zwei Richtungen bestand unter diesen Männern und Frauen ein Einmütigkeit. Man wahrte einen geflissentlichen Abstand zur Kirche, ih ren Gottsdiensten und ihrer Sakramentsverwaltung. Das wurde sehr ver schieden ausformuliert. Es lag aber doch auf einer Linie hin, daß »nich das Kirchengehen, sondern das Fernbleiben Kennzeichen eines Christe sei«. Vom Abendmahl hielt man sich fern, weil das Abendmahl »durc Zulassung aller auch abscheulichster Sünder nicht ein Sakrament ode heiliges Geheimnis ist, sondern gemein und von dem Wesen und Zwec des wahren Abendmahls unterschieden«. Nur durch wirkliche Enthaltun könne man sich nicht fremder Sünden teilhaftig machen.

Casimir hat diese Protesthaltung offenbar so verstanden, daß ei »Christ nicht notwendig alles Kirchenwesen mitmachen müsse«. Denn e hielt sich zu den öffentlichen Gottesdiensten.

Wie für den Marquis de Marsay kam für Dr. Carl eine kirchliche Trau ung nicht in Frage. Er hatte sich »in seinem 52. Lebensjahr, trotz de freundlichen Bedenkens des Grafen Casimir« entschlossen, wieder z heiraten. Er und seine Erwählte, das Hoffräulein Johanne Sybille von Bi low gaben sich innerhalb einer philadelphischen Versammlung »unte lautem Gebet Beider« das gegenseitige Ja-Wort. Ein Segenswort sprac ein anwesender reformierter Ortsgeistlicher. Es war eine »separatist sche« Feier[40]! Daß die Eheschließung auf dem Schloß und in Anweser heit des Landesfürsten geschah, ließ die harte Konfrontation gegenübe der kirchlichen Landesordnung in einem milderen Licht erscheinen. Ma war gewöhnt, daß die Fürsten in jener Zeit ein Sonderrecht besaßen un Seitensprünge waren bei ihnen nach mancherlei Richtungen gang un gäbe.

Die Anziehungskraft der damaligen philadelphischen Versammlunge lag zweifelsohne in ihrem Enthusiasmus, der sie über alles Trennende un alle Eigenbrötelei der verschiedenen Geister hinweg verband: Es gil eine unmittelbare Erleuchtung. »Weil der Geist Gottes ein unerschöpfl cher brunn des lichts ist, so ist gewiß, daß ein jeder gläubiger, in welche er wohnet, gleichsam einen grund des göttlichen lichts in sich täglich e fahre: Dahero kein wunder, wenn bey dieser oder jener gelegenheit sel viel strahlen von sich selbst aus dem innersten Herzen hervor gehen . .

So kann man »auch behaupten wollen, daß einem Christen auff wunderbare und übernatürliche art viel solche dinge offenbaret würden, die nicht allein der menschlichen vernunfft, sondern auch dem verstand der auserwehlten engel unbegreiflich wären«. Dr. Carl hat im März 1731 an Zinzendorf u. a. schreiben müssen und hier wird der quietistische Grundzug der philadelphischen Idee, wie sie sich in Berleburg ausgerichtet hatte, deutlich: »In diesem Lande sind alle und die bewährten Gemüther von so vielen Formen, äußeren Mitteln, Ordnungen eben so abgeneigt, daß man nichts als Stillesein, Verbergen, Ruhe höret, um mit aller Innigkeit des eingebildeten (d. h. hineingebildeten) Herzens zum Wesen der Gnade zu gelangen. Gottes Wille sei die tägliche Losung; auf den geheimen Augenwink des Vaters merken zu lernen sei die stündliche Schullektion . . .«[41].

Wir sind dem Gang des Geschehens vorausgeeilt. *Im Jahre 1726 entstand das große Unternehmen der Berleburger Bibel.* Die Anregung stammte vom Grafen Casimir. Weithin hat er den Druck finanziert. Seit 1722 bestand in Berleburg ein Waisenhaus nach dem Halleschen Vorbild. Der Graf hatte bei seinem früheren Aufenthalt in Halle seine entscheidende Bekehrung erfahren. An das Waisenhaus war wie in Halle eine Buchdruckerei angeschlossen, die sich vor allem den Druck des Bibelwerkes angelegen sein ließ.

Ein geschlossener Herausgeberkreis war bereits versammelt. Verantwortlich war Magister Johann Heinrich Haug aus Straßburg (1680?–1753), ein ausgewiesener Kenner der alten Sprachen[41 a].

Er wohnte im Schloß. Unter den anderen Mitarbeitern war der Konsistorialrat Ludwig Christoph Scheffer (gestorben 1731) zu nennen, der schon 1712 an der Edition der Marburger mystischen Bibel mitgearbeitet hatte. Sein hebräisches Wörterbuch von 1720 hatte ihn als vorzüglichen Kenner des Hebräischen ausgewiesen. Nicht anders stand es um Christoph Seebach (1675–1745), der bereits 1711 die Offenbarung Johannes übersetzt hatte und vorher schon 1705 in Halle seine Übersetzung der Sprüche Salomonis und des Hohen Liedes veröffentlicht hatte. Der schwärmerische Separatist Seebach schied freilich 1730 aus der Redaktion aus. Er hatte sich durch seine hochfahrende und rechthaberische Art unmöglich gemacht. Vorübergehend wurden andere Separatisten zur Mitarbeit herangezogen. Doch diese Eigenbrötler waren niemals lange bei der Stange zu halten. So erging es dem Redaktionsstab mit dem Juristen Tobias Eisler (1683–1753), einem Quietisten und Separatisten aus Wolfenbüttel und dann mit Edelmann (1698–1767).

Die eigentliche Seele des ganzen Unternehmens, die dem Bibelwerk den Erfolg brachte, war und blieb Casimir. Das Bibelwerk, dessen Einzel-

kommentierung wir uns ersparen müssen, stand inmitten der großen europäischen Bewegung des Quietismus, die wir bis heute noch nicht wirklich historisch und sprachlich ausreichend durchforscht haben. 1727 lag
die Übersetzung der 5 Bücher Moses vor. Die anderen Teile folgten in
gewissen Zeitabschnitten wie auch die beigegebene Kommentierung. Die
Berleburger Bibel fand einen reichen Absatz. Sie wurde in Leipzig wie
auch in Frankfurt vertrieben. Nach dem Bericht von J. Chr. Edelmann
brachten zur Ostermesse 1737 »sieben bis acht schwerbeladene zwei-
spännige Karren, lauter Gottes Wort« nach Frankfurt. Selbst in Dänemark wie in Rußland studierte man die Berleburger Bibel[42].

Sie wußte sich der Verbalinspiration verpflichtet. Die Wiederbringungslehre, der sich auch August Hermann Francke wie Zinzendorf geöffnet
hatten, der Chiliasmus wie die Sophienlehre mit der Androgynenspekula-
tion, sind darin voll übernommen worden.

Im Jahre 1730 wurde im Zusammenhang mit der philadelphischen
Gemeinde in Berleburg eine Zeitschrift unter dem Titel »Geistliche
Fama« begründet. Herausgeber wurde Dr. Carl. Sie sollte »verschiedene
Nachrichten und Geschichten von göttlichen Erweckungen und Führungen, Wegen und Gerichten, allgemeinen und besonderen Begebenheiten,
welche zum Reich Gottes gehören« bringen. Im Jahre 1736 ging Dr. Carl
durch Vermittlung des Grafen von Stolberg als Leibarzt König Christian
VI. nach Kopenhagen. Die Redaktion der »Geistlichen Fama« hatte er
bereits 1732 abgegeben. Nicht uninteressant ist, daß Dr. Carl 1747 noch
die Schriften J. K. Dippels unter dem Titel »Eröffneter Weg zum Frieden
mit Gott und allen Creaturen« in drei Quartbänden herausgegeben
hat[42 a].

Inzwischen kriselte es in der Philadelphischen Gemeinde zu Berleburg.
Ein unverdächtiger Zeuge dafür war Oetinger, der sie im Jahre 1729 besuchte. Er berichtete darüber in seiner Selbstbiographie: »Während meines Aufenthaltes in Berleburg hörte ich einen Gesang: ich ging darauf zu
und fand eine große Versammlung, auf einem großen Saal (im Schloß).
Der Graf von Berleburg winkte mir näher zu treten: ich nahte mich ihm
und sah Dippel und Struensee, der hernach General-Superintendent geworden, in einem heftigen Streit wegen des Spruches: Das Blut Jesu Christi macht uns rein von aller Sünde. Ich wunderte mich dieser beiden Männer, sie waren gleichsam außer Atem vor Zank, ich dachte, da wird wenig
Wahrheit heraus kommen ...«[43]

Es ging in Berleburg weiter bergab mit der Philadelphischen Gemeinde. Die radikalen Geister wie Dippel und Seebach waren nicht zum
Schweigen zu bringen.

Dem Grafen Casimir wird das alles Sorge bereitet haben. Er war offenbar froh, als ihm sein Hofmeister von Kalkreut, der Herrnhut besucht hatte, von dort die besten Eindrücke mitbrachte. Nach wiederholten Einladungen erschien Graf von Zinzendorf und stieg am 6. September in Schwarzenau ab, um 9 Tage im Wittgensteiner Land zu bleiben. Er sprach täglich in zahlreichen Versammlungen, auch auf dem Schloß zu Berleburg und begeisterte die Scharen, die herbeieilten. Der Marquis de Marsay war nach anfänglichem Zögern so von Zinzendorf begeistert, daß er sein ständiger Begleiter wurde. *Zinzendorf erkannte 1730 sehr schnell, daß sowohl die Inspiriertengemeinde in Schwarzenau wie die philadelphische Gesellschaft in Berleburg auf dem besten Wege waren, sich selbst zu zerstören.* Zu Marsay äußerte er: »Man muß sehen, daß unter den vielen Seelen hierzulande eine ordentliche Kirche oder Gemeine aufgerichtet wird, wie wir eine zu Herrnhut haben, und machen, daß man sich wirklich zur Übung in der Gottseligkeit sammle und Ordnung und Kirchenzucht unter ihnen sei.« Der Marquis blieb bedenklich, doch widersprach er nicht. Zinzendorf lud mit Zustimmung des Grafen Casimir zu einer Konferenz ein. Er legte einen 22 Punkte umfassenden Vorschlag, d. h. Statuten zur Errichtung einer Brüdergemeine in Berleburg vor. Man stimmte zu und unterschrieb die Statuten. Ämter wurden ausgeteilt.

Doch wie konnte nur Zinzendorf diese Ämter ohne Rücksicht auf die innere Einstellung der Berufenen austeilen? Ausgerechnet der Separatist Haug und der Inspirierte von Kalkreut wurden Vorsteher, der mystische Einsiedler Marsay und der pietistische Amtmann Vetter Vermahner, der reformierte Pfarrer Abresch und der lutherische Hofprediger Struensee, der nicht einmal gefragt worden war, sollten Diakonen oder Helfer sein, die Separatisten Dr. Carl, Dippel und der aggressive Seebach Weissager, der Rat Salzmann und Görting Almosenpfleger usf. Das konnte schon nicht gut gehen.

Was Zinzendorf, freilich erst 1727 nach vielen Schwierigkeiten, die fast in eine Katastrophe führten, in Herrnhut erreicht hatte, suchte er hier rasch auf organisatorischem Wege zu erreichen. Aus einem »Ketzernest« wie anfänglich in Herrnhut, aus einem zerstrittenen Haufen sollte im Wittgensteinischen Lande eine ähnlich organisierte Gemeinde mit gleichen Lebensformen und in missionarisch-diakonischer Ausrichtung entstehen. Darin lag sein Fehler und daran mußte alles scheitern, daß sich eben die Herrnhuter Verhältnisse nicht einfach übertragen ließen.

So lag von Beginn an der Todeskeim in seinen Bemühungen. Der hier seit 30 Jahren eingewurzelte Separatismus sollte sich plötzlich in einen festen Rahmen pressen lassen.

Zinzendorf sah dabei allein auf eine Liebes- und Lebensgemeinschaft. Er beachtete zu wenig, daß die biblischen Fundamente, wie sie hier gepflegt wurden, nicht genügten. Zu eigensinnig war die Schriftauslegung je nachdem es der Geist eingab! Alles wurde dadurch dehnbar ohne die Bindung an ein gemeinsam verpflichtendes Glaubensbekenntnis. Es fehlte eine letzte Einheit des Glaubens. Der missionarisch-diakonische und gestraffte Einsatz lag dem Philadelphismus nicht. Er war quietisitisch geprägt. Zinzendorf unternahm 1731 noch einen letzten Versuch einer Rettung. 1732 fand Christian David noch eine philadelphische Gemeinde vor, die sich aber dem Joch der von Zinzendorf auferlegten Regeln nicht mehr unterwerfen wollte. Die alten Gebetsversammlungen in ihrer losesten Form traten dafür wieder ins Leben. Langsam ging es auch hier bergab[44].

Graf Casimir starb am 5. Juni 1741. In diesem Jahr war in Schwarzenau nichts mehr von philadelphischem Geist zu spüren. In Berleburg blieben separatistische Kreise. Doch eine Ausstrahlung ging von ihnen nicht mehr aus. Sie begnügten sich an- und miteinander. Der Sohn Casimirs, der 28jährige Graf Ludwig Ferdinand, war Realist, Verstandes- und Willensmensch, und ließ keine Versammlungen mehr auf dem Schloß zu. Dort wurde nun Theater gespielt. Er war tolerant, besteuerte aber die Zugezogenen. So zogen vor allem viele Adelspersonen fort. Andere wanderten nach Amerika aus. Die Buchdruckerei, in der viele erbauliche Schriften gedruckt worden waren, wurde nach Biedenkopf verkauft. Die Zeit der philadelphischen Gemeinde war vorbei[45].

War es ein merkwürdiges Schauspiel, das hier ein unwiderrufliches Ende gefunden hatte, wie es manche meinten? Es gab in ihm »Szenen voll Sturm und Drang, voll Hoheit und Würde«. Selbst so kritisch veranlagte Gestalten, die schnell ironisch wurden, wie Dippel und Edelmann gerieten einst in den Bannkreis der Separatisten, der Inspirierten und Philadelphier. Persönlichkeiten voll ehrlichem Wollen und aufrichtiger Überzeugung tauchten auf und wieder unter. *Der Wille des Separatismus zur Gemeinsamkeit war von dem Ansatz her zwiespältig.* Reihum traf das auch für die anderen separatistischen Gemeindebildungen damals zu. Sie erlahmten schnell und gingen auseinander, wenn die Gründungsgestalten wegstarben.

»Im Interesse einer vollen biblisch-christlichen Wirklichkeit« waren sie einmal angetreten. Man kann mit relativem Recht sagen, sie haben die Losung »Christentum ohne Kirche, Christentum gegen die Kirche, Christentum als persönliche, durch und durch private Entscheidung durch die Lande getragen«. Was sie selbst an die Stelle der verschmähten

Kirche und ihre öffentlichen Gottesdienste setzten, machte sie unglaubwürdig.

Sie weckten im Grunde nur Unbehagen und Ablehnung bei ihrem Versuch, die Kirche zu »verbellen« und abseits Bruderschaften zu gestalten. Den Beweis, sie mit dauerhaftem Leben zu erfüllen, haben sie nicht liefern können. In ihm ein Vorspiel für ähnliche Losungen und Versuche in späteren Jahrhunderten zu erblicken, übersieht augenscheinlich die ganz anderen Motivierungen und auslösenden Ursachen, die viel komplexerer Natur sind.

Doch ist damit nicht alles gesagt. Wenn sich auch der radikale Pietismus in dem kleinen reformierten Ländchen relativ ungestört unter dem Grafen Casimir artikulieren konnte, wird man ihn in einem größeren Zusammenhang zu sehen haben.

Er strahlte in den niederrheinischen kirchlich gestimmten reformierten Pietismus und vor allem durch Gerhard Tersteegen (1697–1769) auch tief hinein in die beginnende Erweckungsbewegung. Man wird überhaupt den reformierten Pietismus viel stärker mit der frühen Erwckungsbewegung zu verbinden haben. Dort wirkt er sich erst voll aus.

Tersteegen kannte Berleburg. Im Jahre 1736 erschien er im Wittgensteiner Land. In Schwarzenau besucht er das Grab des von ihm tief bewunderten Hochmann von Hochenau. Er lernte die Gräfin Hedwig-Sophia von Sayn-Wittgenstein-Berleburg kennen. Wenn auch sein Wunsch sich aus uns unbekannten Gründen nicht erfüllte, daß die Gräfin einen Gedenkstein auf Hochmanns Grab errichten lasse, begann damals eine regelmäßige Korrespondenz zwischen beiden. Auch mit Dr. Carl, der ab 1740 die »Geistliche Fama« redigierte, blieb er in einem Briefwechsel.

Tersteegen war »kein reiner Vertreter des Pietismus noch des Quietismus. Er war ein Grenzbewohner, der einerseits sein Domizil im Quietismus wählte, andererseits das Band mit dem reformierten Pietismus keineswegs durchschnitt, sondern daraus eine spürbare Beeinflussung empfing.« Und wenn sein Werk der französisch-quietistischen Mystik den Weg ins Rheinland öffnete, so verstärkte er nur, was der radikale Pietismus hier vorbereitet hatte. Nur seinem Separatismus öffnete sich weder Tersteegen noch der reformierte Pietismus, so randnah vieles war[46]. Man wird dabei auch die von Jean de Labadie geführten Separatistengemeinden nicht zu übersehen haben. Deren berühmtestes Mitglied war Anna Maria von Schürmann (1607–1674), eine großartige und weit wirkende Persönlichkeit!

Es verbinden sich im niederrheinischen reformierten Pietismus starke mystisch-quietistische Züge mit reformierter Zucht und Nüchternheit. Wo der reformierte Pietismus Fuß fassen konnte, fanden sich Pfarrer, Presby ter und Gemeinde unter Verzicht auf ein gemeindespaltendes Koventi keltum einhellig zusammen. So konnte sich der in Berleburg praktiziert mystische Separatismus dort nicht durchsetzen.

Man wird in Theodor Untereyck (1635–1693), der als Pfarrer in Mül heim/Ruhr und später in Barmen wirkte, den Begründer des kirchliche Pietismus in der deutschen reformierten Kirche sehen. Noch vor dem Er scheinen der »Pia desideria« Philipp Jakob Speners im Jahre 1675 grün dete Untereyck erste Konventikel, die sich voll in seine Pfarrgemeind eingliederten. Neben und nach ihm sind noch Joachim Neande (1650–1680) der begnadete Liederdichter und Friedrich Adolf Lamp (1683–1729) zu nennen. Der Einfluß des nahen niederländischen Pietis mus ist dabei überall wahrnehmbar[47].

Noch in einer anderen Richtung hat Berleburg Bedeutung gewonnen *Das Verhältnis Zinzendorfs zur Mystik in seinen jüngeren Jahren ist kaum ohne Berleburg zu beschreiben*. Mit dem Grafen Casimir und mit den Marquis de Marsay war Zinzendorf eng verbunden. Ohne vorschnell Abhängigkeiten zu konstatieren, lohnt sich bereits ein sprachlicher Ver gleich zwischen Zinzendorfs Bibelübersetzungen und der Berleburger Bi bel. In sprachlicher Biegsamkeit geben sie einander nichts nach[47a].

Noch wichtiger: Im Seelentum der quietistischen Berleburger und de zweiten Generation der Herrnhuter zeigen sich starke Gemeinsamkeiten Mit dieser jungen nachrückenden Generation an Herrnhutern umgab sich Zinzendorf nach 1740. Wir finden sie vor allem in Herrnhaag. Mit ihnen wagte Zinzendorf unter der Führung seines Sohnes Christian Renatus da Experiment in der Wetterau. Was in Herrnhaag demonstriert wurde, wa das Gegenbild von dem, was in Berleburg erstrebt wurde.

Der philadelphische Geist vereinte sich in Herrnhaag mit einem mysti schen Drang. Mit ihnen verband sich eine lutherische »theologia crucis und ein missionarisch-diakonischer Aktivismus, um eine in die Aufklä rung abwandernde Kirche zu provozieren.

Das gleiche erstrebte vorher Berleburg in seinem separatistischen Ela gegenüber einer überständigen und weithin erstarrten Spätorthodoxie Beides mißlang[48].

Etwas anderes tritt noch deutlicher heraus. *Der Weg aus dem radikalen Pietismus in die Aufklärung war kurz*. Das läßt sich am radikalen Pietis mus Wittgensteiner Prägung besonders klar aufzeigen. Die einschlägigen Dokumente finden sich in der seit 1730 erschienenen »Geistlichen Fama«. Gewiß befand sich die philadelphische Bewegung zu dieser Zeit schon in einem unwiderruflichen Abstieg. Doch in dieser Zeitschrift meldete sich noch einmal wie vor Torschluß ein radikaler Pietismus in seinen extremsten Stimmlagen zu Wort.

Im Jahre 1723 erörterte die »Geistliche Fama« die Frage, »ob der Separatismus eine nöthige Sache sei?« Die Antwort fällt eindeutig aus: »Den zerfallenen und zertrennten Zustand der Christlichen Kirche wiederum aufzurichten, die evangelische Freyheit wider allen Gewissenszwang der Feinde Christi zu manutenieren und aller Trennung wiederum abzuhelffen, ist der Separatismus ohnumgänglich nothwendig.« Hier sind schon aufklärerische Momente sichtbar: zuerst in dem heftigen Drang nach Freiheit, die sich mit einer merkwürdigen Ungeduld verbindet. Dieses Signum ist in der ganzen Aufklärung zu spüren. Ferner zeigt der separatistische Pietismus eine vorökumenische Stimmung, verbunden mit Nivellierungstendenzen und einem schwärmerischen Erwartungshorizont. Davon nicht weit entfernt ist die aufklärerische Begeisterung für ein Weltbürgertum.

Hier wie dort konstatieren wir eine Geschichtsfremdheit. Noch eins ist charakteristisch. Im radikalen Pietismus sind die alten Bekenntnisse denunziert worden. Doch diesen Kraftakt vermag man nur im Namen einer stärkeren Autorität zu vollziehen. Jede revolutionäre Wendung ist nur durch ein Hervortreten einer starken neuen Autorität erfolgreich gewesen. Die quietistische Mystik wird im Berleburger Pietismus zur neuen Autorität. Bezeichnend dafür ist eine Stimme in der »Geistlichen Fama«: »Das protestantische Kirchentum ist fast durchgehendst ein Reich der Todten, da nur todte Wercke und tödtende Anschläge zu sehen sind.« Dagegen sei im westeuropäischen Adel und Bürgertum ein Suchen nach der »Grund-Wahrheit« zu bemerken, »als wenn Paris zu Halle stünde«! Dann folgt die entscheidende Aussage: »Sonderlich muß die Mme de Guyon durch Frankreich und alle andere Länder eine rechte Posaune seyn.«

Ein Weg zum Dogmenabbau und einer kritischen dogmengeschichtlichen Arbeit in der Aufklärung war vorgebahnt. Der radikalen Ekklesiologie entsprach eine radikale Pneumatologie. Im 2. Jahrgang der »Geistlichen Fama« wird vorbehaltlos die Tatsächlichkeit außerordentlicher und unmittelbarer Offenbarungen Gottes bejaht. Hier zeigt sich ein schwärmerisches Menschenbild, das dem Menschen zu viel zutraut. Grenzabsicherungen fehlen. Diesem Menschenverständnis entspricht wiederum das Gottesbild. Der »gutmeinende« Gott (Marsay) hat sich nach der Vertreibung der Menschen aus dem Paradies redlich darum bemüht, einen »Rest an Paradies« den Menschenkindern zu erhalten. Gott ist lauter strömende Liebe. Die Wiederbringungslehre entspricht dem Bild vom »lieben«

Gott. Es sei auch ein völliges Mißverständnis, im Kreuz Christi ein stellvertretendes Strafgericht Gottes zu sehen. Wie könnte ein Arzt einem Kranken dadurch helfen, daß er selbst krank wird? Dadurch wird kein Kranker heil. So hat nach dem Urteil der »Geistlichen Fama« der Kampf Konrad Dippels in Berleburg gegen die »Stellvertretungslehre« »die Zustimmung aller Frommen für sich!«[49]

Es bedeutet kein schwieriges Unterfangen, von der Geisterfahrung zur Identifizierung von Geist und Vernunft zu schreiten. Die »Geistliche Fama« behauptete, daß der Geist aus der selbstverschuldeten religiösen Unwissenheit in der Christenheit herauszuführen verheißt. Warum sollte die Vernunft diese Aufgabe nicht überzeugender übernehmen können? Zwischen der Überbetonung der eigenen Geistesleitung und einer Überschätzung der Vernunft als erhellende Leuchte baut sich keine unüberwindbare psychologische Sperre auf. Ohne es wahrscheinlich selbst recht zu erkennen, wirkte in diesem radikalen Pietismus ein neuer Trend, der die Aufklärung vorbereitete. Einen praktischen Beleg dafür lieferte Marsay, der im Jahre 1740 in Schwarzenau einkehrte. Die alten Separatisten hatten das Zeitliche gesegnet. Ihre Kinder hatten von ihnen nur die Verachtung des äußeren Gottesdienstes geerbt. Den inneren Gottesdienst des Herzens besaßen sie nicht mehr. Nur eine Wüstenei blieb übrig, eine erschreckende Gleichgültigkeit gegenüber allem Religiösen. Für Marsay war es mit ein Anlaß, sich wieder der Kirche zuzuwenden. Er begegnete bedeutenden pietistischen Geistlichen wie z. B. Steinmetz, die ihm die Rückkehr leichter machten. So starb er im Frieden mit der »Kirche der gerechtfertigten Sünder«. Die Kraft, seine Erkenntnis weiterzusagen, besaß der Gealterte nicht mehr. Zu radikal war er einst mit sich selbst umgegangen, um sich hier noch engagieren zu können[50].

Der geniale Vertreter und dann auch Überwinder des radikalen Pietismus kam aus dem Luthertum. Gottfried Arnold (1666–1714), der in den radikalen Pietismus geriet, erkannte vor allem seine Geschichtslosigkeit als die große Versuchung[51].

Gottfried Arnold gehörte noch zur zweiten pietistischen Generation. Er war ein Zeitgenosse August Hermann Franckes, der nur drei Jahre älter war, ihn aber um dreizehn Jahre überlebte. Neben August Hermann Francke wird man ihn die größte wissenschaftliche Begabung in dieser Generation innerhalb der evangelischen Theologie an der Wende vom 17. zum 18. Jahrhundert nennen können. Dem Halleschen Pietismus hat er sich nicht angeschlossen, wenn auch einige seiner Bücher in dem Waisenhausverlag in Halle erschienen sind. Seine genialsten und leidenschaftlichsten Schriften sind dort nicht verlegt worden. So sehr es auch sein Le-

·ensziel gewesen ist, Gott und dem Nächsten zu dienen, hat er sich in die Aktivitäten Halles nicht einspannen lassen.

Gottfried Arnold hat auch nicht wie der große Hallenser darum gekämpft, daß die Bibelwissenschaft zur Mitte des wissenschaftlichen Betriebes in der Theologie wurde. Die bibelkritischen Fragen haben ihn nicht gestört. Die Schrift blieb ihm unverrückt das gewaltige Buch, das jeden formt, der ihm nicht geflissentlich aus dem Wege zu gehen sucht.

Den Atheismus, der sich in seiner Zeit schon recht vernehmlich äußerte, hat er genau beobachtet. Er kannte Speners Stellung zu ihm. Auch für Arnold galt: Gottlosigkeit läßt sich nicht allein theoretisch überwinden. Gefährlicher ist für Arnold der »Atheismus practicus«. Das ärgerliche Leben der Christen, nicht zuletzt ihrer Theologen habe dem Atheismus viel Vorschub geleistet.

Vor allem habe man die mißbräuchliche Verwendung der Schrift als Bausteine für theologische Systeme, die sich im Aristotelismus verfilzt haben, abzustellen. Man verbaue dadurch vielen Suchenden den ganz unmittelbaren Zugang zu ihr und lasse die Schrift sich nicht aussprechen.

Gottfried Arnold wollte dialogisch denken und urteilen. So kümmerten ihn z. B. bei Hugo Grotius nicht dessen bibelkritische Anfragen. Er suchte das zu erheben, was an christlichen Grundaussagen und Bekenntnissen bei ihm zu finden war. Es war ihm genug, daß er sich bemühte, aufrichtig Gott zu dienen und von Herzen an ihn zu glauben.

So ließ er sich auch bei Spinoza nicht auf dessen angeblichen Pantheismus ein. Dessen Ehrfurcht vor Gott sprach sich so unmittelbar aus, daß man es sich nicht mit seiner Abqualifizierung so leicht machen sollte. Mag auch Spinoza gesagt haben: »deus sive natura«. Aber meint er dann, Gott und Natur sind nicht zu trennen? Spinoza hätte sich jedoch mit Händen und Füßen dagegen gewehrt, diese Aussage umzustellen, den Satz zu wagen: natura sive deus (Die Natur ist gleichsam Gott). Gottfried Arnolds Überzeugung von der stürmischen Gewalt des Geistes Gottes, dem sich niemand völlig entziehen kann, selbst nicht ein Atheist, läßt ihn überall das entdecken, was an Glaube und Gehorsam gegen Gott doch noch vorhanden ist. Ketzereien deckt er nicht, doch Globalverwerfungen sind ihm unerträglich[52].

Damit stehen wir bereits bei dem, was ihn berühmt gemacht und ihm einen bleibenden Platz in der Kirchengeschichte und Geistesgeschichte gesichert hat, bei seiner »Unparteiischen Kirchen- und Ketzerhistorie«. Sie hat ihm viel Ungemach und bittere Feindschaft eingehandelt. Der Aufruhr war groß in Theologie und Kirche. Der radikale Pietismus, der schon vor dem Erscheinen dieses anrüchigen und aufregenden Buches

rumorte, hat diese beiden dicken Folianten, die zwischen 1699 und 170
erschienen, begeistert aufgenommen. Er fand sich darin bestätigt.

Hier vollzog sich ein Umbruch in der kirchengeschichtlichen Forschun, von der geschlossen konfessionellen Darstellung zur pragmatischen de Aufklärungszeit. Gottfried Arnold hat hier seinen Beitrag neben der Pierre Bayles für die Entstehung der historisch-kritischen Forschung ge leistet[52 a].

So ist es auch verständlich, daß das Interesse an Gottfried Arnold wei hin hier hängengeblieben ist. Seine Bedeutung innerhalb des Pietismu läßt sich in dieser Verkürzung jedoch nicht ermessen. Sein ganz persönli cher Weg, die männliche Entschlossenheit eines Einzelgängers, der im mer wieder bereit war, abzusagen, was er als falsch erkannte, der Ertra seines Lebenskampfes und seiner Lebensleistung verlangt eine umfassen dere Blickweite. *Wenn man ihn nur mit seiner »Unparteiischen Kirchen und Ketzerhistorie« zusammen sieht und dann den Punkt setzt, nimmt ma die Deutung, die er seinem ganzen Lebenskampf gegeben hat, nicht ernst*[53]

Gottfried Arnold hat in der alten Kirche Augustinus besonders star beachtet. Dessen »Confessiones« (Bekenntnisse) und »Retractiones (Bearbeitungen, Wiedererwägungen) entsprachen dem, was er selbst z seinen Veröffentlichungen, zu seinem Ringen und den einzelnen Statio nen des eigenen Lebens zu sagen hatte. Gottfried Arnold hat keine seine kühnen und leidenschaftlichen Schriften zurückgenommen. Sie sah er i einem unlöslichen Zusammenhang einer Gottesführung. Gott habe ih durch alles »hindurchgezogen« dorthin, wohin er ihn haben wollte[54].

Am 5. September 1666 wurde Gottfried Arnold als Sohn eines Präzep tors in Annaberg im sächsischen Erzgebirge geboren, in einer Landschaf wurzelhafter Frömmigkeit, die tief ins Volk eingedrungen war. Die noc heute dort vorhandenen kirchlichen Gebräuche sind in ihrer Innerlichkei und spontanen Herzlichkeit, die sich vor allem um das Weihnachtsereig nis wie ein Lichterkranz gelegt haben, einzigartig geblieben.

Der Siebenjährige verlor seine Mutter. Im gleichen Jahr heiratete de Vater wieder. Gottfried als der Älteste mußte mit 13 Jahren durch Pri vatunterricht mithelfen, daß das tägliche Brot nicht der Familie mangelte Den Sechzehnjährigen finden wir dann plötzlich auf dem Gymnasium ir thüringischen Gera. Er blieb drei Jahre dort. Nicht gerade früh für dama lige Verhältnisse konnte er erst mit 19 Jahren die Universität Wittenber beziehen, um Theologie zu studieren. An dieser Hochburg des orthodo xen Luthertums nahm Johannes Deutschmann, der Schwiegersohn de leidenschaftlichsten Lutheraners Calov, Gottfried Arnold in seine Tisch gemeinschaft auf. Arnold lebte ganz seinen Studien. Sein Platz war in de

Universitätsbibliothek, um seinen unersättlichen Wissenshunger zu stillen. Er hatte dabei nicht immer ein gutes Gewissen. Die Furcht beseelte ihn, dabei die Wissenschaft zu hoch einzuschätzen und Gott zurückzustellen.

Bereits nach dem ersten Studienjahr konnte er den Magistergrad (Magister artium) mühelos erwerben. In den vier Jahren Universitätsstudium von 1685–1688 hat ihn offensichtlich am stärksten der damals berühmte Polyhistor Conrad Samuel Schurzfleisch (1641–1708), Professor für Geschichte und Griechisch gefesselt. Schurzfleisch wurde eine lebende Bibliothek, ein »wanderndes Museum« genannt. Er lenkte Arnold auf das Quellenstudium hin, zu dem er selbst eine Fülle von kritischen Untersuchungen vorgelegt hatte[55]. So fiel schon früh bei Gottfried Arnold die Entscheidung für die Kirchengeschichte. Daß er dabei die Verantwortung für den Mitmenschen nicht aus den Augen verlieren dürfe, blieb ein Stachel, der ihn immerfort quälte.

Der Zweiundzwanzigjährige lernt 1688 Spener kennen, der damals Oberhofprediger in Dresden war und ihm die Stelle eines Hauslehrers in seiner Nähe vermittelte. Spener hat ihn tief beeinflußt. Ob man bei Arnold von einer Bekehrung sprechen kann, ist nicht eindeutig auszumachen. In Speners Schriften war er daheim. Zu Speners Parteigänger scheint Gottfried Arnold, der typische Einzelgänger, nicht geworden zu sein. Er blieb vier Jahre von 1689–1693 in Dresden als Erzieher der Jugend von Offiziersfamilien. Spener ging 1691 nach Berlin. Im Dezember des gleichen Jahres wurde der aus Leipzig verdrängte und dann aus Erfurt verjagte August Hermann Francke nach Halle gerufen. Spener und Francke standen nunmehr unter dem Schutz des brandenburgisch-preußischen Staates. Gottfried Arnold hielt noch zwei Jahre in Dresden aus. Hier wurde jetzt auf den Kanzeln eine scharfe Sprache gegen den Pietismus gesprochen. Spener konnte Arnold von Berlin aus nicht mehr zur Vorsicht und Geduld mahnen und beschwichtigend auf ihn einwirken. So kam, was kommen sollte. Arnold wurde mit seinen rigorosen Urteilen über die halbheidnische barocke Welt in Dresden und am kurfürstlichen Hof dem General Birkholz, dessen Kinder er zuletzt unterrichtete, zu beschwerlich.

Spener besorgte dem 27jährigen von Berlin aus eine neue Hauslehrerstelle in Quedlinburg. Dort war ein Jahr zuvor sein Freund Christian Scriver, der Oberhofprediger der Äbtissin des Reichsstiftes Quedlinburg gestorben. Vielleicht wollte Spener durch Gottfried Arnold die dortige pietistische Gruppe, die sich um den zweiten Hofprediger der Äbtissin Sprögel scharte, mit stützen helfen, nachdem die Stimme Scrivers verstummt war. Doch er brachte ihn vorsorglich im Hause des brandenburgischen Stiftshauptmannes von Stammer für die folgenden vier Jahre von 1693–1697 unter. Denn dadurch war Gottfried Arnold den aufwühlenden kirchlichen und politischen Kämpfen in Quedlinburg doch etwas ferner gerückt, die damals die ganze Stadt erschütterten.

Die pietistischen Hausversammlungen bei Sprögel besuchte er, wie er in Dresden die Predigten und Privaterbauungsstunden bei Spener nicht versäumt hatte. Doch auch hier hielt er einen geflissentlichen Abstand. Die Teilnehmer an den Versammlungen bei Sprögel waren wie der Hofprediger Vertreter des philadelphischen Ideals. Damit verbanden sich separatistische Neigungen. Jedenfalls hielten sich viele von ihnen vom Gottesdienst und dem Abendmahl fern.

Eine häßliche Fehde der Stadtgeistlichkeit ließ nicht auf sich warten. Die Teilnehmer der Erbauungsstunden wurden separatistischer Neigungen angeklagt. Auch Gottfried Arnold entging nicht dieser Verdächtigung. Der Kurfürst von Brandenburg, der nur zu gern jeden Anlaß aufgriff, sich in Quedlinburg einzuschalten, um dieses Gebiet fest in sein Land einzugliedern, ordnete eine genaue Untersuchung an. Gottfried Arnold, der an den öffentlichen Gottesdiensten und an den Abendmahlsfeiern teilnahm, konnte nicht mehr als der Besuch der Andachten im Hause Sprögels nachgewiesen werden. Er wurde von allen Anschuldigungen freigesprochen.

Der Stiftshauptmann von Stammer beschwerte Arnold nicht. Er muß mit dem Pietismus sympathisiert haben. Denn Gottfried Arnold unterrichtete in dessen Haus Anna Magdalena von Wurm, die Braut August Hermann Franckes in der griechischen Sprache. Spener drängte erneut Arnold, eine Pfarrstelle anzunehmen und hätte ihm dabei helfen können. Doch vor diesem Weg scheute Arnold zurück. Er war voll und ganz bei einem intensiven Kirchenväterstudium. Er kaufte alle freie Zeit aus, um sich umfangreiche Exzerptensammlungen anzulegen, auf die er jederzeit zurückgreifen konnte. Er war scheinbar in eine kampffreie Zone abgerückt. Und doch war es keine Fluchtbewegung aus einer häßlichen Gegenwart, in der Stadtgeistliche ungehemmt von der Kanzel die Teilnehmer der pietistischen Erbauungszirkel als »Antichristen« donnernd abkanzelten.

Die Titel seiner Veröffentlichungen und ihre Inhalte ließen aufhorchen. Er verdeutschte und veröffentlichte 1695 den 1. Clemensbrief und den Barnabasbrief aus dem 1. Jahrhundert nach Christus. Ein Jahr später legte er die bereits erwähnten geistlichen Homilien, die dem nitrischen Wüstenmönch Makarios zugeschrieben wurden, in Deutsch vor. Eine kleine Monographie über das »Erste Martyrium«, eine Zusammenstellung aus den altkirchlichen und patristischen Quellen erschien 1695. Sie »sollte zu einem Spiegel dienen, der den jetzigen und künftigen Zustand der Gemeinden mit der ersten zusammenhalte«.

Das war eine erste öffentliche Antwort Gottfried Arnolds zu den zügellosen Attacken der orthodoxen Streittheologen in Quedlinburg und zielte bereits darüber hinaus.

Im nachfolgenden Jahr folgte eine kleine Arbeit über den Bruder- und Schwesternamen der ersten Christen in lateinischer Sprache. Das Jahr 1696 wurde zu seinem Schicksalsjahr. Mit einem Schlage wurde der unbekannte Hauslehrer in Quedlinburg berühmt. Er schrieb in deutscher Sprache und in einem lebendigen Stil ein Werk über »Die Erste Liebe Der Gemeinen JESU Christi / Das ist / Wahre Abbildung Der Ersten Christen / Nach Ihrem Lebendigen Glauben Und Heiligen Leben. Aus den ältesten und bewährtesten Kirchen-Scribenten eignen Zeugnissen / Exempeln und Reden / Nach der Wahrheit der Ersten Einigen Christlichen Religion / allen Liebhabern der Historischen Wahrheit / und sonderlich der Antiquität, als einer nützlichen Kirchen-Historie / Treulich und unpartheyisch entworffen / Worinnen zugleich des Herrn WILLIAM CAVE Erstes Christentum Nach Nothdurfft erläutert wird / Von Gottfried Arnold. Franckfurt am Mayn. / Zu finden in Gottlieb Friedeburgs Buchhandlung. / Im Jahre 1696.«

Der stille Privatgelehrte Arnold beweist hier eine erstaunliche Kenntnis der patristischen Quellen in seiner Darstellung der Christenheit der ersten drei Jahrhunderte. Das Buch ist oft nachgedruckt worden und hat eine erstaunliche Breitenwirkung ausgeübt[56].

Angeregt wurde Arnold zu seiner Untersuchung durch eine Veröffentlichung von William Cave (1637–1713), einem führenden Patristiker der Kirche von England. Dessen Werk über die frühe Christenheit, das 1673 in England erschien, lag 1694 in deutscher Sprache vor. Es stellt eine Selbstrechtfertigung der Kirche von England dar. Die alte Kirche der ersten 4 Jahrhunderte habe ihre reife Ausbildung im Blick auf ihre Hierarchie und ihr liturgisch-gottesdienstliches Leben im Staatskirchentum Englands empfangen[56 a].

Arnolds Schrift war ein Gegenentwurf, ein »Anti-Cave«. Er meidet geflissentlich den Ausdruck Kirche und spricht von der christlichen Gemeinde. Es ist gewiß ein mit historischen Farben gemaltes idealisiertes Bild der ersten Christenheit. Er ist klug genug und weiß das. Es erschüttert ihn nicht, daß man ihm später angesichts der beigebrachten Fülle an altkirchlichen und patristischen Zitaten Fehler und Lücken nachweisen kann. Zu einseitig habe Arnold sich auf Augustin und Makarios den Ägypter berufen. Er will nur zeigen, was die alte Christenheit unter einem wahren Glauben und der wahren Kirche verstanden haben will.

Was Arnold gegen Cave zu sagen hat, zeigt das achte Buch mit seiner Überschrift und den Untertiteln der beiden ersten Kapitel darin deutlich: »Von dem Abfall der Christen / vornemlich unter und nach Constantino Magno, von der ersten Lauterkeit. Das I. Capitel. Von dem besten Zustand der ersten Gemeinen unter dem Creutz ... Das II. Capitel. Von dem Verfall der Christen unter dem äußerlichen Wohlstand / dessen Ursachen und Umständen.« Was quälte Arnold?

Unter Konstantin dem Großen (288(?)–337) begann ein Abfall. Die Reinheit der alten Christenheit mit ihren bekehrten Christen, die sich von der Welt abkehrten, die innerlich reiften und im Extremfall zum Martyrium bereit waren, ging dahin. Die Gemeinden waren einst Bruderschaften unter Christus, der sie miteinander verband. Heuchler, notorische Sünder, hatten keinen Platz unter ihnen, wenn sie sich nicht bekehrten. Frei war alles, frei das Gebet, frei die Wahl der Versammlungen, frei die Wahl von Ort und Zeit, wo sie zusammenkamen. Es gab kein Berufspriestertum, sondern ein Priestertum aller Gläubigen. Die Lehrer waren Charismatiker. In der Verkündigung wurde Buße und Sündenvergebung gepredigt, aber auch zum neuen Leben der Wiedergeborenen aufgerufen. Die Katechese wurde nicht verachtet. Zum Abendmahl wurden grobe Sünder nicht zugelassen. Die Kindertaufe wird nicht erwähnt, da sie als apostolischer Brauch nicht klar nachzuweisen sei. Das alles war im Grunde nicht nur ein Gegenbild zu Cave, sondern auch zur kirchlichen Situation seiner Zeit.

Was man auch gegen dieses Buch vorbringen konnte, es begründete Arnolds wissenschaftlichen Ruf. Es folgte unmittelbar darauf eine Berufung an die Universität Gießen als Professor für allgemeine Geschichte durch den Landgrafen Ernst Ludwig von Hessen-Darmstadt, dessen Mutter eine Tochter Ernst des Frommen war. Der Landgraf war begeistert von der »Ersten Liebe«. Doch erteilte er Arnold wohlweislich keine kirchengeschichtliche Professur, um ihn freier arbeiten zu lassen. Am 24. März 1697 wurde er berufen, am 29. August hielt er seine Antrittsvorlesung, doch schon im Mai(?) 1698 trat er von seinem akademischen Amt zurück.

Was bewegte Arnold zu diesem in der damaligen Öffentlichkeit aufsehenerregenden Schritt? An einem mangelnden Lehrerfolg lag es nicht. Was er an der Kirche zu tadeln hatte, daß sie einem wahren Christentum im Wege stand, beklagte er auch im akademischen Lehrbetrieb.

Im Grunde vollzog Arnold hier eine Kampfansage im Namen einer Herzensfrömmigkeit gegenüber einer intellektualistischen Hochzüchtung der wissenschaftlichen Theologie.

Gott und seinem Nächsten zu dienen schien Arnold auf akademischem Boden nicht möglich zu sein. Das war seine innere Anfechtung. Diese Absage trug ihm eine enge Verbindung mit separatistischen Kreisen lutherischer Provenienz in den Niederlanden ein. Friedrich Breckling (1629–1711), beeinflußt von Johann Arnd, von Jakob Böhmes Theosophie wie auch vom Chiliasmus des Comenius, war unermüdlich in der Verbreitung der philadelphischen Ideen. Er feuerte August Hermann Francke in begeisternden Zustimmungen an, sein Werk fortzusetzen[57]. Ein großer Briefwechsel verband ihn mit zahllosen Separatisten, die man in allen deutschen Landeskirchen als Fremdlinge finden konnte. 1660 war Breckling aus seiner Heimatkirche in Schleswig-Holstein verdrängt worden. 1668 wurde er als lutherischer Pfarrer in Zwolle in den Niederlanden seines Amtes enthoben. Seitdem lebte er in kümmerlichen Verhältnissen in Amsterdam und schrieb eine Schrift nach der anderen. Die nicht zum Druck mehr kamen, hat dann Gottfried Arnold in seine »Unparteiische Kirchen- und Ketzerhistorie« aufgenommen.

Breckling hatte viel Material über die alte Kirche gesammelt. Das stellte er Gottfried Arnold zur Verfügung. Neben ihm ist Johann Georg Gichtel (1638–1710) nicht zu übersehen. Er war in Regensburg geboren und starb wie Breckling in Amsterdam. Hoch begabt, visionär veranlagt fand er nach zahlreichen Wanderungen sich zu Breckling zurück, der ihn zum unerbittlichen Kirchenkritiker gemacht hatte. Was beide nunmehr verband war der Wille, das Luthertum im Sinne Johann Arnds zu einem innerlichen Gottesdienst zu reformieren. Mit Breckling überwarf er sich dann doch und wurde in Amsterdam der Führer eines Kreises kirchenfreier Christen. Hier pflegte man den inneren Gottesdienst des stillen Gebetes und einer ernsten Askese. Visionen waren ihnen nicht fremd. Gichtel konnte auch in Hamburg, in Altona, Magdeburg, Nordhausen unter den Namen »Engelsbrüder« auf Anhänger zählen. Gichtel ist die erste Gesamtausgabe der Schriften Jakob Böhmes in Amsterdam im Jahre 1682 zu verdanken.

Dabei erweiterte er Böhmes Sophienspekulation. Die Vermählung des geistlichen Menschen mit Christus führte bei ihm zur Forderung der Ehelosigkeit. Der Gedanke vom Zorn Gottes bei Jakob Böhme stand ihm fern, wenn er auch dessen Kosmologie übernahm, die dadurch weiche Züge annahm. Mit Gottfried Arnold war Gichtel zeitweilig verbunden. Daß dieser 1701 in zwei Bänden dessen »Theosophische Schriften« veröffentlichte, die nur in dessen geschlossenen Kreisen zirkulieren sollten war ihm nicht recht[58].

Die Übereinstimmung mit Breckling und Gichtel schien einhellig z sein, als Gottfried Arnold im Jahre 1698, kaum dem Lehramt in Gieße entronnen, seine »Göttlichen Liebesfunken, aus dem großen Feuer de Liebe Gottes in Christus entsprungen« in Druck gab. Es handelte sich un eine Liedersammlung, die bereits während seines ersten Aufenthaltes i Quedlinburg entstanden waren. Sie waren der »Durchlauchtigsten Für stin und Frau, Frau Dorothea Charlotta, Landgräfin zu Hessen« gewid ment.

Hier findet sich als 126. Gedicht »Babels Grablied«. Es möchte Kläng aus dem Alten Testament aufnehmen: Jer. 51,9; 49,16; Obadja 4 Psalm 137,9. Es ist ein leidenschaftlicher Gesang mit 18 Strophen. Di ganze Bitternis gegenüber den kirchlichen Zuständen seiner Zeit, vor al lem die Enttäuschung mit der lutherischen Geistlichkeit schwingt mit Wahrscheinlich hatte dabei Arnold den 15. (bzw. 75.) Kühlpsalm vor sic liegen, als er dieses Lied dichtete. Es ist die gleiche scharfe Polemik wi bei Quirinus Kuhlmann. Sie steht in einem weiteren Zusammenhang mi Jakob Böhmes Kampfansage, mit Gichtel, Breckling und Dippel, die i die gleiche Kerbe schlagen.

1. Strophe: »Der Wächter Rath / Den Gott bestellet hat / Spricht di Sententz schon über Babels wunden / Es sey kein Artzt noch Kraut vor si gefunden / So gar verzweiffelt böse sey der Schad / Den Babel hat«.

Schärfer wird die Tonart:

Der Tod sitzt ihr / Schon auf der Zunge schier. / Ihr Aas soll bald in Ab grund sein begraben. Da mögen sich die Buhler an ihr laben. / Die fürch ten schon, es falle ihre Zier. / Und merken's schier.

Noch wilder: Drum stürmt ihr Nest, / Darein sie stolz gewest! / Zer schmettert ihre Kinder an den Steinen! / Die Schlangenbrut soll ja Nie mand beweinen. / Gebt ihrem Bau, dem Frevelsitz, den Rest / Un stürmt ihr Nest!

Doch dann greift Arnold plötzlich das Zentrum Babels an: Das Babel ir Menschenherz selbst wie vor ihm in der gleichen Frontstellung bei Ange lus Silesius:

15. Strophe: »Drum dämpfet nicht Den Geist / wenn er außbricht In euc und andern / Babels Grund zu stöhren; Ihr sonderlich / die ihr wollt vi bekehren / Seht / daß nur erst in euch gantz Babel bricht / Und heuche nicht«.

In der 18. Strophe: Indeß Gedult! GOtt findt schon Babels Schuld Triumph! Es ist der Sturm gelungen! Drum sey GOtt schon im Vorrat

Lob gesungen! Ein richtig Hertz bleibt doch in Gottes Huld / Darum Gedult.

So pompös und gespreizt sich diese barocke Dichtkunst bei Arnold äußert, klingt alles doch in dem neustoizistischen Ideal der Apatheia, der unerschütterlichen Geduld, die Gott nicht vorgreift, aus[59].

Noch schärfer und scheinbar tödlich wird die Tonart, die Gottfried Arnold »unter dem Schutze göttlicher Providenz« in seiner »Unparteiischen Kirchen- und Ketzerhistorie« anschlägt. Der hoffnungslose Verfall der Kirche wird bereits auf den Anfang des zweiten Jahrhunderts zurückdatiert und bis 1688 aufgewiesen. Was vorher war, die Veröffentlichung der »Göttlichen Liebesfunken« mit Babels Grablied war nur ein Präludium. An Schärfe und Radikalität des Angriffs auf die Kirche ist das Werk kaum zu überbieten. Eine Reform der Kirche ist nicht mehr möglich.

Eine Gesamtanalyse der zwei Bände vorzulegen, haben wir uns zu versagen. Nur was für den weiteren Lebensweg Arnolds und damit für die weitere Geschichte des Pietismus relevant ist, ist hier zu erheben. *Unübersehbar ist Arnolds leidenschaftliches Bekenntnis zur religiösen Toleranz.* Alles prüfen und das Gute behalten! Diese apostolische Mahnung habe die Kirche nicht eingehalten. Sie habe in unbegreiflicher Ungeduld die Ketzer verfolgt und nur das Gegensätzliche bei ihnen herausgeholt und verdammt. Alles andere habe sie hartnäckig überhört.

Unter diesem Gesetz eines Verfalles bzw. Abfalles vom frühen Christentum ging es immer mehr bergab.

Das steht nun bei Arnold in einer gewollten Spannung: *Die Institutionalisierung des Christentums habe einen Verfall eingeleitet.* Um diese Kirche in ihrem Bestand zu sichern, habe sie ängstlich jede Kritik der Außenseiter unbarmherzig geahndet. Auch alle Versuche, neue kirchliche Ordnungen an die Stelle der alten zu setzen, entgehen, sobald sich alles verfestigt, nicht dem gleichen Schicksal. Die Ketzereien der Ketzer entschuldigt und verteidigt Arnold nicht. Er möchte alles ganz unparteiisch beurteilen[60].

Was unternimmt Arnold, der inzwischen nach Quedlinburg zurückgekehrt ist? Wenn keine kirchliche Gemeinschaft einen Bergungsort bieten kann, ist der Christ auf sich selbst geworfen. Geschieht bei Arnold eine Flucht in die Mystik? Jedenfalls erprobt er die Tragfähigkeit der Mystik. In erstaunlicher Schnelligkeit erfolgen die Übersetzungen der Mystiker: Molinos, Mme. de Guyon, Theresa von Avila, Johannes vom Kreuz und Bourignon. Daneben legt er Übersetzungen von Tauler, Thomas a Kempis, Theologia deutsch, Ruysbroek und Angelus Silesius vor. Man meint, er habe sie eigentlich nur für sich selbst übersetzt. Die zwei Bände von

Gichtels theosophischen Sendschreiben sind schon erwähnt worden. Makarios darf nicht vergessen werden.

Schließlich schreibt er selbst über »Das Geheimnis der göttlichen Sophia« im Jahre 1701. Damit setzt er einen Schlußstrich. Hinter den spielerischen Tönen dieser Schrift, die an das Hohelied erinnert, sind offensichtlich eigene visionäre Erfahrungen verborgen, die in der Manier einer erotischen Dichtung verschlüsselt dargestellt werden[61].

In einem faustischen Drang hat er den weiten Raum der Kirchengeschichte und nun auch der christlichen Mystik durchmessen. Es ist vielleicht nicht ganz belanglos, darauf hinzuweisen, daß sich in seiner hinterlassenen Bibliothek eine Ausgabe von »Fausts leben und Ende / mit Pfitzers Anmerckungen, Nürnberg 1687« befunden hat[62]. Ist er nicht auch ein ruhelos Getriebener gewesen in seinem unersättlichen Wissensdurst in seinem »Schweifen« und seinen »Abführungen«? Nirgends konnte er verweilen. Und doch: »Der ewige Erbarmer ziehet uns alle zu seinem Sohn im völligen Glauben ...«

Was er bisher getan, gesagt und geschrieben hat, waren in seinen Augen »Durchbrüche zur Freiheit«. Seine Umwege sind immer »begradet« worden durch das »souveräne Regiment des Höchsten«. Doch die Führung enthebt nicht der eigenen Verantwortung. Doch bei einem »Gottesfürchtenden gerät wohl, was er machet«.

Das ist für ihn die »Paradoxie der christlichen Existenz«. Er mußte auswandern aus der orthodoxen Rechtfertigungstheorie. Er schien weit abgekommen zu sein von dem reformatorischen Rechtfertigungsglauben bei seiner Wanderung durch die christliche Mystik. H. E. Weber, einer der souveränen Kenner des 17. und 18. Jahrhunderts, hat überzeugend vorgetragen: »Es ist ein Segen, daß die Rechtfertigungstheorie nicht das System erschöpft. Fast möchte man sagen, ihre Wahrheit mußte auswandern in andere Lehren.« *Bei Arnold ist die Rechtfertigungsgewißheit nicht aufgehoben worden.* Sie ist nur »ausgewandert« in bestimmte »Züge seiner Theologie der Wiederbringung des göttlichen Bildes durch die Rückgewinnung der Freiheit«. Sie schenkt der »Durchbrecher aller Bande« Christus, durch Tod und Auferstehung!

So bedeutete für Arnold sein Festhalten an gewissen Hilfen, die ihm die Mystik für sein Glaubensleben bot, kein Auswandern, sondern ein »Heimwandern«[63].

Denn was ihn in Quedlinburg nach seiner Rückkehr erwartete, war beschwerlich genug. Seine »Unparteiische Kirchen- und Ketzerhistorie« trug ihm einen Sturm an Entrüstung ein, daß er sogar um sein Leben fürchtete.

Da muß er sich verteidigen, daß er kein Separatist sei. Er gehe wirklich zur Kirche, predige selbst und war Taufzeuge. Nur zum öffentlichen Abendmahl könne er nicht gehen um des schreienden Mißbrauchs willen, das mit ihm getrieben werde in der schrankenlosen Zulassung aller. Doch hält er mit dieser Erklärung eine Ausweisung durch die Äbtissin des Reichsstiftes Quedlinburg nicht auf. Innerhalb von vier Wochen habe er Stift und Stadt zu verlassen. Schließlich wird dem Hofdiakon Sprögel geboten, innerhalb dreier Tage Arnold aus seinem Hause zu schaffen[64].

Daneben fehlt es nicht an einer Fürsorge. Die verwitwete Gräfin von Sayn-Wittgenstein-Berleburg sendet ihm eine geldliche Unterstützung. Entscheidender war eine andere Tatsache. Kurfürst August der Starke von Sachsen hatte seine Rechte an der Stadt Quedlinburg für 340 000 Taler im Jahre 1697 an Kurfürst Friedrich von Brandenburg-Preußen abgetreten. Der brandenburgische Kurfürst stellte sich schützend vor Arnold und übermittelte ihm am 23. Oktober 1700 ein Schutzschreiben. Sprögel, der offensichtlich nicht angegriffen wird, verteidigte Arnold.

Vorläufig hilft das alles nichts, auch nicht Arnolds Erklärung zum öffentlichen Abendmahl zu gehen, aber ohne Zwang und freiwillig. Er veröffentlicht drei Predigten, die er dem Geheimrat von Fuchs in Berlin dediziert, der die Kultusangelegenheit verwaltet. Die Quedlinburger Äbtissin läßt sich nicht davon abhalten, das Ausweisungsedikt am 31. Juli 1701 zu erneuern. Am 5. September 1701 heiratet Arnold Anna Maria Sprögel, die Tochter des Hofdiakons. Sie haben miteinander zwei Kinder gehabt, die frühzeitig zum tiefsten Leid der Eltern starben.

Gichtel ist entsetzt, daß Arnold eine »fleischliche Ehe« eingegangen sei. Es erscheint eine Schrift: »Das Eheliche und Unverehelichte Leben der ersten Christen / nach ihren eigenen zeugnissen und exempeln beschrieben von Gottfried Arnold. Franckfurt / bey Thomas Fritschen / 1702«.

Darin schreibt er: »Auch die alten Christen haben aus der schrifft gelehret / daß die Ehe von GOTT geordnet sey . . . Insonderheit haben auch die alten Christen die züchtige zusammenfügung zum kinderzeugen aus der schrifft an sich selbst an gläubigen eheleuten unschuldig erkannt / und von der thierischen unordnung und schändlichen brunst genau unterschieden. Von jener aber haben sie wohl erkannt / daß Gott bey solcher hl. vereinigung . . . die geheiligten kräffte des lebens bewegt und fortpflantzend machet durch sein ewiges schaffendes und erneuerndes wort JEsum Christum: als dem die gläubigen eltern nicht / wie die ungläubige widerstehen«[65].

Hat hier Arnold wirklich einen Frontwechsel vorgenommen? Die Ehe derer, deren ganzes Herz Gott gehören soll, hat er selbst geschlossen. Sie ist ihm eine hohe Schule tiefster Verantwortung, bei der Gott nie aus den Augen zu lassen ist. In Ehrfurcht steht sie vor dem Geheimnis der Schöpfung, deren Werkzeuge Mann und Frau in der Ehe sind. Mehr will er hier nicht sagen. Die Ehe der Heiden, d. h. derer, die nicht zu Gott stehen, ist »tierisch«! Denn was den Menschen vom Tier unterscheidet, ist sein Wissen um die Urbezogenheit des eigenen Lebens zu Gott. Die geistliche Ehe, wo man wie Bruder und Schwester im gemeinsamen Dienst vor und für Gott steht, wird anerkannt.

Doch das letzte Ziel Gottes ist ein anderes. Denn daß Gott Adam »in ständiger Konnektion mit ihm und das hieß jungfräulich geschaffen habe« und daß »eben diese Göttliche ehe und verbindung das letzte gleichsam auf dem schau=platz aller wercke GOttes seyn werde«, Mann und Frau eine Interimssache hier auf Erden bedeuten, ist Arnolds abschließende Feststellung.

Im übrigen gleicht Zinzendorfs Eheauffassung der Arnolds von 1701. Nur daß der Graf die Menschlichkeit Jesu in seinem Erdendasein voll gegen alle Prüderie ins Spiel bringt, die über dem Geschlechtlichen liegt.

Für Arnold stand die Eheschließung und Eheführung unter dem Zeichen einer klaren Fügung Gottes. Mußte er nicht durch die Ehe den letzten Rest eines schwärmerischen Verdachtes abstreifen, daß er nicht nach schwärmerischen Prinzipien lebe? Das sollte diese Schrift über Ehe und Ehelosigkeit klarlegen, daß »ein Mensch unter Christus in der Ehe oder auch außerhalb der Ehe der Führung gewiß sein muß, die ihm zuteil wird«[66].

Sein erster Schritt war getan. Die Absage an den unchristlichen Geist der Verketzerung und an alle äußere Separation, die nichts einbringt, war überall gehört worden. Sein Zorn über alle Ketzermacherei war verraucht. Nach der Eheschließung folgte der zweite Schritt. Arnold übernahm ein Pfarramt.

Den Freunden sagte er, daß er dadurch nicht mit seiner Vergangenheit gebrochen habe. Doch Gott »gibt Freiheit, sich ‚den gemeinen Gewohnheiten zu unterwerfen' und sich um anderer willen zum Knecht zu machen«. So schnell freilich sollte er auch hier nicht zur Ruhe kommen. Gewiß wurde ihm der Übergang in ein Pfarramt als Schloßprediger in Allstedt erleichtert. Man erwartete von ihm nur Predigt und Unterweisung. Die Herzogswitwe Sophie Charlotte stand ganz zu ihm.

Doch der Herzog von Sachsen-Eisenach forderte von Arnold die eidliche Verpflichtung auf die Konkordienformel. Dazu war dieser nicht bereit. Gegen die Grundaussagen dieser lutherischen Bekenntnisformel legte er keine Bedenken. Doch in seinen Augen hatte dieses lutherische Bekenntnis längst seine verbindliche Kraft eingebüßt, da es in der Kirchenpraxis im Grunde nur eine verstandesmäßige Zustimmung erwartete. Dabei hatte dieses Bekenntnis durch seine Einbettung in ein aristotelisches Denkgehäuse in seiner Zeit längst seine Überzeugungskraft verloen. Mit Bekenntnisformeln zu streiten bringe nichts mehr ein. Arnold wollte sich auch in seinem Leben niemals zwingen lassen. Seine Freiheit und die Freiwilligkeit waren ihm unaufgebbare Güter.

So ging es hin und her. Der preußische König Friedrich I., vormals Kurfürst, intervenierte. Arnold war ihm kein Fremder mehr. Ihm hatte er seine »Unparteiische Kirchen- und Ketzerhistorie« gewidmet und diese Widmung war gnädig und wohlwollend angenommen worden. Denn Arnold hatte nicht versäumt, ihm zu danken: Unter dessen göttlicher Direkion könnten sich seine Untertanen einer uneingeschränkten Gewissensreiheit erfreuen. Zugleich appellierte er an alle Obrigkeiten. Nichts diene mehr zur ungestörten Ruhe und Ordnung als dieses hohe Gut der Toleanz. Ja, es wäre auch besser, wenn der Staat, der tolerant denkt und handelt, das Recht für sich in Anspruch nehmen würde, »aus der Kirche zu toßen und zu Ketzer machen«.

War Arnold ein politisch Ahnungsloser? Er hätte nicht so dringlich an die Obrigkeit appelliert, wenn er nicht gewußt hätte, wie mühevoll sich der barocke Staat damals erst in diese Rolle eingewöhnen mußte. Mit Rückfällen in alte barbarische Gepflogenheiten war immer zu rechnen. Daß Arnold selbst bei einem pfingstlichen Abendmahlsgottesdienst den brutalen Überfall von königlichen Werbern erleben würde, konnte er nicht ahnen. Sie rissen die jungen Männer aus den Kirchenbänken und preßten sie zum Militärdienst. Das Entsetzen darüber beschleunigte den Tod des längst erschöpften Arnold. Noch ging es um die Aufhebung des Ausweisungsbefehles aus Allstedt. Viermal wurde er wiederholt, dann immer wieder aufgehoben. Zuletzt war doch kein Bleiben. Der Briefwechsel zwischen dem König Friedrich I. und seinem Vetter, dem Herzog von Eisenach, ist nicht erhalten geblieben. Es ging dem Herzog offenichtlich um die Staatsräson auch im Blick auf die unerbittlichen Verfecher der Orthodoxie in seinem Lande[67].

Im Jahre 1705 trat Arnold in die Dienste der brandenburgischen Kirche. Von einer Verpflichtung auf die Bekenntnisschriften sah man bei ihm ab. Er wurde zum Pfarrer und Superintendent in Werben und 1707 zum Superintendent und Pfarrer in Perleburg ernannt. Dem noch in Allstedt zum Königlich Preußischen Historiographen feierlich Ernannten wären bald noch größere kirchliche Ämter angeboten worden, wenn er nicht im

Jahre 1714 unerwartet nach dem schrecklichen Ereignis zu Pfingsten heimgegangen wäre.

In den kurzen 9 Jahren, die Arnold in der brandenburgischen Kirche gewirkt hatte, waren von ihm einige Predigtbände erschienen, mehr als 5000 Seiten gedruckte Predigten! Bereits 1704, noch von Allstedt aus, hatte er einen Pfarrerspiegel: »Die geistliche Gestalt Eines Evangelischen Lehrers Nach dem Sinn und Exempel Der Alten Auf vielfältiges Begehren Ans Licht gestellt« in Halle veröffentlicht.

Diese Schriften aus seiner kirchlichen Periode waren auch unter den Separatisten verbreitet. Der Marquis de Marsay las seine Predigtbände. Arnolds Kampf gegen die offizielle Kirche war beendet. Seine ganze Kraft galt dem ihm anvertrauten Kirchenvolk, den lauen wie den ernsten Gliedern. In seinen Predigten treten Kirche und Gemeinde zurück. Der Einzelne wird unmittelbar angesprochen. Der Verfallsgedanke ist völlig aufgegeben[68].

Welche Einsichten bewegten ihn seit 1701? Zuerst die Erkenntnis, daß aller persönliche Glaube einer Gestaltung der Gnade bedarf, eines Hineingenommenseins in eine institutionelle Wirklichkeit. *Die Geschichte als ein lebendiges Geschehen verdichtet sich immer neu in institutionellen Wirklichkeiten.* Die wirkliche Geschichte ist keine Seelengeschichte ohne stetig neue Verleiblichungen. Die Institution der Kirche als eine Rumpelkammer, als eine Totenlandschaft, als ein äußeres Gehäuse anzusehen, gehe an dem vorüber, daß Gottes Geist sich nicht zur bloßen Seelengeschichte verdünnt. Mag die Kirche als institutionelle und sichtbare Gestalt viele Risse aufweisen, der gefährdete Mensch bedarf in einer gefahrvollen Welt der Stützung in der Gemeinschaft der Starken und der Schwachen. Der Gott, der wohl im Verborgenen waltet, spart keine der geschichtlich vorfindlichen Wirklichkeiten auf[69].

Das andere ist Arnold auch deutlich geworden. Jede Institution ist offen für den Wandel. Alle Neigung, die Wandelbarkeit zu übersehen, vergreife sich an Gott. Er kann am Überkommmenen anknüpfen, er kann daran vorübergehen. Es gehört zu den Unbegreiflichkeiten der Wege Gottes, daß er sich so tief zu dieser Welt hinabbeugt und sich mit ihr einläßt in Geduld. Gott tötet und macht lebendig. Gottes geheime Führung ist und bleibt die Mitte der Geschichte, in der er sich immer wieder unter der Maske des Widerspiels verbirgt. Wie kann man dann den Geschichtsverlauf rationalisieren und schablonisieren wollen? Und was hatte er erst versucht!

Und Arnold entdeckt das Gleiche im ganz persönlichen Leben. Hermann Dörries hat auf Arnolds Stellung zum pietistischen Vorsehungsglauben hingewiesen. Arnold vermag nicht August Hermann Francke zu folgen, der seine Stiftungen auf einen Vorsehungsglauben gründete. Unmittelbare Beweise göttlicher Fürsorge fand dieser in seinen Gebetserhörungen. Er suchte sich dem einzufügen, was die Hand Gottes ihm zeigte. Jung-Stilling hat fast rechenhaft die Vorsehung durch seine inneren und äußeren Erlebnisse einsichtig machen wollen. Oberlin nahm dazu ein Rechenheft, in dem er alles fein säuberlich aneinanderreihte.

»Arnolds ›Zug‹ (die Anstöße, die er empfing) meint nicht einen Erhaltungsglauben und blickt nicht auf Zeichen aus; er selbst läßt sich nicht durch Losungen führen und beweist nichts durch seinen Lebensgang. Sein Glaube sucht nicht die Bestätigung durch Gebetserhörungen. Er meint nicht den rationalisierten Wunderglauben, der für jeden Schritt nach übernatürlichen Winken ausspäht und ein förmliches System der Wahrnehmungen und Wirkungen ausbaut. Denn so beherrscht er noch manche Biographie des 18. Jahrhunderts«[70].

Wie ganz anders stellt sich bei Gottfried Arnold das dar! Seine geschichtstheologischen Grundgedanken sind ganz unmittelbar auch für die Lebensführung des einzelnen anwendbar. Gottes Walten ist in der Geschichte oft unbegreiflich und verhüllt. Das gilt auch im ganz persönlichen Bereich. Da findet sich kein durchrationalisiertes System von ineinander übergreifenden übernatürlichen Einwirkungen. Die menschlichen Reaktionen könnten sie dann gar wie einen zugeworfenen Ball auffangen. Die verborgene Lenkung der Geschichte wie des einzelnen läßt keine Uniformierung der verschiedenen Führungen zu. Gott überrascht in immer neuen Weisen, in Gesamtereignissen wie im Einzelleben.

Eine Verzichterklärung auf Geschichtsforschung und Geschichtswissen hat damit Arnold nicht gemeint. Es geht freilich beim reifen Arnold nicht mehr so wie in seiner »Unparteiischen Kirchen- und Ketzerhistorie«, die so klar zu trennen wußte mit ihrem durchgängigen Verfallsschema. Doch andererseits ist uns auch verwehrt, achtlos an dem vorüberzugehen, was sich im geschichtlichen Leben abspielt. Auch wenn wir den übergreifenden Zusammenhang der Geschichte nicht erfassen können, lüftet sich immer wieder der Schleier, der über diesem und jenem liegt. Es lohnt sich jede Mühe, sich um das Erforschbare im Geschichtswalten wie im Einzelleben zu bemühen. Das hieß jetzt für Arnold selbst: Festhalten an der äußeren Gestalt der Kirche und jede Separation in kleine Haufen als Schwärmerei ablehnen.

Arnold bleibt bei seinem Grundthema, mit dem er angetreten ist. Er umgreift in seinen Predigten die ganze christliche Existenz von der Bekehrung an bis zur Vollendung. Um diese Aufgabenstellung geht es in seinem

»Pfarrerspiegel«, der in seiner zweiten Ausgabe mit eigenen pastoralen Erfahrungen angereichert ist. In dieser Schrift von der »Geistlichen Gestalt eines Lehrers« behält die alte Kirche wie in seinen früheren Arbeiten den Ehrenrang. Der Pfarrer seiner Zeit soll und darf sich ausrichten an der Gestalt der charismatischen Führer in der alten Christenheit. Hier waren im Grunde alle Christen mit dem geistlichen Priestertum betraut. Da wurde nicht vorerst demonstriert und geprunkt mit Lehrsätzen. Mit Leib und Leben, mit der ganzen Existenz waren sie Zeugen Jesu Christi. Das bevollmächtigte sie, zur Nachfolge Jesu Christi zu rufen, die den ganzen Menschen in das neue Leben der Wiedergeburt hineinzieht. Die frühere Idealisierung jenes ersten Jahrhunderts ist zurückgetreten über den entscheidenden Fragen des Christseins[71].

Wie zwei Ringe liegt nun beides ineinander, standzuhalten der Paradoxie der Geschichte und der Paradoxie der christlichen Existenz. Seine Lebensleistung haben die Zeitgenossen Arnolds vor allem in der erregenden Wirkung gesehen, die von seiner Kirchen- und Ketzerhistorie ausging. Im Blick auf die Geschichte des Pietismus wird man den ganzen Gottfried Arnold festhalten müssen. So erwartete er es selbst bei seinen Freunden und Widersachern. *Seine Lebensleistung liegt dann in der theologischen Überwindung der radikal-mystisch-schwärmerischen Seitenströmung im Pietismus.* Er hat die Fragen, die hier aufbrachen, aufgearbeitet. Das geschah, ohne sich selbst untreu zu werden und das über Bord zu werfen, was für ihn unaufgebbar war: das Spiegelbild im Urchristentum. Theologisch einsichtig, ungeachtet aller Risse und Sprünge, hat er die Grundstruktur des schwärmerischen Pietismus deutlich gemacht. Menschlich einleuchtend geschah es, weil er die ganze Faszination und Versuchlichkeit des radikalen Pietismus an sich selbst erfahren und erlitten hat, ohne ihm letztlich zu verfallen.

So randnah manches zur Mystik geblieben ist, von Gottfried Arnold, von dem, der reif geworden ist, führen keine direkten Wege in die Aufklärung. Daß die schwärmerischen Versuchlichkeiten als Nebenströmung des Pietismus immer wieder aufbrechen, ist eine andere Frage. Den Hauptstrom des kirchlichen Pietismus haben die schwärmerischen Geister nicht mehr in die andere Richtung ablenken können, nicht zuletzt auch durch Gottfried Arnolds warnendes Beispiel.

Die vierte pietistische Generation und die Anfänge der Erweckung

Vermag man wirklich von einer vierten pietistischen Generation zu sprechen? Zu der ersten pietistischen Generation zählen die Vertreter des frühen Pietismus, die sich um Philipp Jakob Spener sammelten. Zur zweiten wird man, um ihre großen Gestalten zu nennen, August Hermann Francke und Gottfried Arnold anführen. Aus der dritten Generation ragen heraus Zinzendorf und im württembergischen Pietismus Johann Albrecht Bengel wie Friedrich Christoph Oetinger. Im Halleschen Pietismus hat man auf Gotthilf August Francke (1696 – 1769) hinzuweisen[1]. Doch von einer vierten pietistischen Generation zu sprechen erscheint gewagt.

Zinzendorf hat das Sterbejahr August Hermann Franckes, das Jahr 1727, als das Datum bezeichnet, das den Beginn der Vorherrschaft der Aufklärung ankündigte. Der Graf war neben Friedrich Christoph Oetinger, jeder auf seine Weise, die Gestalt, die sich am intensivsten der Aufklärungsphilosophie und bei seinem langjährigen Aufenthalt in London dem Deismus und der von dort ausgehenden Bibelkritik stellte. So wird man ihm als Zeitgenossen diese Feststellung vom eigentlichen Aufschwung der Aufklärung nicht abstreiten können.

Um diese Zeit begannen die Studenten, wenn auch noch nicht in Halle selbst, in die Hörsäle der Aufklärer abzuwandern. In der Öffentlichkeit führten die Vertreter dieser neuen Philosophie und Theologie das große Wort. Man hörte auf sie wie man bisher, wenn auch in recht unterschiedlicher Weise, auf pietistische Stimmen geachtet hatte, mindestens sie zur Kenntnis nahm. Daß sich der aufklärerische Geist zuerst in Westeuropa, in England und Frankreich bemerkbar machte und von dort aus unter Zeitverschiebungen nach Mitteleuropa drang, wird man bei diesem geistigen Umformungsprozeß nicht übersehen dürfen. Dem haben wir hier nicht nachzugehen.

Wo ist die vierte pietistische Generation zu suchen und zu finden? Nehmen wir es vorweg, ganz eindeutig in Nordamerika und auf den Missionsfeldern, doch auch in Deutschland. *In den Anfangszeiten waren Pietismus und Aufklärung oft Bundesgenossen gewesen.* Wir erinnern an die Arbeitsgemeinschaft zwischen August Hermann Francke und Christian Thomasius. Sie blieb nicht ohne harte Spannungen. »Das Totengespräch von 1729 legt Francke die Worte in den Mund: Wir haben beide viel

Feuer und Munterkeit in der Jugend gehabt, viel Stärke im männlichen Alter und viel Ruhe und Zufriedenheit in den letzten Jahren.«[2]

In der Auseinandersetzung August Hermann Franckes mit Christian Wolff verlief alles in schärferer Tonart. Als am 10. Dezember 1740 Wolff feierlich in Halle wieder Einzug hielt, versöhnte er sich den nächsten Tag mit Professor Lange, dem alten Kampfgenossen August Hermann Franckes. Dieser war der kantige Streiter für den Pietismus neben dem seufzenden Sohn August Hermann Franckes, Gotthilf August[3].

Der hallesche Pietismus war damit nicht tot. Daß die deutsche Aufklärung keine irreligiösen und nichtchristlichen Tendenzen aufwies, war zweifelsohne mit ein Verdienst der Hallenser Theologen in ihren Kämpfen mit Wolff[4].

Der Pietismus hatte im allgemeinen nicht unter einer Verächtlichmachung durch die Aufklärer wie vorher unter der Orthodoxie zu leiden. Beide Bewegungen hatten zu lange miteinander gegen Hexenglauben und Intoleranz wie gegen den verkrusteten Aristotelismus im wissenschaftlichen Betrieb, ja Seite an Seite, gestritten. So hatten die Aufklärer durchaus nichts dagegen, daß das hallesche pietistische Bildungsprogramm weithin in die neuen Schulpläne bis in das 19. Jahrhundert eingearbeitet wurde. Schlagartig verstummte auch die Kritik, zuerst gegen Spener, dann gegen August Hermann Francke und zuletzt auch gegen Zinzendorf und das Herrnhutertum. In den Rezensionen von Schriften über den Pietismus klang wenigstens seit 1760 ein Respekt an vor den offenkundigen praktischen Leistungen, die vor allem auf den Missionsfeldern offenkundig waren[5]. In Goethes Privatbibliothek standen die »Halleschen Continuationen«, die Missionsnachrichten der hallesch-dänischen Mission in Südindien, die durch das ganze 18. Jahrhundert vorliegen. Herders und Lessings respektvolle, ja in Bewunderung übergehende Urteile über den bisher so geschmähten Zinzendorf stehen neben den positiven Aussagen Goethes zum Herrnhutertum[6].

Wo findet sich diese vierte pietistische Generation? Am mühelosesten vermögen wir sie *in der Erneuerten Brüder-Unität* nachzuweisen. An der kritischsten Stelle in der Wetterau war mit der Auflösung der Herrnhaager Gemeine im Jahre 1750 die Geschichte der Herrnhuter in dieser Landschaft nicht beendet. Die Herrnhuter Gemeine in Marienborn war von dem Büdinger Ausweisungsbefehl nicht betroffen und wurde erst 1773 aufgelöst. War doch auch Herrnhaag erst am 18. Juli 1753 als geräumt an Christoph Friedrich Brauer, einen Regierungsrat des Büdinger Grafenhauses, übergeben worden. Das Herrnhaager Eigentum der Herrnhuter wurde sogar erst 1773, also 20 Jahre später, verkauft[7].

Die französischen Brüder hatten sich nach dem neuen Gemeineort,
ıach Neuwied am Rhein begeben. *Eine neue Form Herrnhuter Arbeit
atte nunmehr eingesetzt, die Diasporapflege.* Man hatte planmäßig eine
)iasporaarbeit unter Pietisten aufgezogen, die sich mit Herrnhut verbun-
len wußten. Sie wurden als Glieder der Herrnhuter Diaspora von Diaspo-
aarbeitern besucht. Auch von Marienborn aus wurden diese »Landbesu-
he« aufgenommen. Immer paarweise – Männer und Frauen – besuchten
ie zuerst noch von Marienborn, später von Neuwied aus in den umliegen-
len Ortschaften diese »Stillen im Lande«. Die hauptamtlichen Diaspo-
aarbeiter hatten ihre Wohnsitze zuerst in Marienborn, später in Lind-
eim und Neuwied. »In der Diaspora-Pflege lebte biblische Frömmigkeit
n großer Innigkeit noch einmal auf und half ungezählten Gottsuchern den
Veg zum Heiland finden«[8].

Dazu kommt in der zweiten Hälfte des 18. Jahrhunderts eine Reihe von
Ieugründungen typischer Brüderischer Gemeinen, die von vornherein in
ler Abgeschlossenheit des neuen Gemeinortes lebten, in dem alle Ein-
vohner gleichzeitig Mitglieder der Gemeine waren: Neuwied (1751), Li-
itz, Pennsylvanien (1755), Gracehill, Irland (1760), Salem, North Caro-
ina (1766), Sarepta, Südrußland (1765), Christiansfeld, Dänemark
1773), Gnadenthal, Südafrika (1798) und als letzte Königsfeld (1807).

Gewiß gewann dieses neue Herrnhutertum eine eigene, unverwechsel-
are Gestalt. Die Zeit des Überschwanges war vorüber. Allmählich trat
lie jüngere Generation vor, nachdem die mittlere und ältere einen gesun-
en Übergang eingeleitet hatten.

Jedenfalls entwickelten sich alle Gemeinen in Europa, Amerika und
frika einheitlich. Die Berufungen gingen hin und her. Seit 1782 erfolg-
en in erstaunlicher Geschwindigkeit die Gründungen von »Pensionsan-
talten« für Kinder von Außenstehenden in allen Gemeinen, immer als
ine Jungen- und eine Mädchenanstalt. Daneben traten gut durchorgani-
iert die »Werke« der Mission und der Diaspora. Die Diasporaarbeit im
roßen Umkreis um die einzelnen Gemeinen in Dänemark, Holland,
ngland, der Schweiz, Amerika und Afrika, selbstverständlich auch in
)eutschland, hat nicht nur das alte Glaubensfeuer hin und her mitten in
er Aufklärung erhalten. Sie gewann auch für die frühe deutsche Erwek-
ungsbewegung eine bahnbrechende Bedeutung. *Ungebrochen war der
Geist Herrnhuts. Zu ihm stand voll und ganz die nachrückende Generation.*
s mangelte nie an Sendboten. Eindeutig blieb auch die Entwicklung in
ivland und Estland. Die Erweckung unter den Esten und Letten lief wei-
er, von Herrnhuter Diasporaarbeitern gestützt[9].

Es war gut gewesen, daß Zinzendorf, der in seinem letzten Lebensjahrzehnt ein spürbares Nachlassen all seiner Kräfte erkannte, sich langsan zurückzog. Die Leitung der Brüderkirche übernahm ein Direktorialkol legium, ähnlich wie in Halle nach August Hermann Franckes Tod. Augus Gottlieb Spangenberg (1704–1792), der vor allem in Amerika zusamme mit Bruder Cammerhof Hervorragendes geleistet hatte, übernahm mi dem Juristen und ehemaligen Syndikus der Sächsischen Landstände, Kö ber, die Leitung. Beide zeichneten sich durch Weitblick und Organisa tionstalent aus. Sie besaßen einen geschärften Sinn für das jeweils Mögli che und Nötige und genossen bei den Regierungsstellen in Kursachsen bi zu ihren höchsten Spitzen eine unverhohlene Wertschätzung. Vor allen Köber vermochte seine reichen juristischen Erfahrungen und persönli chen Verbindungen mit dem sächsischen Adel und der Beamtenschaf einzubringen. Das wirkte sich nach vielen Seiten günstig aus. Spangen berg selbst mäßigte manche extremen Äußerungen und Ansichten Zin zendorfs, glättete sie, ohne den Geist Herrnhuts zu verfremden. Sein Verteidigung und Darstellung der Grundansichten des Grafen fanden ei nen weiten Widerhall und gewannen zahllose neue Freunde und Gönner Das sollte sich vor allem im kursächsischen Adel und im gehobenen Bür gerstand auszahlen, wie es sich dann in den Entscheidungsjahren 1762/6 bei einer Reorganisation der kursächsischen Regierung in aller Öffent lichkeit zeigte.

Ziemlich eindeutig blieb auch die Lage in Württemberg. Zwar zeigte sic die Aufklärung bis hin in die Kirchenleitung. An der Universität Tübin gen fehlte nicht eine sogenannte Übergangstheologie. Ein wirkliche Überschwenken in eine rationalistische Theologie ist nicht feststellbar Oetinger lebte bis 1782 und hat als Prälat dem Landeskonsistorium genu Schwierigkeiten gemacht, als dort aufklärerische Tendenzen Fuß fasse wollten.

Wir können in Württemberg eine ganze Reihe von einzelnen Gestalte aufzeigen, Pietisten der vierten Generation, vitale und originale Persön lichkeiten, die zu Bannerträgern eines neuen Frömmigkeitsaufbruche wurden, den wir in die Erweckungsbewegung einzuordnen haben. E zeigt sich unter den Bengel- und Oetingerschülern. Bei dem »mechani schen Genie«, dem schwäbischen Pfarrer Philipp Matthäus Hah (1739–1790), der als einer der tiefsinnigsten unter den »schwäbische Vätern« zwischen dem Apokalyptiker und Biblizisten Johann Albrech Bengel und dem Theosophen Friedrich Christoph Oetinger einzuordne ist, stehen wir zugleich vor einem Mann, der in seinen Landsleuten di schlummernde technische Begabung weckte und zugleich ein bedeuten der Erweckungsprediger, Schriftsteller und Seelsorger war. In den vo ihm befruchteten pietistischen Kreisen entstand ein »biblischer Realismus«.

Im alttestamentlichen Geschichtsbild erkannte man eine vorbildliche Weissagung auf das, was durch Christi Erlösungswerk aus dieser Schöpfung werden sollte. Ihr praktischer Mittelpunkt war ein Chiliasmus, die Hoffnung auf ein 1000jähriges Friedensreich Jesu auf Erden. Der »apokalyptische Wandertrieb« der Schwaben, der nach Amerika und Südrußland führte, stand damit in unmittelbarem Zusammenhang. Andererseits ist nicht unwichtig zu wissen, wie stark Johann Albrecht Bengel, wenn auch nicht direkt, doch über einige seiner Anhänger auf Friedrich Engels (1820–1895) gewirkt hat. Für die Entwicklung der Arbeiterbewegung in Deutschland war Friedrich Engels stark eschatologisch gestimmte Siegesgewißheit für den Anbruch der sozialistischen Herrschaft, die er in Kürze erwartete, nicht ohne vorwärtstreibende Bedeutung. So scheute sich Engels nicht, zur Exemplifizierung der Eschatologie diese Vertreter des schwäbischen Theologen J. A. Bengel anzuführen, die er in seiner Jugend kennengelernt hatte, die den Anbruch des »Tausendjährigen Reiches« für 1836 erwarteten. Jedenfalls zeigte Engels unter den Marxisten innerhalb der Arbeiterbewegung ein außerordentlich hohes Interesse an ihrer eschatologischen Ausrichtung und wurde selbst von einem kraftvollen Optimismus getragen, der ihn bis an sein Lebensende beflügelte[10].

Im Spätpietismus vereinbarte sich durchaus auch eine aufklärerische Stimmung mit der eigenen Frömmigkeit, um im Fortschritt der technischen Naturbeherrschung und Naturerkenntnis die Weisheit Gottes zu bewundern und sie sich dienstbar zu machen. Wir könnten hier noch neben dem separatistischen Laienführer, dem Bauern Georg Rapp aus Iptingen bei Vaihingen (1757–1847), den bedeutendsten aller pietistischen Laienführer in Württemberg, den Bauern Johann Michael Hahn (1758–1819), den Begründer der »michelianischen Gemeinschaft« nennen. Neben ihn trat der Theologe Christian Gottlob Pregitzer (1751–1824), der Gründer der »Pregizianer«.

Eins wird hier deutlich. Wir können diese Einzelgestalten, die jedoch alle um sich weite Kreise bildeten, als selbständige Mitglieder zwischen Spätpietismus und früher Erweckung bezeichnen. Wie im reformierten Pietismus sind die Übergänge fließend.

In Württemberg dürfen auch der getreueste Bengel-Schüler Philipp David Burk (1714–1770) und der Kreis um den Bengel-Schüler Magnus Friedrich Roos (1727–1803) nicht übersehen werden. Ein entscheidender und machtvoller Durchbruch des »Spätpietismus« der vierten Generation geschah freilich erst im Beginn des 19. Jahrhunderts[10a].

Wie stand es jedoch mit dem Halleschen Pietismus nach dem Heimgang August Hermann Franckes im Jahre 1727? Unter dessen Sohn Gotthilf August (1696–1769), der in seinem arbeitsreichen Leben höchste kirchliche Ämter bekleidete und seit 1727 o. Professor der Theologie an der Universität Halle war, wurde das Begonnene in selbstloser Treue weitergeführt[11].

Wie wir schon erwähnten, wurde vor allem die werdende lutherische Kirche in Pennsylvanien gestützt. Sie blühte dort auf in einer Zeit, in der die große angelsächsische Erweckung auch dort voll eingesetzt hatte, während in Deutschland erst ein halbes Jahrhundert später eine Erwekkungsbewegung einsetzte. *Die lutherische Kirche in Pennsylvanien,* in unmittelbarer Nähe zu anderen Freikirchen, war geprägt von einem lutherischen Pietismus spenerischer Milde und bot der Aufklärung keinen Eingang. Dafür sorgte der Stamm lutherischer Theologen, die Halle ausgesandt hatte[12].

Nicht anders stand es mit der *Missionsarbeit in Indien,* die von hervorragenden Mitdirektoren wie J. A. Freylinghausen, J. G. Knapp und A. H. Niemeyer in Halle begünstigt, die größte Entfaltung erst erlebte. Hier wirkten Missionare der vierten pietistischen Generation wie Philipp Fabricius (1711–1791), ein hervorragender Bibelübersetzer der sogenannten »Golden Version« und Dichter tamulischer Lieder neben Chr. Fr. Schwartz (1726–1798), dem »Königspriester«. Gerade letzterer »genoß durch die unbestechliche Lauterkeit seines Charakters in einer wilden Zeit allgemeine Verehrung, so daß er zeitweilig britischer Resident des Reiches Tandschaur war«[13].

Jedoch anders als bei der Missionsarbeit der Herrnhuter, in welcher der Geist Zinzendorfs ununterbrochen lebendig blieb, fehlte gegen Ende des 18. Jahrhunderts der hallesch-dänischen Mission in Südindien, die sich längst in die englischen Gebiete Indiens ausgedehnt hatte, der geeignete missionarische Nachwuchs. Die großen und lebendigen lutherischen Gemeinden von Tamulenchristen wurden weithin von der aufblühenden Missionsarbeit der angelsächsischen Erweckungsbewegung übernommen[14].

Wie stand es aber um die Theologiestudenten in Halle? 1736 wurde Professor Lange, der streitbare Hallenser, von König Wilhelm I. von Preußen in Potsdam empfangen. Am 7. April 1736, nach 14 Tagen, erreichte bereits eine Kabinettsordre die Universität Halle. In ihr hieß es, daß der König mißfällig vernommen habe, »daß die Studenten der Theologie sich nicht mehr so fleißig auf die Theologie und den Grund der Heiligen Schrift legten, sondern sich ›mehr auf die Philosophie und unnütze Subtilitäte und Fratzen applicieren«. Der König befiehlt daher der Theologischen Fakultät, unvermindert und mit allem Eifer »gegen diesen Zustand zu arbeiten, auch dahin zu sehen, daß alle Landeskinder, die Theologen werden wollen, wenigstens die ersten beiden Jahre in Halle studieren«[15].

Doch schon betrieb man am Potsdamer Hof die Rückberufung Christian Wolffs nach Halle. Alle Einwendungen Langes dagegen waren zuletzt gegenüber der Hofkamarilla ergebnislos. Langsam, während sein Sohn zum Voltairianer wurde, hat Friedrich Wilhelm I. nachgegeben. Am 22. September 1739 schrieb der König an Freylinghausen: »Ich prätendiere nicht, in dieser dunklen Sache ein Richter zu sein; wenn mir aber doch fast jeder sagt, daß die Philosophie, so lange die Welt stehet, gewesen und daß es mehrenteils nur auf Wörter ankömmt, so wird es mir zu gnädigen Gefallen gereichen, wenn der Lange sich drunter moderat bezeuge und seine guten Talents zu erbaulichen und nützlichen Sachen anwenden will.« Der Ruf an Wolff erging, wenn auch am 14. Oktober 1739 noch vergeblich. Am 30. Mai 1740 starb der König. Der neue König rief dann Wolff[16].

Und doch hatte der Pietismus nicht ausgespielt. Samuel Urlsperger, der Schüler August Hermann Franckes, nimmt in brüderlicher Zusammenarbeit mit Gotthilf August Francke die Betreuung der vertriebenen Salzburger 1731/32 in die Hand, die zum Teil nach Holland und Nordamerika auswandern, zum Teil im menschenleer gewordenen Ostpreußen angesiedelt werden. Die hallesche Fakultät sorgt für Lehrer und Geistliche[17].

Gotthilf August Francke stirbt 1769. Mit ihm, dem treuen Sohn des großen Francke, sinkt der Nimbus des alten Halle ins Grab. Die Aufklärung umschattet die alte Hallesche Schulstiftung.

Es gibt jedoch noch zahlreiche Kreise hin und her im Lande, die sich zu Halle gehalten haben. Auf sie wirkt *die Entstehung der Christentumsgesellschaft in Basel* durch Johann August Urlsperger, dem Sohn Samuel Urlspergers (1728–1806) im Jahre 1780 wie eine Befreiung. Johann August Urlsperger hat von 1751–1753 in Halle studiert, ganz im Geist des alten Halle. Mit der Gründung der Christentumsgesellschaft, der Urlsperger gern in Halle einen Mittelpunkt gegeben hätte, soll die große Gemeinschaft der Stillen in Lande, der »Kinder Gottes«, durch eine rege Korrespondenz gepflegt werden. Hier entstehen damals viele Querverbindungen. Gaben und Briefe laufen hin und her. Pastoren wie Laien fühlen sich wie eine große Familie. Der Pietismus ist nicht abgestorben[18].

Ohne vorschnell Schlüsse ziehen zu wollen, ist es doch bemerkenswert, daß der neue Aufruf zur Sammlung der »Kinder Gottes« zu den ersten Gründungen von Partikulargesellschaften fast ausnahmslos in den Städten geführt hat, die sich in den alten halleschen Adreßkalendern nachweisen lassen. Sie sind bis 1769, dem Todesjahr Gotthilf August Franckes, laufend geführt worden. Sie wurden für die Versendung der Nachrichten aus dem indischen Missionswerk benötigt. Hier war unter halleschen Freunden die Missionsliebe lebendig geblieben[19].

Es führt vielleicht doch nicht zu weit, die neuen Zentren der Christentumsgesellschaft zu zeigen, die sich im alten halleschen Einflußgebiet Halles nachweisen lassen. Nürnberg und mehrere Orte in Franken, Stuttgart Frankfurt, Tübingen, Wetzlar, Gießen, Marburg, Kaiserslautern, Straßburg, Minden, Altona, Solingen und Kreuznach findet man dagegen nich in den alten halleschen Adreßkalendern. Dafür tauchen bekannte Ort wieder auf: Osnabrück, Ravensberg, Stettin, Preckum, Ostfriesland Köthen, Bremen, Pasewalk, Königsberg, Demmin, Anklam, Dömnitz Flensburg, Halberstadt, Dresden, Amsterdam.

Jedenfalls stellt Brandenburg-Preußen die meisten Partikulargesellschaften, vor allem Pommern. In dieser Provinz herrschte im 18. Jahrhundert ein besonders blühendes hallesches Missionsleben. Sie stellte bedeutende Indienmissionare zur Verfügung. Noch andere Beobachtunge geben zu denken. Die Christentumsgesellschaft hat in den welfische Ländern, die sich am wenigsten dem halleschen Pietismus geöffnet haben in ihrer Anfangsperiode nicht eine einzige Gesellschaftsgründung aufzuweisen. Jedenfalls ihren ersten Aufschwung hat sie dort genommen, w hallesche Kreise nachweisbar waren[20].

Über diese Einzelbeobachtung hinaus ist nicht zu übersehen, daß *de hallesche Pietismus »ein Hauptelement im Entstehungsprozeß des Preußentums«* gebildet hat. Die preußische, sprichwörtlich geworden Pflichttreue, die Sparsamkeit, das unbestechliche Verantwortungsbewußtsein, das Auskaufen der Zeit haben ihre Wurzeln mit im hallesche Pietismus. Hier ergab sich eine klassische Verbindung des neustoizistisch-reformierten Geistes im Preußentum mit pietistischer Dienstauffassung von Tatkraft und Nüchternheit. Askese, Enthaltsamkeit, Pflichtbewußtsein erweisen sich als Bollwerke nicht nur gegenüber dem französischen Kavaliersideal unverbindlicher Lebensgestaltung, sondern auc gegenüber einem verweichlichten Glückseligkeitsverlangen der Aufklärung[21].

Das preußische Königshaus und der Adel erhoben die Franckesche Anstalten mit ihrer erzieherischen Prägsamkeit zusammen mit der Universität Halle zur *Musterschule des brandenburgischen Staates.* Ein nich unbeträchtlicher Teil des höheren Beamtentums und des Offiziersstande wurde hier und nach 1740 auch noch in den Herrnhutischen Schulansta ten in Schlesien geformt und bewahrte die Ideale, die ihnen in Halle wie in den herrnhutischen Gemeinorten in den Jugendjahren eingepflanzt worden waren.

Der hier gepflegte sittliche Ernst, in dem sich die Früchte des Glaubens in einem christlichen Leben zeigen sollten, war der Nährboden, auf dem die rigorose Pflichtethik Immanuel Kants (1724–1804) dem Preußentum noch mehr stählerne Kraft verlieh.

Daß der Hallesche Pietismus den nur der eigenen Repräsentation lebenden Adelstyp überwand und zum Staatsdienst hingeführt hat, ist eine andere Beobachtung. Die Hochschätzung von Zeit und Arbeit, der disziplinierte Gebrauch dieser Möglichkeiten einer Bewährung, hat bedeutende wirtschaftliche Kräfte entbunden. Pietismus und beginnender Frühkapitalismus begegnen sich. *Was Halle beisteuerte, war eine gemeinnützige pietistische Wirtschafts- und Sozialethik, die keinesfalls nur eine Ethik von Beamten und Wirtschaftsbeamten wurde.* In der Erweckungsbewegung finden wir diesen Typ pietistischer Unternehmer, der auch in der freien Wirtschaft sozialpolitische Reformen beginnt, ehe die Arbeiterbewegung und der Staat sie aufgreifen[22].

Wie stand es jedoch mit dem benachbarten *Kursachsen?* War hier der Pietismus nach dem erfolglosen Zwischenspiel unter dem Oberhofprediger Philipp Jakob Spener, der 1691 das ungastliche Land verließ, völlig verdrängt? *Der Übertritt August des Starken zum Katholizismus, der dabei blieb, was er war, ein Freigeist, ließ einen leidenschaftlichen Volkszorn aufschäumen,* der die streng antipietistische Haltung der lutherischen Orthodoxie befestigte. Sie saß fest im Sattel und stützte die Opposition des sächsischen Adels, die Landesbehörden und das Oberkonsistorium.

Als die glanzvolle Periode der beiden Kurfüsten und Könige in Polen durch den Tod Friedrich August II. 1763 zu Ende ging, stand der Staat fast vor dem Ruin. Kurfürst Friedrich Christian regierte praktisch nur drei Monate, dann starb er plötzlich und für die nächsten fünf Jahre, während der Minderjährigkeit seines Sohnes, traten Männer an die Spitze des schwer angeschlagenen Staates, die eine durchgreifende Reform des gesamten Staatswesens durchführten. Sie brachten hier etwas zustande, was zur gleichen Zeit in Österreich ein Graf Zinzendorf, ein Neffe von Nikolaus Ludwig von Zinzendorf, erreichte.

Diese Männer, die in Kursachsen, dem zweiten großen Territorialstaat in Deutschland, dieses Reformwerk in Angriff nahmen, stammten teils aus dem bürgerlichen Stand, teils waren sie aus ihm in den Adelsstand emporgestiegen oder sie zählten zu dem ältesten meißnerischen Beamtenadel. Sie erhielten 1763 fast durchweg hohe und höchste Staatsstellen.

Sie gehörten fast durchgängig der vierten pietistischen Generation an Entweder waren sie selbst Mitglieder der Herrnhuter Brüdergemeine, di 1749 ihre volle rechtliche Anerkennung in Kursachen empfing, oder si wurden es nach 1763. Jedenfalls stammten sie entweder aus einer pietisti schen Umgebung oder besaßen und pflegten enge Beziehungen z Herrnhut und Halle.

Der Prinzenerzieher Christian Gotthelf Gutschmid (1721 – 1798) ge hörte einer Familie an, die seit Generationen ausgesprochen pietistisc gesonnen war. So blieb auch er in seinen Ansichten und seiner Lebensha tung in seinem vierzigjährigen Staatsdienst ein dem Pietismus verbunde ner Vertreter der protestantischen Auflärung. Noch klarer trat dies Grundhaltung bei dem entscheidenden Staatsmann der neuen Ära Tho mas von Fritsch (1700 – 1775) zutage, der bis 1741 nebenbei noch den vä terlichen Verlag, den er 1726 übernahm, betrieb. Dieser Verlag, der z. B Gottfried Arnolds Unparteiische Kirchen- und Ketzerhistorie verlegte nahm eine Art Vorpostenstellung des Halleschen Pietismus in Leipzig ei Es war sein elementares Anliegen, die rationale Bewältigung aller anste henden Probleme des Diesseits im Geist eines auf sittliche wie soziale Re formen drängenden zutiefst pietistischen Ethos durchzusetzen. Den Sti len im Lande galt seine besondere Sympathie. Sie waren ihm vorbildlich Staatsbürger. Für eine Verächtlichmachung der Pietisten als Ketzer od Sektierer brachte er kein Verständnis, nur Abneigung auf.

Doch hat zum Wandel der sittlichen und sozialen Zustände zwische 1750 – 1780 neben ihnen in Sachsen kaum einer so viel beigetragen wi der Mann, den Kurfürst Friedrich Christian »aus besonderer persönliche Zuneigung« im Oktober 1763 zum Vizepräsidenten des Oberkonsisto riums und damit zum eigentlichen Leiter dieser wichtigen Zentralbehörd berief: Peter, Freiherr von Hohenthal (1726 – 1794). Er war Pietist. M Gotthilf August Francke, mit Johann Adam Steinmetz und mit andere bedeutenden Männern des Halleschen Pietismus, auch mit dem Dicht pietistischer Lieder Karl Heinrich von Bogatzky (1690 – 1754) war er i Freundschaft verbunden. In seinem Hause fanden seit seinem 30. Le bensjahr allwöchentlich erbauliche Vorträge für die Hausgenossen stat die er selbst hielt. Viele pietistische Erbauungsliteratur hat er auf sei Kosten drucken und verbreiten lassen. Um 1767 trat er in Beziehung m den Herrnhutern, die seit 1775 immer enger wurde. 1794 starb er Herrnhut. Er war einer der hervorragendsten Landwirte seiner Zeit, d als einer der ersten im Lande diesen Beruf neben seinem Staatsamt wi senschaftlich betrieb. Das Realschulwesen in Sachsen hat er auch aufg baut. Selbst nach Böhmen reichten die Einflüsse dieser pietistischen R formbewegung, die alle aufklärerischen Initiativen zur Besserung des Lebens aufgriff[23].

Nicht unwichtig ist, daß »der pietistische Einschlag einflußreicher adliger Familien wie etwa der der Hohenthal, Einsiedel und Heynitz, auch über die erste und zweite, zwischen 1695 und 1735 geborene Generation hinausreichte«. Detlev von Einsiedel (1773 – 1861) und Peter Karl Wilhelm von Hohenthal (1754 – 1825) sind entscheidende Persönlichkeiten in der im 19. Jahrhundert in Sachsen aufbrechenden frühen Erweckungsbewegung gewesen[24]. Hier wären auch die hervorragenden Vertreter der streng herrnhutischen Linie von Heynitz auf Heynitz und Hermsdorf bei Dresden nicht zu vergessen, die zu den fähigsten Köpfen schließlich in dem Staatsaufbau selbst in Preußen zählten.

Nicht die orthodoxe Staatskirche in Sachsen war fähig, die Impulse zur staatlichen und sozialen Erneuerung an der Wende von 1762/63 und für die spätere Entwicklung des Landes zu liefern.

Gewiß vermag man weder in Brandenburg-Preußen noch in Kursachsen von einer pietistischen Massenbewegung innerhalb der vierten Generation zu sprechen. Doch brachen in diesem Geschlecht unter den Laien urgesunde schöpferische Kräfte auf, die mit ihrer pietistischen Grundeinstellung harmonisierten. Daß sie die ihnen entgegenkommenden Impulse der Aufklärung aufnahmen und ihre sittliche und soziale Komponente vertieften, unterscheidet sie von der vierten Generation schwäbischer Pietisten. Doch auch bei ihnen fehlen nicht sozialpolitische und sozialreformerische Tendenzen.

Die Orthodoxie dagegen war auf der ganzen Linie erschöpft, als sich das 18. Jahrhundert dem Ende zuneigte. Sie konnte nicht mehr die belebenden und richtunggebenden Persönlichkeiten zur Verfügung stellen, so sehr altgläubige Inseln mitten in einer aufklärerischen Flut stehenblieben. Doch auch diese bildeten schließlich Brücken zur Erweckungsbewegung. Der gemeinsame Kampf gegen die Aufklärung und ihre kirchenzerstörenden Folgen führte auf dem Kontinent Orthodoxie und Pietismus, die sich einst bitter bekämpft hatten, wieder zusammen.

Was hier aufbrach und in der Erweckungsbewegung Gestalt annahm, war im Pietismus angebahnt worden. Wir denken nicht nur an die weltmissionarischen und ökumenischen Kontakte in einer weltweiten Verantwortung.

Vier pietistische Generationen haben für Staat und Gesellschaft, für die Kultur- und Geistesgeschichte, für die Entfaltung der exakten Wissenschaft wie der Philosophiegeschichte Beachtliches geleistet. Nicht vergessen seien die Anstöße für die Psychologie, die Medizin, die Rechtswissenschaft und die Wirtschaftsgeschichte. Für die Entfaltung verschiedener Literaturgattungen, für die Dichtkunst und für neue Stilelemente in der Sprachgeschichte liegen nicht unerhebliche Beiträge des Pietismus vor.

Auch das künstlerische Gebiet blieb nicht ausgespart. Das heitere barocke Element findet sich z. B. in Halle in der Gestaltung der Franckeschen Anstalten in der Architektur und der Musikkultur.

Am unmittelbarsten tritt es uns in der Herrnhuter Brüdergemeine, der weltumspannenden Missions- und Gemeindekirche entgegen. Überall, wo man in eine dieser Orts-Gemeinen eintritt, in Europa wie in Amerika und auf dem Missionsfeld, umgibt den Besucher eine stille Schönheit, eine unaufdringliche Heiterkeit. Die barocke Gestaltung ihrer Gemeinehäuser, ihrer Gärten, ihrer schönen Alleen, die sie durchziehen, die ganze architektonische Gestaltung der Gemeinorte bis hin zu den einmaligen Gottesäckern spricht eine durch ihren Glauben ermöglichte Freude an der Welt aus, in der sie wirken dürfen. Vor allem entfaltete sich im Herrnhutertum eine musikalische Kultur, die nicht nur Schritt hielt mit dem, was in diesem klingenden und spielenden Jahrhundert in hoher Blüte stand. Man konzertierte, man sang gemeinsam und in den Häusern. Gewiß stand man dem damaligen Theater und der Oper, überhaupt dem französelnden Geist fremd gegenüber. Man wußte genau, warum man hier betont Distanz hielt[25].

In den Fragen um die Mitteldinge, die an sich weder gut noch böse sind, war der Pietismus in den Bewertungen viel strenger und enger, nicht frei von einem gesetzlichen Geist, wenn man dabei zur Orthodoxie hinüberblickt. Doch war man deshalb nicht weniger fröhlich und glücklich.

Wußte man im Pietismus nicht, was man wollte? Denn in der Aufklärung begann jene Auflösung gemeinsamer sittlicher Grundanschauungen, wo der einzelne oft nicht mehr weiß, was er will, und so will er entweder das, was die anderen tun oder er tut das, was die anderen wollen. Des Christen »Wille zum Sinn« in diesem Kreis, sein rat- und sinnsuchendes Verlangen war erfüllt durch das, was der Pietismus in der Bindung an Person und Wort Jesu als letzte Autorität anbot.

Die pietistische Jugend mißtraute nicht ihren Pädagogen, die ihr nicht bloß Hausaufgaben statt Lebensaufgaben stellten. Unter den Kulturleistungen des Pietismus ist die höhere Bewertung der Frau und des Mädchens nicht zu übersehen. August Hermann Francke gründete das erste Mädchengymnasium in Deutschland. In den Halleschen Anstalten strömten täglich neben den Knaben über 1000 Mädchen in ihre von Francke eingerichteten Mägdleinschulen, ein im damaligen Deutschland einmaliges Phänomen! Die evangelische Frau erhielt im Pietismus ihre religiöse Selbständigkeit. In der Brüdergemeine räumte man ihr einen mitgestaltenden Anteil an der Gesamtverantwortung der Brüderkirche durch die ihr zugeteilten Ämter und Aufgaben ein.

Wenn man auch schwerlich von *dem* Pietismus sprechen kann, hat er doch als eine kritische Erneuerungsbewegung in der evangelischen Christenheit Fuß gefaßt. Das haben seine Gegner nicht verhindern können. Er wollte überhaupt nichts Neues und Umstürzendes in der Kirche.

Mit seiner Forderung eines persönlichen Glaubens an Christus konnte er sich auf alle Reformatoren, nicht nur auf Luther berufen. Sünde und Schuld, Vergebung und Gnade waren hier nicht nur theologische, sondern existentielle Fragen, die zur Entscheidung drängten. In der Übung des freien und gemeinsamen Gebetes erfuhr man die Gegenwärtigkeit des Herrn. Man half einander, selbständig mit der Bibel umzugehen. Theologen und Laien setzten sich zusammen, um sie zu studieren.

Bruderschaft und Ökumene praktizierte man und war zu allen Opfern bereit. Der Pietismus hat mit dem niemals aufgegebenen Bemühen, konkrete und greifbare Bruderschaften zu bilden, zugleich das allgemeine Priestertum aller Gläubigen wirksam erneuert. Daß es so viele passive Christen gibt, ist der Kirche mit durch diesen Aufbruch der Laien im Pietismus recht zum Bewußtsein gekommen. Daß sie unruhig werden mußte über so viel inaktiven Gliedern, verdankt sie mit dieser Laienbewegung, als die wir den Pietismus verstehen. Die Kirche ist vorwärtsgeführt worden.

Im elementaren Aufbruch des Pietismus, so unterschiedlich er sich vollzog, liegen die Anfänge der Volksmission, der Diakonie, der Heidenmission, der Männer-, Frauen- und Jugendarbeit als Aufgaben der Kirche selbst. Der kleine Laie fand nicht nur eine religiöse Selbständigkeit, er wurde mitbeteiligt am Reiche Gottes. Bis hin zur Studentengemeinde und zum Kirchentag sind die heutigen Lebensäußerungen der Kirche eine fast gradlinige Fortsetzung dessen, was der Pietismus begonnen, die Erwekkungsbewegung neu realisiert und so der Kirche weitergegeben hat.

Die Kirche wird dem Pietismus immer für diese Gaben, für alle vergessenen Wahrheiten dankbar bleiben. Der Pietismus ist stellvertretend in die Bresche gesprungen, als die staatlich bevormundeten Landeskirchen bewegungsunfähig waren. Der Pietismus des 18. und 19. Jahrhunderts, die Gegenwart nicht ausgeschlossen, hat schwere Opfer auch an Blut und Leben gebracht, als die Kirche sich noch nicht zu rühren vermochte, wie sie gern wollte. Ohne Dank und Anerkennung der offiziellen Kirchen, aber getragen von der Liebe schlichter Christen sind die pietistischen Missionare hinausgezogen. Es starben z. B. die Basler Missionare zu Beginn des 19. Jahrhunderts reihenweise an der fiebergeschwängerten Goldküste Afrikas, und alle Lücken schlossen sich sofort wieder.

Man vermag Pietismus und die nachfolgende Erweckungsbewegung nicht reinlich zu scheiden. Die übergemeindliche Arbeit ist im Pietismus zuerst praktiziert und in ihrem Recht erkämpft worden. Die urchristlichen Gemeindeversammlungen wurden erneuert. Die Monopolstellung des sonntäglichen Gottesdienstes als der einzigen Gelegenheit, wo Christen zusammenkommen, wurde durchbrochen. Welch reiche Festkultur begann im Pietismus und in der Erweckungsbewegung! Tausende strömten zu den Festen der Inneren und Äußeren Mission zusammen. Dort fanden die Menschen, was sie suchten, einen handfesten ehrlichen Glauben, nicht eine unverständlich gewordene Theologie, die in Chiffren spricht.

Dazu tritt das Phänomen der Erweckung, jener rational nicht erklärbaren Massenbewegungen, in der Tausende, ja ganze Landschaften und Kirchen erfaßt werden. Noch heute stellt diese Tatsache, daß es Erwekkungen gegeben hat und heute weltweit gibt, unerbittliche Fragen an Theologie und Kirche.

Gewiß haben die Pietisten gewußt, daß Gott nicht nur eine Stimme, die des Pietismus hat. Er spricht in einer breiten Front zu jeder Generation. So sehr sich die Welt zu allen Zeiten bemüht, ihn zu vergessen, tritt er ihr in allen ihren Räumen, in ihrer Geschichte, ihrer Kultur und Wissenschaft entgegen, daß man ihm nicht ausweichen kann. Er läßt all ihre Wunschträume welken, die ihn auszuschalten versuchen.

Der Theologie hat der Pietismus zu zeigen gesucht, daß am Anfang im Christsein nicht ein Buch, sondern der lebendige Christus steht, der durch die viva vox evangelii, durch die Predigt, durch die Schrift, durch Lied, Katechismus und Bekenntnis, innerhalb der Wirklichkeit der Gemeinde zum Glauben ruft, ihn selbst weckt und erhält. Christus ist mehr als die Schrift, die von ihm zeugt. Es geht im Christentum nicht um eine Buchreligion, sondern um den Christusglauben.

Und doch spricht der Herr durch die Schrift und lenkt mit ihr die Christenheit. Dabei ist es eine andere Sache, die Bibel wissenschaftlich zu durchforschen und doch die gleiche Sache, ihr nun auch persönlich standzuhalten. Wenn das Zweite fehlt, dann bleibt Entscheidendes verborgen. Es bleibt für den Pietismus die Meisterfrage im Umgang mit der Schrift, über dem ewigen Wort in ihr ihre Menschlichkeit nicht zu übersehen und über dieser geschichtlichen Gebundenheit nicht das Evangelium in ihr zu überhören.

Wir können über die Erweckungszeit bis in die Gegenwart jene eindrucksvolle Reihe von Vertretern einer »Biblischen Theologie«, eines »positiven Bibelglaubens« unter den Theologieprofessoren verfolgen. Sie haben an den deutschen Universitäten die elementaren Anliegen des Pietismus bzw. der Erweckungsbewegung aufgenommen. Diesem Erbe fühlten sie sich verpflichtet.

Da sind zu nennen, ohne eine Vollständigkeit zu erstreben, die Gelehrten der heilsgeschichtlichen Theologie nach Gottfried Menken (1768 – 1831), der keinen Lehrstuhl innehatte, der Schwabe Johann Tobias Beck (1804 – 1878) in Tübingen und Johann Christian Konrad von Hofmann (1810 – 1877) in Erlangen, der jenes milde Luthertum vertrat, das des »pietistischen Öles« nicht entbehren wollte. Unvergessen bleiben auch der Westfale Hermann Cremer (1834 – 1903), der Ostpreuße Martin Kähler (1835 – 1912) in Halle, der Brandenburger Wilhelm Lütgert (1867 – 1938) in Berlin, vor allem der St. Gallener Adolf Schlatter (1852 – 1938) in Tübingen, dessen vollmächtige Auslegungen des NT noch heute studiert werden. Friedrich August Bleibetreu Tholuck (1799 – 1877) in Halle ist auch nicht zu übersehen. Nachhaltig gewirkt haben auch Julius Schniewind (1883 – 1948) zuletzt wieder in Halle, Otto Schmitz (1883 – 1957) einst in Münster und Otto Weber (1902 – 1966) in Göttingen. In Karl Heim (1874 – 1958), zuletzt in Tübingen, trat ein systematischer Denker von durchdringender Geisteskraft, das Erbe und Anliegen Oetingers aufnehmend, in die Auseinandersetzung zwischen biblischen Glauben und Naturwissenschaft ein.

Diese Reihe könnte fortgesetzt werden durch namhafte bibelgläubige Alttestamentler an den Hochschulen, die auf die Bibelarbeit der pietistischen und erwecklichen Kreise tief eingewirkt haben.

Versuchen wir eine Zusammenfassung. Von der Reformation an, dem spontanen Rückgriff auf die volle neutestamentliche Botschaft, und seinen Nebenströmungen geht über die Vorboten im 17. Jahrhundert ein Zug zum Pietismus und über die Erweckungsbewegung zum Neupietismus. Dieser ist sichtbar geworden in den Hunderttausenden von Gliedern in der Gemeinschaftsbewegung wie in der freikirchlichen und der auf internationaler Ebene zusammengefaßten Evangelischen Allianz.

Heute entdecken die weltweit verbundenen evangelikalen Gruppen, auch der »charismatische Aufbruch«, zunehmend deutlicher ihren Traditionszusammenhang mit dem Pietismus. »Im kirchlichen Sprachgebrauch werden ›die Pietisten‹ immer häufiger zur Sammelbezeichnung für die nicht leicht zu erfassende Vielfalt im evangelikalen Lager«, in der sich die stärksten missionarischen Kräfte zusammengeballt haben, die an der Missionsfront stehen.

So ist vieles von dem, was Hoffnung und Anliegen derer war, die durch ihr Wirken die Geschichte des Pietismus gestaltet haben, in die selbstverständlichen und unverlierbaren Lebensäußerungen der Christenheit, in Kirche und theologischer Wissenschaft eingegangen. Der Pietismus selbst hat seinen ihm zugewiesenen Platz in und mit der Kirche wiederum, von Randgruppen abgesehen, festgehalten. Er hat nicht vergessen, daß alle großen Erneuerungs- bzw. Erweckungsbewegungen nicht in Elitegruppen, sondern innerhalb der Massen- bzw. Volkskirchen begonnen haben. Daß er hier Mannschaften zur Verfügung gestellt hat, von denen abgesehen, die führend dabei waren, ist zugleich zu bedenken.

Wir bedürfen nicht einer unfruchtbaren Polarisation, sondern eines Aufeinanderzugehens. »Alle Ersatzformen werden versagen: Ein einseitig politisierendes Christentum wird versagen. Auch ein Christentum, das sich mit bloßer Humanität identifiziert. Oder ein einseitig intellektuelles Christentum. Auch ein bloßes Brauchtumschristentum wird diesem Anspruch nicht gerecht. Ein bloßes ästhetisches Christentum für Snobs ist zu wenig. Ein Christentum, das sich als Revolutionsarmee versteht, scheitert. Das echte Christentum wird sich an den Früchten erkennen lassen.« Nichts anderes begehren wir bei einer »Geschichte des Pietismus« deutlicher und eindringlich zu machen[26].

Schlußgedanken zur Pietismusforschung

Unsere Anfragen an sie haben wir bereits im Anmerkungsapparat zu den einzelnen Kapiteln deutlich zu machen versucht. Wir verweisen z. B. im 1. Kapitel auf Anmerkung 40, im 2. auf Anmerkung 13 und 30, im 5. auf Anmerkung 23, im 6. auf Anmerkung 45 a, um einige zu nennen.

Vielleicht läßt sich das, was wir zu fragen haben, am umfassendsten bei der Theologie und Frömmigkeit August Hermann Franckes anbringen, so sehr sie für den Gesamtbereich der Pietismusforschung gelten.

Daß die wesentlichen Untersuchungen über Theologie und Frömmigkeit August Hermann Franckes bei einer Darstellung und Analyse seiner Bekehrung ansetzen, ist durchaus akzeptabel. Ob freilich eine problemlose Eintragung eines Interpretationsschemas vom mystischen Spiritualismus, der durchaus keine eindeutige Größe darstellt, als eigentliche Antriebskraft im Pietismus mehr verwischt und verschleiert, jedenfalls alles mehr kompliziert als verdeutlicht, ist noch zu wenig kritisch hinterfragt worden. Jedenfalls wird das alles noch fragwürdiger bei einer dabei unterlaufenden grundsätzlichen theologischen Abqualifizierung selbst von Spurenelementen des mystischen Spiritualismus, wenn ein solcher Verdacht von Abhängigkeiten identisch wird mit einem theologischen Verdikt. Es wird dann unversehens schematisiert, simplifiziert und alles in eine bestimmte Richtung gepreßt.

So ist der Begriffsumfang bei der »Wiedergeburtsauffassung« bei den einzelnen Vertretern oft noch nicht richtig zur Kenntnis genommen. Wird nicht oft auch das Phänomen der »Mystik« pauschalisiert, eine Beobachtung, die wir im Gegensatz zur Orthodoxie, der dieser Vorwurf nicht gilt, im neueren Protestantismus vom 19. Jahrhundert an vorfinden?

Auch der Versuch, eine spannungsvolle Einheit von mystisch-spiritualistischen und reformatorischen Traditionen summarisch zu erheben, befriedigt bzw. überzeugt zuletzt nicht. Wie leicht zersplittert man in der vorausgehenden Analyse die theologischen Aussagen fast spielerisch in lauter Fragmente. Alles droht in unzusammenhängende Bestandteile auseinanderzubrechen, so sorgsam und umfassend man glaubt, lutherische bzw. reformierte, mystisch-spiritualistische, politische Einschläge und humanistische Tendenzen trennen zu können.

Vermag man hier nicht so kritisch zu fragen, wie Hans-Joachim Kraus in seiner Untersuchung über »Die Biblische Theologie« im Blick auf ihre Problematik (S. 369)? Tendiert nicht die analytische Methodik einer Quellenscheidung verschiedener Traditionen auf »Isolierung, auf Abgrenzung kleinster Einheiten, um Form, Thematik und Intention zu erforschen. Die kerygmatische Intention wird so zur beziehungslosen Formel. Selten begegnet man der Bemühung, in der Erforschung der Kontext-Relationen, Zusammenhänge und Perspektiven aufzuschließen.«

So gilt es dann, um es derb zu sagen, als ausgemacht, daß hinter der Wiedergewinnung der eschatologischen Perspektive im Pietismus und ihrer Aktualisierung sich mystisch-spiritualistische Traditionen verbergen. Ob der Anstoß dazu aus dem NT unmittelbar und aus dem reformatorischen Verständnis entsteht, gewiß in Neuprägung, wird nicht ins Blickfeld genommen. Spontaneität ist nicht eingerechnet. Schöpferische Neuaufbrüche stehen nicht zur Aussprache.

Dabei soll keineswegs abgewertet werden, daß bei dieser bisher oft extrem betriebenen Methodik der ganze universale Horizont des Pietismus schärfer erkennbar und seine weite Ausstrahlungskraft nicht nur in der Geistes- und Theologiegeschichte faßbarer geworden ist. Durchaus wird man zu beachten haben, daß »ohne das Auftreten geistmächtiger Spiritualisten das siegreiche Vordringen des Pietismus am Ende des 17. Jahrhunderts nicht erklärbar wäre« (H. J. Schoeps). Doch auch diese These darf man nicht überreizen.

Die beste Ausgangsbasis meinen wir im Selbstverständnis derer zu finden, bei denen sich eben theologische Existenz in lebendiger Spannung zwischen Leben und Werk vollzogen hat wie bei August Hermann Franke, Spener, Zinzendorf, Bengel, Oetinger und Gottfried Arnold, um einige führende Gestalten im frühen Pietismus anzuführen.

Ob nicht immer noch Karl Holl wie Emanuel Hirsch die besten Analysen in der Pietismusforschung geliefert haben, die Schüler Karl Holls dabei nicht ausgeschlossen? Jedenfalls die Leidenschaft des Pietismus, sich vom Neuen Testament, von einer lebendigen Christusbegegnung im Zusammenhang mit der reformatorischen Botschaft bestimmen zu lassen, haben Karl Holl wie Emanuel Hirsch, so verschieden ihre theologische Ausgangsbasis war, ernst genommen und ohne vorschnelle Abwertungen dieses Anspruches. So blieb alles ein Ganzes.

Sollte die Pietismusforschung, bei der heute manche bisherige Ergebnisse fragwürdig geworden sind, nicht hier wieder anknüpfen, ohne die bisher aufgewiesenen theologiegeschichtlichen Zusammenhänge aus den Augen zu verlieren?

Keine wissenschaftliche Arbeit vollzieht sich voraussetzungslos, auch nicht die über den Pietismus. Hier scheiden sich oft schon im vorwissenschaftlichen Bereich die Geister. Theologie und Kirche sind immer und überall auch zu einem Wächterdienst berufen. Dabei empfängt jeder Wissenschaftler, wie auch seine theologische Position ist, die ihn prägt, seine Freiheit und seine Vollmacht, zu prüfen, zu wägen, abzuwehren, aber auch anzuerkennen und andererseits verlorene Wahrheiten, damals wie heute, vielleicht auch in der eigenen Forschungsarbeit zu entdecken. Das Problem des Verstehens, daß Antipathien sachgemäßes Erhellen erschweren können, wird hier schnell greifbar.

Die Forschergeneration, die sich nach dem Zweiten Weltkrieg erneut der Pietismusforschung zuwandte, stand im Vorfeld einem Anti-Pietismus-Komplex gegenüber. Wie weit sie selbst von ihm nicht frei war aus einer Gewissensbindung, steht nicht zur Debatte. Wir wußten uns mit anderen zusammen gefordert, die starren Fronten aufzulösen, das Positive unter all den notwendigen Abgrenzungen nicht untergehen zu lassen, Karikaturen auch im wissenschaftlichen Gewand als solche kenntlich zu machen, aufzuweisen, wie wenig man den frühen Pietismus quellenmäßig kannte und einen Teil zu seiner Erschließung beizutragen. Daß wir dabei mehr zurechtrücken mußten, nahmen wir in Kauf. Kritik ist daran oft zu billig erhoben worden, ohne auf anstehende Fragen einzugehen.

Wir erinnern in diesem Zusammenhang noch an die von uns angezweifelte Interpretation der Lehre von der »Teilhabe an der göttlichen Natur« bei Spener (vgl. Kap. II, Anmerkung 13, 30, 31) in der Pietismusforschung. Es wird dabei offensichtlich übersehen, daß nicht nur die Traditionskette für diese Aussage bis ins AT und NT zurückreicht, sondern daß sie in der Vätertheologie von Clemens Romanus bis Dionysius Areopagita sich in einem Schlüsselwort von der »Teilhabe« verdichtet, um über das Mittelalter weiterzulaufen.

Teilhabe an Gott bedeutet nichts anderes als die Kommunikation zwischen Gott und Mensch. Hier wird eine Mittelposition eingenommen gegenüber einer negativen Theologie, die über Gott keine Aussagen machen will, und andererseits einer Lehre von der Divinisierung, welche die Grenze zwischen Schöpfer und Geschöpf verwischt. Wie schon der einstige platonische Begriff »Teilhabe« (Methexis) es Platon ermöglichte, die irdische Welt mit dem himmlischen Bereich der Ideen zu verbinden, »ohne die jeweilige Eigenheit zu zerstören«, ist der verchristlichte Begriff auch auf dieser Linie zu sehen, ebenso wie bereits im AT göttliches und menschliches Sein nicht ineinander zerfließen und die Eigenständigkeit des Geschöpflichen nicht in einer »Vergottung« ausgelöscht wird. Die

Grenzlinien bleiben hart, ohne die Kommunikation zwischen Gott und Mensch zu bestreiten. Die Aussagen bei Spener und im kirchlichen Pietismus bewegen sich in diesem hier aufgezeigten Rahmen und entfernen sich nicht von den Grundaussagen der Reformation. Dazu Friedrich Normann, Teilhabe – ein Schlüsselwort der Vätertheologie, 1978.

Im Blick auf die bisherige Erforschung des Pietismus meinen wir auch, daß sie »unter streng theologischen Leitlinien noch in den Anfängen steht«. Vgl. Martin Schmidt, Pietismus, 1972, S. 7.

Inzwischen rückt eine neue Generation an Pietismusforschern vor. Vielleicht ist es nicht von ungefähr, daß sie sich an der reichlich betriebenen Erforschung des mystischen Spiritualismus nicht gerade engagiert. Von den alten Belastungen eines Anti-Pietismus-Komplexes der unmittelbaren Zeit vor und nach dem 2. Weltkrieg ist sie frei. Ob nicht inzwischen ein neuer Anti-Pietismus-Komplex wahrnehmbar ist in der kirchlichen Landschaft? Er wird der erneut zu leistenden historischen wie theologischen Arbeit in der Pietismusforschung Steine in den Weg zu legen suchen. Möge sie frei bleiben von allen zu unsicheren Verfestigungen. Geschichtliches Verstehen und notwendige Verständniswilligkeit bedingen einander. Beides ist heute notwendiger denn je im Blick auf die Situation einer weltweiten Christenheit.

Anmerkungen

Kapitel I: Wegbereiter des Pietismus im 17. Jahrhundert

1. *Karl Holl, Die Bedeutung der großen Kriege für das religiöse und kirchliche Leben innerhalb des deutschen Protestantismus,* und: *Die Rechtfertigungslehre im Licht der Geschichte des Protestantismus,* in: derselbe, Gesammelte Aufsätze zur Kirchengeschichte, III, Der Westen, 1928, S. 302 ff. u. S. 525 ff.; *Hans Leube, Die Reformideen in der deutschen lutherischen Kirche zur Zeit der Orthodoxie,* 1924; derselbe, *Orthodoxie und Pietismus,* Gesammelte Studien, 1975 herausgegeben durch Dietrich Blaufuß; s. auch Anm. 3 und 5.

2. *Johannes Wallmann, Pietismus und Orthodoxie.* Überlegungen und Fragen zur Pietismusforschung, in: Martin Greschat (Hg.), Zur neueren Pietismusforschung, 1977, S. 53 ff. (m. Lit.).

3. *Percy Ernst Schramm, Neun Generationen.* Dreihundert Jahre deutscher Kulturgeschichte im Licht der Schicksale einer Hamburger Bürgerfamilie (1648 – 1948) Bd. I 1963, S. 31 u. ö.

4. *Horst Weigelt, Spiritualistische Tradition im Protestantismus.* Die Geschichte des Schwenckfeldertums in Schlesien, 1973 (m. Lit.).

5. *Winfried Zeller, Der Protestantismus des 17. Jahrhunderts,* 1962; derselbe, *Die »alternde Welt« und die »Morgenröte im Aufgang«,* in: Theologia viatorum, Jb. der Kirchl. Hochschule Berlin, 1975, S. 197 ff. (abgek. Zeller); derselbe (hg. mit W.-E. Peuckert), *Valentin Weigel,* Sämtliche Schriften, 1962 ff.

6. Grundlegend Zeller; *Waltraut Ingeborg Sauer-Geppert, Das Kirchenlied in der lutherischen Erbauungsliteratur.* Philipp Nicolais »Freudenspiegel des ewigen Lebens« 1599, in Jb. f. Liturgik und Hymnologie 1975, S. 221 ff.; *Reinhard Kirste, Das Zeugnis des Geistes und das Zeugnis der Schrift.* Das testimonium spiritus sancti internum als hermeneutisch-polemischer Zentralbegriff bei Johann Gerhard in der Auseinandersetzung mit Robert Bellarmins Schriftverständnis, 1976; *Ingeborg Röbbelen, Theologie und Frömmigkeit im deutschen ev.-luth. Gesangbuch des 17. u. frühen 18. Jh.,* 1957; *Wilhelm Dilthey, Weltanschauung und Analyse des Menschen seit Renaissance und Reformation,* Gesammelte Schriften 2.

Bd., 1964[8], S. 439 ff. u. ö.; dazu auch Hartmut Lehmann S. 148 f. in: Jb 1975 Pietismus und Neuzeit II (Rezension).

7. *Heinrich Bornkamm, Mystik, Spiritualismus und die Anfänge des Pietismus im Luthertum,* 1926, S. 12 u. ö.; *Emanuel Hirsch, Geschichte der neueren evangelischen Theologie,* 1949, I. Bd., S. 113 ff.: Die Revolution des Kopernikus und das alte aristotelische-christliche Weltbild (abgek Hirsch).

8. Hirsch II, S. 208 ff. (grundlegend); *F. W. Bautz, Biographisch-Bibliographisches Kirchenlexikon,* Bd. 1, 1975: Art. Jakob Böhme Sp. 661 ff. mit umfassender Literaturaufstellung bis 1974; nachfolgende Literatur vgl. Jb. Pietismus und Neuzeit Bd. 1 – 3, 1974, 1975, 1977.

9. S. o. Hirsch; *Ernst Benz, Der Prophet Jakob Boehme.* Eine Studie über den Typus nachreformatorischen Prophetentums, 1959; *Werner Heimbach, Das Urteil des Görlitzer Oberpfarrers Richter über Jakob Böhme.* Eine kultur- und geistesgeschichtliche Untersuchung »Mit Poltern, Pantoffeln und Pasquillen«, in: Herbergen der Christenheit, Jahrbuch für deutsche Kirchengeschichte 1973/74, S. 97 ff.; *Eberhard H. Pältz, Zum Verständnis von Jacob Boehmes »Autorenschaft«,* in: Jb. II Pietismus und Neuzeit 1975, S. 9 ff.; *Helmut Obst, Zum »Verhör« J. Böhmes in Dresden,* in: Jb. I Pietismus und Neuzeit 1975, S. 25 ff.

10. *Helmut Obst, Jakob Böhme im Urteil Philipp Jakob Speners,* in: Zeitschrift f. Religions- und Geistesgeschichte 1976, S. 38.

11. *Erich Beyreuther, A. H. Francke und die Anfänge einer ökumenischen Bewegung,* 1957, S. 45 ff.

12. S. o. S. 48 ff.

13. Die Umformung des philadelphischen Ideals: *Sigurd Nielsen, Der Toleranzgedanke bei Zinzendorf.* Ursprung, Entwicklung und Eigenart seiner Toleranz, o. J. (1946), S. 10 ff. (Der geschichtliche Unterbau für den Zusammenhang Zinzendorfs mit der philadelphischen Bewegung).

14. Hirsch II S. 232 ff. u. ö.; vgl. Kap. VI Anm. 18 (Dippel).

15. *Otto Uttendörfer, Zinzendorf und die Mystik, 1951. S. 421 ff.*

16. S. o.; *Erich Beyreuther, Studien zur Theologie Zinzendorfs, Gesammelte Aufsätze,* 1962, S. 144 u. ö.; *Gösta Hök, Zinzendorfs Begriff der Religion,* 1949; *Heinz Renkewitz, War Zinzendorf ein Spiritualist?,* in: Ev Theologie 12/1950, Besprechung in Theol. Literaturzeitung 1949, Sp. 470 ff.

17. *Hermann Dörries, Geist und Geschichte bei Gottfried Arnold,* 1963, S. 27 u. ö.

18. *Ernst Staehelin, Die Verkündigung des Reiches Gottes in der Kirche Jesu Christi,* Bd. VI, 1963, S. 3 ff. (Texte dazu); auch Kap. V, Anm. 43

19. *Edmund Weber, Johann Arnds Vier Bücher vom wahren Christenum,* 1972 (grundlegend); *Wilhelm Koepp, Johann Arnd.* Eine Untersuhung über die Mystik im Luthertum, Reprint 1973; derselbe, *Johann rnd und sein »Wahres Christentum«,* Lutherisches Bekenntnis und Ökumene (o. J.); *Hilding Pleijel, Die Bedeutung Johann Arndts für das chwedische Frömmigkeitsleben,* in: Der Pietismus in Gestalten und Wirungen, 1975, S. 383 ff. (Hg. Heinrich Bornkamm u. a); Bibliographie iehe Bautz (Anm. 8 oben).

20. *Paul Althaus d. Ä., Forschungen zur evangelischen Gebetsliteratur,* 927, Reprint Hildesheim 1966 (grundlegend): *Johannes Wallmann, Ph. . Spener und die Anfänge des Pietismus,* 1970, S. 13 ff.; *Martin Greschat, wischen Tradition und neuem Anfang;* V. E. Löscher und der Ausgang er lutherischen Orthodoxie, 1971, S. 98 (das Gewicht der Mystik); *riedrich Wilhelm Wentzlaff-Eggebert, Belehrung und Verkündigung,* 975, S. 152 ff.: Zur Mystik-Rezeption bei Andreas Gryphius und seinem reundeskreis, und S. 113 ff.: Erscheinungsformen der »unio mystica« in er deutschen Literatur und Dichtung.

21. *Carsten Küther, Das organisierte Gauner- und Räubertum* (seit dem reißigjährigen Krieg), 1973; zum Generationswechsel: Mag. J. H. cholz (1729 – 1813) z. B. überlebte seine 10 Brüder, 2 Ehefrauen, 8 seier 12 Kinder und 10 von seinen 28 Enkeln; vgl. Jb. f. Schles. KG 1956, S. 09; Neun Generationen S. 34 ff. (s. oben Anm. 3).

22. Hirsch II, S. 130 ff.

23. Edmund Weber S. 178 ff. (s. oben Anm. 19); *Wolfgang Philipp, as Werden der Aufklärung in theologischer Sicht,* 1957, S. 31 u. ö.

24. S. o. Philipp S. 78 ff.: Kosmischer Nihilismus und nihilistischer osmos im 17. Jh.; *Max Osborn, Die Täuferliteratur des 17. Jh.,* 1965.

25. Heinrich Bornkamm S. 4 ff. (s. oben Anm. 7); Edmund Weber S. 79 ff.: Die Flucht des barocken Ich vor der Unendlichkeit der Leichenallen des Alls in der Mystik; *Werner Elert, Morphologie des Luthertums,* heologie und Weltanschauung des Luthertums hauptsächlich im 16. und 7. Jh., Bd. I 1952^2, S. 135. ff. (Unio mystica); *Ivar Asheim (Hg.), Kirche, ystik, Heiligung und das Natürliche bei Luther;* Vorträge des Dritten Inrnationalen Kongresses für Lutherforschung 1966, 1967: Luther und ie Mystik, Beiträge von H. A. Obermann S. 20 ff., Erwin Iserloh S. 60 ff. nd Bengt Hägglund S. 84 ff.; dort vor allem S. 94.

26. Edmund Weber S. 40 f.

27. Zur Rezeption der puritanischen Erbauungsliteratur vgl. Wallmann . 16 ff.; *Erich Beyreuther, Der Ursprung des Pietismus und die Frage nach r Zeugenkraft der Kirche,* in: Ev. Theologie 11. Jg. 1951/53, S 137 ff.;

Leube, Die Reformideen S. 162 ff.; Martin Schmidt, Pietismus 1972, S 24 ff.

28. S. o. Anm. 27. In Württemberg spielten im Gegensatz zu Norddeutschland die englischen Erbauungsschriften keine Rolle. Vgl. dazu Hartmut Lehmann, *Pietismus und weltliche Ordnung in Württemberg von 17. bis zum 20. Jh.,* 1969, S. 33.

29. *Cornelius Pieter van Andel, Paul Gerhardt, ein Mystiker zur Zeit de Barocks,* in B. Jaspert u. R. Mohn (Hg.), Traditio – Krisis – Renovatio au theologischer Sicht, 1976, S. 172.

30. *Arnold Schleiff, Selbstkritik der lutherischen Kirchen im 17. Jh.* 1937, S. 174.

31. S. o. Anm. 19 (Koepp).

32. S. Anm. 11 S. 34 ff.

33. Edmund Weber S. 178 ff. u. ö.

34. S. Anm. 11 S. 36 u. ö.

35. *Erhard Peschke, Bekehrung und Reform.* Ansatz und Wurzeln de Theologie August Hermann Franckes, 1977, S. 13 ff.: Die Bedeutung de Mystik für die Bekehrung A. H. Franckes; derselbe (Hg.), *A. H. Francke Werke in Auswahl,* 1969, S. 202 ff.: Die Theologia Mystica, Lectio paranetica 1704.

36. *Hermann Bauch, Die Lehre vom Wirken des Heiligen Geistes im Frühpietismus,* 1974, S. 55: Speners Distanz von jeder Mystik.

37. Lit. bei Bautz (s. oben Anm. 8) Sp. 167; Hartmut Lehmann (s. obe Anm. 28) S. 22 f. u. ö.; *Martin Kruse, Speners Kritik am landesherrliche Kirchenregiment und ihre Vorgeschichte,* 1971, S. 82 ff.: Die Kritik bei J. V. Andreä; *Friedrich Fritz, J. V. Andreäs Wirken im Dienst der württembergischen Kirche,* in Blätter für Württembergische Kirchengeschicht (abgek. BWKG) 32 (1928), S. 37 ff.; *Frances A. Yates, Aufklärung im Zeichen des Rosenkreuzes.* Aus dem Englischen von Eva Zahn, 1978; *Richard van Dülmen, Die Utopie einer christlichen Gesellschaft,* J. V. Andreae (1586 – 1654), 1977.

38. *Richard van Dülmen, Andreae Theophilus* deutsch und lateinisch 1973, S. 8; derselbe, *J. V. Andreae Christianopolis* deutsch und lateinisch 1972.

39. Besprechung von R. van Dülmen, Christianopolis, durch Martin Greschat in: Theol. Literaturzeitung 1975 Nr. 3, Sp. 214 f.; auch zur Emblematik: *Elke Müller-Mees, Die Rolle der Emblematik im Erbauungsbuch.* Aufgezeigt an Johann Arnds »Vier Büchern vom wahren Christentum«, Phil. Diss. Köln 1974.

40. Zum Wiedergeburtsbegriff bei J. V. Andreae: *Harald Scholt*

Evangelischer Utopismus bei J. V. Andreae. Ein geistiges Vorspiel zum Pietismus, 1957, S. 12 ff.: Die Bedeutung des Spieles und der Wiedergeburt; *Martin Brecht, Kirchenordnung und Kirchenzucht in Württemberg vom 16. bis zum 18. Jh.,* 1967, S. 81; Brecht meint entgegen dem Quellenbefund, daß bei Andreä der Gedanke der Wiedergeburt so gut wie gar keine Rolle spielte. Gegen Brecht wird man sagen müssen, daß der Wiedergeburtsgedanke bei J. V. Andreae wie bei Spener eingeordnet ist in die lutherische Verkündigung von Gesetz und Evangelium, von Rechtfertigung und Heiligung. Hier aber fehlt dieser Gedanke durchaus nicht, wenn die Rede auf »den neuen Menschen kommt«. Eine Emanzipation des Begriffes »Wiedergeburt« aus diesem Zusammenhang erfolgt nicht bei J. V. Andreae. Er wird bei ihm offensichtlich nicht als eine Initialzündung, als ein einmaliges Faktum begriffen, sondern ist eine Umschreibung für einen dynamischen und zeitlich nicht fixierten Vorgang vom Sterben des alten und Herauskommen des neuen Menschen in täglicher Reue und Buße und neuem gehorsamen Wagnis, als Gabe und Aufgabe. Der Wiedergeburtsbegriff nimmt bei den bedeutenden Gestalten, wo er verwendet wird, immer neu eine unverwechselbare Färbung und Akzentuierung an. Man vergleiche z. B. wie J. A. Bengel ihn verwendet. Dazu Bauch (s. oben Anm. 36) S. 91 (292), dort im Zusammenhang mit »geistlicher Erleuchtung« bzw. »geistlichem Wachstum« und damit im Sinn des NT. Wir fragen, ob nicht in der neueren Pietismusforschung hier zu oft der Begriff »Wiedergeburt« pauschalisiert und unkritisch verwendet wird.

41. Vgl. dazu den Text der Christianopolis mit A. H. Franckes »Großem Aufsatz« von 1704 und seinen späteren Versionen. *Vgl. Otto Podczeck, August Hermann Franckes, Schrift über eine Reform des Erziehungs- und Bildungswesens als Ausgangspunkt einer geistlichen und sozialen Neuordnung der Evangelischen Kirche des 18. Jhs.,* 1962 (Text und quellenkundliche Einführung); dazu auch *Erhard Peschke, Bekehrung und Reform,* S. 115: Die pansophischen Reformideen des Comenius – Comenius und Francke; derselbe, *Die Reformideen des Comenius und ihr Verhältnis zu A. H. Franckes Plan einer realen Verbesserung in der ganzen Welt,* in: Heinrich Bornkamm u. a. (Hg.), Der Pietismus in Gestalten und Wirkungen, 1975, S. 368 ff.

42. *Richard van Dülmen, Johann Amos Comenius und Johann Valentin Andreae.* Ihre persönliche Verbindung und ihr Reformanliegen, Bohemica, Jb. des Collegium Carolinum 1968, S. 73 ff.; Erich Beyreuther, s. oben Anm. 11, dort S. 90 ff.

43. S. o. Dülmen

44. *H. Geißler, Comenius und die Sprache,* 1959; derselbe, *Das Chri-*

stus-Verständnis in der Pädagogik des Johann Amos Comenius, in: W. Andersen (Hg.), Das Wort Gottes in Geschichte und Gegenwart, 1957, S. 196 ff.

45. S. oben Geißler, Das Christus-Verständnis S. 198 (4).

46. *Erhard Peschke, Studien zur Theologie A. H. Franckes,* Bd. I 1964, S. 28 ff.

47. *Martin Schmidt, Pietismus,* S. 24 ff.; *Erich Angermann, Religion – Politik – Gesellschaft im 17. und 18. Jh.* Ein Versuch in vergleichender Sozialgeschichte, S. 26 ff.; *P. Toon, Der englische Puritanismus,* S. 30 ff.; *E. Weis, Jansenismus und Gesellschaft in Frankreich,* S. 42 ff.; *H. Lehmann, Der Pietismus im alten Reich,* S. 58 ff.: sämtlich in: Historische Zeitschrift H. 1, Bd. 214.

48. *M. Schmidt, Pietismus,* S. 138 ff.: Der Widerstand gegen den Pietismus; *Erich Beyreuther, Halle und Herrnhut in den Rezensionen der Göttingischen Zeitungen von gelehrten Sachen auf dem Hintergrund niedersächsischer Religionspolitik zwischen 1739 und 1760,* in: Jb. der Gesellschaft für Niedersächsische Kirchengeschichte, 73. Bd. 1975, S. 109 ff.

49. Zur Gesamtsituation vgl. Hirsch II: Die neuen philosophischen und theologischen Anfänge in Deutschland; *Paul Hazard, Die Krise des europäischen Geistes*, deutsch 1939[5]; *Hans Joachim Schoeps, Deutsche Geistesgeschichte der Neuzeit II.* Das Zeitalter des Barock, 1978, S. 199 ff.: Die Auswirkungen des natürlichen Systems.

50. S. oben Anm. 11 S. 19; Neun Generationen S. 52 ff. (s. oben Anm. 3).

51. *Hans-Joachim Kraus, Die biblische Theologie,* ihre Geschichte und Problematik, 1970, S. 24 ff. u. ö.

52. Zum Hexenglauben und seiner Bestreitung durch Spener, vgl. Hirsch II S. 99, zum Atheismus S. 103 ff., zur Toleranz S. 117 u. ö.; vgl. Anm. 4 zu Kapitel 2.

Kapitel II:
Philipp Jakob Spener (1635 – 1705) und der frühe Pietismus

1. *Philipp Jakob Spener, Gründliche Beantwortung* Einer mit Lästerungen angefüllten Schrifft (unter dem Titul: Außführliche Beschreibung Deß Unfugs der Pietisten m.f.w.) zur Rettung der Wahrheit/und so seiner als unter schiedlicher anderer Christlicher Freunde Unschuld, Franckfurt am Mayn/Zunner 1693 (abgek. Gründliche); *Peter Schicketanz, Carl Hildebrand von Cansteins Beziehungen zu Philipp Jakob Spener,* 1967 (abgek. Schicketanz); *Paul Grünberg, Philipp Jakob Spener,* 1. Bd. 1893, Die Zeit Speners – Das Leben Speners – Die Theologie Speners; 2. Bd. 1905, Spener als praktischer Theologe und kirchlicher Reformer; 3. Bd. 1906, Spener im Urteil der Nachwelt und seine Einwirkung auf die Folgezeit – Spener-Bibliographie, Nachträge und Register (abgek. Grünberg); *Johannes Wallmann, Ph. J. Spener und die Anfänge des Pietismus (1635 – 1675),* 1970 (abgek. Wallmann); *Dietrich Blaufuß, Spener-Arbeiten,* Quellenstudien und Untersuchungen zu Philipp Jakob Spener und zur frühen Wirkung des lutherischen Pietismus, 1975 (abgek. Blaufuß); derselbe, *Reichsstadt und Pietismus,* Philipp Jakob Spener und Gottlieb Spizel aus Augsburg, 1977 (abgek. Reichsstadt); *Helmut Appel, Ph. J. Spener* – Mitten im Verfall der Kirche ruft Spener zur verantwortlichen Tat der Laien: zu Bibellesen, Armenpflege und Gebet, 1964 (abgek. Appel); zur Theologie Speners: Hirsch II, 91 – 155 (grundlegend); *Hermann Bauch, Die Lehre vom Wirken des Heiligen Geistes im Frühpietismus,* Studien zur Pneumatologie und Eschatologie von Campegius Vitringa, Philipp Jakob Spener und Johann Albrecht Bengel, 1974 (abgek. Bauch); *Martin Schmidt, Wiedergeburt und neuer Mensch,* Gesammelte Studien zur Geschichte des Pietismus, 1969 (abgek. Schmidt, Wiedergeburt); *Johannes Wallmann, Reformation, Orthodoxie, Pietismus,* in: Jb. der Gesellschaft für Niedersächsische KG, 70. Bd. 1972, S. 179 ff.; derselbe, *Spener und Dilfeld.* Der Hintergrund des ersten pietistischen Streites, in: Siegfr. Herrmann und O. Söhngen (Hg.), Theologie in Geschichte und Kunst, 1968, S. 215 ff.; derselbe, *Pietismus und Orthodoxie,* in: Geist und Geschichte der Reformation, Zum 65. Geburtstag von Hanns Rückert, 1966, S. 418 ff.

2. *Wilhelm Dilthey, Weltanschauung und Analyse des Menschen seit Renaissance und Reformation,* Gesammelte Schriften Bd. 2, 1964[8], S. 439 ff. (die Anthropologie und das natürliche System der Geisteswissenschaf-

ten im 17. Jh.); *Gerhard Oestreich, Calvinismus, Neustoizismus und Preußentum,* in: Johannes-Schultze-Festschrift 1956, S. 157 ff.; derselbe, *Politischer Neustoizismus und niederländische Bewegung in Europa und besonders in Brandenburg-Preußen,* in: Bijdragen en Mededelingen von het Historisch Genootschap, 79. Bd. 1965, S. 11 ff.; derselbe, *Die niederländische Bewegung und Brandenburg-Preußen,* 1968; derselbe, *Policey und Prudentia civilis in der barocken Gesellschaft von Stadt und Staat,* in: Albrecht Schöne, Stadt – Schule – Universität – Buchwesen und die deutsche Literatur im 17 Jh., Vorlagen und Diskussionen eines Barock-Symposions der Deutschen Forschungsgemeinschaft 1974 in Wolfenbüttel, S. 10 ff.; derselbe, *Ständetum und Staatsbildung in Deutschland,* in: Der Staat, 6. Bd. 1967, H. I, S. 61 ff.; *Otto Luschnat, Das Problem des ethischen Fortschrittes in der alten Stoa Phililogus,* in Zschr. f. d. klass. Altertum 102 1958, S. 178 ff.; Wallmann 62 ff.

3. Zum Studium in Straßburg: Gründliche § 2,3 = S. 12 ff.; Wallmann S. 62 ff.; Bauch S. 39; zur melanthonischen Tradition: *W. Elert, Zwischen Gnade und Ungnade,* 1948 S. 92 ff.; Wallmann S. 77 ff.

4. Hirsch II, S. 103 ff., 119 ff., zu Joh. 7, 17 S. 106 f.; *H.-M. Barth, Atheismus und Orthodoxie,* Analyse und Modelle christlicher Apologetik im 17. Jh., 1971 (s. Register); Wallmann S. 88 ff.; *Ph. J. Spener, Theologische Bedencken,* I. T. 1712, Sectio XI und XII (S. 38 ff. und 45 f.) zu Kap. I.; zum Naturrecht bei Grotius: Hirsch II, S. 101 ff.; ferner *Hans Leube, Die Bekämpfung des Atheismus in der deutschen lutherischen Kirche des 17. Jh.,* in: ZKG 43 1924, S. 227 ff.; Blaufuß, Reichsstadt S. 265: Zur Apologetik in der Atheismus-Bekämpfung.

5. Zu Speners Bibelvorreden: *Jürgen Quack, Ev. Bibelvorreden von der Reformation bis zur Aufklärung,* 1975 S. 241 ff.

6. *M. Schmidt, Ph. J. Spener und die Bibel,* in: K. Aland (Hg.), Pietismus und Bibel, 1970, S. 9 ff.; auch Barth, Atheismus S. 307 (s. o. Anm. 4).

7. Zu Labadie: Gründliche S. 15 ff.; Wallmann S. 142 ff., 272 ff.

8. Wallmann S. 148 ff., 154; *Helmut Claß, Ph. J. Speners »Pia desideria«,* 1975, S. 5 f.; *Reinhard Breymayer u. Friedrich Häußermann (Hg), Die Lehrtafel der Prinzessin Antonia von Friedrich Christoph Oetinger,* 2 Bde 1977.

9. Art. Quietismus in RGG[3] Bd. V Sp. 736 ff. (E. Beyreuther).

10. *Werner Jentsch, Einführung in Ph. J. Speners »Einfältige Erklärung Der Christl. Lehr Nach der Ordnung deß kleinen Catechismi deß theuren Manns Gottes Lutheri« 1677*, Bd. II,1 der 1. Abt. Schriften aus der Frankfurter Zeit. Reprint Hildesheim (im Erscheinen).

11. *Philippe Ariès, Geschichte der Kindheit*, 1975.

12. S. o. Anm. 10.

13. M. Schmidt, Wiedergeburt S. 169 ff. und 238 ff.; *Johannes Wallmann, Wiedergeburt und Erneuerung bei Ph. J. Spener,* in: Jb. Pietismus und Neuzeit 3. Bd. S. 7 ff. Gegenüber der These von Martin Schmidt, daß die Wiedergeburt Speners Hauptanliegen sei, stellt Wallmann fest, daß, soweit er sehen kann, dies nicht der Fall sei und an Hand des von ihm eingesehenen Predigtmaterials nicht belegt werden könne. Diese Feststellung Wallmanns haben wir bestätigt gefunden durch eine Veröffentlichung von 1715 ohne Angabe des Verfassers, aber als authentisch anzusehen: *Vollständiger Catalogus* Aller derrerjenigen Predigten, Welche von Hn. D. Philipp Jacob Spenern ... so wohl in als ausser seinem Heil. Amte an unterschiedlichen Orten sind gehalten worden, Von dem Wohl=Sel. Herrn Autore eigenhändig aufgesetzet/und nunmehro Denen Liebhabers Spenerischer Schrifften zum besten in gehöriger Ordnung Durch öffentlichen Druck übergeben. Leipzig/verlegts Johann Herbord Kloß/Buchhändl. Anno 1715, S. 138 – 146: Tabelle über die Wiedergeburts-Predigten. Diese Predigtaufstellung ist aus einem von Spener selbst eigenhändig aufgesetzten Diarium seiner Predigten in Frankfurt, Dresden und Berlin »von Wort zu Wort genommen«. Auch die Straßburger Predigten sind angeführt worden. Es wurden 2928 Predigten insgesamt gezählt. Die in der Tabelle über die Wiedergeburts-Predigten erfaßten 77 Predigten aus der Zeit von 1670 – 1699 handeln vom »neuen Leben« im Sinn der paulinischen Aussagen, nicht speziell von dem Vorgang der Wiedergeburt. Rechnet man noch 20 Festtags-Predigten zwischen 1670 und 1699 dazu, die auch unter dieser Rubrik geführt worden sind, so stehen 2831 andere Predigtthemen diesen 97 gegenüber. Auffällig ist Speners Zurückhaltung gegenüber Johannes 3. Über diesen Text hat Spener nur 1684 einmal und 1691 dreimal gepredigt, indem er seiner Methode nach immer andere Teile des Kapitels behandelte. Zudem rangiert in dem »Vollständigen Catalogus« die Tabelle über die »Wiedergeburts-Predigten« ausgerechnet an letzter Stelle (S. 138 – 146).

Wir meinen, daß diese 97 Wiedergeburts-Predigten nicht aus dem Zusammenhang von 2997 Predigten zu lösen und zu isolieren sind. Wäre das Thema von der Wiedergeburt das Zentralthema in Speners Theologie und Frömmigkeit, so ist nicht recht zu begreifen, daß er ihm in seinem Gesamtschaffen in der Öffentlichkeit so wenig Raum eingeräumt hätte. Diese Tatsache läßt sich schwerlich aus dem Weg räumen. Das andere bleibt unbestritten, was jetzt Hans Joachim Schoeps in seiner »Deutschen Geschichte der Neuzeit II Das Zeitalter des Barock«, erschienen 1978, mit besonderer Eindringlichkeit herausgestellt hat, daß ohne das Auftre-

ten geistmächtiger Spiritualisten das sieghafte Vordringen des Pietismus am Ende des Jahrhunderts nicht erklärbar wäre. Von da aus begreift man erst recht, daß es eine Lebensfrage des kirchlichen Pietismus war, von dieser Woge nicht weggeschwemmt zu werden, sondern das Eigene zu bewahren und sich abzugrenzen. Sollten die Pietisten dorthin weglaufen? Vgl. dazu noch *Erhard Peschke, Bekehrung und Reform.* Ansatz und Wurzeln der Theologie A. H. Franckes, 1977, S. 85 ff. (§ 4: Speners Lehre von der Wiedergeburt). Peschke geht hier vom »Ordnungsdenken« als Grundstruktur aus und akzeptiert Martin Schmidts These: »Die Wiedergeburt ist das Grundthema der pietistischen Theologie, das ihr im wesentlichen der mystische Spiritualismus bereitgestellt hat« (Schmidt, Wiedergeburt S. 24). So müsse Speners Theologie nicht mehr aus der Tradition des orthodoxen Luthertums, sondern aus dem mystischen Spiritualismus hergeleitet werden.!
Dieser Satz ist fast durchgängig von der Pietismusforschung übernommen worden. Er läßt sich, je mehr Quellenschriften von Spener herangezogen werden, nicht halten. Emanuel Hirsch ist kaum zu widerlegen, wenn er feststellt: Spener »vertritt mit selbstverständlicher Entschiedenheit und in unantastbarer Lauterkeit und Klarheit die Rechtfertigungslehre des orthodoxen Luthertums« (Hirsch II S. 139). Spener bleibt im Rahmen der Grundaussagen des Luthertums von Gesetz und Gnade bzw. Rechtfertigung und Heiligung. Wenn Gedankengänge des mystischen Spiritualismus herangezogen werden, geschieht es zur Verdeutlichung dieses Grundansatzes von Rechtfertigung und Heiligung im lutherischen Sinn. Es wird alles lutheranisiert! Vgl. dazu das Kapitel »Schlußgedanken zur Pietismusforschung«.

14. *K. Schaller, Pietismus und moderne Pädagogik,* in: Kurt Aland, Pietismus und moderne Welt, 1974, S. 161 ff. (mit Lit.).

15. *Martin Greschat, Zwischen Tradition und neuem Anfang.* Valentin Ernst Löscher und der Ausgang der lutherischen Orthodoxie, 1971, siehe im Register; Gründberg Bd. 3, S. 1 ff.

16. Blaufuß S. 65 ff. (Zum Korrespondentenkreis Ph. J. Speners), S. 133 ff. (Speners anonymisierte Briefe und ihre Empfängerzuweisung); derselbe, Reichsstadt S. 97 ff.; *Kurt Aland, Philipp Jakob Spener,* Sein Lebensweg von Frankfurt nach Berlin (1666 – 1705), dargestellt an Hand seiner Briefe nach Frankfurt, in: derselbe, Kirchengeschichtliche Entwürfe 1960, S. 523 ff. (abgek. Aland, Briefe); *August Nebe, Aus Speners Berliner Briefen an eine Freundin in Frankfurt;* derselbe, *Aus Speners Dresdner Briefen an eine Freundin in Frankfurt a. M.,* in: Theol. Studien und Kritiken, 106. Bd., 1934/35 N.F.I. 4. H. S. 253 ff. (abgek. Nebe,

Dresdner bzw.' Nebe, Berliner); *Dietrich Blaufuß, Gottlieb Spitzels Gutachten zu Ph. J. Speners Berufung nach Dresden.* Ein Beispiel der Mutua Consolatio Fratrum im Pietismus, ZBKG 40 1971, S. 83 ff.

17. *Kurt Aland, Der Pietismus und die soziale Frage,* in: derselbe (Hg), Pietismus und moderne Welt, 1974, S. 99 ff.; *Friedrich Franz Roeper, Das verwaiste Kind in Anstalt und Heim,* 1976; *Willi Gruen, Speners soziale Leistungen und Gedanken,* Ein Beitrag zur Geschichte des Armenwesens und des kirchl. Pietismus in Frankfurt a. M. und in Brandenburg-Preußen, 1934.

18. *Erich Beyreuther, Geschichte der Diakonie und Inneren Mission in der Neuzeit,* 1964², S. 31 ff.; *Hans Leube, Die Sozialideen des kirchl. Pietismus,* in: D. Blaufuß (Hg.), Orthodoxie und Pietismus, 1975, S. 129 ff.

19. *Paul Arnsberg, Bilder aus dem jüdischen Leben im alten Frankfurt,* 1970; derselbe, *Neunhundert Jahre Muttergemeinde in Israel,* 1971; *Martin Schmidt, Judentum und Christentum im Pietismus des 17. und 18. Jh.,* in: K. H. Rengstorf und S. v. Kortzfleisch, Kirche und Synagoge Bd. 2 1970, S. 87 ff.

20. Spener, Gründliche § 69 (S. 86 ff.); *Erich Beyreuther, Einführung in Speners Schrift »Christliche Predigt Von Nothwendiger Vorsehung vor den falschen Propheten« 1678,* in: Speners Hauptschriften, 1. Abt. Bd. 1, Reprint Hildesheim 1978; Hirsch II, S. 133 ff.; *Heinrich Steitz, Geschichte der Evangelischen Kirche in Hessen und Nassau,* 2. T.: Orthodoxie, Pietismus und Rationalismus, 1962, S. 186 ff. (Spener in Frankfurt); Wallmann S. 222.

21. Wallmann S. 252; Bauch S. 112 (Speners Benutzung von Luthers Werken an 263 Stellen mit Fundort bei ihm und Luther); *Martin Schmidt, Spener und Luther,* in: Luther-Jahrbuch 1957, S. 102 ff.; *Paul Schattenmann, Luthertum und Pietismus,* 1951; derselbe, *Zum Verständnis des deutschen lutherischen Pietismus,* in: Jb. des Martin-Luther-Bundes 1949/50, S. 111 ff.

22. Blaufuß, Reichsstadt S. 16 ff. u. ö.; *Paul Schattenmann, Eigenart und Geschichte des deutschen Frühpietismus mit besonderer Berücksichtigung von Württemberg-Franken,* in: BWKG 40, 1936, S. 1 ff.; derselbe, *Dr. Johann Ludwig Hartmann, Superintendent von Rothenburg (1640 – 1680), und Ph. J. Spener.* Ein Beitrag zur KG des 17. Jh., in: Verein Alt-Rothenburg, Sonderdruck 1921; derselbe, *Neues zum Briefwechsel des Rothenburger Superintendenten Dr. Johann Ludwig Hartmann mit Philipp Jakob Spener in Frankfurt a. M.* Ein Beitrag zur Geschichte des Frühpietismus in Franken, in: ZBKG 6, 1931, 207 ff.; 7, 1932, 36 ff.

23. Spener, Gründliche § 8 – 12; Literaturzusammenstellung in: Jb.

Pietismus und Neuzeit 3. Bd. 1976, S. 167 (Nr. 115 – 118, 120, 121, 123); *Johannes Wallmann, Postillenvorrede und Pia Desideria Ph. J. Speners.* Einige Beobachtungen zu Veranlassung, Verbreitung und Druck der Programmschrift des luth. Pietismus, in: H. Bornkamm, Fr. Heyer, A. Schindler (Hg.), Der Pietismus in Gestalten und Wirkungen, 1975, S. 466 ff.; *Kurt Aland, Spener-Studien,* 1943; derselbe (Hg), *Pia Desideria* (Textausgabe 1940); Schmidt, Wiedergeburt S. 129 ff. (Speners Pia Desideria); *Reinhold Pietz, Der Beitrag des Pietismus zur Predigerbildung heute.* Erwägungen zum Reformprogramm Speners und Franckes, in: Jb. Pietismus und Neuzeit Bd. V, 1974, S. 65 ff.; Bd. I der Hauptschriften Speners, Reprint Hildesheim 1978, Einleitung von D. Blaufuß; derselbe, Ph. J. Speners Verteidigung im Jahre 1693 mit Hilfe seiner »Pia Desideria« und ihres unmittelbaren Echos, in: Jb. Pietismus und Neuzeit Bd. III, 1976, S. 81 ff.

24. Hirsch II, S. 126 ff.; Bauch S. 34 ff.; Wallmann S. 307 ff.; *Martin Greschat, Die »Hoffnung besserer Zeiten« für die Kirche* (1971), Neudruck in: derselbe (Hg.), Zur Neueren Pietismusforschung, 1977, S. 224 ff.; H. J. Schoeps (s. o. Anm. 13) S. 255 ff.: Der Chiliasmus im 17. Jh.; *Martin Schmidt, Eigenart und Bedeutung der Eschatologie im englischen Puritanismus* (Arthur Dent, Lewis Bayly, John Bunyan), in: Theologia Viatorum 1952 (Sonderdruck 1953).

25. Bauch S. 48 ff.

26. *Fr. W. Kantzenbach, Die Wiederentdeckung der Gemeinde im deutschen Kirchenrecht des 18. Jh.,* in: Theol. Zeitschr. 1974, S. 212 ff.; *Gerhard Ruhbach, Die Grundanliegen der Kirchenreform und Studienreform nach Philipp Jakob Speners Pia Desideria,* in: Jb. der Kirchl. Hochschule Bethel, N.F. 12. Bd., 1973, S. 105 ff.; derselbe, *Speners »Pia Desideria« und ihre Bedeutung für seine und unsere Zeit,* in: Theol. Beiträge, 6. Jg. 5, 1975, S. 185 ff.; *Erich Beyreuther, Einführung in Speners »Das geistliche Priesterthum« 1677,* in: Speners Hauptschriften I, 1: Reprint Hildesheim 1978.

27. Ruhbach s. o. in: Beiträge S. 198; zum Gesamtproblem: *Hans-Joachim Kraus, Die biblische Theologie.* Ihre Geschichte und Problematik, 1970, S. 22, 24 f.

28. *Johannes Wallmann, Das Collegium pietatis* (1970), Neuabdruck in: Martin Greschat (Hg.), Zur neueren Pietismusforschung, S. 167 ff.; s. o. Anm. 26 Beyreuther; dort auch Ruhbach, Beiträge S. 193 ff.

29. *Ernst Benz, Kirchengeschichte in ökumenischer Sicht,* 1961, S. 87 ff.

30. Hirsch II, S. 149 ff. als Gegenposition zu Schmidt, Wiedergeburt S. 238 ff. (Teilnahme an der göttlichen Natur), s. dazu oben Anm. 13; *Her-*

mann Reiner, Die orthodoxen Wurzeln der Theologie Ph. J. Speners. Ein Beitrag zur Einordnung des luth. Pietismus in die deutsche Theologiegeschichte, 1972; *J. O. Rüttgart, Heiliges Leben in der Welt.* Grundzüge christlicher Sittlichkeit nach Spener, Theol. Diss., Göttingen 1972 (Masch.) 1978; Spener, Gründliche § 47 S. 60 ff.

31. Bauch S. 43 (2); s. o. Reiner; *Uwe Gerber, Christologische Entwürfe* Bd. I, 1970, S. 69 ff.; *Spener, Theol. Bedenken* 1. Teil, Ausg. Halle 1712, Kap. I, Sectio X (S. 32 ff.) = Von der natürlichen erkäntnüß Gottes ...

32. S. o. Anm. 13.

33. *Erich Beyreuther, Der junge Zinzendorf,* 1957, S. 47 ff. u. ö.

34. *Fritz Tanner, Die Ehe im Pietismus,* 1952, S. 181 ff.; Hirsch II, S. 191 (Speners Stellung zu den Mitteldingen).

35. Spener, Gründliche § 45 S. 57 ff.; Aland, Briefe S. 536; Nebe, Dresdner S. 257 ff.

36. Nebe, Dresdner S. 265 ff.; Aland, Briefe S. 536 f. (Besucherzahl bis 1000 Kinder); Beyreuther, Der junge Zinzendorf S. 47 ff. (s. o. Anm. 33).

37. Spener, Gründliche § 67; Aland, Briefe S. 139 u. ö.

38. *Martin Kruse, Speners Kritik am landesherrlichen Kirchenregiment und ihre Vorgeschichte,* 1971, S. 15 ff.; *Peter Schicketanz, C. H. von Cansteins Beziehungen zu Ph. J. Spener,* 1967, S. 17 ff.; Nebe, Berliner; Aland, Briefe S. 540 ff.; Appel S. 45 ff.

39. *Helmut Obst, Der Berliner Beichtstuhlstreit.* Die Kritik des Pietismus an der Beichtpraxis der lutherischen Orthodoxie, 1972; Aland, Briefe S. 135 ff.; Blaufuß, Spener-Arbeiten S. 141 ff. = Untersuchungen zu Speners Berliner Mitarbeiter. J. C. Schade und seine literischen Werke; *Kurt Aland, Die Privatbeichte im Luthertum von ihren Anfängen bis zur Auflösung,* in: derselbe: Kirchengeschichtliche Entwürfe, 1960, S. 452 ff.; Laurentius Klein, Evangelisch-lutherische Beichte. Lehre und Praxis, 1961, S. 201 ff. (Die Praxis des Pietismus); *Ernst Bezzel, Die Privatbeichte in der lutherischen Orthodoxie,* eine pastoraltheologische Studie, Theol. Diss., Erlangen 1975 (Masch.); Erich Beyreuther, Die Auflösung des reformatorischen Gottesdienstes in der lutherischen Orthodoxie des 17. Jh., in: Ev. Theologie H. 8/9, 1960, S. 380 ff.; *Dietrich Blaufuß, Ph. J. Spener, J. Caspar Schade und sein Freundeskreis in der Auseinandersetzung um die Einzel-Beichte im Pietismus.* Bemerkungen auf Grund einer Veröffentlichung von Helmut Obst (1970/72), in: Jb. f. Berlin-Brandenburgische Kirchengeschichte, 48. Jg. 1973, S. 19 ff.

40. S. o. Anm. 18; auch Aland, Briefe S. 152 u. ö.

41. Nebe, Berliner S. 127 u. ö.

42. Nebe, Berliner S. 120 ff.; *Reinhard Breymayer, Zum Schicksal der*

Bibliothek Ph. J. Speners, in: Jb. Pietismus und Neuzeit III 1976, S. 71 ff.; Grünberg I S. 257 ff.

43. *Peter Schicketanz (Hg.), Der Briefwechsel Carl Hildebrand von Cansteins mit August Hermann Francke,* 1972, S. 309 (Nr. 320); vgl. dort unter Personenregister S. 965 Cansteins Berichte über Speners Tätigkeit in Berlin; auch Nebe, Berliner S. 123 ff.; Aland, Briefe S. 340 ff.

Kapitel III: August Hermann Francke und der Hallesche Pietismus

1. *Gustav Kramer, August Hermann Francke,* ein Lebensbild, 2 Bde 1888 – 1892; *Erich Beyreuther, August Hermann Francke,* Zeuge des lebendigen Gottes, 1956, 1969[3] (abgek. Francke); derselbe, *August Hermann Francke und die Anfänge der ökumenischen Bewegung,* 1957 (abgek. Anfänge); derselbe, *Selbstzeugnisse August Hermann Franckes,* 1963 (abgek. Selbstzeugnisse); *Martin Schmidt, Der Pietismus,* 1972, S. 63 ff.; *Horst Weigelt, Pietismus-Studien,* Bd. 1: Der Spener-Hallesche Pietismus, 1965 (abgek. Weigelt); *Erhard Peschke (Hg.), August Hermann Francke,* Werke in Auswahl, 1969 (abgek. Peschke, Quellen); *Kurt Aland, August Hermann Francke,* in: Vox Humana, 1958, S. 7 ff. *Erhard Peschke, Studien zur Theologie August Hermann Franckes,* 2 Bde, 163/66 (abgek. Peschke, Studien); derselbe, *Bekehrung und Reform.* Ansatz und Wurzeln der Theologie August Hermann Franckes, 1977 (abgek. Ansatz); zu Lübeck: Francke S. 9 f.; Weigelt S. 47 ff.; Hirsch II S. 156 ff.

2. Peschke, Ansatz S. 41 ff. (die Reformideen Christian Kortholts); zu Ernst dem Frommen: *Hans Leube, die Reformideen in der deutschen lutherischen Kirche zur Zeit der Orthodoxie,* 1924, S. 112 ff.; Francke S. 16 ff.; Anfänge S. 27 ff.; *Lowell C. Green, Duke Ernest the Pious of Saxe-Gotha and his Relationship to Pietism,* in: Heinrich Bornkamm u. a. (Hg.), Der Pietismus in Gestalten und Wirkungen, 1975, S. 179 ff.; *Hans Leube, Orthodoxie und Pietismus,* Gesammelte Studien, 1975, S. 23, 41, 50, 104 f.

3. *Johannes Wallmann, Philipp Jakob Spener und die Anfänge des Pietismus,* 1970, S. 24 ff. (mit Quellennachweis).

4. Anfänge S. 34 ff.

5. Selbstzeugnisse S. 13 ff.; Peschke, Quellen S. 4 ff. (August Hermann Franckes Lebenslauf 1690/91); Peschke, Ansatz S. 13 ff. (die Bedeutung

der Mystik für die Bekehrung August Hermann Franckes); *Jürgen Henningsen, Leben entsteht aus Geschichten.* Eine Studie zu August Hermann Francke, in: Neue Zeitschrift für systematische Theologie und Religionsphilosophie 19/3, 1977, S. 261 ff.; Francke S. 43 ff. (die große Wendung in Lüneburg); Hirsch II, S. 159 ff.; *Erhard Peschke, Speners Wiedergeburtslehre und ihr Verhältnis zu Franckes Lehre von der Bekehrung,* in: B. Jaspert und R. Mohr (Hg.), Traditio – Krisis – Renovatio in theologischer Sicht, 1976, S. 206 ff.; Weigelt S. 46 ff. (August Hermann Franckes religiöse Entwicklung bis zu seiner Bekehrung); *Helmut Obst, Elemente atheistischer Anfechtung im pietistischen Bekehrungsprozeß,* in: Pietismus und Neuzeit, Jb. 1975, S. 33 ff.; *Friedrich de Boor, Erfahrung gegen Vernunft.* Das Bekehrungserlebnis A. H. Franckes als Grundlage für den Kampf des Halleschen Pietismus gegen die Aufklärung, in: Traditio (s. o.) S. 120 ff.; *Kurt Aland, Bemerkungen zu August Hermann Francke und seinem Bekehrungserlebnis,* in: derselbe, Kirchengeschichtliche Entwürfe, 1960, S. 543 ff.; *Helmut Burckhardt, Das biblische Zeugnis von der Wiedergeburt*, 1974; *Theo Sorg, Wie wird die Kirche neu?* Ermutigung zur missionarischen Gemeinde, 1977, S. 103 ff. (das biblische Wort von der Umkehr; mißverstandene Umkehr); auch *Walter Wendland, Die pietistische Bekehrung,* in: ZKG (1920), S. 193 ff.; Hirsch II S. 157 ff.

6. Hirsch II, S. 165 u. ö.; *Otto Podczeck, Die Arbeit am Alten Testament in Halle zur Zeit des Pietismus.* Das Collegium Orientale theologicum A. H. Franckes, in: Wissenschaftliche Zeitschrift der Martin-Luther-Universität Halle-Wittenberg, Ges.-Sprachw. VII/5, S. 1059 ff., August 1958; *Kurt Aland, Der Hallesche Pietismus und die Bibel,* in: Die bleibende Bedeutung des Pietismus. Zur 250-Jahrfeier der Cansteinischen Bibelanstalt, hg. von Oskar Söhngen, 1960, S. 89 ff.; derselbe, *Bibel und Bibeltext bei A. H. Francke und J. A. Bengel,* in: Pietismus und Bibel, 1970, S. 89 ff.; Peschke, Studien II, S. 54 ff.; *Hans Stroh, Hermeneutik im Pietismus,* in: Zeitschrift für Theologie und Kirche, 74. Jg. Heft 1, 1977, S. 40 ff.; *E. Peschke, A. H. Franckes Reform des theologischen Studiums,* in: Hallesche Universitätsreden, 1964, S. 88 ff.

7. Francke S. 61 (Studentenerweckung in Leipzig); *Hans Leube, Orthodoxie und Pietismus,* 1975, S. 153 ff. (die Geschichte der pietistischen Bewegung in Leipzig); *Carl Hinrichs, Preußentum und Pietismus,* 1971, S. 352 ff. (Pietismus und Aufklärung – das Bild des Bürgers in der Auseinandersetzung zwischen Christian Thomasius und August Hermann Francke); zu Adelheit Sybille vgl. Francke, S. 100 ff.

8. S. o. Hinrichs S. 174 ff. (die Stellung des Adels zum Pietismus), S. 216 ff. (landständige Opposition gegen den Pietismus in den Provinzen Mag-

deburg-Halberstadt und Ostpreußen); *Klaus Deppermann, Der hallesche Pietismus und der preußische Staat unter Friedrich III. (I.),* 1961 (Standardwerk).

9. *Dietrich Blaufuß, Reichsstadt und Pietismus.* Philipp Jakob Spener und Gottlieb Spizel aus Augsburg, 1977, S. 17 u. ö. (s. Register).

10. *Carl Hinrichs, Friedrich Wilhelm I. König in Preußen.* Jugend und Aufstieg, 1941, S. 559 (die Begegnung mit der Reformbewegung des Pietismus); Deppermann (s. o.) S. 165 ff. (die Gewinnung des Kronprinzen Friedrich Wilhelm für das Werk A. H. Franckes); *Gustav Kramer, Neue Beiträge zur Geschichte A. H. Franckes.* 1875, S. 119 ff. (A. H. Francke und das Königliche Haus); *R. Lieberwirth, Christian Thomasius und A. H. Francke in ihrem Verhältnis zum brandenburgisch-preußischen Staat,* in Hallesche Universitätsreden A. H. Francke, 1964, S. 74 ff. (abgek. Hallesche); *Gerhard Meyer, Der Hallenser Pietismus August Hermann Frankkes in seinem Verhältnis zum brandenburgisch-preußischen Staate,* in: Jb der Schlesischen Friedrich-Wilhelms-Universität zu Breslau, 1965, Bd X, 1965, S. 59 ff.

11. *Kurt Aland, Die Annales Hallenses ecclesiastici.* Das älteste Denkmal der Geschichtsschreibung des Halleschen Pietismus, in: Kirchengeschichtliche Entwürfe (s. o.), S. 580 ff.; Peschke, Quellen, S. 30 ff.; *Martin Greschat, Zwischen Tradition und neuem Anfang.* Valentin Ernst Löscher und der Ausgang der lutherischen Orthodoxie, 1971, S. 296 ff. u. ö.; *Hans-Martin Rotermund, Orthodoxie und Pietismus.* Valentin Ernst Löschers »Timotheus verinus« in der Auseinandersetzung mit der Schule August Hermann Franckes, 1959; Francke S. 147 ff. (die Fußstapfen des lebenden Gottes). V. E. Löscher hat die Schrift Franckes »Fußstapfen des noch lebenden und liebreichen Gottes ...« falsch verstanden. Es ging Francke um Stärkung des Glaubens und Beschämung des Unglaubens, wie der Titel der Schrift anzeigte, nicht darum, das eigene Licht leuchten zu lassen. Dazu Hirsch II S. 199 ff. (Löscher).

12. *C. H. Christian Plath, Carl Hildebrand Freiherr von Canstein,* 1861; *Peter Schicketanz (Hg.), Der Briefwechsel Carl Hildebrand von Cansteins mit August Hermann Francke,* 1972 (grundlegend).

12a. *August Schürmann, Zur Geschichte der Buchhandlung des Waisenhauses und der Cansteinschen Bibelanstalt in Halle,* 1898; *Rosemarie Ahrbeck-Wothge, Über die Tischordnung und die Aufnahmebedingungen des Waisenhauses aus dem Jahre 1713,* in: A. H. Francke. Das humanistische Erbe des großen Erziehers, 1965 (abgek. Erbe), S. 77 ff.; *Werner Piechocki, A. H. Franckes sozial- und schulhygienische An- und Einsichten,* in: Erbe S. 45 ff.; derselbe, *Die Krankenpflege und das Klinikum der*

Franckeschen Stiftungen, daselbst S. 51 ff.; derselbe, *Die Waisenhausapotheke, die Medikamentenexpedition und ihre Außenhandelsbeziehungen,* daselbst S. 60 ff.; *Jürgen Storz, Hauptbibliothek, Archiv und Naturalienkabinett der Franckeschen Stiftungen,* daselbst S. 96 ff.; *G. Lukas, Über die Stellung A. H. Franckes zum Körper und seiner Übung,* Hallesche Universitätsreden A. H. Francke, S. 145 ff.; *Werner Piechocki, Gesundheitsfürsorge und Krankenpflege in den Franckeschen Stiftungen in Halle,* in: Acta historica Leopoldina, 1965, II., S. 29 ff.; *Manfred Büttner, A. H. Francke* (die Neutralisierung der Naturwissenschaft) S. 176 ff. in:derselbe, Theologie und Klimatologie im 18. Jahrhundert, Neue Zeitschr. f. systematische Theologie und Religionsphilosophie, 6. Bd. H. 2, 1964.

13. Francke S. 154 ff.; Anfänge S. 54 ff.; Deppermann S. 88 ff.; *Peter Menck, Die Erziehung der Jugend zur Ehre Gottes und zum Nutzen des Nächsten.* Begründung und Intentionen der Pädagogik A. H. Franckes. Aneignung und Begegnung, 1969; *Klaus Schaller, Pietismus und moderne Pädagogik,* in: Kurt Aland (Hg.), Pietismus und moderne Welt, 1974, S. 161 ff.; *Erich Neuß, Das Glauchasche Elend 1692,* in: Erbe S. 19 ff. (Bibliographie S. 131); Peschke, Ansatz S. 115 ff. (Comenius und Francke); *Gerhard Schmalenberg, Pietismus – Schule – Religionsunterricht.* Die christliche Unterweisung im Spiegel der vom Pietismus bestimmten Schulordnung des 18. Jahrhunderts, 1974; *Friedrich Franz Roeper, Das verwaiste Kind in Anstalt und Heim.* Ein Beitrag zur historischen Entwicklung der Fremderziehung, 1976, S. 107 ff.; *Philippe Ariès, Geschichte der Kindheit,* 1975.

14. *Wolf Oschlies, Die Arbeits- und Berufspädagogik A. H. Franckes,* 1969; *Kurt Aland, Pietismus und die soziale Frage,* in: Pietismus und moderne Welt, 1974, S. 99 ff.; *Theodor Wotschke, Der Hallesche Pietismus und das niedere Volk,* in: Theol. Studien und Kritiken Bd. 105, 1933, S. 346 ff.; *R. Ahrbeck-Wothge, Zur Frage der Arbeitserziehung und der Allgemeinbildung in A. H. Franckes Schulordnungen,* in: Hallesche S. 116 ff.

15. Francke S. 180 ff.; *Otto Podczeck, August Hermann Franckes Schrift über eine Reform des Erziehungs- und Bildungswesens als Ausgangspunkt einer geistlichen und sozialen Neuordnung der Ev. Kirche des 18. Jahrhunderts,* Der Große Aufsatz, 1962; *Carl Hinrichs, Preußentum und Pietismus,* S. 301 ff. (Pietismus und Frühkapitalismus in Preußen); derselbe, *Der Hallesche Pietismus als politisch-soziale Bewegung des 18. Jahrhunderts,* in Jahrbuch für die Geschichte Mittel- und Ostdeutschlands Bd. II, 1953, S. 177 ff.; *Ernst Bartz, Die Wirtschaftsethik Franckes,* 1934; *Heinz Welsch, Die Franckeschen Stiftungen als wirtschaftliche Großunternehmen,* Phil. Diss., Halle 1956; *Joachim Böhme, H. J. Ehlers und die*

wirtschaftlichen Projekte des Halleschen Pietismus, in: Jb. f. d. Geschichte Mittel- und Ostdeutschlands 8, 1959, S. 121 ff.; *Horst Stephan, Der Pietismus als Träger des Fortschritts,* 1908.

16. *Gerhard Oestreich, Politischer Neustoizismus und niederländische Bewegung in Europa und besonders in Brandenburg-Preußen,* Sonderdruck aus Bijdragen en Mededelingen van het Historisch Genootschap, 79. Bd., 1965.

17. *Erhard Peschke, Die Reformideen des Comenius und ihr Verhältnis zu A. H. Franckes Plan einer realen Verbesserung in der ganzen Welt,* in: Der Pietismus in Gestalten und Wirkungen (s. o.), 1975, S. 368 ff.; Deppermann S. 93 ff.

18. *Erich Beyreuther, Geschichte der Diakonie und Inneren Mission in der Neuzeit,* 1962², S. 34 ff.; derselbe, *Kirche in Bewegung.* Geschichte der Evangelisation und Volksmission, 1968, S. 55 ff.; Francke S. 180 ff.; Anfänge S. 54 ff.

19. *Erich Beyreuther, Der Hallesche Pietismus und die Diaspora der Welt,* in: Die Evangelische Diaspora, 30. Jg. H. 1 (m. Lit.); *Herbert Patzelt, Der Pietismus im Teschener Schlesien 1709 – 1730,* 1969; *Eduard Winter, Die Pflege der west- und südslawischen Sprache in Halle im 18. Jahrhundert,* 1954; derselbe, *Die tschechische und slowakische Emigration in Deutschland im 17. und 18. Jahrhundert,* 1955; *Hubert Rösel, Die tschechischen Drucke der Hallenser Pietisten,* 1961.

20. Anfänge S. 54 ff. (erste ökumenische Pläne im petrinischen Rußland und im Osten); *Joachim Tetzner, H. W. Ludolf und Rußland,* 1955, S. 63 ff.; *Ernst Benz, A. H. Francke und die deutschen evangelischen Gemeinden in Rußland,* in: Endzeiterwartungen zwischen Ost und West, hg. von N. Fehringer und E. Gildbach, 1973, S. 150 ff.; *Eduard Winter, Halle als Ausgangspunkt der deutschen Rußlandkunde im 18. Jahrhundert,* 1953; *Erkki Kansanaho, Der Einfluß Franckes auf den nordeuropäischen Pietismus,* in: A. E. Francke 1663 – 1963, Wort und Tat, 1963, S. 62 ff.

21. S. o. Winter (s. Register).

22. Anfänge S. 105 ff. (Brückenschlag zu anglikanischen Erweckungskreisen); *Karl Zehrer, Die Beziehungen zwischen dem Halleschen Pietismus und dem frühen Methodismus,* in: Pietismus und Neuzeit, Jb. 1975, S. 43 ff.

23. Anfänge S. 166 ff. (Sammlung verlorener deutscher Gruppen in Nordamerika und die Entstehung einer lutherischen Kirche); Weigelt S. 64 ff. (der Hallesche Pietismus und die Salzburger Exulanten in Eben-Ezer in Georgien in Amerika); *Kurt Aland, Ecclesia Platanda.* Die ersten brieflichen Dokumente zur Wirksamkeit H. M. Mühlenbergs in den Ver-

einigten Staaten, in: Der Pietismus in Gestalten und Wirkungen, 1975 (s. o.); Anfänge S. 195 ff. (die Auseinandersetzung mit dem Herrnhutertum in Pennsylvanien).

24. Anfänge S. 183 ff. (Konzentration der Zusammenarbeit auf Ostindien); S. 213 ff. (ökumenischer Dreiklang).

25. *F. Hoffmann, A. H. Franckes Idee der »Universal-Verbesserung« und die Weltreformpläne des Comenius,* in: Hallesche S. 79 ff.; s. o. Anm. 15.

26. *Eckhard Altmann, Christian Friedrich Richter (1676 – 1711), Arzt, Apotheker und Liederdichter des Halleschen Pietismus,* 1972, dort besonders S. 126 ff. (Leib und Seele) in Auseinandersetzung mit *Endre Zsindely, Krankheit und Heilung im älteren Pietismus,* 1962. Altmann betont die positive Einstellung des Halleschen Pietismus zur medizinischen Forschung und Hilfe. Das gleiche gilt auch für Zinzendorf und die Herrnhuter, besonders bei ihrer Ausbildung und Aussendung von Missionsärzten. Bei Zsindely vgl. S. 105 ff. Dazu auch *Arno Lehmann, Hallesche Mediziner und Medizinen am Anfang deutsch-indischer Beziehungen,* in: Wissenschaftliche Zeitschrift der Martin-Luther-Universität Halle-Wittenberg, Jg. V, Heft 2, S. 117 ff., 1955 (m. Lit.). Zur Juden-Missionsarbeit in Halle durch das Institutum Judaicum vgl. *Martin Schmidt, Die pietistische Judenmission.* Anfänge einer Schriftenmission, S. 104 ff., in: K. H. Rengstorf und S. von Kortzfleisch, Kirche und Synagoge, Bd. II, 1970; *Rolf Dannenbaum, Joachim Lange als Wortführer des Halleschen Pietismus gegen die Orthodoxie,* 1951; *Joachim Böhme, H. J. Elers, ein Freund und Mitarbeiter A. H. Franckes,* Theol. Diss., FU Berlin, 1956.

27. *Martin Schmidt, Das Verständnis des Reiches Gottes im Halleschen Pietismus,* in: Max Geiger (Hg.), Gottesreich und Menschenreich. Ernst Staehelin zum 80. Geburtstag, 1969, S. 311 ff.; dazu Peschke, Studien, S. 15 ff.; Kritische Anmerkungen zu Schmidt (s. o.) bei *Martin Greschat, Zur neueren Pietismusforschung.* Ein Literaturbericht, in: Jb. für westfälische Kirchengeschichte, Bd. 65, 1972, dort S. 241 f.; *G. Knuth, A. H. Franckes Mitarbeiter an seinen Stiftungen,* 1898.

28. Hirsch II, S. 156 f.; *Erhard Peschke, Das Lutherverständnis A. H. Franckes,* in: Ansatz, S. 126 ff.; *Martin Schmidt, A. H. Franckes Stellung in der pietistischen Bewegung,* in: derselbe, Wiedergeburt und neuer Mensch, S. 195 ff.; derselbe, *A. H. Franckes Katechismuspredigten,* in: Wiedergeburt und neuer Mensch (s. o.), S. 212 ff.

29. *Kurt Aland, Francke und die Privatbeichte,* in: Zeitschrift für Pastoraltheologie 45, 1956, S. 272 ff.; derselbe, *Die Privatbeichte im Luthertum von den Anfängen bis zu ihrer Auflösung,* in: derselbe, Kirchengeschicht-

liche Entwürfe, 1960, S. 452 ff.; *Susi Hausammann, Buße als Umkehr und Erneuerung von Mensch und Gesellschaft.* Eine theologiegeschichtliche Studie zu einer Theologie der Buße, Zürich o. J. (1975), S. 241 ff. »Die Wandlung des mißverständlichen Bußverständnisses ... insbesondere im Pietismus«; *Günter Niggl, Geschichte der deutschen Autobiographie im 18. Jahrhundert,* 1977, S. 6 ff. (das Franckesche Bußkampfschema als Neuansatz in der religiösen Autobiographie); *Uwe Gerber, Christologische Entwürfe,* 1970, S. 73 ff. (die Christologie bei A. H. Francke); Zinzendorfs Angriff auf den Halleschen Bußkampf, vgl. dessen *Naturelle Reflexionen,* S. 31, 67 f., 99 – 103, und *Reale Beylagen,* S. 37 und 88, Reprint, Hildesheim 1964, unter Ergänzungsbänden Bd. IV der Zinzendorf-Ausgabe; *Karl Holl, Die Bedeutung der großen Kriege für das religiöse und kirchliche Leben innerhalb des deutschen Protestantismus,* 1917, in: Gesammelte Aufsätze zur Kirchengeschichte, III, Westen, 1928, S. 328, 347 u. ö.

30. *Georg Daur, Von Predigern und Bürgern.* Eine hamburgische Kirchengeschichte von der Reformation bis zur Gegenwart, 1970, S. 106 ff. u. ö.

31. S. o. Anm. 16.

32. Francke S. 147 ff. u. ö.; Anfänge S. 57 ff.; Hirsch II, S. 169 ff.; *Peter Menck, Die Erziehung der Jugend zur Ehre Gottes und zum Nutzen des Nächsten* (s. o.), 1969, S. 19 ff.; Zum Vorsehungsglauben bei A. H Francke: Beyreuther, Selbstzeugnisse, S. 103 ff.

33. *Erik Petersen, Das Problem der Bibelauslegung im Pietismus des 18. Jahrhunderts,* in: Zeitschrift für systematische Theologie, 1923/24, S. 468 ff.; Peschke, Quellen, S. 213 ff. (Schriften zur Hermeneutik); Hirsch II S 165 ff.

34. S. o. Anm. 6; auch *Jürgen Quack, Evangelische Bibelvorreden von der Reformation bis zur Aufklärung,* 1975, S. 265 ff.

35. *Carl Hinrichs, Preußentum und Pietismus,* 1971, S. 388 ff. (die Auseinandersetzung mit Christian Wolff); *F. Ernest Stoeffler, German Pietism during the Eighteenth Century,* Leiden (Brill) 1973, S. 73 ff.; *Wolfgang Wiebking, Recht, Reich und Kirche in der Lehre des Christian Thomasius,* Jur. Diss., Tübingen 1973; *Werner Schneider, Naturrecht und Liebesethik* Zur Geschichte der praktischen Philosophie im Hinblick auf Christian Thomasius, 1971; *Harald Herrmann, Das Verhältnis von Recht und pietistischer Theologie bei Christian Thomasius,* Jur. Diss., Kiel 1972.

Kapitel IV: Nikolaus Ludwig von Zinzendorf und die Herrnhuter Brüdergemeine

1. *August Gottlieb Spangenberg, Leben Zinzendorfs,* 1775 (abgek. Spangenberg); *David Cranz, Alte und Neue Brüder-Historie,* 1772² (abgek. Cranz); *Ludwig Carl Freiherr von Schrautenbach, Der Graf von Zinzendorf und die Brüdergemeine seiner Zeit,* 1851 (abgek. Schrautenbach); Spangenberg, Cranz und Schrautenbach in Reprint Olms, Hildesheim, *Erich Beyreuther, Der junge Zinzendorf,* 1957, 1974²; derselbe, *Zinzendorf und die sich allhier zusammenfinden,* 1959; derselbe, *Zinzendorf und die Christenheit,* 1961 (abgek. Zinzendorf I – III); derselbe, *N. L. von Zinzendorf in Selbstzeugnissen und Bilddokumenten,* 1965 (rowohlts monographien 105), Zweitaufl. Stuttgart 1975; RGG III, VI, Sp. 1913 ff. = Erich Beyreuther: Zinzendorf; *Martin Schmidt, Der Pietismus,* 1972, S. 93 ff.; vgl. Werkausgabe der Schriften Zinzendorfs, erstmalig als Gesamtausgabe im Reprint mit jeweiligen Einführungen im Verlag Olms, Hildesheim, seit 1962: 6 Bände Hauptschriften Zinzendorfs, 13 Ergänzungsbände zu den Hauptschriften, Materialien und Dokumente Reihe 1: Quellen und Darstellungen zur Geschichte der böhmischen Brüder-Unität (6 Bände), Reihe 2: Zinzendorfs Leben und Werk in Quellen und Darstellungen (13 Bände). In dieser Reihe noch 5 Bände Antizinzendorfiana; Materialien und Dokumente Reihe 3 (4 Bände); Zeitschrift für Brüdergeschichte 1907 – 1920; Materialien und Dokumente Reihe 4: Gesangbücher der Brüdergemeine und hymnologische Untersuchungen (6 Bände und 1 Ergänzungsband). Bisher erschienen (Stand 1978): Hauptschriften und Ergänzungsbände vollständig, Reihe 1 = 4 Bände, Reihe 2 = I – XIV und XVIII, Reihe 3 vollständig, Reihe 4 = 2 Bände. Dazu Besprechung in: Beiträge aus der Brüdergemeine, Unitas Fratrum, Heft 1/1978, S. 119 ff. Herausgeber dieser Werkausgabe: Erich Beyreuther und Gerhard Meyer für die Gesamtausgabe, für Reihe 1 noch Amedeo Molnár, Prag, für Reihe 4 Mitarbeit von Dieter Meyer und Frau Gudrun Meyer, geb. Hickel, für Bd. XI und XII der Ergänzungsbände der Hauptschriften Einführung von Leiv Aalen, Oslo.

2. Zinzendorf I, S. 9 ff.; *Gerhard Meyer, N. L. von Zinzendorf und Pottendorf.* Eine genealogische Studie mit Ahnen- und Nachfahrenliste. Mit einem Anhang »Kurze Adelsgeschichte im Hinblick auf Zinzendorfs Vorfahren« von Emil Rajakovics, 1966 (in: Werkausgabe, Hildesheim, Er-

gänzungsbände zu den Hauptschriften Bd. I); *Ernst Freiherr von Friesen, Geschichte der reichsfreiherrlichen Familie von Friesen,* 2 Bde, 1899; *Gneomar Ernst von Natzmer, Die Jugend Zinzendorfs im Lichte ganz neuer Quellen,* 1894; Zinzendorfs Tagebuch, abgedruckt in: Zeitschrift für Brüdergeschichte (abgek. ZBG), Jg. 1907, 1908, 1910.

3. *Herbert Voßberg, Daniel Crisenius (1686 – 1755), Hofmeister Zinzendorfs.* Ein Beitrag zu seiner objektiven Beurteilung, in: Herbergen der Christenheit, Jb. für deutsche Kirchengeschichte, 1967, S. 27 ff.; *Gerhard Reichel, Der »Senfkornorden« Zinzendorfs.* Ein Beitrag zur Kenntnis seiner Jugendentwicklung und seines Charakters, 1914; *Gustav Kramer, Zur Jugendgeschichte Zinzendorfs,* in: Kirchl. Monatsschrift, Magdeburg, 3. und 4. Jg. 1883 – 1885; *O. Steinecke, Zur Jugendgeschichte des Grafen Zinzendorf,* in: Kirchl. Monatsschrift, 16. Jg. 1897; Zinzendorf I, S. 83 ff. (Pädagogiumsschüler in Halle).

4. Zinzendorfs Instruktion für Wittenberg, in: ZBG 1908, 2. H., S. 118 ff.; Zinzendorf I, S. 121 (Kavalier unter Wittenbergs Studenten); *Martin Greschat, Zwischen Tradition und neuem Anfang.* Valentin Ernst Löscher und der Ausgang der lutherischen Orthodoxie, 1971, S. 55 ff. u. ö.; S. 241 ff. (das Ringen um den Halleschen Pietismus); *Hans-Martin Rotermund, Orthodoxie und Pietismus.* Valentin Ernst Löschers »Timotheus verinus« in der Auseinandersetzung mit der Schule August Hermann Franckes, 1959.

5. *Gustav Kramer, August Hermann Francke,* 1882, 2. Bd., S. 273 ff.

6. *Erich Beyreuther, Zinzendorfs Verhältnis zu Pierre Bayle und zur Aufklärung,* in: derselbe, Studien zur Theologie Zinzendorfs, 1962, S. 201 ff. (abgek. Studien); auch in: Martin Greschat (Hg.), Zur neueren Pietismusforschung, 1977, S. 354 ff.; auch *Erich Beyreuther, Die Bedeutung Pierre Bayles für Lessing und dessen Fragment über die Herrnhuter,* in: Der Pietismus in Gestalten und Wirkungen, hg. von Heinrich Bornkamm u. a., 1975, S. 84 ff.

7. *A. Salomon (Hg.), Briefwechsel zwischen Zinzendorf und Noallies* (Paris 1929), Neudruck in: Gerhard Meyer, Zinzendorf und der Katholizismus, Werkausgabe Hildesheim, Ergänzungsbände, 1970, X. Bd.; *O. Steinecke, Zinzendorfs Bildungsreise,* an der Hand des Reisetagebuches Zinzendorfs dargestellt, 1900; derselbe, *Zinzendorf und der Katholizismus,* 1902; Zinzendorf I, Die europäische Bildungsreise, S. 161 ff.

8. *Sigurd Nielsen, Der Toleranzgedanke bei Zinzendorf.* Ursprung, Entwicklung und Eigenart seiner Toleranz (Bd. 1), Der theoretische Teil (Homopokilia in theoria) (Bd. 2), Der praktische Teil (Homopoikilia in praxi) (Bd. 3), 1956 – 1960; *Erich Beyreuther, Zinzendorf und der deut-*

sche Osten, in: Jahrbuch der Schlesischen Friedrich-Wilhelm-Universität zu Breslau, 1962, Bd. VII, in: Hildesheimer Werkausgabe, 1. Sammelband über Zinzendorf, 1975, S. 761 ff.; auch *Gerhard Meyer, Zinzendorf als Vertreter des ostdeutsch-schlesischen Frömmigkeitstypus.* Aus Jb. (s. o.) 1960, Bd. V, Werkausgabe (s. o.), S. 733 ff.

9. Bruderschaft und neue Schau der Gemeinde, Studien S. 172 ff.; s. o. Nielsen; *Liemar Hennig, Kirche und Offenbarung bei Zinzendorf,* Zürich 1939; *Fritz Blanke, Zinzendorf und die Einheit der Kinder Gottes.* 1950; Heinz Motel, *Zinzendorfs Beitrag zur ökumenischen Frage,* in: Ev. Missionsmagazin N. F. 1949, S. 71 ff.; Bernard Becker, Zinzendorf und sein Christentum im Verhältnis zum kirchlichen und religiösen Leben seiner Zeit, 1900[2]; *Theodor Wettach, Kirche bei Zinzendorf,* 1971; *Ernst Benz, Zinzendorfs ökumenische Bedeutung,* in: Zinzendorf-Gedenkbuch 1971, S. 118 ff.

10. *Wilhelm Jannasch, Erdmuthe Dorothea Gräfin von Zinzendorf, geborene Gräfin Reuß zu Plauen.* Ihr Leben als ein Beitrag zur Geschichte des Pietismus und der Brüdergemeine dargestellt, in: ZBG VIII. Jg. 1914; Zinzendorf I, S. 222 ff.; zu Zinzendorfs Ehe auch *A. u. W. Leibbrand, Formen des Eros.* Kultur- und Geistesgeschichte der Liebe, Bd. II: Von der Reformation zur »sexuellen Revolution«, 1972, S. 122 ff.

11. S. o. Anm. 5; zu Canstein: *Peter Schicketanz, Der Briefwechsel Carl Hildebrand von Cansteins mit August Hermann Francke* (August Hermann Franckes handschriftlicher Nachlaß), Bd. 1, 1972.

12. Zinzendorf II, S. 45 ff.; zu Frau von Hallert vgl. *Eduard Winter, Halle als Ausgangspunkt der deutschen Rußlandkunde im 18. Jahrhundert,* 1953, S. 95 u. ö.; *Der Panther.* Eine Wochenschrift, anonym herausgegeben von Zinzendorf 1725, in ZBG 1910, 4. Jg., S. 124 – 128; *Der Teutsche Sokrates* (Socrates, Das ist Aufrichtige Anzeige verschiedener ... Haupt-Wahrheiten. Leipzig 1732), in: Werkausgabe Hildesheim, Hauptschriften Zinzendorfs Bd. 1, 1962.

13. Zinzendorf II, S. 62 ff. (der Standesherr von Berthelsdorf); *Johannes Grosse, Studien über Friedrich von Watteville,* 1914; *Horst Weigelt, Ludwig Friedrich Gifftheil und die Schwenckfelder in Schlesien* (m. Lit.), in: Traditio – Krisis – Renovatio in theologischer Sicht, hg. von Bernd Jaspert und Rudolf Mohr, 1976, S. 273 ff.

14. *Eberhard Teufel, Johannes Andreas Rothe 1688 – 1758.* Ein Beitrag zur Kirchengeschichte der sächsischen Oberlausitz im 18. Jahrhundert, in: Beiträge zur Sächs. Kirchengeschichte, 30/31. Heft, 1917/18, S. 1 ff.; ZBG 1919, XIII. Jg., S. 104 ff.; Zinzendorf II, S. 292 ff.

15. *Christian David, Lebens-Lauf Christian David, von ihm selbst.* Ein

Fragment, in: Die Christliche Welt, 36. Jg., 1922, Sp. 427 ff.; *Erich Beyreuther, Antizinzendorfiana,* aus der Anfangszeit 1729 – 1735, Werkausgabe Zinzendorf, Hildesheim, Materialien und Dokumente, Bd. XIV, 1976, S. XXX u. ö. (Christian Davids Wirken in Schlesien); RGG 3 II, Sp. 51: Erich Beyreuther, Christian David.

16. *J. Th. Müller (Hg.), Die ältesten Berichte Zinzendorfs über sein Leben, seine Unternehmungen und Herrnhuts Entstehen,* in: ZBG, V. – VII. Jg., 1911 – 1913; *Gerhard Reichel, Die Anfänge Herrnhuts,* 1922; *Friedrich Wilhelm Kantzenbach, Zinzendorf in der Gesellschaft seiner Zeit,* in: Archiv für Kulturgeschichte, 57. Bd., 1975, Heft 2, S. 363 ff.; Zinzendorf II, S. 14 ff. (des Grafen Schloßecclesiola und die Anfänge Herrnhuts).

17. *Herbert Patzelt, Der Pietismus im Teschener Schlesien 1709 – 1730,* 1969 (s. Register); *W. Bickerich, Lissa und Herrnhut,* in: ZBG, 2. Jg. 1908, S. 1 ff.

18. Zinzendorf II, S. 126 ff.; *Heinrich Benedikt, Franz Anton Graf von Sporck,* 1923; s. o. Anm. 8.

19. S. o. Anm. 15.

20. Zinzendorf II, S. 164 ff.; *Gerhard Reichel, Der 13. August 1727,* Herrnhuter Hefte, 13. Heft. 1959; *Joseph Th. Müller, Zinzendorf als Erneuerer der alten Brüderkirche,* 1900; derselbe, *Die Berührungen der alten und neuen Brüderunität mit den Täufern,* in: ZBG, III. Jg., S. 180 ff.; derselbe, *Erzählungen der mährischen Exulanten in Herrnhut von ihrer Herkunft,* in ZBG, VI. Jg. 1912, S. 186 ff.; derselbe, *Geschichte der Böhmischen Brüder,* 2 Bde, 1922/1931; *Erich Beyreuther, Die Bedeutung der tschechischen Exulantengemeinde Napopecku* (für Herrnhut), 1959, in: Communio viatorum, in: Werkausgabe, Hildesheim, Erster Sammelband über Zinzendorf, 1975, S. 785 ff.

21. *Gottfried Schmidt, Die Banden oder Gesellschaften im alten Herrnhut,* in: ZBG, II. Jg., 1909, S. 145 ff.

22. *Otto Uttendörfer, Zinzendorf und die Mystik,* 1950; derselbe, *Die Entwürfe Zinzendorfs zu seiner Religionsschrift,* in: ZBG, XIII. Jg., 1919, S. 64 ff.; derselbe, *Zinzendorfs Weltbetrachtung,* 1929; derselbe, *Zinzendorfs religiöse Grundgedanken,* 1935; derselbe, *Zinzendorfs christliches Lebensideal,* 1940; *Hermann Plitt, Zinzendorfs Theologie,* 3 Bde, 1869, 1871, 1874; *Oskar Pfister, Die Frömmigkeit des Grafen von Zinzendorf,* 1925, in: Werkausgabe, Hildesheim, 2. Sammelband über Zinzendorf, 1975, S. 597 ff.; *Gerhard Reichel, Zinzendorfs Frömmigkeit im Lichte der Psychoanalyse,* 1911, neugedruckt s. o. S. 765 ff.; *Heinz Renkewitz, War Zinzendorf ein Spiritualist?* Zur neuen Zinzendorf-Forschung, in: Ev. Theologie, 9. Jg. 1949/50, S. 529 ff.; *Leiv Aalen, Die Theologie des jungen*

Zinzendorf, 1966; Kritik zu Aalen vgl. *Martin Greschat, Zur neueren Pietismusforschung.* Ein Literaturbericht in: Jb. f. westfälische Kirchengeschichte, 65. Bd., 1972, S. 258 und Studien S. 247 f.; *Hans Ruh, Die christologische Begründung des ersten Artikels bei Zinzendorf,* 1967; Studien, Christozentrismus und Trinitätsauffassung (bei Zinzendorf), S. 9 ff.; *Uwe Gerber, Christologische Entwürfe,* Bd. 1, 1970, S. 83 ff.

23. *Erich Beyreuther, Zinzendorf und Luther,* in: Luther-Jahrbuch 1961, S. 1 ff.; *Martin Schmidt, Zinzendorf und die Confessio Augustana,* in: Theol. Literatur-Zeitung, 93. Jg., 1968, Sp. 801 ff.; *Wilhelm Bettermann, Theologie und Sprache bei Zinzendorf,* 1935; Zinzendorf III, S. 46 ff.; *Joseph Th. Müller, Das Bekenntnis in der Brüdergemeine,* in: ZBG, III. Jg., 1909, S. 1 ff.; *Siegfried Höfermann, Stil bei Zinzendorf.* Beobachtungen und Erwägungen zu seiner Lehre von der Rechtfertigung, Diss. Ev. Theol. (MS), Zürich 1967; Hirsch II S. 401 ff. u. ö.

24. Zinzendorf II, S. 22 ff. u. ö.; *Joseph Th. Müller, Das Ältestenamt Christi in der erneuerten Brüderkirche,* in: ZBG, I. Jg., 1907, S. 1 ff.; *Otto Uttendörfer, Die Entstehung der »Beschreibung und zuverlässigen Nachricht von Herrenhut«,* in: ZBG, VI. Jg., 1912, S. 222 ff.

25. Zinzendorf II, S. 164 ff.; *Otto Uttendörfer, Alt-Herrnhut.* Wirtschaftsgeschichte und Religionssoziologie Herrnhuts während seiner ersten zwanzig Jahre (1722 – 1742), 1925; derselbe, *Wirtschaftsgeist und Wirtschaftsorganisation Herrnhuts und der Brüdergemeine von 1743 bis zum Ende des Jahrhunderts*, 1926; *Hans-Joachim Wollstadt, Geordnetes Dienen in der christlichen Gemeinde,* dargestellt an den Lebensformen der Herrnhuter Brüdergemeine in ihren Anfängen, 1966; *Guntram Philipp, Wirtschaftsethik und Wirtschaftspraxis in der Geschichte der Herrnhuter Brüdergemeine,* in: Mari P. van Buijtenen, Cornelis Dekker, Huib Leeuwenberg (Hg.), Unitas Fratrum, Herrnhuter Studien 1975 (Utrecht), S. 401 ff. (abgek. Utrecht); derselbe, *Soziale Ordnung, Standesbewußtsein, Wirtschaftsleben,* in: Hans-Christoph Hahn und Hellmut Reichel (Hg.), Zinzendorf und die Herrnhuter Brüder. Quellen zur Geschichte der Brüder-Unität von 1722 bis 1760, 1977, S. 312 ff.; *Ingeborg Posselt, Die Verfassung der Brüdergemeine 1727 – 1775,* Theol. Diss. (Masch.), Tübingen 1949; *Gudrun Meyer, geb. Hickel, Herrnhuts Stellung innerhalb der sächsischen Landeskirche bis 1737,* in: Unitas Fratrum, Beiträge aus der Brüdergemeine, Heft 2, 1977, S. 21 ff. (abgek. Beiträge).

26. Zinzendorf II, S. 28 u. ö.; *Hans-Walter Erbe, Zinzendorf und der fromme hohe Adel seiner Zeit,* 1928, S. 111 ff. (abgek. Erbe, Adel), in: Werkausgabe, Hildesheim, Erster Sammelband über Zinzendorf, 1975, S. 73 ff.; *Otto Uttendörfer, Zinzendorf und die Frauen.* Kirchliche Frauen-

rechte vor 200 Jahren, 1919; Zinzendorf und die Missionsarbeit: Studien, S. 109 ff. (Mission und Kirche); Zinzendorf III, s. Register; *Otto Uttendörfer, Die wichtigsten Missionsinstruktionen Zinzendorfs,* in: Hefte zur Missionskunde, hg. von der Missionskonferenz der Brüdergemeine, Heft 12, 1913; *Leiv Aalen, Kirche und Mission bei Zinzendorf.* Aus den Geburtswehen der ev. Weltmission, in: Luth. Rundschau, 1955/56, S. 267 ff.; siehe Anm. 59.

27. Studien, S. 109 ff. (Lostheorie und Lospraxis).

28. Zinzendorf II, S. 270 ff.; *Heinrich Steitz, Geschichte der Evangelischen Kirche in Hessen und Nassau,* 2. Teil, 1962, S. 226 ff., 233 ff.; dazu auch Schrautenbach, S. 261 ff. u. ö. (s. Anm. 1), in: Werkausgabe, Hildesheim, Reihe II, Materialien Bd. IX, 1972; dazu *Martha von Wickede, Ludwig Carl von Schrautenbach 1724 – 1783,* in: Archiv für hessische Geschichte, NF 25, S. 60 ff.; dazu auch Kapitel VI, Gottfried Arnold und der schwärmerische Pietismus, Anm. 36 ff. u. ö.

29. Erbe, Adel S. 73 ff. u. ö.; *Gerhard Reichel, Die Entstehung einer Zinzendorf-feindlichen Partei in Halle und Wernigerode,* 1902, in: Werkausgabe, Hildesheim, Erster Sammelband über Zinzendorf, 1975, S. 635 ff.; Zinzendorf III, S. 51 ff. u. ö.; zur »Gleichwertigkeit zwischen Halle und Herrnhut im Haushalt Gottes« vgl. N. L. von Zinzendorf in: *Naturelle Reflexiones Reale Beylagen,* S. 52 ff., in: Werkausgabe, Hildesheim, Ergänzungsbände 4. Bd., 1964.

30. *Guntram Philipp, Die Wirksamkeit der Herrnhuter Brüdergemeine unter den Esten und Letten zur Zeit der Bauernbefreiung,* 1974; Zinzendorf III, S. 135 ff. u. ö.; *Eduard Winter, Halle als Ausgangspunkt der deutschen Rußlandkunde im 18. Jahrhundert,* 1953, S. 278 ff. u. ö.; *J. Prinz, Die Kolonien der Brüdergemeine.* Ein Beitrag zur Geschichte der deutschen Kolonien Südrußlands, Moskau 1898; *H. Römer, Geschichte der Brüdermission auf den Nikobaren und des »Brüdergartens« bei Trankebar auf Grund des handschriftlichen Materials im Unitäts-Archiv zu Herrnhut,* 1921; *Karl Müller, Georg Schmidt, Die Geschichte der ersten Hottentottenmission 1734 – 1744,* 1923.

31. Zu Zinzendorf und Württemberg vgl. Kapitel V, Anm. 33 u. ö.; Zinzendorf und Preußen: Zinzendorf III, S. 136 ff. u. ö.; dort Anm. 41, S. 302; zu Holland vgl. Utrecht, S. 93 ff.

32. Zinzendorf III, S. 161 ff.; Werkausgabe, Hildesheim, Hauptschriften, Bd. I, 1962 (Berlinische Reden, Ausgabe 1758).

33. Zu Herrnhaag: Zinzendorf III, S. 207 ff.; *Otto Uttendörfer, Zinzendorf und die Entwicklung des theologischen Seminars der Brüdergemeine,* 1. T. Vorstufen, 2. T. Das Seminar in der Wetterau 1739 – 1749, in: ZBG

X. – XIII. Jg.; *Hans Schneider, Christoph Friedrich Brauer als Gegner Zinzendorfs* = Einführung in Bd. XVIII: Antizinzendorfiana V, Berichte der Büdingischen Grafschaft zur Vertreibung der Herrnhuter aus der Wetterau, Werkausgabe, Hildesheim, Materialien und Dokumente, Reihe 2, 1978; Zinzendorf und die Schweiz: *Paul Wernle, Der schweizerische Protestantismus im 18. Jahrhundert,* 1923, S. 369 ff. (der Einzug der Herrnhuter in der Schweiz); zum Sakramentsverständnis: *Guido Burkhardt, Die Abendmahlsfeier der Brüdergemeine,* in: Kirchl. Monatsschrift, 1884/85, S. 439 ff.; *Helmut Hickel, Das Abendmahl zu Zinzendorfs Zeiten,* in Herrnhuter Hefte 9, 1956; vgl. Anm. 23 dazu; zum Seitenwundenkult, zum Pleurakult und zur Wundenandacht in Herrnhaag vgl. *Martin Scharfe, Evangelische Andachtsbilder.* Studien zu Intention und Funktion des Bildes in der Frömmigkeitsgeschichte, vornehmlich des schwäbischen Raumes, 1968, S. 122 ff.; auch *A. Spamer, Das kleine Andachtsbild vom 14. bis zum 20. Jahrhundert,* 1930.

34. Studien S. 248 ff. (Gesetz und Evangelium, der neue, nicht der moralische Mensch); *Dieter Meyer, Der Christozentrismus des späten Zinzendorf.* Eine Studie zu dem Begriff »täglicher Umgang mit dem Heiland«, 1973; derselbe, *Zinzendorfs Sehnsucht nach der »naturellen Heiligkeit«.* Zum Verhältnis Natur und Gnade, in: Traditio – Krisis – Renovatio, S. 284 ff. (vgl. Anm. 13).

35. Zeremonienbüchlein 1757 in: Werkausgabe, Hildesheim, Bd. V der Ergänzungsbände zu den Hauptschriften, 1965; *Wilhelm Bettermann, Die Geschichte der Konfirmation in der Brüdergemeine,* in: Monatsschrift für Gottesdienst und kirchl. Kunst, 1929, 34. Jg., S. 250 ff.; *Otto Uttendörfer, Zinzendorfs Gedanken über den Gottesdienst,* 1931; *Hans-Günther Huober, Zinzendorfs Kirchenliederdichtung.* Untersuchung über das Verhältnis von Erlebnis und Sprachform, Heft 150 der Germanischen Studien, 1934; *Wilhelm Jannasch, Zinzendorf als Liturg,* in: Zinzendorf-Gedenkbuch, S. 98; *Jörn Reichel, Dichtungstheorie und Sprache bei Zinzendorf.* Der 12. Anhang zum Herrnhuter Gesangbuch, 1969; Werkausgabe, Hildesheim, Materialien und Dokumente, Reihe 4: Gesangbücher der Brüdergemeine und hymnologische Untersuchungen Bd. I – VI (im Erscheinen); Ergänzungsband: *Christian Gregor, Choralbuch 1784* (Notenbuch); dazu *Hans-Walter Erbe, Zur Musik in der Brüdergemeine.* Beiträge Heft 2, 1977, S. 46 ff.; Beiträge Heft 1, 1978, S. 118 ff.; S. 65 ff.

36. *Hans Joachim Schoeps, Der Philosemitismus des 17. Jahrhunderts,* 1948; *Erich Beyreuther, Zinzendorf und das Judentum,* in: Judaica, 19. Jg., Heft 4, 1963 (mit Lit.), in: Werkausgabe, Hildesheim, Erster Sammelband über Zinzendorf, 1975, S. 679 ff.; *Martin Schmidt, Judentum*

und Christentum im Pietismus des 17. und 18. Jahrhunderts, in: Kirche und Synagoge, Bd. 2, 1970 (für Zinzendorf nicht vollständig); Franz-Heinrich Philipp, Graf Nikolaus Ludwig von Zinzendorf als Wegbereiter eines deutschen Philosemitismus, in: Emuna Horizonte zur Diskussion über Israel und das Judentum, 1972, S. 15 ff.

37. Zinzendorf III, S. 170 ff. u. ö.; *Christian Degn, Die Schimmelmanns im atlantischen Dreieckshandel.* Gewinn und Gewissen, 1974, S. 43 ff., 50 ff. u. ö.

38. Zinzendorf III, S. 270 ff.; *Erich Beyreuther, August Hermann Francke und die Anfänge der ökumenischen Bewegung,* 1957, S. 166 ff. u. ö.; *Fritz Blanke, Zinzendorf und die Einheit der Kinder Gottes,* 1950, S. 28 ff.; *Ernst Benz, Zinzendorf in Amerika,* in: Zinzendorf-Gedenkbuch, S. 140 ff.

39. Zinzendorf III, S. 229 ff. u. ö.; RGG^3, IV, Sp. 1166, D. Carter: Art. Heinrich Melchior Mühlendorf (1777 – 1787) mit Lit.; Beyreuther, Francke und die Anfänge, s. Anm. 38.

40. Zinzendorf, Reden in und von Amerika: vgl. Werkausgabe, Hildesheim, Hauptschriften Zinzendorfs, Bd. 2, 1963.

41. *Helmuth Erbe, Bethlehem, Pa.* Eine kommunistische Herrnhuter Kolonie des 18. Jahrhunderts, 1929, in: Werkausgabe, Hildesheim, Erster Sammelband, 1975, S. 309 ff.; dort auch *Gerhard Reichel, August Gottlieb Spangenberg,* 1906, S. 1 ff.; *Jeremias Risler, Leben A. G. Spangenberg,* Bischof der ev. Brüderkirche, 1794; *Otto Uttendörfer, Spangenberg als Inspektor des Herrnhuter Waisenhauses,* in: ZBG, 5. Jg., 1911, S. 1 ff.; vgl. Anm. 1.

42. *Vernon Nelson, The Moravian Church in America,* in: Utrecht, S. 145 ff.; *Jan Marinus van der Linde, Herrnhuter im Karibischen Raum,* in: Utrecht, S. 241 ff.; *Wolfgang Forell, Die Mission der Brüdergemeine unter den Delawaren in Ohio während des Unabhängigkeitskrieges,* in: Beiträge, 1. H., 1978, S. 3 ff.; daselbst auch *Ilse Tödt, geb. Loges, Die Kultur der Delawaren und die Herrnhuter Mission,* S. 22 ff.

43. Zinzendorf III, S. 253 ff.; *Gerhard A. Wauer, Die Anfänge der Brüderkirche in England,* 1900; *Fritz Blanke, Zinzendorf und die Einheit der Kinder Gottes,* 1950, S. 54 ff.; *Edward Wilson, The Moravian Church in England and Ireland,* in: Utrecht, S. 119 ff.; *Martin Schmidt, John Wesley,* Bd. I, 1953, S. 186 ff., Bd. 2, 1966, S. 63 u. ö.

44. Zinzendorf III, S. 58 ff.; Zinzendorf II, S. 96 f., 162; auch 98 – 103.

45. *Jürgen Quack, Evangelische Bibelvorreden von der Reformation bis zur Aufklärung,* 1975, S. 283 ff. (Zinzendorfs Vorreden 1726/27 und 1739).

46. *Zinzendorf, Eines Abermaligen Versuchs zur Übersetzung der Historischen Bücher Neuen Testaments Unsers HERRN JESU Christi aus dem Original.* Erste Probe Zweyte Edition, Büdingen 1744, dort meine Einführung (mit Lit.), in: Werkausgabe, Hildesheim, Ergänzungsbände zu den Hauptschriften, Bd. XIII, 1978.

47. Studien S. 74 ff. (Bibelkritik und Schriftverständnis bei Zinzendorf); *Peter Baumgart, Zinzendorf als Wegbereiter historischen Denkens,* 1960; *Heinz Motel, Zinzendorfs Stellung zur Heiligen Schrift, in: Ev. Missionsmagazin, N. F., 7. Jg., 1950, S. 65 ff.; Heinz Renkewitz, Autorität und Gebrauch der Bibel bei Nikolaus Ludwig von Zinzendorf in der Auseinandersetzung mit dem Atheismus und in den Losungen,* in: Kurt Aland (Hg.), Pietismus und Bibel, S. 148 ff. (nur Teilfragen); *Kai Dose, Die Bedeutung der Schrift für Zinzendorfs Denken und Handeln,* Theol. Diss., Bonn 1971; 1977 (nur Teilaspekte).

48. *Heinz Renkewitz, Zinzendorf als Gestalter der Losungen,* in: Zinzendorf-Gedenkbuch, S. 162 ff.; Zinzendorf II, S. 208 ff., III, S. 30.

49. Studien S. 9 ff. (Christozentrismus und Trinitätsauffassung).

50. s. Anm. 23.

51. *Ernst Staehelin, Die Verkündigung des Reiches Gottes in der Kirche Jesu Christi,* V. Bd., 1959, S. 344 ff. mit Quellenauszügen.

52. *Wilhelm Jannasch, Zinzendorfs Ehe mit Anna Nitschmann,* in: ZBG, VIII. Jg., 1914, S. 399 ff.; Zinzendorf III, S. 281 ff. u. ö.; Studien, S. 35 ff. (Ehe, Religion und Eschaton bei Zinzendorf); zum Sterben Zinzendorfs: *Ehmann, Oetinger,* S. 642 (491); vgl. Anm. 21 Kap. V; Zinzendorf III, S. 284 ff.; zur Erinnerung an den 9.5.1760, in: ZBG, IV. Jg., 1910; *Jörg Baur, Salus Christiana.* Die Rechtfertigungslehre in der Geschichte des christlichen Heilsverständnisses, Bd. 1, 1968, S. 104 zu Zinzendorfs letzten Worten (nur Teilaspekte berührend).

53. Zinzendorf II, S. 229 ff.

54. Zu Todesberichten in der Sichtungszeit vgl. *Endre Zsindely, Krankheit und Heilung im älteren Pietismus,* 1962, S. 136; *Joh. Heinrich Reitz, Historie der Wiedergeborenen,* 5 Teile (1724), 1740 – 1750[6].

55. s. oben Anm. 33, Hans Schneider.

56. Zinzendorf III, S. 233 ff.; *Gerhard Meyer, Gnadenfrei.* Eine Herrnhuter Siedlung des schlesischen Pietismus im 18. Jahrhundert, 1950 (mit umfassendem Literaturnachweis); vgl. Jb. für Schlesische Kirchengeschichte 1954 – 1958, 1961, 1963, 1964, 1968.

57. Zinzendorf III, S. 281 ff.; *Theodor Gill, Herrnhut* – Freikirche in der Landeskirche, in: Berichte, H. 2/1977, S. 3 ff.; zu den Neugründungen in Nordamerika vgl. Cranz unter Wachovia im Reg. (s. Anm. 1); auch

Otto Uttendörfer, Die Dichtungen Zinzendorfs von 1750 bis 1760, in: Bei
träge Heft 1/1977, S. 3 ff.

58. *Otto Uttendörfer, Zinzendorf und die Jugend.* Die Erziehungs
grundsätze Zinzendorfs und der Brüdergemeine, 1923; *Fritz Tanner, Di
Ehe im Pietismus,* 1952, S. 144 ff. (die Sexual- und Ehepädagogik); *Gott
fried Beyreuther, Sexualtheorien im Pietismus,* Med. Diss., Münche
1963, S. 32 ff.; in: Werkausgabe, Hildesheim, Zweiter Sammelband übe
Zinzendorf, 1975, S. 509 ff.

59. *Otto Steinecke, Die Diasporaarbeit der Brüdergemeine in Deutsch
land,* Teil 1 – 3, 1905 – 1911; zur Diasporaarbeit bzw. Brüdergemeine
außerhalb Deutschlands im Baltikum, Schweden, Dänemark, Englan
und Amerika vgl. Utrecht, Einzeldarstellungen; auch *H. Bauer, Das Dia
sporawerk der Brüdergemeine,* in: ZBG, Jg. 1911; Pietismus und Neuzei
Jb. 1976 zur Geschichte des neueren Protestantismus (1977), Literatu
angaben S. 170 unter X: Zinzendorf und die Brüdergemeine Nr. 157
205.

60. *Werner Reichel, Samuel Christlieb Reichel in seiner Entwicklun
zum Vertreter des Idealherrnhutianismus,* in: ZBG, VI. Jg., 1912, S. 1 ff
Wilhelm Jannasch, Christian Renatus Graf von Zinzendorf, in: ZBG, I
Jg., 1908, S. 45 ff. und III. Jg., 1909, S. 61 ff.; *Hans-Windekilde Jannasch
Herrnhuter Miniaturen,* 1976[3], S. 7 ff., u. a. Goethe in Barby; zur Musik
kultur der Brüdergemeine vgl. Anm. 25 zu Kapitel VII.

Kapitel V: Johann Albrecht Bengel, der württembergische Pietismus und Friedrich Christoph Oetinger

1. *Martin Brecht, Philipp Jakob Spener und die Württembergische Kir
che,* in: Geist und Geschichte der Reformation, Festgabe Hanns Rücke
zum 65. Geburtstag, 1966, S. 443 ff. (m. Lit.); *Johannes Wallmann, Ph. J
Spener und die Anfänge des Pietismus,* 1970, S. 148 u. ö.; *Heinrich Her
melink, Geschichte der Ev. Kirche in Württemberg,* 1949, S. 153 ff. u. ö.
*M. Brecht, Die Anfänge der historischen Darstellung des Württembergi
schen Pietismus,* in: BWKG 66/67, 1967, S. 44 ff.; *Chr. Kolb, Die An
fänge des Pietismus und Separatismus in Württemberg,;* in: Württ. Viertel
jahreshefte für Landesgeschichte, N. F. X, XI; *Reinhard Rürup, Joh. Ja*

cob Moser, Pietismus und Reform, 1965, S. 33 u. ö.; *Friedrich Fritz, Luthertum und Pietismus.* Aus dem Lande von Brenz und Bengel, BWKG 1946 (Jubiläumsband), S. 122 ff.; derselbe, *Altwürttembergische Pietisten,* Beilage zu »Für Arbeit und Besinnung« 4/1950; derselbe, *Württemberg in der Zeit des Pietismus,* BWKG 54/1954, S. 117 ff.; derselbe, *Die Ev. Kirche Württembergs im Zeitalter des Pietismus,* BWKG 55/1955, S. 68 ff.; *Hartmut Lehmann, Pietismus und weltliche Ordnung in Württemberg,* 1969, S. 28 ff. u. ö. (abgek. Lehmann); *Heinrich Fausel, Von altlutherischer Orthodoxie zum Frühpietismus in Württemberg,* ZWLG 24/1965, S. 309 ff.

2. Lehmann S. 22 ff.

3. Lehmann S. 28 u. ö.; Hermelink S. 183 ff.; *Friedrich Fritz, Altwürttembergische Pietisten,* 1950, S. 5 ff. (zu J. A. Hochstetter, m. Lit.).

4. Lehmann S. 35 ff.; Fritz s. o.; *Albert Schüle, Aus den Anfängen der pietistischen Pädagogik in Württemberg,* 1931, S. 15 ff.

5. Lehmann S. 28, 37 – 41 u. ö.; *Gottfried Mälzer, J. A. Bengel, Leben und Werk,* 1970, S. 29 ff. (abgek. Mälzer); *F. W. Bautz, Biographisch-bibliographisches Kirchenlexikon,* Art. J. A. Bengel; *Martin Leube, Die Geschichte des Tübinger Stifts,* Bd. 1 – 3, 1921, 1930, 1954; *Karl Hermann, J. A. Bengel, der Klosterpräzeptor von Denkendorf,* 1937.

6. Fritz, Altwürtt., S. 18 ff. (J. R. Hedinger); Albert Schüle, S. 60 – 110 (Hedinger, Leben und Werk); Mälzer, S. 40 f. u. ö.; *Endre Zsindely, Krankheit und Heilung im älteren Pietismus,* 1962: zu Hedinger S. 26 ff. u. ö., zu Samuel Urlsperger S. 25 u. ö.; RGG III, VI, 1194 f.: Erich Beyreuther: Samuel Urlsperger (1685 – 1772); *Gustav Wais, Samuel Urlspergers Entlassung,* BWKG 44/1940, S. 4 ff.

7. Fritz, Altwürtt., S. 33 – 50 (Georg Konrad Rieger); Lehmann S. 75 – 81 u. ö.; *Reinhold Rieger, Georg Conrad Riegers Predigten nach Form und Inhalt untersucht,* Theol. Diss., Tübingen 1952.

8. Zu A. H. Francke in Württemberg: Lehmann S. 53 ff., 64, 125; Mälzer S. 12 u. ö.; Fritz, Altwürtt., S. 55 ff., 75; Schüle S. 53 ff.; *Eduard Lempp, Geschichte des Stuttgarter Waisenhauses,* 1910; *Erich Beyreuther, A. H. Francke,* 1969[3], S. 220 ff.; zur Unterbewertung der Bedeutung Franckes für Württemberg bei Lehmann vgl. *Erich Beyreuther* in: Blätter für deutsche Landesgeschichte, 1971, S. 486 ff.; auch Bauch S. 80 (Anm. 21); *Gustav Kramer, A. H. Franckes Reise in das südliche Deutschland,* in: Neue Beiträge zur Geschichte A. H. Franckes, 1875, S. 187 ff.

9. *Martin Hasselhorn, Der altwürttembergische Pfarrerstand im 18. Jahrhundert,* 1953, S. 56 ff.; *Christoph Kolb, Zur Geschichte des Pfarrerstandes in Altwürttemberg,* BWKG, 57/1957, S. 74 ff.; *Karl Müller, Die*

religiöse Erweckung in Württemberg am Anfang des 19. Jahrhunderts 1925.

10. Hasselhorn S. 110 ff.

11. Mälzer S. 18 (m. Quellennachweis).

11a Mälzer S. 17 ff.; Fritz, Altwürtt., S. 51 – 84 (J. A. Bengel); *Karl Hermann, J. A. Bengel, der Klosterpräzeptor von Denkendorf,* 1937; zu Wendelin Spindler: Kolb S. 202 ff. (s. o. Anm. 1); Lehmann S. 68 – 8 u. ö.; *Adolf Köberle, Das Glaubensvermächtnis der schwäbischen Väter* 1959, S. 9 – 14.

12. Zu Ch. Reuchlin: Mälzer S. 35, 137 u. ö.; Fritz, Altwürtt., S. 56 f Hermelink S. 158 u. ö.; zum Stuttgarter Gymnasium: Schüle S. 34 ff.

13. Bengel und die Mystik: Fritz, Altwürtt., S. 64 u. ö.; zu Jäger: Mälze S. 55 u. ö.; Hermelink S. 157 u. ö.; Lehmann S. 35 u. ö.

14. RGG[3], VI, 736 ff.: Erich Beyreuther: Quietismus; *Franz-Heinric Philipp, Zwiegespräch mit Gott.* Das Gebet bei J. A. Bengel, Stuttgar 1972.

15. Fritz, Altwürtt., S. 64 f., 75 u. ö.; Mälzer S. 38 f.; Zsindely S. 31 u. ö

16. *Otto Podczeck, Die Arbeit am Alten Testament in Halle zur Zeit de Pietismus.* Das Collegium Orientale theologicum A. H. Franckes, in Wiss. Zeitschrift der Martin-Luther-Universität Halle-Wittenberg VII/5, S. 1059 – 1078, August 1958; Mälzer S. 48 ff.; zur Pädagogik Bengels: Mälzer S. 287 ff.

17. Mälzer S. 53 ff.: Schüle S. 27 ff. (die Klosterschulen); *Doris Metzge und Gerhard Schäfer, Die Klosterschule im 18. Jahrhundert.* Bengels Ze in Denkendorf, in: Schwäbische Heimat, 27/1976, S. 114 ff.

18. Mälzer S. 55; Fritz, Altwürtt., S. 75.

19. Mälzer S. 72, 75.

20. *Mälzer, G., Bengel und Zinzendorf,* 1968; Mälzer, Bengel, S. 252 ff. *Robert Geiges, Württemberg und Herrnhut im 18. Jahrhundert.* Bengel Abwehr und der Rückgang des Brüdereinflusses in Württemberg, in BWKG, 1938, S. 22 – 88; derselbe, *Zinzendorf und Württemberg,* in BWKG, 1913, S. 52 ff.; *Erich Beyreuther, Bibelkritik und Schriftverständnis,* in: Studien zur Theologie Zinzendorfs, 1962, S. 74 – 108; derselbe, *Zinzendorf-Biographie,* II, 32, 203; III, 33, 35 – 38 u. ö.; derselbe Einleitung in: *J. A. Bengel, Abriß der sogenannten Brüdergemeine,* in: N L. v. Zinzendorf, Materialien und Dokumente, Reihe 2, Bd. X, hg. v Erich Beyreuther und Gerhard Meyer, 1972 (Reprint); derselbe, Einführung in Ergänzungsband XIII zu den Hauptschriften Zinzendorfs: Eine Abermaligen Versuchs zur Übersetzung der Historischen, Lehr- und Prophetischen Bücher Neuen Testaments Unsers HERRN JESU Christ

aus dem Original, 1978 (Reprint); zur Diskussion zwischen Zinzendorf und Bengel vgl. Fritz, Altwürttemberg, S. 76 ff.

21. Ausgewogene Darstellung bei Fritz, Altwürtt., S. 67 ff.; *Karl Chr. Eberhard Ehmann, Fr. Chr. Oetingers Leben und Briefe als urkundlicher Commentar zu dessen Schriften,* 1859, S. 616 (410) (abgek. Ehmann); *Hermann Bauch, Die Lehre vom Wirken des Heiligen Geistes im Frühpietismus,* 1974, S. 61, 77 (abgek. Bauch).

22. Noch beste Darstellung bei Fritz, Altwürtt., S. 66 ff.; Bauch S. 58 – 98; *Wolfgang Metzger, Bengels theologische Entwicklung,* BWKG, 42/1938, S. 1 – 27; *Gerhard Sauter, die Zahl als Schlüssel zur Welt.* J. A. Bengels prophetische Zeitrechnung im Zusammenhang seiner Theologie, Ev. Th. 26/1966, S. 1 – 36; Hirsch III S. 179 – 185; *Hans Stroh, Hermeneutik im Pietismus,* in: ZThK, 1977, S. 38 ff., bes. 45 ff.; *Jürgen Moltmann, Theologie der Hoffnung,* 1965[3], S. 62 ff.; *Hans-Joachim Kraus, Die Biblische Theologie.* Ihre Geschichte und Problematik, 1970, S. 23 ff.; Lehmann S. 70 u. ö.; *Heinrich Reiss, Das Verständnis der Bibel bei J. A. Bengel,* Ev. Theol. Diss., Münster 1952 (Masch.); *Helga Rusche, Die Eschatologie in der Verkündigung des Schwäbischen und niederrheinischen Biblizismus des 18. Jahrhunderts, Ev. Theol. Diss., Heidelberg 1943 (Masch.); Lehmann S. 66 ff., 117 ff.; Walter Nigg, Das ewige Reich,* 1954, S. 201ff.

23. Ausgewogene Darstellungen bei Fritz S. 78 und Bauch S. 95 f.; eine stärkere Differenzierung wäre erwünscht bei Mälzer, Bengel, etwa S. 333 u. ö. wie bei *Martin Brecht, J. A. Bengel und der schwäbische Pietismus,* in: Pietismus und Bibel, AGP Bd. 9, hg. v. Kurt Aland, 1970, S. 193, und dessen Aussprache mit Hermann Feghelm, daselbst, S. 219 ff. und die eigene Erwiderung mit der Feststellung: »Bengels spezifisches Verhältnis zur Bibel ist bis heute nicht ausreichend erforscht.« S. 227. Jedenfalls kann auch vom mystischen Spiritualismus bei Bengel »nur sehr eingeschränkt« gesprochen werden. Eine theologische Abqualifizierung eines angeblichen mystischen Spiritualismus erweckt nur Bedenken. Eine ausgewogene Darstellung wird den pauschalierten und verschwimmenden Begriff eines mystischen Spiritualismus zu vermeiden und stärker zu differenzieren suchen, auch beachten, welcher Stellenwert im Ganzen einer Theologie ihm zukommt. Eine einfache und glatte Schichten- bzw. Quellenscheidung, hier Spiritualismus, dort Luther usf. allein genügt nicht und verliert zu leicht das Ganze einer theologischen Position aus den Augen. Die so ermittelten Teile ergeben noch kein Ganzes!

24. Gegenüber Brecht vgl. Feghelm S. 219 und Bauch S. 95 f.; vgl. auch *Martin Brecht, Die Hermeneutik des jungen J. A. Bengel,* in: BWKG

66/67, 1966/67, S. 52 – 64, wie *J. A. Bengels Theologie der Schrift,* in: ZThK 64/1967, S. 99 ff.; auch *Kurt Aland, Bibel und Bibeltext bei A. H. Francke und Johann Albrecht Bengel,* in: Pietismus und Bibel, AGP Bd. 9, 1970, S. 89 – 147; auch *Ernst Ludwig, Schriftverständnis und Schriftauslegung bei J. A. Bengel,* in: Sonderheft der BWKG 1952; *Oscar Wächter, Beiträge zu J. A. Bengels Schrifterklärung und Bemerkungen desselben zu dem Gnomon Novi Testamenti aus handschriftlichen Aufzeichnungen,* 1865; vgl. auch *Martin Brecht, J. A. Bengels Lehre vom Blut Jesu Christi,* in: BWKG 73/74, S. 22 ff.

25. Fritz, Altwürtt., S. 24 ff. (m. Lit.).

26. *Gerhard Kaiser, Pietismus und Patriotismus im literarischen Deutschland.* Ein Beitrag zum Problem des Säkularismus, 1972 (m. Lit.); auch Lehmann S. 134 und Hist. Zeitschrift, H. 2/Bd. 223, S. 449.

27. Lehmann S. 82 ff.; Hermelink S. 191 ff.

28. S. o. Anm. 201 Lehmann S. 68 u. ö.; *Heinz Liebing, Zwischen Orthodoxie und Aufklärung.* Das philosophische und theologische Denken G. B. Bilfingers, 1961.

29. Mälzer, Bengel S. 252 ff.; Lehmann S. 94 ff.; *R. Geiges, 200 Jahre Herrnhut in Württemberg,* 1922; derselbe, *Herrnhut und Württemberg.* Die Verhandlungen zwischen Zinzendorf und der württembergischen Kirche 1745 – 1750, in: BWKG, N. F., 34. Jg. 1930, S. 211 ff.; s. o. Anm. 20.

30. *Reinhard Rürup, Johann Jacob Moser, Pietismus und Reform,* 1965, S. 41 u. ö., zu Zinzendorf S. 38 f., 42 f., zu A. H. Francke S. 48 – 50 u. ö.; Lehmann S. 81, 190, 195 u. ö.; *M. Fröhlich, J. J. Moser in seinem Verhältnis zum Rationalismus und Pietismus,* Wien 1925.

31. *Robert Geiges, Die Ansiedlungspläne der Brüdergemeine in Württemberg,* in: BWKG 25/1921, S. 245 ff.; Beyreuther, Zinzendorff III, S. 165 f.; auch *Paul Wernle, Der schweizerische Protestantismus im 18. Jahrhundert,* 1923, S. 356 ff. (der Einzug der Herrnhuter in der Schweiz, Biefers Eroberungszug); *Robert Geiges, Herrnhut und Württemberg.* Die Verhandlungen zwischen Zinzendorf und der württembergischen Kirche 1745 – 1750, in: BWKG 34/1930, S. 211 ff.

32. Lehmann S. 147 ff.; Hermelink S. 344 f.; *J. Berner, Die Stellung der Herrnhuter in Württemberg am Anfang des 19. Jahrhunderts,* in: BWKG 7/1903, S. 1 ff.; *Erich Beyreuther, Die Erweckungsbewegung, 1977²*, S. 38 ff. u. ö.

33. *Gerhard Meyer, Johann Conrad Weiz.* Ein Beitrag Herrnhuts zum schwäbischen Pietismus, 1962; *R. Geiges, Johann Conrad Lange und die Anfänge der herrnhutischen Gemeinschaftspflege in Württemberg,* in:

BWKG, 1913, S. 1 ff.; *F. Geller, Aus der Geschichte der Brüdergemeine in Straßburg,* 1899; *R. Geiges, 200 Jahre Herrnhut und Württemberg,* 1922.

34. Lehmann S. 133 f. u. ö.

35. S. o. S. 127 ff.

36. *Heinz H. Becker, Die Auswanderung aus Württemberg nach Südrußland 1816 – 1830,* Phil. Diss., Tübingen 1962; *Karl Büttner, Die Auswanderung aus Württemberg,* 1938; *Georg Leibrandt, Die Auswanderung aus Schwaben nach Rußland 1816 – 1823,* 1928; Lehmann S. 169 ff.; *Waldemar Gutsche, Westliche Quellen des russischen Stundismus,* 1956.

37. Mälzer, J. A. Bengel, S. 368 ff., 376 ff.; Lehmann S. 146 ff.

38. Mälzer, J. A. Bengel, S. 329 – 331 u. ö.

39. *Gottfried Mälzer, Die Werke der württembergischen Pietisten des 17. und 18. Jahrhunderts.* Verzeichnis der bis 1968 erschienenen Literatur, 1972, S. 51 Nr. 386; Ehmann S. 554 (149), s. u. Anm. 42.

40. Mälzer, J. A. Bengel, S. 296 – 311.

40 a. *Joachim Trautwein, Religiosität und Sozialstruktur.* Untersuchung anhand der Entwicklung des württembergischen Pietismus, 1972; dazu Besprechung in: Blätter für deutsche Landesgeschichte, 1976, S. 112 (Erich Beyreuther).

41. Mälzer, J. A. Bengel, S. 116 ff.; Ehmann S. 589 (273), u. unten.

42. *Karl Chr. Eberhard Ehmann, Friedrich Christoph Oetingers Leben und Briefe als urkundlicher Commentar zu dessen Schriften,* 1859 (grundlegend, abgek. Ehmann); Martin Schmidt, Der Pietismus, S. 113 ff.; *Reinhard Breymayer, »Gott-geheiligte Poesie«.* Vergessene Gedichte Friedrich Christoph Oetingers aus den Jahren 1722 – 1737, in: BWKG 75/1975, S. 32 ff.

43. *Heinrich Bornkamm, Böhme und Luther,* 1925; *K. Leese, Von Jacob Böhme zu Schelling,* 1927; *Henry F. Fullenwider, Fr. Chr. Oetinger, Theophil Friedrich Oetinger und die Spätrosenkreuzer,* in: BWKG 75/1975, S. 51 ff.; *Hans-Georg Gadamer, Oetinger als Philosoph,* in: derselbe, Kleine Schriften III, 1972, S. 89 ff.; *Friedrich Häußermann, Theologia Emblematica.* Kabbalistische und alchemistische Symbolik bei Fr. Chr. Oetinger und deren Analogien bei Jakob Böhme, in: BWKG 72/1972, S. 71 ff.; *P. Hankamm, Jakob Boehme, Gestalt und Gestaltung,* 1924, Neudruck 1960; *Heinrich Bornkamm, Pietistische Mittler zu Jakob Böhme und dem deutschen Idealismus,* in: Der Pietismus in Gestalten und Wirkungen, hg. von Heinrich Bornkamm u.a., 1975, S. 139 ff.; *Eberhard H. Pältz, J. Böhmes Hermeneutik.* Geschichtsverständnis und Sozialethik, Theol. Habilitationsschrift, Jena 1961 (Masch.); derselbe, *Zum pneumatischen Schriftverständnis J. Boehmes,* in Kirche – Theologie – Frömmig-

keit, Festgabe G. Holtz, 1965, S. 119 ff. (m. Lit.); *Joachim Trautwein, Die Theosophie Michael Hahns und ihre Quellen,* 1969, S. 46 u. ö. (m. Lit.); Ehmann S. 35 ff. u. ö.; *Erich Beyreuther,* Einführung in: *Fr. Chr. Oetinger, Sämtliche Schriften, Bd. 2 der 2. Abteilung: Swedenborgs irdische und himmlische Philosophie,* Neuausg. 1977, S. IX ff. (m. Lit.) (abgek. Swedenborg).

43 a. *Gersholm Scholem, Von der mystischen Gestalt der Gottheit.* Studien zu Grundbegriffen der Kabbala, 1962 (m. Lit.); derselbe, *Zur Kabbala und ihrer Symbolik,* 1960; derselbe, *Die jüdische Mystik in ihren Hauptströmungen,* 1957; derselbe, *Schöpfung aus Nichts und Selbstverschränkung Gottes,* in: Eranos-Jahrbuch Bd. 25, 1956, S. 87) ff.; *Friedrich Christoph Oetinger, Die Lehrtafel der Prinzessin Antonia,* hg. von Reinhard Breymayer und Friedrich Häußermann, Teil I: Text, Teil II: Anmerkungen, 1977 = Texte zur Geschichte des Pietismus. Im Auftrag der Historischen Kommission zur Erforschung des Pietismus, Abt. VII Fr. Chr Oetinger Bd. 1 = hg. v. Gerhard Schäfer und Martin Schmidt (Standardwerk) (m. umfassender Lit.); Ehmann S. 196 ff.

44. Zum Gottesbegriff bei Oetinger: Erich Beyreuther, Swedenborg, S IX (m. Lit.); Ehmann S. 669 (529); zu Berleburg: Ehmann S. 61 ff., 365 (25), auch 130 ff.

45. Ehmann S. 23 ff., 61 ff.

46. Ehmann S. 99 ff., 102 ff., 834 ff.; 512 (134), 514 (97); 516 (100) 518 (104), 519 (105), 542 (134) u. ö.; Mitarbeit Bengels: S. 457 ff.

47. S. o. S. 107 ff.; Erich Beyreuther, Zinzendorf III, S. 56 f.; Opposition Oetingers gegen Zinzendorfs Christozentrismus: Ehmann S. 145.

48. Ehmann S. 108; *Herbert Patzelt, Der Pietismus im Teschener Schlesien 1709 – 1730,* 1969 (s. Register); Ehmann S. 505 (79).

49. S. o. Patzelt; *Gerhard Reichel, Die Entstehung einer Zinzendorf-feindlichen Partei in Halle und Wernigerode,* in: ZKG, 23/1902, Nachdruck in: Materialien und Dokumente, Erster Sammelband über Zinzendorf, Reihe 2, hg. v. Erich Beyreuther und Bernhard Meyer, 1975, S. 63: ff.; Ehmann S. 475 (49 – 50).

50. *Robert Geiges, Die Auseinandersetzung zwischen Chr. Fr. Oetinger und Zinzendorf,* in: BWKG, 39/1935, S. 131 ff.; 40/1936, S. 107 ff.

51. Ehmann S. 123 ff.; zur Lospraxis: *Erich Beyreuther, Lostheorie und Lospraxis* (bei Zinzendorf), in: derselbe, Studien zur Theologie Zinzendorfs, 1962, S. 109 ff.

52. Ehmann S. 113 ff. (Lossagung von Herrnhut); Ehmann S. 361 (17) 359(13 – 19); 598 (303); 620 (441); 618 (418); 642 (491).

53. Ehmann S. 509 (87), 511 (90); *Oscar Wächter, Bengel und Oetin*

ger. Leben und Aussprüche zweier alter württ. Theologen, 1886.

54. Ehmann S. 512 (93); *R. Geiges, Zur Auseinandersetzung zwischen Chr. F. Oetinger und Zinzendorf.* Zur Geschichte des württ. Pietismus im 18. Jahrhundert, in: BWKG, N. F. 39/1935, S. 131 ff. und 40/1936, S. 107 ff.

55. Ehmann S. 91 ff.

56. Erich Beyreuther, Swedenborg, S. XXII ff. Die All-Lebendigkeit der Schöpfungswelt (m. Lit.); *Carl August Auberlen, Die Theosophie Fr. Chr. Oetingers nach ihren Grundzügen,* 1847; *Elisabeth Zinn, Fr. Chr. Oetingers Theologie,* 1935; Trautwein S. 140 ff. u. ö. (s. o. Anm. 43); *W.-A. Hauck, Das Geheimnis des Lebens.* Naturanschauung und Gottesauffassung bei Fr. Chr. Oetinger, 1947.

57. Ehmann S. 406 (167), 375 (62), 775 (60), 362 (20); auch *Erich Beyreuther,* Einführung in: *Fr. Chr. Oetinger, Sämtliche Schriften, Bd. 3 der 2. Abteilung: Die Psalmen Davids,* Neuausg. 1977, S. VII ff.

58. Ehmann S. 622 (446), 119 f., 356 (4); zur Blut-Theologie Oetingers vgl. bei Bengel nach Bauch S. 95 f.

59. *Jürgen Moltmann, Theologie der Hoffnung,* 1966, S. 61 ff. (heilsgeschichtliche Eschatologie und progressive Offenbarung) und S. 67 ff. (Geschichte als indirekte Selbstoffenbarung Gottes); dazu *Wolf-Dieter March, Diskussion über die Theologie der Hoffnung,* 1967; auch Bauch S. 59; Oetingers Zweifel an Bengels apokalyptischem System vgl. Ehmann S. 278 ff.

60. Erich Beyreuther, Swedenborg, S. XXII; Ehmann S. 397 (135), 601 (319 unter 1).

61. S. o. S. XXIV; *Ernst Benz, Theologie der Elektrizität,* 1971, S. 55 ff.; *Fr. Chr. Oetinger, Biblisches und Emblematisches Wörterbuch,* Hildesheim 1969, Nachdruck der Ausgabe Stuttgart 1776 mit Vorwort von D. Tschizewskij, S. 395 ff. (Art. Leben), S. 428 ff. (Art. Mensch) (abgek. BW); Ehmann S. 320 ff.

62. Erich Beyreuther, Die Psalmen Davids (s. o. Anm. 57), Einführung mit Lit.; Ehmann S. 142 ff., 281 (136), 582 (246), 583 (247); auch Trautwein (s. Register); Adolf Köberle S. 20 f.

63. S. o. Erich Beyreuther, Die Psalmen Davids, S. VIII ff.; Ehmann S. 15, 631 ff. (zur Pädagogik); zum »sensus communis« bei Oetinger vgl. Ehmann S. 117, 198, 208, 218, 228, 250, 364 (28) u. ö.

64. Adolf Köberle S. 21.

65. S. o.

66. Ehmann S. 392 (118), 662 (520); Erich Beyreuther, Die Psalmen Davids, S. XVIII f.

67. WB S. 809 – 830, 334 ff., 407, 560 ff., 683; *Ernst Staehelin, Die Wiederbringung aller Dinge,* 1960; *Carl Schmid, Die Frage von der Wiederbringung aller Dinge,* Jahrbücher für Deutsche Theologie, 15. Bd. 1870, S. 102 ff.; WB S. 371 ff.; Lehmann S. 111 f.; Ehmann S. 151 f., 159

68. Lehmann S. 108 ff.; Bauch S. 82, Anm. 224; Ehmann S. 606 (345)

69. S. o. Anm. 43, Breymayer-Häußermann; Ehmann S. 669 (529) 665 (523).

70. Ehmann S. 216 ff.

71. Ehmann S. 216 ff., 235 ff.

72. Adolf Köberle S. 19.

73. Ehmann S. 284 ff., 291 ff., 294 ff., 409 (176), 410 (177); Erich Beyreuther, Swedenborg, S. XXIX ff.

74. Zu J. M. Schill: Ehmann S. 148 ff., 424 (219) ff., 409 (176), 41((177), 426 (223), 597 (299, 300), 575 (214), 778 (652 – 655).

75. Ehmann S. 395 (129).

76. WB S. 193 f. (Art. Ewigkeit); Ehmann S. 151 ff.; vgl. Anm. 67

77. Ehmann S. 292 ff.; Lehmann S. 122 ff., auch Ehmann S. 589 (269) 681 (563), 683 (564), 699 (572 ff.).

78. Ehmann S. 332.

79. Ehmann S. 252 f., 320 ff., 383 (83), 400 (142).

80. Ehmann S. 324 ff., auch 644 (497), 723 (592); s. o. Anm. 69.

81. Zum Gesamtbild vgl. Hermelink und Lehmann (s. Register).

82. Lehmann S. 135 ff.; *Max Geiger, Aufklärung und Erweckung.* Beiträge zur Erforschung Jung-Stillings und der Erweckungstheorie, 1963 Erich Beyreuther, Die Erweckungsbewegung, S. 24 f.

83. *Hans Stroh, Hermeneutik im Pietismus,* ZThK, 1977, S. 55 ff.; *Eric Beyreuther, Der geschichtliche Auftrag des Pietismus in der Gegenwar* Drei Fragen an Pietismus und Kirche, 1963, S. 2 ff.

84. *Edmund Schlink, Die drei Grundbeziehungen zwischen Glaube und Erkennen,* in: Kerygma und Dogma, 3/1977, 23. Jg., S. 172 ff.; zu Nachwirkung J. A. Bengels und Fr. Chr. Oetingers: *Robert Schneide Schellings und Hegels schwäbische Geistesahnen,* 1938; *Ernst Benz, Schellings theologische Geistesahnen,* 1955; *Wilhelm A. Schulze, Der Einflu Boehmes und Oetingers auf Schelling,* in: BWKG, 56/1956, S. 171 ff *Wilhelm August Schulze, Oetingers Beitrag zur Schellingschen Freiheitslehre,* ZThK, 54/1957, S. 213 ff.; *Arthur Wenke, Junghegeltum und Pietismus in Schwaben,* Phil. Diss., Bern, Dresden 1907; *Reiner Heinze, Bengel und Oetinger als Vorläufer des deutschen Idealismus,* Phil. Diss., Münster/W. 1969, Reprint 1971; *Henry F. Fullenwider, Fr. Chr. Oetinge Wirkungen auf Literatur und Philosophie seiner Zeit,* 1976; *Rolf Christia*

Zimmermann, Goethes Polaritätsdenken im geistigen Kontext des 18. Jahrhunderts, Jb. der deutschen Schillergesellschaft, 18, 1974 (1975), S. 304 ff. (Oetinger S. 316 u. ö.); *Walter Dierauer, Hölderlin und der spekulative Pietismus Württembergs,* Phil. Diss., Zürich 1971 (MS); *Peter Pütz, Lichtenberg und der Pietismus.* Deutsche Beiträge zur geistigen Überlieferung, 1972; *Kurt Aland (Hg.), Pietismus und moderne Welt,* 1974, darin: M. Schmidt, Der Pietismus und das moderne Denken, S. 67 f. (leider fehlt zu den verschiedenen Aufsätzen verschiedener Verfasser ein Sach- und Namenregister); *Johannes R. Thierstein, Novalis und der Pietismus,* Phil. Diss., Bern 1910, o. O. 1913; *Max L. Baeumer, Fülle des Herzens.* Ein biblischer Topos der dichterischen Rede in der romantischen Literatur, Jb. der deutschen Schillergesellschaft, 15, 1971, S. 133; Rezension zu Pietismus und moderne Welt durch H. Lehmann, vgl. Pietismus und Neuzeit, Jahrbuch 1975, Bd. 2, S. 147 ff.

Kapitel VI: Gottfried Arnold und der schwärmerische Pietismus

1. *Ernst Benz, Das Christusbild der protestantischen Mystik des 17. und 18. Jahrhunderts* (mit Lit.), in: Jesus Christus. Das Christusverständnis im Wandel der Zeiten, 1963, S. 59 ff. Dazu auch *Martin Scharfe, Evangelische Andachtsbilder.* Studien zu Intention und Funktion des Bildes in der Frömmigkeitsgeschichte vornehmlich des schwäbischen Raumes, 1968, S. 130 ff. und Abbildungen 56 – 58: Christus als Apotheker.

2. *Winfried Zeller, Die »alternde« Welt und die »Morgenröte« im Aufgang,* in: Jb. der Kirchl. Hochschule Berlin, 1973/74, S. 197 ff.; ders., *Der Protestantismus des 17. Jahrhunderts,* 1962.

3. S. o. Anm. 1, dort S. 64; *Ernst Benz, Die protestantische Thebais.* Zur Nachwirkung Makarios des Ägypters im Protestantismus des 17. und 18. Jahrhunderts in Europa und Amerika, 1963, S. 121 ff.
Daß es im frühen Pietismus zu einer stürmischen Wiederentdeckung der alten griechischen Mönchsväter gekommen ist und man sich wesentlich an den »50 geistlichen Homilien« des Makarios begeisterte, hat Ernst Benz überzeugend aufgedeckt und quellenmäßig nachgewiesen. Nur meinte man damals, daß diese Homilien von Makarios dem Ägypter (ca. 300 – 380/390) stammten, der aber eine unliterarische Gestalt war. Erst das 20. Jahrhundert weiß, daß es sich um Makarius = Symeon von Mesopota-

mien um 400 handelt, wenn wir den Verfasser dieser Homilien meinen. »Er fordert den Kampf um die innere Reinheit, erfährt dabei die Macht des Bösen und erwartet alles von dem Gebet um den Geist.« Gegen die Sicherheit des »pharisäischen« kirchlichen Mönchtums und gegen einen ungezügelten Geistanspruch polemisiert er. Andererseits gleicht das Schicksal der wahren Christen dem der Propheten, die von ihrem eigenen Volk verfolgt wurden.

Bei der Übernahme von Gedanken dieses mystischen Schriftstellers im Pietismus verlagerten sich manche Akzente. Das gilt für den Gesamtbereich der pietistischen Erneuerungsbewegung nicht nur auf deutschem, sondern auch auf holländischem, skandinavischem, englischem und amerikanischem Boden.

Neben Gottfried Arnold stehen ausgesprochene Vertreter des kirchlichen Pietismus wie Johann G. Pritius, Balthasar Köpken, J. H. Reitz. Makarios hat die Einsiedlerbewegung des radikalen Pietismus, die pietistische Klosterbewegung in Pennsylvanien, selbst das Vollkommenheits- und Einsiedlerideal des jungen John Wesley inspiriert. Noch weiter greift sein Einfluß. Die erste missionarische Aktivität im Protestantismus, die von Justinian von Welz (1621 – 1668(?)) ausgeht, ist an Makarius dem Ägypter wie an Thomas a Kempis orientiert. Bei Welz tritt das in der unmittelbaren Umdeutung des griechischen Einsiedler-Ideals in »die vita solitaria« mitten in einem verantwortungsbereiten weltlichen Leben hervor, als ein glaubwürdiges »wahres Christentum«. Welz gibt genaue Anweisung für die Einrichtung eines dreimal täglich aufgesuchten Gebets- und Meditationskämmerleins!

»Die Erneuerung der mystischen Theologie der alten Wüstenväter und die Wiederentdeckung des Einsiedlerideals gehört mit hinein in jenen gewaltigen Prozeß, der sich im Pietismus abzeichnet: die Entfaltung eines religiösen Individualismus und Subjektivismus, der die Grundvoraussetzung jener Entwicklung des modernen Persönlichkeitsbegriffs und Persönlichkeitsbewußtseins bildet.« Auch der Durchbruch des modernen Naturgefühls, eine neue Bemühung um eine christliche Kosmologie, steht im Zusammenhang mit den Lebensbeschreibungen der modernen Eremiten der pietistischen Zeit. Jedenfalls ist im Pietismus Makarios ein Vertreter des »wahren Christentums« als Gegenbild zu dem Zank- und Streit-Christentum einer bereits verweltlichten Kirche. Das wahre Christentum ist ganz erfüllt von dem Streben nach unermüdlicher Heiligung und Vollkommenheit als Verwirklichung christlicher Liebe. Man wird hier besonders auf Zinzendorf hinweisen können, der zeitlebens von einer elementaren Sehnsucht nach Einsiedelei ergriffen war und sie inmitten seiner

rastlosen Wirksamkeit zu realisieren verstand. Bei seinen zahllosen Reisen suchte er immer wieder seine Reisebegleiter ganz oder für längere Strecken abzuschütteln, um bei den Fußmärschen allein mit seinem Heiland zu sprechen.
Auch dem ersten Indienmissionar Bartholomäus Ziegenbalg war die Zeit während einer Kerkerhaft in Trankebar nicht zu lang, sondern innerlich voll ausgefüllt. Der pietistische Gedanke der »stillen Minuten« bzw. »stillen Stunden« ist hier bereits sichtbar und wirksam geworden. Vgl. dazu auch *Hermann Dörries, Geist und Geschichte bei Gottfried Arnold,* 1963, S. 148 ff.: Begegnung mit Macarius.

4. RGG[3], V, 736 ff.: Erich Beyreuther: »Quietismus«; *Josef Urlinger, Die geistes- und sprachgeschichtliche Bedeutung der Berleburger Bibel.;* Ein Beitrag zur Wirkungsgeschichte des Quietismus in Deutschland, Phil. Diss., Saarbrücken 1969 (m. Lit.), S. 113 ff. (abgek. BB); *Martin Hofmann, Theologie und Exegese der Berleburger Bibel,* 1935; *Jürgen Quack, Evangelische Bibelvorreden von der Reformation bis zur Aufklärung,* 1975, dort Bibelvorreden des separatistischen Pietismus S. 295 ff., zur Berleburger Bibel: S. 304 ff.; zu Heinrich Horche (1652 – 1729) und die Marburger Bibel vgl. RGG[3], III, 451: Erich Beyreuther; J. Quack, Ev. Bibelvorreden, S. 299 ff.; *Norbert Fehringer, »Bleibet fest in der brüderlichen Liebe!«* Der Eschweger Heinrich Horche und die Anfänge des Philadelphentums in Hessen, in: Hessische Heimat, 24/1974, H. 2/3; derselbe, *Philadelphia und Babel.* Der hessische Pietist H. Horche und das Ideal des wahren Christentums, Theol. Diss., Marburg 1971; vgl. dazu Besprechung in: Jb. 1976 Pietismus und Neuzeit, III. Bd., S. 150 ff. (Rudolf Mohr).

5. S. o. Anm. 2; *Max Wieser, Deutsche und romanische Religiosität.* Fénelon, seine Quellen, seine Wirkungen, 1919; derselbe, *Der sentimentale Mensch, gesehen aus der Welt der hòlländischen und deutschen Mystiker im 18. Jh.,* 1924; derselbe, *Pierre Poiret.* Der Vater der romanischen Mystik in Deutschland, 1932.

6. Benz, Das Christusbild, S. 67 ff.; *Werner Elert, Morphologie des Luthertums.* I, 1952, S. 367 ff.; Hirsch I, S. 111 ff.

7. Benz, Das Christusbild, S. 75, 80 f. zu Zinzendorf, zu Johann Arnd: S. 69, zu Gottfried Arnold: S. 75; auch *Erich Beyreuther, Christuszentrismus und Trinitätsauffassung* (bei Zinzendorf), in: derselbe, Studien zur Theologie Zinzendorfs, Gesammelte Aufsätze, 1962, S. 1 ff.

8. Hirsch II, S. 208 ff.; *Fritz Tanner, Die Ehe im Pietismus, 1952, S. 12 ff.; Ernst Benz, Der vollkommene Mensch nach Jakob Boehme,* 1937; *Gottfried Beyreuther, Sexualtheorien im Pietismus,* Med. Diss., München

1963, abgedruckt in: Zweiter Sammelband über Zinzendorf, Reihe 2: N. L. von Zinzendorf, Leben und Werk in Quellen und Darstellungen, hg. v. Erich Beyreuther und Gerhard Meyer, 1975, S. 509 ff.

9. Benz, Das Christusbild, S. 74 ff. (m. Lit.).

10. Tanner S. 8.

11. Benz, Das Christusbild, S. 77.

12. *Bartholomäus Ziegenbalg, Allgemeine Schule der wahren Weisheit*, darinnen ein jeder Mensch aus Gottes Wort und eigener Erfahrung erkennen wird, wie und auf welche Weise man diejenige Weisheit in dieser Welt suchen, finden und erlangen soll, welche uns Menschen sowohl zeitlich als auch ewig beseligen kann, Frankfurt und Leipzig 1710. Dazu: *Erich Beyreuther, Bartholomäus Ziegenbalg. Theologie und Sendungsbewußtsein,* Göttingen 1952 (Mikrofilm); derselbe, *Bartholomäus Ziegenbalg. Aus dem Leben des ersten deutschen Missionars in Indien von 1682 – 1719,* 1953; derselbe, *Ziegenbalg, Bahnbrecher der Weltmission,* 1968[3]; derselbe, *B. Ziegenbalg und der ökumenische und missionarische Aufbruch im Luthertum des 17. Jh.,* in: Lutherisches Missionsjahrbuch 1956, S. 21 ff.; dort auch *W. Gensichen, Fernwirkungen der dänisch-hallischen Mission,* S. 54 ff.

13. *Hans Bietenhard, Das Tausendjährige Reich,* 1955, S. 116 u. ö.

14. *Heinz Renkewitz, Hochmann von Hochenau (1670 – 1721).* Quellenstudien zur Geschichte des Pietismus, 1935, 1969[2], s. u. Anm. 19.

15. *Martin Schmidt, Pietismus,* Urban-Taschenbücher Reihe 60, Bd. 145, S. 123 ff.; *M. Lackner, Geistesfrömmigkeit und Enderwartung.* Studien zum preußisch-schlesischen Spiritualismus, dargestellt an Christian Barthel und Quirinus Kuhlmann, 1959 (m. Lit.).

16. RGG[3], V, 243: E. Hotz, J. W. Petersen.

17. RGG[3], I, 649: M. Schmidt, Asseburg; *F. W. Bautz, Biographisch-bibliographisches Kirchenlexikon,* I, 1975, S. 254 f.

18. Hirsch II, S. 277 ff.; *Karl-Ludwig Voss, Christianus Democritus.* Das Menschenbild bei Joh. Conrad Dippel. Ein Beitrag christlicher Anthropologie zwischen Pietismus und Aufklärung, 1970 (m. Lit.); *Uwe Gerber, Christologische Entwürfe,* Bd. I, 1970, S. 86 ff. (die Christologie bei J. K. Dippel).

19. Hirsch II, S. 411; *Victor Pless, Die Separatisten und Inspirierten im Wittgensteiner Land und Zinzendorfs Tätigkeit unter ihnen im Jahre 1730,* Theol. Diss., Münster 1921, S. 24, 74 u. ö., Anm. 220, zum fünfjährigen Aufenthalt Edelmanns bei den Inspirierten S. 72 ff. (abgek. Pless); *Ludwig Koechlin, Die Separatisten in Freudenberg.* Ein Beitrag zur Geschichte des Pietismus im Siegerland, in: Jb. des Vereins für Westf. KG, 19/50,

1956/57; *Th. Wotschke, Anfang und Mitte und Ende der Herrnhutischen Geschäfte im Wittgensteinischen Herrnhutiana,* in: Monatshefte für Rhein. KG, 24. Jg., 1930, S. 244 ff.; *Max Goebel, Geschichte der wahren Inspirations-Gemeinden von 1688 bis 1850.* Als ein Beitrag zur Geschichte des christlichen Lebens aus bisher unbenutzten Quellen bearbeitet, in: Zeitschrift für historische Theologie, 24. und 25. Bd., N. F., 1854/55, S. 267 ff. u. ö.; auch Heinz Renkewitz, Hochmann von Hochenau (1670 – 1721), in diese Arbeit ist ein großer Teil des reichen Materials von Victor Pless aufgenommen worden, ohne dessen Untersuchung ersetzen zu können.

20. *Albrecht Ritschl, Geschichte des Pietismus,* II, 1884, S. 322 ff.; *M. Goebel, Geschichte des christlichen Lebens in den rheinisch-westphälischen Kirchen,* III, 1859, S. 71 ff.; *Jakob Schmitt, Die Gnade bricht durch.* Aus der Geschichte der Erweckungsbewegung im Siegerland, in Wittgenstein und den angrenzenden Gebieten, 1954^2, S. 84 ff.; Hauptquelle: Pless durch ausgiebige Quellenforschung, dort auch Lit.; *H. W. zur Nieden, Die religiösen Bewegungen im 18. Jahrhundert und die evangelische Kirche in Westphalen und am Niederrhein,* 1910.

21. RGG^3, V, 328 f.; M. Schmidt, Philadelphia; Pless S. 10 ff.; Goebel, III, S. 71 – 125.

22. *Petersen, Anleitung zum gründlichen Verständnis der Offenbarung Jesu Christi, 1696, zit. nach Pless S. 15 ff.*

23. *Pless S. 22 ff.; vgl. Spezialliteratur zur Geschichte Berleburgs bei BB, S. 324 (G. Bauer), S. 325 (das 700jährige Berleburg), S. 332 (W. Harntnack, Berleburg als Druckort), S. 332 (G. Hinsberg, C. W. H. Hochhutz), S. 342 (F. W. Winckel zu Casimir und der Berleburger Bibel).*

24. *Pless S. 24 und Anm. 208 zu Hedwig Sophia von Wittgenstein.*

25. *S. o. S. 46 ff.*

26. *Benz, Thebais, S. 80; zum amerikanischen Einsiedlertum im Pietismus auch derselbe, Kirchengeschichte in ökumenischer Sicht,* 1961, S. 83 ff.; *Paul Wernle, Der schweizerische Protestantismus im 18. Jahrhundert,* 1922, Bd. I, S. 178 ff.: Der radikale Pietismus auf deutsch-schweizerischem Boden; *Friedrich Heiß, Antirationalistische Äußerungen des französischen Geistes im ersten Viertel des 18. Jahrhunderts,* Diss., Wien 1941.

27. Benz, Thebais, S. 81.

28. Zu Castell: Goebel, III, S. 197; Benz, Thebais, S. 87 f.

29. Zu Marsay: RE XII, S. 365 ff.; Goebel, III, S. 193 ff.; Pless S. 23, 82 u. ö.; BB S. 23 u. ö.; die Opposition Hektor von Marsays nach der Trennung von Zinzendorf in der Schweiz: vgl. Paul Wernle, Der schweizerische Protestantismus im 18. Jahrhundert, Bd. I, S. 394 ff.; auch Max Goebel, III, Sa. 219 ff.

30. Benz, Thebais, S. 129 f.; BB S. 113 ff.; 158 ff., 180 ff., 211 ff. u. ö.; Pless S. 80; Hirsch II, S. 299 ff.

31. BB S. 113; *Günter Niggl, Geschichte der deutschen Autobiographie im 18. Jahrhundert.* Theoretische Grundlegung und literarische Entfaltung, 1977 (m. Lit.); dazu auch Besprechung von H.-W. Erbe in Unitas Fratrum. Beiträge aus der Brüdergemeine, 1978/I, S. 122 ff.; *Adalbert Reiche, Der Pietismus und die deutsche Romanliteratur des 18. Jahrhunderts.* Ein Beitrag zur Untersuchung des Verhältnisses von Religion und Kultur, Diss., Marburg 1947 (Marburg 1951).

32. BB S. 21 ff.; Pless S. 20 ff., 80 f., 84 f. u. ö.; Goebel III, S. 71 ff.; Die Gnade bricht durch S. 107 ff.

33. Benz, Thebais, S. 81 ff., 85; Die Gnade bricht durch S. 89 ff., 125 ff.; s. o. Anm. 14.

34. Bautz S. 832; RGG[3], I, 1555 f.: Martin Schmidt: Buttlarsche Rotte; RE III, S. 682 f.; Fritz Tanner S. 84 ff.

35. Tanner S. 87 ff.; Goebel III, S. 448 – 598; zu Gichtel: Tanner S. 19 ff.

36. Aufruf zur Neugründung: Pless S. 77; zu Dippel: Goebel III, S. 166 ff.; Hirsch II, S. 277 ff.; Benz, Thebais, S. 89; zu Edelmann: Hirsch II, S. 411 f.; Pless S. 54 ff.; zu Gruber und Rock: Pless S. 54 ff.; zu Grubers Plan und Ablehnung einer Kirchenzucht: Pless S. 60 ff.; zur Einführung von Liebesmahlen: Pless S. 59 ff.; zur Abwanderung von Gruber jun. und anderen Inspirierten nach Pennsylvanien: Pless S. 66 f.; vgl. Anm. 45 Stoeffler; zu Dippel und Zinzendorf: Erich Beyreuther, Zinzendorf II, S. 271 ff.; Spangenberg, Leben Zinzendorfs, S. 622 ff. (m. Quellennachweisen); auch *Kai Dose, Die Bedeutung der Schrift für Zinzendorfs Denken und Handeln,* Theol. Diss., Bonn 1972, Drucklegung 1977, S. 194 ff.; zu Rock und Zinzendorf: Erich Beyreuther, Zinzendorf II, S. 275 ff., auch Spangenberg S. 631 ff.

37. RGG[3], III, S. 782 f.: Erich Beyreuther, Inspirationsgemeinde; Goebel III, S. 126 ff.; Die Gnade bricht durch, S. 115 u. ö.; Pless S. 89 – 163: Die Herrnhutische Periode; I. Beziehungen zwischen Wittgenstein und Herrnhut vor 1730; II. Ankunft der ersten Herrnhuter, a) Ihre Tätigkeit, b) Der hinterlassene Eindruck; III. Zinzendorfs Aufenthalt im Wittgensteiner Land, a) Der Anlaß der Reise, b) Der Reiseweg, c) Die Ankunft, d) Die Tätigkeit in Berleburg, 1. Der erste Eindruck und die ersten Versammlungen, 2. Zinzendorfs Verhältnis zu bedeutenden Männern Berleburgs (zu Dr. Carl, zu Struensee, zu Seebach, zu Dippel), 3. Die weiteren Versammlungen Zinzendorfs, 4. Die Gemeindegründung, 5. Abschied aus Berleburg, e) Die Tätigkeit in Schwarzenau, 1. Beseitigung der

Schwierigkeiten, 2. Gründung der Gemeine, f) Die Berleburger und Schwarzenauer Statuten im Verhältnis zu den der Herrnhuter und Jenenser, Kritische Würdigung, g) Der Untergang des Zinzendorfschen Werkes, 1. Der erste Sturm, 2. Das Auftreten Dobers und Krügelsteins, 3. Die ablehnende Haltung der Wittgensteiner, h) Der Ausgang des Wittgensteinschen Separatismus; *Erich Beyreuther, Zinzendorf und die Christenheit,* Bd. III der Zinzendorf-Biographie, 1961, S. 124; derselbe, Bd. II, S. 270 – 278; A. G. Spangenberg, Zinzendorfs Leben, S. 621 – 640; Die Gnade bricht durch, S. 119 ff.; Goebel III, S. 126 ff.; über die Anfänge der Herrnhuter in der Wetterau und das Zustandekommen des Büdinger Toleranzedikts von 1712 hat Dr. Hans Schneider, Göttingen, eine grundlegende Arbeit auf Grund ausgedehnter Quellenforschung angekündigt, vgl. Unitas Fratrum, 1.1978, S. 94, Anm. 38; Quellenausgaben und Literatur zu Johann Christian Edelmann vgl. Jahrbuch Pietismus und Neuzeit, 2. Bd., 1975, S. 179.

38. Die Gnade bricht durch, S. 110 ff., 118 ff.; Goebel III, S. 90 f.

39. Pless S. 77 ff.

40. Zu Dr. Carl: Pless S. 76 ff., 80 ff., Anm. 192; Ritschl II, S. 378 ff.; Goebel III, S. 106, 118.

41. Pless S. 153.

41 a. RGG^3, II, S. 87 f: E. H. Pältz: J. H. Haug; BB S. 5 u. ö.

42. BB S. 245 ff.

42 a. Dr. Carl und Dippel: BB S. 25.

43. Pless S. 152 nach Oetingers Selbstbiographie, 1762/63; zu Struensee: Pless Anm. 254 und Anm. 318: Verteidigungsschreiben Struensees gegen Zinzendorf, in: Geheimer Briefwechsel des Herrn Grafen von Zinzendorf mit den Inspirierten, woraus dessen unevangelischer Sinn und Absichten deutlich zu ersehen sind, 1741, S. 350 f.

44. Pless S. 89 ff.; Goebel III, S. 97; zu den Berleburger und Schwarzenauer Statuten Zinzendorfs: Kai Dose, S. 149 ff. und 152 ff.; zu Berleburg auch: Erich Beyreuther, Zinzendorf II, S. 270 ff., Spangenberg, Leben Zinzendorfs, S. 621 ff.

45. Die Gnade bricht durch, S. 118; zum radikalen Pietismus und seiner Festsetzung in Pennsylvanien: *F. Ernest Stoeffler, German Pietism during the Eighteenth Century,* Leiden, E. J. Brill, 1973.

45 a. Die These vom kirchenzerstörenden, mindestens kirchengefährdenden mystischen Spiritualismus erscheint uns als überzogen, aber verständlich angesichts jener auffälligen Konzentration der deutschen Pietismusforschung mehr auf den mystischen Spiritualismus als auf die Tradition des deutschen Luthertums im Pietismus. Dazu M. Schmidt, Der Pie-

tismus, S. 167, wo diese These wieder eingeschränkt wird. Es hat sich gezeigt, daß der Prozeß der Säkularisation in den Kirchgemeinden ebenso schnell eingesetzt hat, wo im 17. und 18. Jahrhundert weder pietistische Stundenleute noch Separatisten nachzuweisen waren. Vgl. dazu die Untersuchung von *M. Brecht, Die Kirchengemeinde Derendingen im 17. und 18. Jahrhundert,* in: derselbe, Kirchenordnung und Kirchenzucht in Württemberg vom 16. bis zum 18. Jahrhundert, 1967, S. 83 ff. Dort: »Für Sekten und Schwärmer war die Gemeinde überhaupt nicht anfällig. 'Es ist keine falsche Lehre in der Gemeinde', konnten die Pfarrer ständig berichten.« Und doch fand auch hier die Abwanderung der Gemeindeglieder aus allen Neben- bzw. Wochengottesdiensten in den einen sonntäglichen Hauptgottesdienst statt. Die Kirchenzucht lockerte sich immer stärker, um schließlich fast völlig kraftlos zu werden. Unbestreitbar hat der radikale Pietismus dort, wo er sich auswirken konnte, als eine Unterströmung neben anderen elementareren Kräften einen Beitrag zur Entkirchlichung geleistet, weil sich auch in ihm eine Zeitstimmung aussprach.

46. *Cornelis Pieter van Andel, Gerhard Tersteegen.* Leben und Werk. Sein Platz in der Kirchengeschichte, 1973, S. 261 f. u. ö.; *R. op ten Höfel, G. Tersteegen in Berleburg,* in: H. J. Wolter, Macht der Liebe, 1969; Pless S. 163.

47. Zum reformierten Pietismus in den Niederlanden vgl. *F. Ernest Stoeffler, The Rise of Evangelical Pietism* (s. o. Anm. 45); dazu auch *Heinrich Heppe, Geschichte des Pietismus und der Mystik in der reformierten Kirche namentlich der Niederlande,* Leiden 1879, und *Albrecht Ritschl, Geschichte des Pietismus,* Bd. I, 1880; *Wilhelm Goeters, Die Vorbereitung des Pietismus in der reformierten Kirche der Niederlande bis zur labadistischen Krisis 1670,* 1911; *E. Mühlhaupt, Rheinische Kirchengeschichte,* 1970, S. 221 ff.; *J. Roessle, Zeugen und Zeugnisse.* Die Väter des rheinisch-westfälischen Pietismus, 1968; van Andel, Tersteegen, S. 224 u. ö.; *Martin Eckardt, Der Einfluß der Madame Guyon auf die norddeutsche Laienwelt im 18. Jahrhundert,* Diss., Köln 1928 (Barmen 1928); zum Pietismus in den Niederlanden vgl. Literaturangaben in: Jahrbuch Pietismus und Neuzeit, 3. Bd., 1977, S. 165 ff.

47a. BB S. 250 f., 264 f.; *N. L. von Zinzendorf: Eines Abermaligen Versuchs zur Übersetzung der Historischen Bücher Neuen Testaments Unsers Herrn Jesu Christi aus dem Original* ... Nachdruck der Ausgabe Büdingen 1744. Mit einer Einführung von Erich Beyreuther, in: Ergänzungsbände zu den Hauptschriften Zinzendorfs, Olms, Hildesheim, Bd. XIII, 1978.

48. Erich Beyreuther, Zinzendorf und die Christenheit, S. 238 ff.

49. *Winfried Zeller, Geschichtsverständnis und Zeitbewußtsein.* Die »geistliche Fama« als pietistische Zeitschrift, in: Jb. 1975 für Pietismus, S. 96 ff. (m. Lit.); Goebel III, S. 107 ff.; Pless S. 95 ff.

50. Pless S. 162 u. Anm. 506; RE XII, S. 368; *Endre Zsindely, Krankheit und Heilung im älteren Pietismus,* 1962, dort zum schwärmerischen Pietismus S. 35 ff. u. ö.

51. Kurzbiographie: Seel. Hn. Gottfried Arnolds Ehemals Professoris Historiarum zu Giessen letztens Pastoris zu Perleberg und desselben Crayses Inspectoris, wie auch Königl. Preußischen Historiographie Gedoppelter Lebens-Lauff Wovon der eine von Ihm selbst projectiret und aufgesetzt worden. Auf vieler eyfriges Verlangen zum Druck befordert, Leipzig und Gadeleben Bey Ernst Heinrich Campen/Buchh. 1716, 20 S.; Bautz S. 239 f.; RGG[3], I, S. 633 f.: Martin Schmidt: Gottfried Arnold; *Fr. Dibelius, G. A.,* 1873; Ritschl II, 1884, S. 305 ff.; *Erich Seeberg, G. A.,* Die Wissenschaft und die Mystik seiner Zeit, 1923; *Hermann Dörries, Geist und Geschichte bei G. A.,* 1963 (umfassendste Untersuchung); *H.-M. Barth, Atheismus und Orthodoxie,* 1971; *Martin Schmidt, G. A.,* in: Pietismus 1972; vgl. Anm. 63 Stählin; *F. W. Kantzenbach, Gottfried Arnolds Weg zur Kirchen- und Ketzerhistorie 1699,* Jb. d. Hess. kirchengesch. Vereinigung, 26/1975, S. 207 ff.; derselbe, *Die Ansbacher Visionärin und Prophetin Anna Vetter,* ZBKG, 45/1976, S. 26 ff.; *William Frh. von Schröder, Studien zu deutschen Mystikern des 17. Jahrhunderts,* I. Gottfried Arnold, 1917.

52. *Unpartheyische Kirchen- und Ketzer-Historie.* Vom Anfang des Neuen Testaments bis auf das Jahr Christi 1688. Mit Königl. Pohlnischen, Churfürstl. Sächsischen und Churfürstl. Brandenburgischen Privilegiis, Frankfurt am Mayn, bey Thomas Fritschen. Vorrede: Giessen, den 1. Mertz 1697, 1. Auflage 1699. Wir verwenden die Ausgabe 1729 (Frankfurt/M.), abgekürzt: KKH; dort Th. II B XVII C XVI, 38 ff. (S. 1085 ff.); dazu Dörries S. 13 ff.; *Erich Beyreuther, Die Gestalt Mohamends in Gottfried Arnolds KKH,* in: Theol. Lit. Ztg 1959, IV, 255 – 264.

52a. *Erich Seeberg S. 65 ff.; Hs. Leube, Die Reformideen in der deutschen luth. Kirche zur Zeit der Orthodoxie,* 1924, S. 4 ff., 24 ff.; *M. Schmidt, Die Interpretation der neuesten Kirchengeschichte,* in: Zschr. für Theol. und Kirche, 1957, S. 180 ff.; *Jürgen Büchsel, G. A.* Sein Verständnis von Kirche und Wiedergeburt, 1970; zu Pierre Bayle: Erich Beyreuther, *Einleitung zu Pierre Bayle, Historisches und kritisches Wörterbuch,* Ausgabe Leipzig 1741 – 1744, Nachdruck Olms, Hildesheim 1974, in Band I. (m. Lit.); *Ingetraut Ludolphy, Gottfried Arnolds Prinzipien kirchengeschichtlicher Arbeit,* in: Theologie in Geschichte und Kunst. Walter

Elliger zum 65. Geburtstag, hg. v. Siegfried Herrmann und Oskar Söhngen, 1968; *Joachim Rogge, Gottfried Arnolds Müntzerverständnis* und *Alfred Schindler, Dogmengeschichte und Dogmenkritik bei G. Arnold und seinen Zeitgenossen,* beides in: Der Pietismus in Gestalten und Wirkungen, AGP Bd. 14, 1975, S. 395 ff., S. 404 ff.; *J. F. G. Goeters, Gottfried Arnolds Anschauung von der Kirchengeschichte in ihrem Werdegang,* in: Traditio – Krisis – Renovatio in theologischer Sicht, hg. v. B. Jaspert und R. Mohr, 1976, S. 241 ff.

53. Dörries S. 84 ff. (Die Schriften der Reifezeit); Büchsel S. 106 ff., 121 ff., 161 ff.

54. Zu den 222 Augustin-Zitaten im 1. Buch der Abbildung (1696) vgl. Dörries S. 149 Anm. 3, auch S. 138 ff. (Rückschau auf Wegscheiden); *Gottfried Arnold, Die geistliche Gestalt Eines Evangelischen Lehrers Nach dem Sinn und Exempel Der Alten Auff vielfältiges Begehren Ans Licht gestellt,* Halle 1704, Einleitung: Geschrieben aufn Schloße Allstedt am 29. Novembr 1703; dort S. 617: »Verzeichniß Derjenigen Schrifften des Auctoris, welche zu weiterer Erbauung / wie auch zur Erklärung der hier vorgetragenen Wahrheiten gebrauchet werden können.« In der Aufzeichnung fehlen u. a. nicht die KKH, Geheimnis der Göttlichen Weisheit (1700), Das Eheliche und unverehlichte Leben (1702), Göttl. Liebesfuncken und Jesus in der Seele (1701) mit dem »Babel-Lied«, Molinos Geistliches Wegweisen (1704), Joh. Angeli Cherubinischer Wandersmann (1701) und Mad. Guion vom Gebet und übrige Schrifften (1700).

55. Conrad Samuel Schurzfleisch S. ADB; Dörries S. 49 ff. (Die Wittenberger Krise).

56. Abbildung = »Die erste Liebe der Gemeinen Jesu Christi, das ist, wahre Abbildung der ersten Christen und ihrem lebendigen Glauben und heiligen Leben, aus den ältesten und bewährtesten Kirchenscribenten eigenen Zeugnisses, Exempeln und Reden, nach der Wahrheit der ersten einigen christlichen Religion, allen Liebhabern der historischen Wahrheit und sonderlich der Antiquität, als in einer nützlichen Kirchenhistorie, treulich und unparteiisch entworfen.« Frankfurt 1696^1, Frankfurt 1700^2, Halle 1712^3, Altona 1722^5, dazwischen als 4. Auflage gezählt: Amsterdam 1700 (Übersetzung); *Irmfried Martin, Der Kampf um Gottfried Arnolds Unpartheyische Kirchen- und Ketzerhistorie vornehmlich auf Grund des 3. Bandes der Schaffhauser Ausgabe von 1740 – 1742,* Theol. Diss., Heidelberg 1973 (Masch.).

56a. RGG^3, I, 1628 f.: Martin Schmidt: William Cave; Büchsel S. 40 ff.; Dörries S. 108 ff.

56b. *E. Berneburg, Untersuchungen zu Gottfried Arnolds Konstantin-*

bild. Zugleich ein Beitrag zu seiner Histographie, Theol. Diss., Göttingen 1966.

57. Zu Fr. Breckling: Bautz S. 736 f.; RGG³, I, 1393 f.: Martin Schmidt: Fr. Breckling; derselbe, Pietismus S. 124 ff.; *Erich Beyreuther, A. H. Francke und die Anfänge der ökumenischen Bewegung,* 1957, S. 51; in KKH II, 3.4., Ausgabe 1729, S. 148 f. (13 – 15), 1103; 1110 –1142 (s. Register); zu Gießen: Dörries S. 55 ff.; *B. Willkomm, G. A. als professor historiae in Gießen,* 1900 (Mitt. d. oberhess. Geschichtsvereins 9, 53 – 73).

58. Zu Gichtel: RGG³, II, 1568: Martin Schmidt: Gichtel; Tanner S. 19 ff.; KKH II, 3.4 (s. Register).

59. »Babels Grab-Lied« zitiert nach: *Erich Seeberg, G. A. in Auswahl,* hg. 1934, S. 276 ff.; vgl. Anm. 63 Stählin S. 89 ff. u. ö.

60. Hirsch III, S. 260 – 274; *W. A. Schulze, Der Verlauf der Missionsgeschichte nach G. A.,* ZKG, Folge II, Bd. 64, H. 3 (zum Toleranzbegriff bei G. A.); vgl. Anm. 52, Erich Beyreuther, Die Gestalt Mohamends.

61. Ernst Benz, Gottfried Arnolds Geheimnis der göttlichen Sophia und seine Stellung in der christlichen Sophienlehre, in: Jb. der Hess. Kirchengeschichtl. Vereinigung 18, Bd. 1967, S. 51 ff.; Büchsel S. 133 ff.; Tanner S. 36 ff.; zum Makarios-Verständnis bei G. Arnold: Benz, Das Christusbild, S. 79 f.; ders., Thebais, S. 11 ff.; Dörries S. 148 ff. (Begegnung mit Makarios); RGG³, IV, 619: H. Dörries: Makarios; Goebel II, S. 719 ff.; Stählin S. 34 ff., s. u. Anm. 63.

62. *Reinhard Breymayer, Die Bibliothek Gottfried Arnolds, des Verfassers der »Unpartheyischen Kirchen- und Ketzer-Historie«,* in: Linguistica Biblica, hg. v. Erhardt Güttgemanns, 39/Dez. 1976, S. 86 – 132, dort S. 99; *Auguste Sann, Bunyan in Deutschland.* Studien zur literarischen Wechselwirkung zwischen England und dem deutschen Pietismus, 1951.

63. *Traugott Stählin, G. Arnolds geistliche Dichtung, Glaube und Mystik,* 1966, S. 115; *H. E. Weber, Reformation, Orthodoxie und Rationalismus,* II, 1951, S. 98.

64. Dörries S. 93 ff.; *M. Schmidt, G. A. – seine Eigenart, seine Bedeutung, seine Beziehung zu Quedlinburg,* in: derselbe, Wiedergeburt und neuer Mensch. Gesammelte Studien zur Geschichte des Pietismus, 1969, S. 331 ff.

65. Zitiert nach Seeberg, Auswahl, S. 248 ff.; vgl. G. A., Die geistl. Gestalt . . ., IX. Cap. § 9 – 21; *M. Schulz, J. H. Sprögel und die pietistische Bewegung Quedlinburgs,* Ev. Theol. Diss., Halle 1974 (Masch.).

66. Tanner S. 44 ff.; Dörries S. 142 ff.; M. Goebel, II, S. 698 – 735.

67. Zur angeblichen politischen Ahnungslosigkeit Gottfried Arnolds

vgl. Dörries, dort S. 106; *Fr. W. Kantzenbach, Theologisch-soziologische Motive im Widerstand gegen Gottfried Arnold,* in: Jb. d. Hess. Kirchengeschichtlichen Vereinigung, 24. Bd., S. 33 – 51.

68. Arnolds Schriften in biographischer Ordnung bei Dörries, Anhang VI; Seeberg S. 56 ff.; zur Bekenntnisverpflichtung: Geistliche Gestalt, II. Cap. § 25 ff.; *Ernst Walter Zeeden, Martin Luther und die Reformation im Urteil des deutschen Luthertums,* 1950/52, Bd. I, S. 171 ff., Bd. II Dokumente, S. 227 ff.

69. *R. von Thadden, Wahrheit und institutionelle Wirklichkeit in der Geschichte,* in: Kerygma und Dogma, Heft 2/1977; Geistliche Gestalt XIII, § 16 ff., Von Nothwendigkeit äusserlicher Dinge, Zuläßige gute Ordnungen, Kirchen-Regierung, Lutheri Sinn dabey; Dörries S. 124 ff.

70. Zur Rechtfertigung der späteren Wendungen seines Lebens mit dem »souveränen Regiment des Höchsten« vgl. »Die Abwege oder Irrungen und Versuchungen gutwilliger und frommer Menschen, aus Bestimmung des gottseligen Altertums angemerket« mit einem Anhang: »Nochmalige Erinnerungen wegen einiger Punkte in der Kirchen-Historie« (Vorrede 1. Dez. 1707), Frankfurt 1708, dort II, 11, 42, zitiert nach Dörries S. 121 f.; vgl. oben Anm. 53.

71. S. o. Anm. 68; *Martin Schmidt, Das pietistische Pfarrerideal und seine altkirchlichen Wurzeln,* in: Bleibendes im Wandel der Kirchengeschichte, Kirchenhistorische Studien, hg. v. Bernd Moeller und Gerhard Ruhbach, 1973, S. 211 ff.; *Rudolf Mohr, Die Krise des Amtsverständnisses im Spiritualismus und Pietismus,* in: Traditio – Krisis – Renovatio, hg. v. Bernd Jaspert und Rudolf Mohr, Festschrift Winfried Zeller zum 65. Geburtstag, 1976, S. 161 ff.; *W. A. Schulze, Die Pädagogik Gottfried Arnolds,* in: Ev. Theologie, 1954, S. 131 ff. (zu einer pädagogischen Rede Arnolds 1709 für die »Introduktion etlicher neuer Schul-Bedienten zu Perleburg in der Kirche S. Jakobi daselbst bey der Gegenwart der gantzen Gemeine«).

Kapitel VII: Die vierte pietistische Generation und die Anfänge der Erweckung

1. RGG³, II, 1016: Erich Beyreuther: Gottlieb August Francke.

2. *Carl Hinrichs, Preußentum und Pietismus.* Der Pietismus in Brandenburg-Preußen als religiös-soziale Reformbewegung, 1971, S. 387 ff.

3. S. o. S. 441 f.

4. S. o.

5. *Erich Beyreuther, Halle und die Herrnhuter in den Rezensionen der Göttingischen Zeitungen von gelehrten Sachen auf dem Hintergrund niedersächsischer Religionspolitik zwischen 1739 und 1760,* in: Jb. der Gesellschaft für niedersächsische Kirchengeschichte, 73. Bd., 1975, S. 83 ff., 109 ff.; *Paul Grünberg, Philipp Jakob Spener,* Bd. I, 1893, S. 423 ff. u. ö.; Nikolaus Ludwig von Zinzendorf, Materialien und Dokumente, Reihe 2: *Erich Beyreuther, Antizinzendorfiana aus der Anfangszeit 1729 – 1735,* Bd. XIV: Weltweite Opposition gegen Zinzendorf S. 8 ff., Reprint 1976; *Hans Schneider, »Die rechte Gestalt der Wölffe in der Kirche«,* in: Unitas Fratrum, Beiträge aus der Brüdergemeine, Heft 1/1978, S. 74 ff.

6. *Erich Beyreuther, N. L. von Zinzendorf in Selbstzeugnissen und Bilddokumenten,* Neuausgabe 1975, S. 149 ff.; derselbe, *Die Bedeutung Pierre Bayles für Lessing und dessen Fragment über die Herrnhuter,* in: Der Pietismus in Gestalten und Wirkungen, hg. v. H. Bornkamm u. a., 1975, S. 84 ff.

7. *Heinrich Steitz, Geschichte der Evangelischen Kirche in Hessen-Nassau,* 1962, II. T., S. 245 ff.

8. S. o.; auch *H. Steinecke, Die Diaspora der Brüdergemeine in Deutschland, I–III, 1905–1911; dazu auch Ludwig Koechlin, Minden-Ravensberg und die Herrnhuter Brüdergemeine,* in: Jb. des Vereins für Westf. Kirchengeschichte 53/54, 1960/61, S. 94 ff., 1962/63, S. 69 ff.; zur Brüdergemeine am Ausgang des 18. Jahrhunderts in der Schweiz vgl. *Paul Wernle, Der schweizerische Protestantismus im 18. Jahrhundert,* Bd. III, 1925, S. 62 ff.; ferner Literaturangaben im Jahrbuch Pietismus und Neuzeit, Bd. III, 1976, S. 170 ff. (157 – 205).

9. *Hans-Walter Erbe, Zur Musik in der Brüdergemeine,* in: Unitas Fratrum, Beiträge aus der Brüdergemeine, 2/1977, S. 46 ff. (m. Lit.); *Hans-Windekilde Jannasch, Herrnhuter Miniaturen,* 1976, S. 174 f.; *Gerhard Reichel, A. G. Spangenberg,* 1906, Nachdruck 1975 in: N. L. von Zinzendorf, Materialien und Dokumente, Reihe 2, Bd. XIII; *Gun-*

tram Philipp, Die Wirksamkeit der Herrnhuter Brüdergemeine unter den Esten und Letten zur Zeit der Bauernbefreiung, 1974, S. 171 ff. u. ö.

10. Zu Friedrich Engels: *Erich Beyreuther, Erweckungsbewegung,* 1977², S. 48 (R 48 i); zur Opposition in Württemberg nach 1750: *H. Lehmann, Pietismus und weltliche Ordnung in Württemberg vom 17. bis mit 20. Jahrhundert,* 1969, S. 97 ff.; *Friedrich Gerlich, Der Kommunismus und die Lehre vom tausendjährigen Reiche,* 1920; zu Pietismus und Aufklärung in Württemberg vgl. *Dieter Narr, Berührung von Aufklärung und Pietismus im Württemberg des 18. Jahrhunderts,* in: BWKG 66/67, S. 264 ff.; *Karl Reichle, Alte Wahrheiten in einem neuen Kleide.* Zum Verhältnis von Schriftwahrheit und Rationalismus bei Philipp Matthäus Hahn, 1966/67, S. 154 ff.; *August Bößenecker, Pietismus und Aufklärung.* Ihre Begegnung im deutschen Geistesleben des 17. und 18. Jahrhunderts, Phil. Diss., Würzburg 1958 (Masch.); auch *M. Brecht, Vom Pietismus zur Erweckungsbewegung.* Aus dem Briefwechsel von J. A. Daun, BWKG 68/69, 1969 S. 34 ff.; Lehmann S. 135.

10 a. *Hermann Ehmer, Harmonie und Ökonomie.* Georg Rapp und die Harmoniegesellschaft in Württemberg und Amerika. Beiträge zur Landeskunde. Regelmäßige Beilage zum Staatsanzeiger für Baden-Württemberg, 2. April 1976, 11 – 15; *Karl J. R. Arndt, George Rapp's Harmony Society 1785 – 1847,* Fairleigh, Dickinson University Press, 1976; *Karl Knortz, Die christlich-kommunistische Kolonie der Rappisten in Pennsylvanien,* 1892; *Joachim Trautwein, Die Theosophie Michael Hahns und ihre Quellen,* 1969 (m. Lit.); *Gotthold Müller, Christian Gottlob Pregizer,* 1962 (m. Lit.); Lehmann S. 135 ff. (die Krise des bürgerlichen und das Erwachen des volkstümlichen Pietismus 1781 – 1819, 1. Tradition und neue Lehrer, 2. Zeichen der Zeit, 3. Auf der Suche nach einem Zufluchtsort); Hermelink S. 345 ff. (Auswanderungswellen nach Amerika und in den Osten); zu Roos und Burk: Hermelink und Erich Beyreuther, Die Erweckungsbewegung; *Erich Beyreuther, Der »Biblische Realismus« in der schwäbisch-schweizerischen Reich-Gottes-Arbeit um 1800,* in: Otto Michel u. Ulrich Mann (Hg.), Die Leibhaftigkeit d. Wortes, 1958, S. 121.

11. S. o. Anm. 1.

12. *Kurt Aland, Ecclesia Plantanda.* Die ersten brieflichen Dokumente zur Wirksamkeit H. M. Mühlenbergs in den Vereinigten Staaten (m. Lit.), in: Der Pietismus in Gestalten und Wirkungen, S. 9 ff.; Erich Beyreuther, Erweckungsbewegung, S. 9 ff. (m. Lit.); *Hermann Wellenreuther, Glaube und Politik in Pennsylvanien 1681 – 1776,* 1975; Erich Beyreuther, Zinzendorf III, S. 307 ff.; derselbe, A. H. Francke und Ökumene, S. 195 ff., 234 ff.; Lehmann S. 125.

13. *W. Germann, Missionar Christian Friedrich Schwarzt.* Sein Leben und Wirken aus Briefen des Halleschen Missionsarchivs, 1870; derselbe, *Johann Philipp Fabricius.* Seine fünfzigjährige Wirksamkeit im Tamulenland und das Missionsleben des 18. Jahrhunderts daheim und draußen nach handschriftlichen Quellen geschildert, 1868; RGG[3], II, 856 und V, 1589: A. Lehmann: Chr. Fr. Schwartz und J. Ph. Fabricius; derselbe, *Es begann in Trankebar,* 1955 (s. Register).

14. S. o. Germann, Schwartz, S. 338 ff., 283 (Rezensionen in der Allgemeinen Bibliotheque von 1777); *Paul Fleisch, Hundert Jahre Lutherische Mission,* 1936, S. 27 ff.; *Julius Richter, Indische Missionsgeschichte, 1924, II.; RGG*[3], III, 710: H.–W. Gensichen: Indische Missionsgeschichte und Kirchengeschichte.

15. S. o. Anm. 2. S. 436.

16. S. o. S. 430 ff.

17. RGG[3], VI, 1194: Erich Beyreuther: Samuel Urlsperger (m. Lit.).

18. *Erich Beyreuther, August Hermann Francke und die Anfänge der ökumenischen Bewegung,* 1957, S. 272 ff.; *Ernst Staehelin, Die deutsche Christentumsgesellschaft in der Zeit der Aufklärung und der beginnenden Erweckung,* 1970; *M. Schmidt, Der ökumenische Sinn des deutschen Pietismus und seine Auswirkungen in der Bibelverbreitung,* in: derselbe, Wiedergeburt und neuer Mensch, 1969, S. 342 ff.

19. S. o. Francke und die Anfänge S. 263 ff., 271 ff.

20. S. o. S. 274.

21. S. o. Anm. 2, S. 301 ff.; *Martin Schmidt, Pietismus,* 1972, S. 144 f.; *Carl Hinrichs, Der Hallische Pietismus als politisch-soziale Reformbewegung des 18. Jahrhunderts,* in: Jb. für die Geschichte Mittel- und Ostdeutschlands, Bd. II, 1953, S. 177 ff.

22. Erich Beyreuther, Erweckungsbewegung, S. 48, Anm. 25.

23. *Horst Schlechte, Pietismus und Staatsreform 1762/63 in Kursachsen,* in: Archivar und Historiker. Studien zur Archiv- und Geschichtswissenschaft. Zum 65. Geburtstag von Heinrich Otto Meisner, Berlin 1956, S. 364 ff.; derselbe, *Die Staatsreform in Kursachsen 1762 – 1763.* Quellen zum kursächsischen Rétablissement nach dem Siebenjährigen Kriege, Berlin 1958, S. 46 ff. u. ö.; *Rudolf Kötzschke, Hellmut Kretzschmar, Sächsische Geschichte,* 1965, S. 286 f.

24. S. o. Pietismus und Staatsreform S. 380 f.; Erich Beyreuther, Erweckungsbewegung, S. 36 (m. Lit.).

25. Wenn »Kunst die gestaltende Tätigkeit des schöpferischen Menschengeistes in Baukunst, Bildhauerei, Malerei, Dichtkunst, Musik, Tanz« wie Schauspielkunst darstellt, wo sich jedes zur Meisterschaft ent-

wickelt, so fehlt das im Pietismus nicht. Dabei ist zu beachten, daß nicht in allen Künsten im Pietismus Leistungen vorliegen und manche wie die Schauspielkunst und der Kunsttanz fast durchgängig der Ablehnung verfallen. Andererseits sind in der Architektur, in der Landschaftsgestaltung – die Anlage der Gottesäcker im Herrnhutertum eingeschlossen –, in der Musik wie in der Dichtkunst, in der Entfaltung eines beweglicheren Sprachstils und pietistischer Redekunst Leistungen erbracht worden, die Anerkennung fanden und über die eigene Zeit hinaus wirksam blieben. In der angewandten Kunst, im Kunsthandwerk, haben Handwerker innerhalb der Brüdergemeine Beachtliches geleistet. Man denke an die Röntgenmöbel von Neuwied. Gewiß fügte sich das Kunstschaffen der Geschmacksrichtung der eigenen Zeit ein. Revolutionäres fehlt, denn auch die Kunst stand in einer dienenden Funktion, um die übergeordneten Anliegen des Pietismus mit zur Geltung zu bringen.

Auf der anderen Seite ist im Pietismus nicht zu übersehen, daß neben einem unbefangenen Verhältnis zur Natur, zur Poesie, zur Musik, ja zum ganzen Kunstschaffen Aspekte der Weltabkehr, eine Fülle negativer und moralisierender Stimmen zum ganzen Kunstbetrieb zu finden sind. So steht auf der einen Seite wie z. B. im Herrnhutertum die Kunst im Bunde mit dem eigenen Frömmigkeitsstil. Auf der anderen Seite wird die Kunst auch mißtrauisch durchleuchtet. Doch von einer allgemeinen und durchgängigen Verschmähung der Kunst kann schwerlich gesprochen werden. Vieles Unausgewogene findet man auch in Ersatzhandlungen. Z. B. kann die Biographie bei einer spröden Ablehnung des Porträts des Wiedergeborenen als Bildnisersatz auftreten. Die Flut an Biographien und Autobiographien im Pietismus scheint in diese Richtung zu weisen. Andererseits wird das Porträt als Andachtsbild oder Vorbild im Herrnhutertum durchaus nicht verschmäht. Das Archiv der Brüdergemeine in Herrnhut weist eine beachtliche Sammlung von Porträts bekannter Herrnhuter Brüder und Schwestern auf. Auch die pietistische Beredsamkeit als Kunst ist nicht zu übersehen. Vgl. zum letztern *Reinhard Breymayer, Die Erbauungsstunde als Forum pietistischer Rhetorik,* in: Helmut Schanze (Hg.) Rhetorik. Beiträge zu ihrer Geschichte in Deutschland vom 16. bis 20 Jahrhundert, 1974, S. 87. Zum Gesamtthema ferner *John D. Lindberg, Der Pietismus und die deutsche Barockoper:* Zusammenprall zweier Welten, in: Gerhard Hoffmeister (Hg.), Europäische Tradition und deutscher Literaturbarock, 1973, S. 251 ff. Daß auch grundsätzliche theoretische Untersuchungen zur Kunst nicht fehlen, vgl. *Reinhard Breymayer, Zu Friedrich Christoph Oetingers emblematischer Kunst.* Oetingers wiedergefundene Schrift »Die Eulerische und Frickerische Philosophie über die

Musik«. Mit einem Ausblick auf Friedrich Hölderlin, in: BWKG, 76. Jg. 1976, S. 130 ff. In diesem Zusammenhang ist auch Peter Mortimer (1750 – 1828), ein Herrnhuter, nicht zu übersehen. Er hat mit seiner Untersuchung »Der Choralgesang zur Zeit der Reformation« oder Versuch, die Frage zu beantworten: Woher kommt es, daß in den Choral-Melodien der Alten etwas ist, was heutzutage nicht mehr erreicht wird?, Berlin 1821, sich bahnbrechend als einer der geistigen Wegbereiter der Erneuerung des evangelischen Kirchengesangs bewiesen. Vgl. Konrad Ameln in: Friedrich Blume (Hg.), Die Musik in Geschichte und Gegenwart. Allgemeine Enzyklopädie der Musik, 9. Bd., Sp. 612 ff. Die Arbeit von Mortimer liegt in einem Reprint, Olms, Hildesheim 1978, erneut vor.
Wir verweisen noch auf folgende Spezialliteratur dazu:
Im Herrnhutertum: Vgl. auch Anm. 1 und 35 zu Kap. IV; *Anneliese Klappenbach, Die Architektur in der Herrnhuter Brüder-Kolonie Herrnhaag in Kreis Büdingen – Wesen und Werden,* Geschichtsverein Büdingen, 1956, S. 299 ff.; *Herrnhut,* Ursprung und Auftrag, hg. v. der Ev. Brüder-Unität Distrikt Herrnhut, 1972 (Bildband); *Hans Merian, Einführung in die Baugeschichte der Ev. Brüdergemeinen ausgehend vom Modell der Gemeine Herrnhaag,* in: Unitas Fratrum; *Herrnhuter Studien,* hg v. Mari P. Buijtenen u. a., Utrecht 1975, S. 465 ff.; *Erich Beyreuther, Zinzendorf und die Christenheit, S. 225 ff. u. ö.; Sybille Reventlow und Susanne Summerville, Die Christiansfelder Musikkataloge* – Neue Forschungsthemen in Dänemark, in: Unitas Fratrum, Beiträge aus der Brüdergemeine, 1/1978, S. 119 ff.; daselbst Miszellen S. 118: *Hans-Walter Erbe, Alte Musikalien in Herrnhuter Archiven.* Die Notensammlungen der herrnhutischen Collegia musica z. B. in Bethlehem/Pennsylvanien beweisen, daß regelmäßige konzertante Aufführungen stattfanden. Bei ihnen standen »ganz im Vordergrund Joseph Haydn (1732 – 1809) mit 23 Werken. Weiterhin treten hervor: Carl Friedr. Abel (1723 – 1787: 10 Werke), Joh. Chr. Fr. Bach (1732 – 1795: 6), . . . Georg Fr. Händel (1685 – 1759: 3), . . . W. A. Mozart (1756 – 1791: 5)«. *Walter Blankenburg, Die Musik der Brüdergemeine in Europa,* in: Unitas Fratrum, Utrecht 1975, S. 351 ff.; zu den »Röntgenmöbeln« vgl. *Hans Huth, Abraham und David Röntgen und ihre Neuwieder Möbelwerkstatt,* 1974, 116 Seiten mit 288 Abbildungen auf 114 Kunstdrucktafeln und 3 Farbtiteln im Text. Die Röntgen waren Herrnhuter. In Herrnhaag gründete Abraham Röntgen seine Möbelwerkstatt, die zu Weltruhm gelangte. Viele Schlösser der Umgebung, auch das Elternhaus Goethes in Frankfurt, wurden von hier aus mit Möbeln beliefert. Abrahams Sohn David wurde 1743 in Herrnhaag geboren; er wurde der bedeutendste deutsche Kunsttischler seines Jahrhunderts.

Die Werkstatt wurde nach Auflassung von Herrnhaag nach dem Gemeineort in Neuwied am Rhein verlegt. In Herrnhaag befand sich auch das Atelier des Kunstmalers Johann Valentin Haidt, der in der Gemeine zugleich als Prediger und Gemeinrichter diente. Er kam aus einer weitverzweigten bekannten Augsburger Künstlerfamilie. Sein Vater, erst Goldschmied in Danzig, wurde später Lehrer an der Berliner Akademie. J. V. Haidts Arbeiten, Andachtsbilder (das sogenannte Erstlingsbild u. a.) und Porträts, standen ganz im Dienst der Gemeine. Als begabter Miniaturenmaler wirkte dort auch Paul Adam Schoepfel. Im Seminar der Brüdergemeine, einer akademischen Lehrstätte, wurde u. a. neben angewandter Mathematik auch Baukunst und Zeichnen gelehrt (Hans Merian).
Zum Halleschen Pietismus: *Bernd Baselt, Zur Stellung der Musik im Schulsystem A. H. Franckes,* in: A. H. Francke. Das humanistische Erbe des großen Erziehers, o. J. (1963), S. 80 ff. (abgek. Erbe); *Kurt Marholz, Die Stiftungen als Abbild alter Bauzeichnungen,* in: Erbe S. 109 ff.; die Konzerte des Collegium Musicum im Pädagogium regium waren Ereignisse innerhalb der Schüler- und Studentenstadt!
Zum württembergischen Pietismus: Hier ist auf die »nicht unwichtigen Ausstrahlungen des schwäbischen Pietismus« auf die kirchliche Malerei und Kleinkunst im eigenen Lande hinzuweisen. Vgl. dazu *Reinhard Lieske, Protestantische Frömmigkeit im Spiegel der kirchlichen Kunst des Herzogtums Württemberg,* 1973, sowie *Martin Scharfe, Evangelische Andachtsbilder.* Studien zu Intention und Funktion des Bildes in der Frömmigkeitsgeschichte vornehmlich des schwäbischen Raumes, 1968. Damit sind die Äußerungen bei Lehmann S. 128 und Martin Schmidt, Der Pietismus, S. 166 wesentlich eingeschränkt. Auch hier beweist sich, wie vielfältig sich der Pietismus aufgefächert hat und daß Gesamturteile diese Vielschichtigkeit nicht übersehen dürfen.

26. Zur Gesamtwürdigung des Pietismus und seiner Fortsetzung in der Erweckungsbewegung vgl. die einzelnen Beiträge in *Kurt Aland (Hg.), Pietismus und moderne Welt,* 1974; *Martin Schmidt, Pietismus,* 1972 (Urban-Taschenbücher Reihe 80 Nr. 145), S. 143 ff.: Das Wiederaufleben des Pietismus in der Erweckungsbewegung, seine Folgeerscheinungen im 19. und 20. Jahrhundert, und S. 160 ff.: Der Pietismus als Gesamterscheinung: Ertrag, Größe und Grenze; *Erich Beyreuther, Die Erwekkungsbewegung,* in: Die Kirche in ihrer Geschichte, Bd. 4, Lieferung R (1963), 1977 zweite ergänzte Ausgabe; derselbe, *Der geschichtliche Auftrag des Pietismus in der Gegenwart.* Drei Fragen an Pietismus und Kirche, 1963 (Calwer Hefte 66); *Hans-Joachim Kraus, Die Biblische Theologie.* Ihre Geschichte und Problematik, 1970 (grundlegend).

Personenregister

Ortsregister

Sachregister